LES ANONYMES

R. J. Ellory est né en 1965 en Angleterre. Après avoir connu l'orphe-linat et la prison, il devient guitariste dans un groupe de Rythm n' Blues, avant de se tourner vers la photographie. Après les succès de *Seul le silence* et de *Vendetta*, *Les Anonymes* est son troisième roman publié en France. Son prochain thriller, *Les Anges de New York,* paraît en mars 2012 chez Sonatine.

Paru dans Le Livre de Poche :

SEUL LE SILENCE

VENDETTA

R. J. ELLORY

Les Anonymes

TRADUIT DE L'ANGLAIS PAR CLÉMENT BAUDE

ÉDITIONS SONATINE

Titre original :

A SIMPLE ACT OF VIOLENCE
Publié par Orion, Londres.

À ma femme, Vicky, et à mon fils, Ryan,
qui supportent mes manies et comprennent
que je les aime sans limites.

L'assassinat n'a jamais changé l'his-
toire du monde.

Benjamin Disraeli.

Prologue

Elle est debout dans la cuisine. Elle retient un instant son souffle.

Dix-sept heures passées de quelques minutes. Il fait déjà nuit dehors, et, bien qu'elle se rappelle être restée à cet endroit précis des milliers de fois – devant elle l'évier, à sa droite le plan de travail, à sa gauche la porte du couloir –, quelque chose a changé.

De façon extraordinaire.

L'air est toujours le même, mais semble plus difficile à respirer. La lumière au-dessus est la même, mais curieusement crue et violente. Même sa peau, ce qu'elle n'avait jamais remarqué, lui paraît plus ferme. Ses cheveux la démangent car elle commence à transpirer, elle sent le poids de ses vêtements, la lourdeur de ses bras, la pression des bagues sur ses doigts, de sa montre contre son poignet ; elle sent ses sous-vêtements, ses chaussures, son collier, son chemisier.

Ça y est, se dit-elle.

Je m'appelle Catherine. J'ai 49 ans, et ça y est.

Merde.

Elle bouge vers la droite, tend la main et touche la surface froide de l'évier. Elle s'agrippe au rebord et, en usant comme d'un levier, se retourne lentement vers la porte.

Elle se demande s'il est déjà dans la maison.

Elle se demande si elle ferait mieux de rester immobile et d'attendre, ou au contraire de bouger.

Elle se demande ce qu'il veut d'elle.

Elle met du temps à prendre une décision, mais, une fois qu'elle l'a prise, elle s'y tient.

Elle traverse la cuisine jusqu'au salon – déterminée, concentrée. Elle sort un DVD de l'étagère contre le mur et, avec la télécommande, ouvre le lecteur, pose le disque, referme le lecteur, appuie sur des boutons et attend que le son arrive… Puis l'image apparaît. Elle hésite.

Une musique.

Elle monte le volume.

Musique composée par Dimitri Tiomkin.

La vie est belle.

Elle se rappelle la première fois qu'elle a vu ce film. Elle se rappelle toutes les fois qu'elle l'a vu. Des passages entiers qu'elle connaît par cœur, mot pour mot. Comme si elle bachotait pour un examen. Elle se rappelle les gens avec qui elle était, ce qu'ils disaient, ceux qui pleuraient, ceux qui ne pleuraient pas. Dans un moment comme celui-là, c'est à ça qu'elle pense. Elle aurait cru qu'elle penserait à l'essentiel.

Bon sang! mais c'est peut-être *ça*, l'essentiel.

Dans sa poitrine, son cœur est énorme. Gros comme un poing? Apparemment pas. Pas dans son cas. Son cœur est gros comme deux poings réunis, ou comme un ballon de football. Gros comme…

Quoi? se dit-elle.

Gros comme quoi, au juste?

Elle regarde l'écran de la télévision. Elle entend sonner le glas, puis la joyeuse mélodie des cordes. La pancarte qui indique : BIENVENUE À BEDFORD FALLS. Une rue de carte postale, la neige qui tombe…

C'est alors que l'émotion s'empare de Catherine Sheridan. Ça n'est pas de la peur, car cela fait longtemps qu'elle n'a plus peur. Ce n'est rien de définissable dans l'immédiat – quelque chose comme le sentiment d'une absence, peut-être une nostalgie ; quelque chose comme de la colère et du ressentiment, ou de l'amertume à voir que les choses finissent ainsi.

« Je dois tout à George Bailey, dit la voix à l'écran. Aidez-le, Seigneur. Joseph, Jésus, Marie… Aidez mon ami M. Bailey… »

Une voix de femme : « Aidez mon fils George ce soir. »

La caméra s'élève en un panoramique, vers le ciel, loin de la maison, dans l'espace.

C'est tout et rien à la fois. Catherine Sheridan voit sa vie comme le soufflet d'un accordéon, ratatinée puis déployée jusqu'à ce que chaque instant, chaque fragment puisse être clairement identifié.

Elle ferme les yeux, les rouvre, voit des enfants glisser sur des pelles, la scène où George sauve Harry des eaux gelées. Et c'est comme ça que George a attrapé son virus à l'oreille, et c'est comme ça qu'il a perdu l'ouïe…

C'est à cet instant précis que Catherine entend un bruit. Elle songe à se retourner, mais n'ose pas. Un soudain déferlement au fond de ses tripes. Elle *veut* se retourner. Elle veut désespérément se retourner et le regarder bien en face, mais elle sait que si elle le fait, elle va s'effondrer, hurler, pleurer et supplier pour que ça se passe autrement. Or il est trop tard maintenant, trop tard pour revenir en arrière… Trop tard, après tout ce qui est arrivé, tout ce qu'ils ont fait, tout ce qu'ils ont appris et tout ce que cela signifiait…

Et Catherine pense : *Mais qu'est-ce qu'on croyait, bordel ? Pour qui on se prenait ? Qui nous a donné le droit de faire ce qu'on a fait ?*

Elle se dit : *On s'est arrogé ce droit. On s'est arrogé un droit que seul Dieu aurait dû nous donner. Et où était-Il ? Où était Dieu pendant que tous ces gens mouraient, hein ?*

Et maintenant je dois mourir.

Mourir comme ça.

Mourir là, dans ma propre maison.

« Qui sème le vent récolte la tempête. »

Voilà ce que Robey aurait dit : « Qui sème le vent récolte la tempête, Catherine. »

Et elle aurait souri : « Tu as toujours été un vrai bouddhiste à la noix. Avec le boulot que tu fais et les choses que tu as vues, tu crois que tu peux me sortir une phrase toute faite pour te dédouaner ? Va te faire foutre, John Robey… Est-ce que tu t'entends parler, de temps en temps ? »

Et il aurait répondu : « Non.. Non, je ne m'entends jamais parler, Catherine. Je n'ose pas. »

Et elle aurait compris exactement ce qu'il voulait dire.

Au bout d'un certain temps, on n'ose plus affronter ce qu'on a fait. On ferme les yeux, on serre les dents et les poings en faisant semblant que tout ira bien.

Voilà ce qu'on fait.

Jusqu'à un moment comme celui-là.

On est debout dans son propre salon, James Stewart passe à la télévision, et on sait qu'*il* est juste derrière vous. On a une vague idée de ce qu'il va faire parce qu'on l'a lu dans les journaux…

Catherine regarde l'écran.

George à la banque.

« Vire de cap, capitaine… où vas-tu ?

— Je dois voir papa, oncle Billy.

— Ça attendra, George.

— C'est important.

— Il y a une risée là-bas, on va bientôt avoir une tempête. »

14

Et Catherine le *sent* derrière elle, juste derrière elle… Elle pourrait passer la main dans son dos et le toucher. Elle peut imaginer ce qui lui traverse l'esprit et le cœur, l'émotion presque écrasante qui va le submerger. Ou peut-être pas. *Peut-être qu'il est plus fort que moi. Beaucoup plus fort que je ne le pensais.* Et puis elle entend le petit accroc dans sa gorge quand il inspire. Elle l'entend et elle sait – elle *sait*, tout simplement – qu'il ressent la même chose qu'elle.

Elle ferme les yeux.

« Il a une bonne tête, dit la voix à la télé. J'aime bien. Il me plaît bien, ce George Bailey. Dis-moi… Il a déjà parlé à quelqu'un des gélules ?

— Jamais.

— S'est-il marié ? Est-il explorateur ?

— Attends de voir la suite… »

Catherine Sheridan ferme les yeux, serre les dents et les poings, se demande si elle doit se battre. Si cela a un sens d'essayer de se battre. Si quoi que ce soit aura désormais un sens.

Mon Dieu, j'espère qu'on ne se trompe pas ! pense-t-elle. *J'espère que tout…*

Elle sent la main sur son épaule. Elle est raide maintenant, chaque muscle, chaque nerf, chaque tendon, chaque atome de son être, tendus comme des câbles.

Elle se laisse vaguement porter vers lui à mesure qu'elle sent ses mains lui enserrer la nuque. Elle sent la puissance de son étreinte, elle sait qu'il a besoin de rassembler toute sa volonté, toute sa discipline, pour faire ça. Elle sait qu'il en souffrira plus – beaucoup, beaucoup plus – qu'elle.

Catherine tente de se retourner un peu, mais, ce faisant, elle sait qu'elle accélère le processus. C'est peut-être *pour ça* qu'elle se retourne. Elle sent la pression de ses doigts, qui se déplace quand lui se déplace vers la droite, quand il maintient son étreinte sur sa gorge même lorsqu'il s'écarte sur le côté, change de tempo, appuie plus fort, se détend, se sert de son avant-bras pour incliner la tête de Catherine à gauche… Elle a les yeux qui piquent, et des larmes emplissent ses paupières inférieures, mais elle ne pleure même pas. C'est une sorte de réflexe involontaire et, dans sa poitrine, la tension monte quand ses poumons commencent à sentir l'absence d'oxygène… Elle a le tournis. Au moment où ses paupières vacillent, elle aperçoit des fusées aux couleurs insaisissables…

Un bruit surgit du centre de sa poitrine. Un bruit fracassant, brut de décoffrage. Qui remonte des tréfonds de son thorax pour s'arrêter net dans la partie inférieure de sa gorge.

Oh! mon Dieu, se dit-elle. *Oh! mon Dieu… Oh! mon Dieu… Oh! mon Dieu…*

Elle sent tout le poids de son propre corps au moment où il se met à tomber, elle sent combien l'homme s'efforce de la maintenir debout, et elle a beau savoir que ce sera bientôt terminé, quelque chose en elle – quelque chose de génétique, de basique, un instinct chevillé au plus près de son âme – lutte encore pour la survie, même si elle sait que désormais ça ne sert plus à rien…

Elle sent maintenant ses yeux injectés de sang, ses yeux qui ne voient rien d'autre que du rouge. D'immenses bandes de rose! de bourgogne, de rouge écarlate, de bordeaux.

Oh! mon Dieu…

Elle sent toute la lourdeur de sa tête au moment où elle tombe en avant.

Elle sait que même si l'homme cessait sur-le-champ, même s'il desserrait son étreinte et la lâchait, même si les ambulanciers arrivaient, l'attachaient sur une civière, lui collaient un masque sur le visage et lui criaient : « Respirez, nom de Dieu ! Respirez, madame !... », même si cet oxygène était pur, même si l'ambulance fonçait jusqu'à l'hôpital de Columbia ou au centre médical de l'université... Même avec ça, elle ne pourrait jamais survivre.

Pour ses derniers instants, elle tente péniblement d'ouvrir les yeux. Elle voit alors le visage de George Bailey s'éclairer devant la danse, et Mary qui regarde George : c'est un de ces moments de coup de foudre, de paralysie complète, qui n'arrivent qu'aux meilleurs d'entre nous, et qu'une seule fois dans la vie. Et si vous ne cédez pas à ce moment, à cette magie instantanée qui envahit votre cœur, votre tête, le moindre centimètre carré de votre corps... si vous n'y cédez pas, vous y repenserez toujours comme à LA chose que vous auriez dû faire, la seule chose que vous auriez vraiment dû faire, celle qui aurait pu changer votre vie du tout au tout, qui aurait pu la rendre digne d'être vécue, lui donner plus de sens que ce avec quoi vous vous retrouvez au final...

Et James Stewart dit : « Eh bien, bonjour. »

Catherine Sheridan ne peut plus, ne veut plus se battre. Son moral est brisé. Tout ce qui comptait à ses yeux n'a plus d'importance. Elle lâche prise. Elle se sent glisser jusqu'au sol, elle sent que l'homme la délivre, et elle se dit : *Ce n'est pas moi qui vais devoir continuer de vivre en sachant ce que nous avons fait...*

Louange à Toi, Seigneur, car ça aurait pu être pire.

Lorsque l'homme commença à faire des choses sur le corps de Catherine Sheridan, celle-ci était morte depuis bien longtemps.

1

Washington DC n'était pas le centre du monde, même si une grande partie de ses habitants pouvaient vous le faire croire.

L'inspecteur Robert Miller n'était pas de ceux-là.

Capitale des États-Unis d'Amérique, siège du gouvernement fédéral, une histoire vieille de plusieurs siècles, et pourtant, malgré ce long passé, malgré l'art et l'architecture, malgré les rues bordées d'arbres, les musées, les galeries, malgré un des métros les plus performants d'Amérique, Washington possédait encore ses parts d'ombre, ses angles morts, ses ventres mous. Dans cette ville, tous les jours des gens se faisaient encore assassiner.

Le 11 novembre fut une journée froide et désagréable, un jour de deuil et de souvenir pour mille raisons. L'obscurité tomba comme une pierre à 17 heures, la température avoisinait les − 6 °C, et les lampadaires qui s'étendaient à perte de vue en lignes parallèles semblaient vous inviter à les suivre et à prendre la fuite. Justement, l'inspecteur Robert Miller avait très récemment songé à prendre la fuite et à trouver un autre boulot dans une autre ville. Il avait ses raisons. Des raisons nombreuses – et douloureuses – qu'il avait cherché à oublier depuis de longues semaines. Mais pour l'instant il se trouvait à l'arrière de la maison de Catherine Sheridan, sur Columbia Street NW.

Les bandes rouges et bleues des véhicules de patrouille garés autour de lui se reflétaient sur les fenêtres, au milieu d'une cohue bruyante et agitée, trop de gens qui avaient trop de choses à faire – les agents en uniforme, les experts médico-légaux, les photographes, les voisins avec leurs gamins, leurs chiens et leurs questions vouées à rester sans réponse, les sifflements et les grésillements des talkies-walkies, des radios de la police… Le bout de la rue n'était qu'un carnaval de bruit et de confusion qui n'éveillait chez Miller rien d'autre que le changement de cadence qu'il avait parfaitement prévu : le pouls qui accélérait, le cœur qui cognait contre la poitrine, les nerfs qui palpitaient dans le bas du ventre. Trois mois de mise à pied – le premier passé chez lui, les deux autres derrière un bureau – et il se retrouvait là. À peine une semaine de service actif, et le monde avait déjà retrouvé sa trace. Il avait quitté la lumière du jour et plongé tête baissée dans le cœur sombre de Washington, qui l'accueillait maintenant comme un parent depuis longtemps disparu. Et pour dire sa joie, le cœur sombre lui avait laissé un cadavre tabassé dans une chambre du premier étage qui donnait sur Columbia Street NW.

Miller avait déjà fait un tour à l'intérieur, vu ce qu'il voulait voir et plein de choses qu'il ne voulait pas voir. Les meubles de la victime, les photos qu'elle avait accrochées aux murs, autant de souvenirs d'une vie désormais terminée, brutalement abrégée. Il était ressorti par la porte de la cuisine, histoire de respirer, de changer de rythme. Les experts médico-légaux étaient là, résolus, impassibles, et Miller avait besoin de prendre un peu de recul. Il faisait un froid terrible, et pourtant, malgré son manteau, son écharpe et ses mains au fond des poches, il sentait quelque chose d'encore plus glacé que l'air. Debout dans ce jardin on ne peut plus ordinaire, il regardait en silence la folie se déployer autour de lui, écoutait les voix apparemment insensibles d'hommes vaccinés contre ce genre de spectacle. Il s'était lui-même cru inatteignable, pourtant il avait été atteint, et facilement – et ça lui faisait peur.

Robert Miller – homme à l'allure banale, sans doute semblable à beaucoup d'autres hommes – attendait son collègue, l'inspecteur Albert Roth. Cela faisait presque deux ans qu'ils travaillaient ensemble. Il n'y avait pas sur terre deux êtres plus différents, mais Al Roth était un point d'ancrage, un homme d'un professionnalisme pointilleux, respectueux des procédures et des règles, qui réfléchissait pour deux chaque fois qu'il le fallait.

Miller avait persévéré dans la brigade criminelle, mais les événements récents venaient de balayer et d'enterrer toutes les ambitions qu'il avait pu nourrir. Tout ce qu'il avait appris jusque-là lui semblait désormais à peu près aussi utile qu'un bout de bois mort. Il avait vaguement cherché du côté de la Mondaine et des Stups, et même dans l'Administration, mais ses doutes concernant sa carrière n'étaient pas dissipés. Le mois d'août avait été mauvais, septembre encore pire, et même aujourd'hui – toujours sonné par ce qui lui était arrivé, avec le sentiment d'avoir réchappé à un horrible accident de voiture – il ne comprenait pas tout à fait ce qui s'était passé. Roth et lui n'évoquaient jamais les trois mois qui venaient de s'écouler, ce qui n'était pas plus mal, et même si Miller se disait parfois que ça aurait pu lui faire du bien, il n'avait jamais abordé le sujet.

Lorsque la nouvelle était tombée dans la soirée, Miller se trouvait au commissariat du 2e district. Al Roth, lui, dut quitter son domicile pour se rendre à Columbia Street NW. À son arrivée, il resta pendant quelques instants avec Miller dans le jardin de la femme morte, sans rien dire, en signe de respect peut-être.

21

Ils entrèrent par la porte de la cuisine, à l'arrière. Le couloir du rez-de-chaussée était rempli de monde ; il y avait des gens sur les marches de l'escalier, des flashes d'appareils photo aussi, le tout avec une musique d'orchestre en bruit de fond. Après un long silence, Roth demanda : « Qu'est-ce que c'est que ce truc ? »

D'un hochement de tête, Miller montra le salon. « C'est un DVD qui passe… *La vie est belle*, figure-toi.

— Exactement ce qu'il nous fallait. Elle est à l'étage ?

— Oui. La chambre à droite.

— Comment s'appelle-t-elle, déjà ?

— Sheridan, répondit Miller. Catherine Sheridan.

— Je monte.

— Attention à la pizza. »

Roth fronça les sourcils. « La pizza ?

— Le livreur l'a laissée tomber sur la moquette du couloir. Il est venu ici pour livrer sa commande et il a trouvé la porte de l'entrée ouverte. Il dit avoir entendu la télévision dans le salon…

— Quoi ? Et il est entré dans la maison ?

— Il a expliqué qu'ils n'ont pas le droit de repartir sans avoir été payés. Dieu sait ce qu'il a pu penser, Al. Il a cru entendre quelqu'un à l'étage, il s'est dit qu'on ne l'entendait pas à cause de la télé allumée, alors il est monté. Et il l'a trouvée dans la chambre exactement comme elle est maintenant. » Miller dit cela d'un air absent, puis il recouvra ses esprits et fit coïncider ses pensées avec ses paroles. « Il y a des types de la police scientifique partout. Ils vont bientôt nous virer mais, d'ici là, va jeter un œil là-haut. »

Roth observa un silence. « Ça va ? » dit-il.

Miller sentait toute l'opacité et la pesanteur de ses pensées, il les voyait dans son propre reflet, dans les cernes autour de ses yeux, dans les poches sombres dessous.

« Ça va, répondit-il, mais sa voix avait quelque chose de vague et d'éteint.

— Tu te sens d'attaque ?

— Plus que jamais », fit Miller sur un ton résigné, philosophe.

Roth passa devant lui, traversa le vestibule et monta l'escalier. Miller le suivit, et les deux hommes longèrent le couloir qui menait à la chambre de la défunte. Trois ou quatre hommes étaient massés devant la porte. L'un d'eux – dont Miller reconnut le visage, surgi d'une autre époque, d'un recoin sombre de leur passé commun – hocha la tête. Ils savaient qui était Miller, ce qui lui était arrivé, la manière dont sa vie avait été jetée en pâture à la presse et exhibée au monde entier. Ils voulaient tous lui poser la même question, mais ils n'osaient pas.

Lorsqu'il entra dans la pièce, les autres officiers de police semblèrent reculer et disparaître de son champ de vision. Il ralentit une seconde.

Rien ne ressemblait aux morts.

Rien au monde.

Les vivants et les morts étaient séparés par des années-lumière. Cette fois encore, comme toujours, et malgré les innombrables cadavres qu'il avait vus, Miller crut un instant que les yeux de la victime allaient s'ouvrir, qu'il y aurait une inspiration, voire une grimace de douleur, un vague sourire, quelque chose qui dirait : « Me revoilà… C'est moi… Désolée, je m'étais absentée un petit moment. »

Ce n'était pas la première fois, bien sûr. Mais quelque chose de la première fois était resté gravé en lui pour toujours, quelque chose qui lui glaçait le cœur pendant une seconde, moins d'une seconde, et qui signifiait : « Voilà ce que les gens sont capables de faire à d'autres gens. Voilà un nouvel exemple de la manière dont la vie d'un être humain peut éclater en mille morceaux. »

La première chose frappante chez cette femme était le caractère anormal de sa position. À genoux, les bras en croix, la tête contre le matelas, mais tournée de telle sorte que sa joue reposait sur le drap en dessous. Un deuxième drap avait été négligemment enroulé autour de sa taille et dissimulait la quasi-totalité de ses jambes. Catherine Sheridan semblait regarder derrière elle, derrière son propre corps, en direction de la porte. La position était sexuelle, mais cette femme n'avait plus rien de sexuel.

La seconde était l'expression sur son visage. Miller aurait été incapable de la décrire. Même après s'être agenouillé par terre, l'avoir regardée bien en face, tout près, et vu son propre visage se refléter dans l'immobilité vitreuse de ses yeux, il lui était quasiment impossible de dire ce qu'il y lisait. Une acceptation. Une résignation. Un consentement, peut-être. Tout cela contrastait avec la violence incroyable des contusions qui couvraient ses épaules et ses bras. À partir du cou, le peu qu'il voyait de sa taille et de ses cuisses montrait qu'elle avait été frappée sans pitié ni répit, avec un acharnement tel qu'elle n'aurait jamais pu survivre. Déjà le sang avait arrêté de circuler, et la tumescence avait gonflé à mesure que les fluides s'étaient épaissis et figés. La douleur avait dû s'éterniser et puis, soudain, cesser – comme un silence béni après un fracas interminable.

Miller aurait voulu tendre la main et la toucher, lui fermer les yeux, lui glisser un mot rassurant à l'oreille, lui dire que son calvaire était terminé, que la paix était revenue… Mais c'était impossible.

Avant que le sang ne cesse de cogner dans ses veines et que son cœur retrouve un rythme normal, il avait fallu un petit moment. À chaque nouvelle victime, les plus anciennes venaient se rappeler au bon souvenir de Miller comme des fantômes désireux, peut-être, de comprendre un peu mieux ce qu'on leur avait infligé.

Catherine Sheridan était morte depuis deux ou trois heures. Le coroner adjoint confirmerait ultérieurement qu'elle avait cessé de vivre le samedi 11 novembre entre 16 h 45 et 18 heures. La pizza avait été commandée à 17 h 40. Le livreur était arrivé à 18 h 05 et avait découvert le corps au bout de quelques minutes. Appelé au commissariat n° 2 juste après 18 h 30, Miller était arrivé sur les lieux à 18 h 54, rejoint par Roth dix minutes plus tard. Au moment où ils observaient ensemble l'étrange position de Catherine Sheridan depuis le couloir du premier étage, il était presque 19 h 15. Elle paraissait froide, mais la peau n'était pas encore devenue tout à fait livide.

« Même chose que pour les autres, nota Roth. En tout cas, ça y ressemble beaucoup. Tu sens cette odeur ? »

Miller acquiesça. « De la lavande.

— Et l'étiquette ? »

Miller longea le bord du matelas et montra du doigt le cou de Catherine Sheridan, plus exactement le mince ruban au bout duquel était accrochée une banale étiquette à bagage de couleur beige. L'étiquette était vierge, comme si on avait envoyé à la morgue une parfaite inconnue, sans nom, sans identité, sans importance. « Cette fois, le ruban est blanc », dit-il lorsque Roth gagna l'autre côté du lit.

De là où il était, Miller distinguait parfaitement le visage de Catherine Sheridan. Une belle femme, mince, presque menue, avec des cheveux bruns qui tombaient jusqu'aux épaules et la peau mate. Son cou était meurtri et l'on retrouvait les mêmes traces de blessures sur les épaules, le haut des bras, le torse, les cuisses. Les coups avaient été assénés avec une telle violence qu'à certains endroits la peau avait été déchiquetée. En revanche, le visage était intact.

« Regarde un peu le visage », dit Miller.

Roth fit le tour du lit, se planta à côté de lui, ne dit rien pendant un petit moment, puis secoua lentement la tête.

« Quatre, dit Miller.

— Quatre. »

Une voix se fit entendre derrière eux. « Vous êtes de la Criminelle ? » Ils se retournèrent en même temps. Un agent de la police scientifique était là, tenant à la main son matériel et des gants en latex, suivi d'un homme avec un appareil photo. « Désolé, les gars, mais je vais vous demander de partir. »

Miller contempla une dernière fois l'expression presque placide de Catherine Sheridan, puis il quitta la pièce, d'un pas prudent imité par Roth ; ils n'échangèrent aucun mot avant d'avoir tous deux regagné le rez-de-chaussée.

Miller s'arrêta au seuil du salon. Le générique de *La vie est belle* était en train de défiler.

« Alors ? » demanda Roth.

Miller haussa les épaules.

« Tu penses que…

— Je ne pense rien du tout. Et je ne penserai rien du tout tant que je ne saurai pas exactement ce qui lui est arrivé.

— Qu'est-ce qu'on sait ? »

Miller sortit son calepin et parcourut les quelques lignes qu'il avait griffonnées en arrivant sur les lieux. « Aucune trace d'effraction, commença-t-il. Il semblerait que le type soit passé par la porte de devant, puisque celle de derrière était encore fermée à clé quand je suis arrivé. J'ai demandé aux experts médico-légaux de prendre des photos avant qu'on l'ouvre. Aucune trace de lutte, rien de cassé, manifestement rien de déplacé.

— Quel est le pourcentage d'agressions commises par une personne connue de la victime, déjà ? 40 % ? 50 % ?

26

— Plus, à mon avis, répondit Miller. C'est le livreur de pizzas qui l'a découverte. Une grosse pizza, une commande spéciale. *A priori* pour deux personnes, donc. Si le type qui a fait ça était déjà là, alors il s'agit de quelqu'un qu'elle connaissait.

— Mais elle pouvait aussi bien ne pas du tout le connaître. Peut-être qu'elle aimait la pizza, tout simplement.

— Il y a également l'hypothèse de l'identité familière », dit Miller, faisant référence aux nombreux cas de personnes pénétrant dans une habitation déguisées par exemple en policiers, en agents du gaz ou de l'électricité. L'uniforme incitait les gens à baisser la garde. L'individu entrait donc tranquillement, commettait son forfait, et même si un témoin le voyait, il ne se rappelait généralement que l'uniforme. « S'il n'y a eu ni effraction, ni lutte, ni résistance apparente, alors on a très probablement affaire à quelqu'un qu'elle connaissait ou en qui elle pouvait avoir confiance.

— Tu veux qu'on commence tout de suite le tour du voisinage ? »

Miller consulta sa montre. Il se sentait épuisé, comme sous le coup d'un choc émotionnel. « Si les journaux apprennent ça, on est dans une merde noire. »

Roth eut un sourire entendu. « Comme si tu n'avais pas assez vu ton nom dans les journaux comme ça. »

En voyant la tête de Miller, Roth comprit que sa remarque n'était pas bien passée.

Ils s'éloignèrent de la maison, longèrent la haie qui séparait la propriété de Catherine Sheridan de celle du voisin et s'attardèrent quelques instants sur le trottoir.

« On ne dirait pas, comme ça, hein ? dit Miller. Si on ne savait pas qu'il y avait un cadavre dans cette maison…

— Le monde ne s'intéresse pas au reste du monde. »

Miller sourit. « Qu'est-ce que c'est que ça ? Un vieux dicton yiddish ? »

Roth ne répondit pas ; il hocha le menton en direction de la première maison sur la droite. « On va commencer par celle-là. »

Dans les deux propriétés adjacentes, il n'y avait personne. Celle d'en face était plongée dans l'obscurité et le silence.

De l'autre côté de la rue, deux maisons plus loin, ils trouvèrent enfin quelqu'un – un vieillard dont les cheveux blancs jaillissaient au-dessus des oreilles, avec un visage mince et des yeux enfoncés derrière des lunettes aux verres épais.

Miller se présenta et montra sa carte de police.

« Vous voulez savoir ce que j'ai vu, c'est ça ? » dit le vieux. Il regarda instinctivement en direction de la maison de Catherine Sheridan, vers les bandes rouges et bleues des véhicules de police qui se reflétaient sur les verres de ses lunettes en écaille, vers la frénésie de lumières qui annonçait immédiatement la mauvaise nouvelle. « Il devait être à peu près 16 heures, peut-être 16 h 30. »

Miller fronça les sourcils. « Quoi donc ?

— Quand elle est revenue… Vers 16 h 30.

— Comment le savez-vous ?

— J'avais la télé allumée. Je regardais un jeu. Celui avec plein de jolies filles, vous voyez ? Je le regarde presque tous les jours. Ça commence à 16 heures et ça dure une demi-heure.

— Mais si vous regardiez la télévision, comment savez-vous que Mlle Sheridan est rentrée chez elle ? »

Sur le seuil de la maison, il faisait froid, un froid pugnace. Roth portait des gants mais se frottait quand même les mains ; on aurait dit qu'il étouffait un objet minuscule. Il grinça des dents en regardant vers la rue, comme s'il attendait que quelque chose d'autre se produise.

« Comment je le sais ? Entrez voir un peu. »

Miller jeta un coup d'œil vers Roth, qui acquiesça. Ils franchirent la porte. L'intérieur de la maison était bien rangé, mais méritait un petit coup de serpillière.

Le vieux leur fit signe d'entrer dans le salon, leur montra son fauteuil, sa télévision, la position de l'écran. « Si je suis assis là, je peux voir sa maison. »

Il pointa un doigt. Miller s'accroupit à hauteur de siège. Par la fenêtre, en effet, il pouvait distinguer la porte d'entrée de Catherine Sheridan.

« Vous la connaissiez ?

— Comme ça.

— C'est-à-dire ?

— Qu'est-ce que j'en sais, moi ? Est-ce que les gens se connaissent encore aujourd'hui ? Dans le temps, c'était autre chose. On était polis, on se disait parfois bonjour. Mais elle n'est jamais venue dîner chez moi, si c'est ça que vous voulez savoir.

— Et vous l'avez vue rentrer chez elle ? »

Le vieux fit signe que oui.

« Et ensuite ?

— Un môme avec des grosses lunettes a empoché 3 000 dollars et il a failli se pisser dessus. »

Miller grimaça. « Vous parlez du jeu à la télé.

— Exact... Le jeu à la télé.

— Et vous n'avez rien vu d'autre ?

— Qu'est-ce qu'il y avait d'autre à voir ?

— Quelqu'un qui se serait approché de la maison ?

— Le type qui l'a tuée ?

— Je n'en sais rien... N'importe qui.

— Je n'ai vu personne. »

Miller lui tendit une carte. « Si vous vous souvenez de quoi que ce soit, vous m'appelez, d'accord ?

— Bien sûr. »

Miller se retourna et regarda Roth. Celui-ci secoua la tête. Il n'avait plus de questions à poser.

Le vieil homme prit une longue inspiration, expira. « Dur à croire, quand même, dit-il calmement.

— De quoi ?

— Qu'il soit venu buter ma voisine. Enfin, merde, qu'est-ce qu'elle a fait pour mériter ça ? »

Miller haussa les épaules. « Dieu seul le sait. Qu'est-ce qu'elles ont toutes fait pour mériter ça ? »

Roth et Miller s'en allèrent. Ils discutèrent avec les occupants de trois autres maisons mais n'en tirèrent aucun élément intéressant. Personne n'avait rien vu. Personne ne se souvenait de rien.

« Je te dis, insista Roth. La plupart des gens s'en foutent. »

Ils retournèrent à la maison de Catherine Sheridan pour s'entretenir avec l'unité scientifique. Miller resta au rez-de-chaussée, observa la scène devant lui et essaya d'en mémoriser chaque détail. Il repensa au film qui défilait à l'écran. C'était le genre de films qu'on regardait en famille à Noël. Pas pour mourir.

Roth descendit et attendit à ses côtés pendant que les experts médico-légaux inspectaient la cuisine de Catherine Sheridan, puis sa salle de bains, fouillant les tiroirs et les placards, cherchant des empreintes sur ses effets personnels, croyant peut-être trouver quelque chose qui les aiderait à comprendre ce qui s'était passé. Ils savaient qu'ils étaient en quête d'un petit indice, d'une trace, d'une piste… de l'élément qui leur permettrait de capturer cette créature pour l'empêcher de nuire.

Et ils le trouveraient. Aussi sûr que Noël tombait en décembre. Mais pas quand ils s'y attendraient. Ils ne sauraient même pas comment ni pourquoi.

Avant de repartir, Miller demanda à voir le responsable de l'équipe scientifique et attendit qu'un de ses assistants le fasse descendre.

« C'est vous qui dirigez l'enquête ? lui demanda le responsable.

— J'étais le premier arrivé sur les lieux, rien de plus.

— Greg Reid. Enchanté. Je vous serrerais bien la main, mais… »

Il brandit ses deux mains gantées de latex, couvertes de taches de sang et de souillures.

« Je vous laisse ma carte sur la table, dit Miller. Comme ça, vous saurez qui je suis et vous aurez mon numéro en cas de besoin.

— Il faut nous laisser du temps. Un ou deux jours… J'ai toute la maison à passer au peigne fin. Vous interrogez toutes les personnes que vous voulez et vous revenez vers moi, d'accord ? »

Miller acquiesça. « Si vous avez quoi que ce soit, vous me tenez au courant ?

— J'ai déjà quelque chose, annonça Reid en indiquant d'un signe de tête le petit meuble du téléphone près de l'entrée. Dans ce sac, là, il y a son passeport et une carte de bibliothèque. Elle est allée à la bibliothèque aujourd'hui même. Visiblement, elle a rendu quelques livres. Le passeport contient la seule photo d'elle que j'aie trouvée pour le moment. Vous aurez besoin d'une photo pour votre petite enquête de voisinage. Demandez peut-être à un de vos gars de la rafraîchir, histoire de lui enlever son aspect jaune et de donner au visage une apparence humaine.

— C'est gentil à vous. Prévenez-moi si vous avez autre chose. »

Reid lui adressa un sourire sardonique. « Quoi, par exemple ? Au cas où le type aurait laissé son nom et son adresse quelque part ? »

Miller ne répondit pas. Il était fatigué. Les relations avec la police scientifique s'arrêtaient à la scène de crime, et la Criminelle s'en contenterait en attendant que le travail soit terminé.

Roth et lui repartirent par la porte du fond, s'arrêtèrent une fois de plus dans le jardin et regardèrent l'arrière de la maison. Les lumières étaient vives, découpant aux fenêtres les ombres des hommes qui s'affairaient à l'intérieur. Miller resta immobile jusqu'à sentir la morsure du froid. Roth se tenait à ses côtés. Rompant le silence, Miller finit par lui dire de prendre la voiture.

« Tu es sûr ?

— Je vais rentrer à pied. Ça me fera de l'exercice. »

Roth lui jeta un regard en coin. « Tu as l'impression que tout le monde a envie de te poser des questions, c'est ça ? »

Miller haussa les épaules.

« Tu as des nouvelles de Marie ? voulut savoir Roth.

— Aucune.

— Elle n'est pas venue chez toi récupérer ses affaires ?

— Je crois qu'elle est partie pour quelque temps. » Miller secoua la tête. « Oh ! et puis, merde, je te dis n'importe quoi. Je crois qu'elle est partie pour de bon.

— Amanda ne l'aimait pas beaucoup, tu sais. Elle trouvait qu'elle n'avait pas assez les pieds sur terre pour toi.

— Tu diras à Amanda que sa sollicitude me touche beaucoup. Mais ça a foiré, tout simplement. On le sait tous.

— Tu sais ce que tu vas faire maintenant ? »

Miller parut un instant agacé. « Je vais rentrer chez moi, non ? »

Roth regarda de nouveau la maison de Catherine Sheridan. « C'est la dernière chose dont tu aies envie, pas vrai ? »

Miller posa les yeux par terre, sur le trottoir, sans répondre.

Roth esquissa un sourire compréhensif. « Allez, je rentre chez moi », dit-il avant de se diriger vers la voiture.

Miller resta encore dix ou quinze minutes, les yeux rivés sur les lumières de la maison, puis, enfonçant les mains dans ses poches, il se mit en route. Un peu avant 22 heures, il retrouva Church Street et son appartement situé au-dessus de Harriet's Delicatessen. Harriet, dont la sagesse n'avait d'égale que son grand âge, devait être dans l'arrière-boutique avec son mari Zalman, autour d'un bon lait chaud, en train d'évoquer des souvenirs qu'eux seuls partageaient. Au lieu de passer par le *deli*, comme d'habitude, Miller prit l'escalier de derrière jusqu'à son appartement. Si merveilleux fussent-ils, Harriet et Zalman Shamir le retiendraient pendant une heure entière en insistant pour lui servir des sandwichs au foie de volaille et du gâteau au miel. Un autre soir, d'accord, mais... Non, pas cette fois. Ce soir, il fallait penser à Catherine Sheridan, essayer de comprendre pourquoi elle était morte.

Une fois dans son appartement, il balança ses chaussures d'un grand coup de pied et passa une bonne heure à noter ses premières observations sur un bloc-notes jaune. Quelques minutes devant la télévision, et la fatigue commença à le gagner.

Vers 23 heures, peut-être un peu plus tard, Harriet et Zalman fermèrent la boutique et regagnèrent leur appartement. Harriet lui souhaita bonne nuit dans l'escalier. Miller renvoya la politesse.

Il ne trouva pas le sommeil. Allongé sur son lit, les yeux fermés, il repensa à Catherine Sheridan. Qui était-elle? Pourquoi était-elle morte? Qui l'avait tuée? Il médita là-dessus et attendit impatiemment la venue du matin, car le matin apporterait la lumière du jour, et la lumière du jour l'éloignerait de ses propres fantômes.

Utilisez un couteau. Les meurtres au couteau sont per-
sonnels. Presque invariablement personnels. Plusieurs
coups dans le torse, le ventre, la gorge – les uns super-
ficiels, ricochant sur les côtes, les autres profonds, suffi-
sants pour laisser des contusions ovales là où s'arrête
la lame et où commence la garde. Suggérez une rage
incontrôlable, la violence propre à la haine ou à la ven-
geance. Pour dérouter, pour brouiller les pistes, obscurcir
l'horizon des médecins légistes, des psychologues en cri-
minologie, des profilers. *Chaque chose doit passer pour*
ce qu'elle n'est pas.

Saviez-vous que moins de la moitié des viols sont éluci-
dés par la police ? Et ce malgré le fait que, dans la grande
majorité des cas, le violeur est une personne bien connue
de la victime ? Que moins de 10 % des viols sont étudiés
par un laboratoire de médecine légale ? L'ADN n'est pré-
levé et analysé que dans seulement 6 % de ces cas. Quand
on sait que les tests ne portent que sur environ le quart
du million de viols recensés chaque année, vous rendez-
vous compte que seules quinze mille victimes obtiendront
justice ?

Il y a des gens qui savent tout ça. Ces chiffres, vous
pouvez les trouver sur Internet. Pas besoin d'être un petit
génie de la science. Sur le tout-puissant World Wide Web,
vous pouvez trouver mille manières de dissimuler un
crime. Une bonne eau de Javel domestique effacera les
empreintes digitales, la salive, le sperme, l'ADN. Mettez
des gants, nom de Dieu ! Surtout pas des gants en cuir,
qui comportent des aspérités : non, des gants en latex,
comme un médecin, un chirurgien, un orthodontiste.
Ce n'est pas difficile de s'en procurer, et ça ne coûte
quasiment rien. Ne portez pas vos propres chaussures.
Achetez-vous des baskets neuves et bon marché. N'allez
pas tuer des gens en portant aux pieds des Nike à 300

dollars, car chaque objet possède deux types de caractéristiques : générales et individuelles. Une basket bon
marché possède des caractéristiques générales. C'est un
objet produit en masse, il en circule des millions d'exemplaires absolument identiques, à tous points de vue. Plus
les baskets seront chères, plus leurs empreintes seront
spéciales, et moins les gens en posséderont. Et, avant
de sortir, vérifiez vous-même les semelles. Les semelles
accumulent un tas de choses. Des fibres de moquette, des
morceaux de saleté dans la rue, dans votre appartement.
Je répète : pas besoin d'être un petit génie de la science.
Certains objets, les pneus de voiture par exemple, ont
des caractéristiques à la fois générales et individuelles.
Générales : la forme élémentaire du pneu, les sculptures,
les rainures et les dessins. Ensuite, vous avez divers éléments et angles d'usure qui dépendent du type de véhicule
et du terrain sur lequel il a roulé. Ces facteurs peuvent
parfois créer une unicité que l'on pourra attribuer à telle
voiture, donc à tel conducteur. Vous tenez votre homme.
Regardez un peu les types à la télé – Les Experts, ça vous
dit quelque chose ? Eh bien, ils ont l'air de connaître tout
ça par cœur. Et, bordel, ils en connaissent un rayon ! Il
faut juste faire attention. Recourir au bon sens. Penser à
tout. Ne pas faire dans le compliqué. Plus vous faites dans
le compliqué, plus les choses risquent de mal tourner.
Tout le secret consiste à étudier le problème en commençant par la fin pour remonter jusqu'au début. Vous
voyez ce que je veux dire ? Imaginez les conséquences,
la scène telle qu'un autre la découvrira, et il y a toutes
les chances pour que vous vous souveniez de la cigarette
que vous avez fumée au bout de la rue, du mégot que vous
avez jeté dans les buissons, du papier chewing-gum, du
petit bout d'aluminium bien lisse et brillant, idéal pour

les empreintes... Vous pigez le truc, maintenant? Vous comprenez un peu d'où je viens?

Et si vous ne voulez pas de sang, alors étranglez-les. Faites-les suffoquer jusqu'à ce que mort s'ensuive. Aucune arme ne vaudra jamais vos mains. Puis disparaissez, et vite, car si on ne vous retrouve pas, on ne retrouvera jamais l'arme du crime.

Je pourrais faire un cours là-dessus. Qu'est-ce que vous en dites, chers amis, chers voisins? Un cours à l'université George-Washington. « Violences et assassinat pour débutants. »

Une belle saloperie.

2

La vie est tellement plus dure quand vous savez que vous devriez être mort.

C'était comme le couplet d'une chanson. Il y avait dans cette phrase une cadence, un rythme qui la rendaient difficile à oublier. Une fois qu'elle s'était logée dans la tête de Miller, rien n'avait pu l'arrêter. Comme ces balles de .22 à pointe plate qu'utilisait la mafia. Assez puissantes pour traverser le crâne, mais pas assez pour en ressortir, une minuscule dose de plomb qui cognait et ricochait dans tous les coins, défonçant les parois internes de la tête d'un pauvre type jusqu'à ce que sa cervelle soit réduite en purée. La phrase fonctionnait pareillement, et Miller n'en pouvait plus. Comme chaque jour depuis trois mois, il pensait à la femme qui était morte, à celle qui l'avait quitté, à l'enquête de la police des polices, à la presse, autant de choses qu'il s'efforçait de rendre anodines, absurdes. Assis dans le bureau du capitaine Frank Lassiter, patron du commissariat n° 2 de Washington, il se concentrait sur ce qu'il avait vu chez Catherine Sheridan la veille au soir. Il attendait tranquillement ce qu'il savait déjà être la suite des événements.

Lassiter déboula dans la pièce comme une furie. Il claqua la porte derrière lui et se laissa tomber dans son fauteuil. Il secoua la tête et fit une grimace, puis hésita un instant au moment d'ouvrir la bouche. Peut-être avait-il prévu de dire autre chose avant de se raviser. « Vous savez ce que c'est, pas vrai ? fut sa question.

— La série de meurtres ou cette femme en particulier ? »

Lassiter fronça les sourcils et secoua de nouveau la tête. « Un vrai merdier. Voilà ce que c'est.

— On pense que le mode opératoire est le même que… »

Lassiter l'arrêta net. « On ne pense rien du tout. Je n'ai encore rien reçu des experts médico-légaux. Je n'ai pas le rapport du coroner. Je me retrouve avec une femme assassinée, la deuxième dans la juridiction de ce commissariat, et, parce que les deux autres ont été tuées en dehors de chez nous et que ce système est une bureaucratie de merde, je ne peux faire aucun recoupement. Tout ce que je sais, c'est que le directeur de la police m'a appelé à 7 heures du matin pour m'annoncer que l'affaire était maintenant entre mes mains, que j'avais intérêt à mettre des cadors dessus et à trouver rapidement une solution… Mais vous connaissez la musique, n'est-ce pas ? »

Miller lui adressa un sourire caustique.

« Voilà donc où on en est, dit Lassiter.

— Voilà où on en est, répéta Miller.

— Qu'est-ce que c'est que ces conneries sur votre départ de la Criminelle ?

— Je ne sais pas, capitaine. Des conneries sur mon départ de la Criminelle.

— Franchement, vos sarcasmes, inspecteur… Vous allez donc nous quitter ?

— Je ne sais pas. Je croyais que… »

Lassiter éclata soudain de rire. « Vous croyiez quoi ? On s'occupe des crimes, point barre. D'ailleurs, c'est pour ça que ça s'appelle la Criminelle. » Il posa ses mains sur les accoudoirs de son siège, comme pour se lever. Pendant quelques secondes, il regarda Miller droit dans les yeux. « Vous n'avez pas l'air en forme.

— Je suis fatigué.

— Vous avez toujours mal ? »

Miller fit non de la tête. « Juste quelques coups, une épaule déboîtée. Rien de méchant.

— Vous faites un peu de kiné ?

— Plus qu'il n'en faut. »

Lassiter hocha lentement la tête.

Miller sentit venir toute la tension, inexorable, de ce qui allait suivre.

« Alors comme ça, vous avez subi le feu des critiques ? Vous savez combien de fois j'ai vu mon nom cité dans les journaux ? »

Miller secoua la tête.

« Moi non plus, mais souvent. Très souvent. Ces types sont des charognards, rien de plus. Ils tournent autour des cadavres pour les déchiqueter. Et puis merde. Tout ça ne sert à rien. » Il se leva de son fauteuil et marcha jusqu'à la fenêtre. « Au passage, je suis énervé après vous deux. Pour vous être barrés hier soir. J'ai lu votre rapport. Combien de temps est-ce que vous êtes restés là-bas ? Une demi-heure ?

— Les gars de la police scientifique, répliqua Miller. C'était une nouvelle scène de crime, on se trouvait en plein milieu. On a commencé à faire le tour des maisons adjacentes, mais personne n'avait rien d'intéressant à nous raconter. » Il s'interrompit un instant. « Et on n'est pas restés là-bas une demi-heure, mais quasiment trois heures.

— Trois maisons, Robert. Putain, trois maisons ? Soyons sérieux. Il n'y a qu'une chose qui me foute hors de moi, c'est le manque de professionnalisme. Je peux supporter toutes les jérémiades et les pleurnicheries à

40

cause des salaires trop bas, des heures sup, ou parce que personne n'a le temps de voir sa femme, ses mômes, son chat, son chien ou sa maîtresse. Mais dès qu'il s'agit de travail mal fait…

— Pigé.

— Vous connaissez aussi la musique, c'est ça?

— En effet, j'ai déjà entendu ça quelque part.

— Qu'est-ce que vous allez faire, du coup? Vous allez démissionner? Ou demander une mutation?

— Je ne sais pas. Je pensais me pencher sur la question à la fin du mois, peut-être après les fêtes.

— J'ai besoin de vous sur ce coup. »

Miller ne répondit pas.

« Le directeur veut nous confier toute l'affaire. Les quatre meurtres. Pour l'instant, rien ne nous dit qu'il s'agit du même auteur. D'après votre rapport, on peut penser que c'est le cas, mais je ne me contente pas de simples similitudes. La strangulation, les coups, le ruban avec le nom sur l'étiquette et tout le tremblement : on dirait le même mode opératoire, pas vrai?

— En effet.

— Comment s'appelait la première, déjà? Mosley?

— Oui, Margaret Mosley. En mars dernier.

— C'est vous qui vous en êtes chargé?

— Non, pas exactement. J'ai été le premier sur les lieux, mais tout simplement parce que j'étais de permanence. Je crois que c'est Metz qui a hérité du dossier.

— Non, ça me revient. Metz allait s'en occuper mais finalement ne l'a pas fait. Au bout du compte, c'est le commissariat n° 3 qui a récupéré le bébé.

— Toute la ville est concernée, non? »

Lassiter eut un sourire malicieux. « C'est le moins qu'on puisse dire.

— Pourquoi nous, alors? Pourquoi le n° 2? »

Lassiter haussa les épaules. « Le premier meurtre chez nous, le deuxième dans la juridiction du n° 4, le troisième dans celle du n° 6 et pour finir le quatrième de nouveau chez nous. On en a donc deux sur les bras. Le directeur nous adore, ou alors il nous déteste, je n'en sais foutrement rien, mais il veut qu'on s'en charge et qu'on coordonne les quatre enquêtes. C'est devenu un sujet très sensible. Il veut qu'on traite le problème comme une seule et unique affaire. Ce qui peut se comprendre, en un sens. Pour l'instant, ce sont trois commissariats différents qui s'en sont occupés – ou plutôt qui *ne s'en sont pas occupés*. Les journaux ont fourré leur nez dans ces histoires, comme de bien entendu, et le directeur pense peut-être que, après toute la merde que vous avez remuée, on pourrait redorer notre blason en mettant fin à ce bordel.

— C'est dégueulasse… »

Lassiter leva aussitôt la main. « De la politique et de la procédure, voilà ce que c'est – ni plus ni moins. Ça a l'air personnel à première vue, mais ça ne l'est pas.

— Et est-ce que le directeur veut me confier l'affaire à cause de ce qui s'est passé ?

— Pas tout à fait…

— C'est-à-dire ? »

Lassiter abandonna la fenêtre pour se rasseoir. « Ce qu'il faut que vous compreniez bien, c'est qu'il y aura toujours des gauchistes à la con pour dire que les flics ne font rien à part emmerder des citoyens innocents pour leur bon plaisir.

— Je connais la cuisine politique interne de la police, dit Miller avec un sourire sarcastique. Je n'ai pas besoin qu'on me fasse la leçon…

— Parfait. Dans ce cas, je n'ai pas besoin de m'étendre sur la question. Si vous êtes ici, vous êtes en service. Si vous êtes en service, vous êtes obligé d'accepter les affaires que je vous confie. Justement, je vous confie cette affaire, et, à part me remettre votre démission sur-le-champ, vous n'avez pas trop le choix.

— Moi aussi, je vous aime, capitaine.

— Bien. Allez parler avec le FBI. »

Miller grimaça. « Quoi ? Le FBI ?

— Je crains que oui… Le directeur a sollicité l'aide du FBI, qui nous envoie quelqu'un pour nous apprendre à gérer ce merdier.

— Mais ce n'est pas une affaire fédérale… Qu'est-ce qu'ils viennent faire là-dedans ?

— Ils nous donnent un coup de main, Robert, et, croyez-moi, ça m'arrange. Le patron a parlé avec le juge Thorne… Je vous rappelle qu'on a des élections l'année prochaine. Et laissez-moi vous garantir que personne n'a envie de perdre son boulot à cause de cette affaire. J'ai besoin que quelqu'un dirige le tout, et ce quelqu'un, c'est vous. J'ai bien peur qu'il ne puisse pas en être autrement. Au moins, ça vous donnera peut-être du fil à retordre et ça vous rappellera pourquoi vous avez travaillé tellement dur pour devenir inspecteur de police.

— J'ai le choix ?

— Oh ! que non. Depuis quand est-ce que quelqu'un a le choix dans ces cas-là ? Vous avez eu trois mois de congé depuis cette saloperie. Vous êtes revenu il y a une semaine. Je veux que vous alliez parler gentiment au FBI, puis que Roth et vous rassembliez tous les dossiers, que vous les creusiez un par un et que vous fassiez quelque chose. On a quatre femmes mortes et, moi, j'ai le directeur en permanence sur le dos. Il y a plus d'articles sur cette affaire que sur les cérémonies du 11 Novembre. Alors je vous demande de jouer les héros et de sauver la patrie en danger, compris ? »

Miller se leva de son fauteuil. Il se sentait déjà accablé par un poids, par la pression imminente qui allait balayer silencieusement, sans crier gare, ce fragile château de cartes qu'était sa vie. Un matin, il se réveillerait tout bonnement incapable d'aligner une phrase correcte ou de se préparer un café. Il n'avait pas besoin d'un tueur en série ni d'une succession de meurtres à la une des journaux ; d'un autre côté, il se demandait s'il n'avait pas façonné sa propre justice, peut-être comme une manière de trancher son indécision – son chant du cygne ou sa planche de salut. Il voulut dire quelque chose, mais Lassiter leva la main.

« Vous m'avez demandé si vous aviez le choix. Vous avez votre réponse. Allez voir le FBI et essayez de comprendre un peu ce merdier, vous voulez bien ? »

Miller s'avança vers la porte.

« Ah ! autre chose », dit Lassiter.

Miller haussa les sourcils.

« Marilyn Hemmings est le coroner en charge. Il va falloir que vous fassiez avec. À coup sûr, la presse va être au courant. Après la photo parue dans le *Globe*, je n'ai pas besoin de vous faire un dessin…

— J'ai compris », répondit Miller.

Il ouvrit la porte du bureau.

« Si j'avais quelqu'un de mieux… » entendit-il Lassiter lui dire au moment où il referma doucement la porte derrière lui.

Je connais ça, pensa-t-il avant de se diriger vers l'escalier.

À plusieurs kilomètres de là, dans la banlieue de Washington, une jeune femme nommée Natasha Joyce était debout sur le seuil de sa cuisine. Elle était noire, elle devait avoir un peu moins de 30 ans, et quelque chose à la télévision venait d'attirer son attention. Elle recula de l'évier où elle était en train de faire la vaisselle. Tenant dans sa main une assiette et un torchon, elle inclina la tête et plissa les yeux face à l'écran de télévision : la présentatrice parlait.

Un visage apparut soudain.

Une petite hésitation, peut-être quelque chose s'apparentant à de l'incrédulité, et l'assiette glissa des doigts de Natasha ; alors même qu'elle fixait le visage sur l'écran, elle sentit que l'assiette tombait au ralenti.

Sa fille, une jolie gamine de 9 ans prénommée Chloe qui jouait dans un coin de la pièce, se retourna alors et vit sa mère dans l'encadrement de la porte, les yeux écarquillés, la bouche grande ouverte.

Tout se passa très lentement. Tout paraissait nébuleux. Tout ce qui aurait dû durer une seconde dura une minute, voire davantage.

L'assiette percuta le sol, sembla elle aussi hésiter une fraction de seconde, avant de se briser en vingt ou trente morceaux. Natasha poussa un cri de surprise, sa fille hurla à son tour, et Natasha fut étonnée : elle savait qu'elle avait laissé tomber l'assiette, que celle-ci toucherait le sol et se casserait, et pourtant le fracas sembla surgir de nulle part, comme un phénomène totalement inattendu.

« Maman ? dit Chloe avant de se lever de la moquette, de se retourner et de s'approcher d'elle. Maman... Qu'est-ce qui s'est passé ? »

Natasha Joyce ne bougeait plus, le visage pétrifié de stupeur. Elle faisait tout pour essayer de retenir ses larmes.

3

Dix minutes plus tard, Miller se tenait à la fenêtre d'un bureau au deuxième étage. Des murs aux couleurs neutres, beige en bas, beige plus clair en haut. Un mobilier merdique. Des radiateurs qui vrombissaient et grésillaient, en une vague tentative pour réchauffer l'endroit, diffusant une odeur de rouille et d'eau croupie. À sa droite, par la fenêtre, Miller pouvait voir en contrebas le carrefour que formaient New York Avenue et la 5ᵉ Rue. Sur le bureau derrière lui traînait un numéro du *Washington Post*. De là où il était, il pouvait lire la une du journal qui se reflétait dans la vitre. Il avait froid. Il se sentait calme.

> « UNE QUATRIÈME VICTIME
> DU TUEUR EN SÉRIE PRÉSUMÉ »

Il y avait une histoire derrière ce titre. Un monstre. La créature que l'on regrette d'avoir engendrée.

Washington en possédait son propre spécimen. On le surnommait le Tueur au ruban. Sa noire légende était née huit mois et trois meurtres avant celui de Catherine Sheridan. À chaque fois, il avait laissé derrière lui des rubans différents : le premier bleu, le deuxième rose, le troisième jaune. Bleu layette, rose bonbon, jaune printanier. Dans les trois cas, une étiquette à bagage en kraft vierge, comme celles que l'on noue aux orteils des cadavres à la morgue, avait été attachée au ruban. Catherine Sheridan avait eu droit à un ruban blanc, elle était la quatrième victime, et le commissariat n° 2 de Washington, sous les ordres du capitaine Frank Lassiter, avait reçu la nouvelle de son assassinat comme un coup de boule. Le ruban et l'étiquette n'étaient qu'un élément parmi d'autres, une signature peut-être, et si les inspecteurs de la Criminelle chargés du tout premier meurtre avaient su que d'autres suivraient, ils auraient dissimulé ce détail. La première victime était Margaret Mosley, une bibliothécaire municipale de 37 ans, battue à mort et étranglée. On avait découvert le cadavre le lundi 6 mars, chez elle. Il avait fallu attendre le mercredi 19 juillet pour que survienne le deuxième meurtre, celui d'Ann Rayner, 40 ans, secrétaire juridique chez Youngman, Baxter & Harrison, elle aussi retrouvée battue à mort et étranglée au sous-sol de son appartement. La troisième, Barbara Lee, était une fleuriste de 29 ans. Légère tache de naissance sous l'oreille gauche, originaire de Baltimore. Même mode opératoire. Retrouvée le mercredi 2 août dans sa maison, au croisement de Morgan Street et de New Jersey Avenue. Et, pour finir, Catherine Sheridan.

Les femmes, apparemment, n'avaient été ni enlevées ni torturées. Aucune trace de violences sexuelles ou de viol. Comme rien ne semblait avoir disparu de leur appartement, la piste du vol était exclue. Tout laissait penser qu'elles se trouvaient chez elles lorsque l'intrus avait fait irruption, peut-être en braquant une arme sur elles, en leur parlant, en leur disant ce qu'il attendait d'elles… Car il n'y avait aucune trace de lutte, aucun objet renversé. Toutes avaient été battues, rapidement, sans pitié, avec acharnement. Des coups nets, des coups que rien ne semblait retenir. Après les avoir étranglées, le tueur leur avait attaché autour du cou un ruban surmonté d'une étiquette vierge – bleu, rose, jaune et maintenant blanc. La police avait laissé filtrer ce détail ; les médias en avaient parlé ; la population de Washington s'en était emparée et se l'était approprié. Le Tueur au ruban.

Miller avait lu des livres, vu des films. Tout y paraissait toujours tellement simple. Quatre femmes mouraient, et un homme – un criminologue, peut-être un homme bourré de défauts et tramant derrière lui une réputation difficile – examinait les circonstances de ces morts et trouvait ce qui les reliait les unes aux autres, l'élément unique, particulier, sur lequel il braquait les projecteurs avant de dire : « Vous voyez ? Tout est là. Voilà ce qui va nous donner son nom. » Et il avait toujours raison, on retrouvait l'assassin, et le dénouement rendait toute l'affaire claire comme de l'eau de roche.

Mais, dans la vie, ça ne se passait pas comme ça. Après la première affaire, c'est-à-dire le meurtre de Margaret Mosley en mars, Miller et Roth avaient écumé pendant un peu plus d'une journée le périmètre autour de Bates Street, de Patterson Street, de Morgan Street et de Jersey Avenue. Ils avaient posé des questions, attendu des réponses et écouté attentivement ces réponses ne jamais venir. D'autres inspecteurs les avaient remplacés ; on avait tenu des réunions pour expliquer qu'on n'avait rien appris d'intéressant. Puis l'affaire avait été confiée à un autre commissariat. Miller était passé à autre chose et avait pris connaissance du deuxième meurtre avec plusieurs semaines de retard. Mais à ce moment-là, plongé jusqu'au cou dans ses propres problèmes, dans l'enquête menée par la police des polices, dans les analyses du coroner et dans l'agonie aussi interminable que douloureuse de sa liaison de quatorze mois avec une fille nommée

Marie McArthur, il n'y avait guère prêté attention – ce qui pouvait se comprendre.

Entre le premier meurtre en mars, le deuxième en juillet et la mort de Barbara Lee en août, puis pendant tout le mois de septembre jusqu'à la première semaine de novembre, Miller savait qu'aucun élément important n'était venu éclairer le mystère. Sinon, Roth ou un autre inspecteur l'auraient tenu au courant. Le commissariat n° 2 formait en effet une famille soudée, où personne ne se lâchait d'une semelle. Cette affaire était un vrai cauchemar, et même si les journaux parlaient d'autres choses, même si la page des sports et les élections de mi-mandat retenaient une fois de plus l'intérêt de la grande majorité des habitants de Washington, le cauchemar avait continué de tracer son sillon et d'empoisonner l'atmosphère. Quelqu'un avait assassiné quatre femmes. Il les avait tuées promptement, violemment, sans raison ni explication apparentes, et tout le poids de l'enquête, de l'identification et de l'élucidation venait de retomber sur les épaules de Robert Miller.

Dès que Roth arriva, il l'informa de l'intervention du FBI. Roth esquissa un sourire caustique mais ne critiqua pas la décision de Lassiter.

Dépêché à la police de Washington par l'unité des sciences du comportement installée au siège du FBI à Quantico, en Virginie, leur visiteur avait dans les 55 ans et une allure de professeur d'université. Il portait une veste en laine et un pantalon de coton aux genoux élimés et poussiéreux, comme s'il passait le plus clair de ses journées à quatre pattes, à scruter péniblement l'obscurité et à griffonner des notes incompréhensibles. Il s'appelait James Killarney. Il n'avait pas une tête d'homme marié. Il n'avait pas une tête de père de famille. Il saluait chacun des nouveaux arrivants par un demi-sourire et un hochement de tête. Il savait que sa présence n'était pas forcément la bienvenue – rien de personnel, une simple rivalité territoriale et juridictionnelle depuis longtemps ancrée dans les mentalités – mais paraissait tout de même à son aise, serein, comme si tout cela allait de soi.

Il était 9 heures passées lorsque sept inspecteurs se présentèrent à la réunion qui se tenait, à huis clos, au premier étage du commissariat n° 2. Parmi eux figuraient des gens comme Chris Metz, Carl Oliver, Dan Riehl et Jim Feshbach – des vétérans de l'enquête criminelle, des hommes que Miller estimait bien plus aptes que lui à diriger une telle opération. Leurs visages semblaient tous dire la même chose. « J'ai tout connu. Il n'y a rien au monde que je ne puisse affronter. Bientôt, peut-être plus vite que je le crois, j'aurai tout vu. » Miller avait toujours voulu échapper à cela et espéré qu'il en irait autrement pour lui, qu'il ne succomberait jamais à cette autosatisfaction. Pourtant, il y cédait à son tour. Il s'en rendait compte. Il trouvait qu'il l'arborait mieux que tous les autres.

La tension était manifeste dans les regards, dans les changements d'attitude, dans la manière dont chacun avisait son voisin de gauche, puis celui de droite, et revenait à Killarney devant. On était à Washington, on ne pouvait pas laisser des choses pareilles se poursuivre indéfiniment ; néanmoins, la présence d'un ressentiment inavoué se faisait lourdement sentir. Miller lui-même était tenaillé entre cette rancœur et une vraie curiosité à l'égard de ce que l'homme venu d'Arlington pouvait leur dire sur cette affaire.

Killarney, justement, souriait. Il resta un moment debout à l'avant de la salle, puis recula et s'assit sur le rebord du bureau. Comme un professeur d'université. Il ne manquait plus qu'un tableau noir.

« Je m'appelle James Killarney, annonça-t-il d'une voix posée, celle d'un homme patient et compréhensif. Je suis ici pour vous parler du problème qui nous occupe, car il se trouve que j'ai une petite expérience en la matière. Mais, avant de commencer, je voulais partager avec vous quelques éléments qui me semblent intéressants. »

Il s'arrêta une seconde, comme dans l'attente de questions, puis retrouva son sourire et reprit la parole.

« Vous savez peut-être qu'à Berkeley on enseigne la psychologie criminelle. On y aborde toutes les formes de violence physique, depuis les agressions gratuites et spontanées contre des femmes, les violences préméditées, jusqu'aux enlèvements et aux tortures, en passant par les agressions sexuelles, les viols et, enfin, les meurtres. On y analyse aussi de long en large ce qu'on appelle les problèmes de carence maternelle. Vous connaissez ? » Killarney agita sa main droite, nonchalamment, et plongea la main gauche dans la poche de son pantalon. « En quoi le surmoi est la partie de notre personnalité qui affronte les questions morales et éthiques, et en quoi, si une personne est privée d'amour maternel dans sa petite enfance, son surmoi s'en trouvera atrophié. » Nouveau sourire, mais de grand-père cette fois. « Bref, tout un ramassis d'âneries débitées par des gens qui n'ont rien de mieux à faire de leur journée que de raconter de belles histoires sur ce qui se passe dans la tête des autres. »

Des murmures approbateurs, quelques rires brefs.

« Cependant, il y a tout de même une chose intéressante en ce qui concerne la méthode et les motivations de ceux qui commettent des actes violents et des meurtres. »

Il s'interrompit un instant pour regarder son auditoire. « D'après nos observations et notre expérience, il semblerait qu'il existe deux types de criminels. On parle alors des maraudeurs et des migrants. Les maraudeurs, ce sont ceux qui restent dans une zone précise et ramènent généralement leurs victimes au même endroit pour y commettre leur crime. Les migrants, quant à eux, se déplacent dans plusieurs endroits. Les agressions se divisent elles-mêmes en quatre catégories : la quête de réconfort, la quête de domination, la rage, le sadisme. Chacune de ces catégories possède ses motivations propres et se manifeste donc sous des formes différentes. »

Quelques feuilles manipulées, les inspecteurs de la Criminelle cherchant des stylos dans leurs vestes.

Killarney fronça les sourcils. « Mais qu'est-ce que vous faites ? Vous prenez des notes ? » Il secoua la tête. « Ne vous fatiguez pas. Je suis ici simplement pour vous indiquer des pistes dans votre enquête, pour suivre vos progrès. Ce ne sont là que des catégories, et elles doivent être appréhendées comme telles. La première, nous l'appelons donc recherche de réconfort. Tout part d'un besoin, chez l'agresseur, de dissiper ses doutes sur sa sexualité. Un homme qui s'inquiète d'avoir des pulsions homosexuelles agresse des femmes afin de se prouver qu'il éprouve du désir pour elles. Il emploie moins la force que d'autres types d'agresseurs. Il planifie tout avec soin. Il a tendance à commettre ses forfaits au même endroit et à conserver des petits souvenirs. »

Killarney retira la main de sa poche et croisa les bras. « La recherche de domination, c'est ce qui caractérise les criminels dits "familiers". Ces gens-là se montrent d'un abord amical et inoffensif. Ils ne deviennent menaçants que plus tard, en général quand ils voient leurs avances sexuelles repoussées. Alors ils prennent peur. Ils se sentent brimés, intimidés, affaiblis. Leur tension sexuelle se mue en tension physique, laquelle devient rapidement colère, fureur, haine. Ils ont recours à la violence pour exprimer leur instinct. S'ils ne peuvent pas avoir la victime, alors personne d'autre ne le pourra. »

Killarney passa d'un visage à l'autre, afin de s'assurer que toute l'attention était portée sur lui. « Troisièmement, la rage. Comme son nom l'indique, dans ce cas-là tout est une question de rage et d'hostilité à l'encontre des femmes. La victime devient symbolique. Le criminel qui est mû par la rage cherchera à humilier sa victime, souvent lors d'agressions non planifiées et violentes. Dernier cas, enfin, le sadisme, où l'on cherche à terroriser la victime, à lui infliger le plus de souffrances possible, par des agressions conçues comme de véritables opérations militaires. Lieux, armes et méthodes sont choisis avec soin et souvent soumis à des repérages. Ces gens-là font usage d'une violence extrême, ils torturent parfois la victime, vont même jusqu'à la tuer. Celle-ci est généralement une inconnue, et l'auteur aura tendance à conserver des traces de son crime.

— Mais quel rapport avec nos victimes ? » demanda Miller sur un ton légèrement défiant.

Bien que l'intrusion du FBI dans les affaires de la police de Washington ne fût pas de son fait, il pensait qu'un manque d'agressivité de sa part risquait d'être interprété comme une marque de faiblesse. On lui avait confié l'affaire : désormais, il lui fallait montrer sa détermination à prendre l'initiative.

« Nous sommes face à un maraudeur, répondit Killarney. Mais rien ne nous permet de dire dans laquelle des quatre catégories d'agression notre ami vient se ranger. Le sadisme paraît être le plus indiqué, mais il ne semble y avoir chez lui aucune envie de terroriser sa victime. Dans le cas de la dernière femme, il s'est même retenu, il ne l'a pas frappée au visage, comme il l'a fait pour les trois autres. Il y a des anomalies. Il ne pratique pas la torture. Il n'y a pas de violence extrême.

— Et les coups ? » demanda Miller.

Killarney lui adressa un sourire entendu, patient. « Les coups ? Les coups qu'il a donnés n'étaient que des coups. Quand je parle de violence extrême, j'entends une violence vraiment extrême. Les coups que ces femmes ont reçus étaient relativement gentils, comparés à beaucoup de choses que j'ai vues. »

Un silence.

« Et donc ? »

Killarney regarda tout autour de lui, puis se fixa sur Miller. « Comment vous appelez-vous ?

— Miller... Robert Miller.

— Miller, acquiesça Killarney, presque pour lui-même, avant d'ouvrir de grands yeux. J'ai cru comprendre que vous alliez diriger cette enquête.

— C'est ce que je viens d'apprendre, oui. »

Miller comprit alors le pourquoi de sa provocation. On l'avait coincé. On lui avait donné quelque chose dont il ne voulait pas. Killarney était peut-être là pour apporter son aide, ni plus ni moins, néanmoins sa présence sous-entendait non seulement que Miller n'avait pas les coudées franches, mais encore – quand bien même lui revenait l'entière responsabilité de l'enquête – qu'il n'était pas capable de la mener sans soutien extérieur. Telle était la nature de ces affaires très médiatisées : le directeur de la police devait faire confiance à ses commissaires, qui eux-mêmes devaient faire confiance à leurs adjoints et lieutenants, mais toujours avec ce sentiment d'incertitude, cette idée que plus la chaîne de commandement s'étirait, plus les responsabilités étaient grandes.

« Eh bien, dites-nous ce que vous en pensez, Miller… Dites-nous ce que vous pensez du Tueur au ruban. »

Miller se sentit soudain mal à l'aise. Il avait l'impression que Killarney le mettait sur la sellette parce qu'il avait osé l'interrompre dans son exposé, comme une manière de réaffirmer son autorité sur la marche à suivre.

« J'étais là le jour du premier meurtre, dit Miller. Celui de Margaret Mosley. »

Les autres inspecteurs le regardaient.

« Je suis allé là-bas et je l'ai trouvée… Enfin, je ne l'ai pas vraiment trouvée. Je veux dire par là que j'ai été le premier inspecteur sur place. Il y avait déjà des agents à mon arrivée. Le coroner était en route. Je suis entré dans la maison… dans la chambre, et j'ai vu la victime sur son lit. »

Miller baissa les yeux et secoua lentement la tête.

« Quelle a été votre première impression, inspecteur Miller ?

— Ma première impression ?

— La première chose que vous avez ressentie.

— J'avais l'impression d'avoir reçu un coup de poing dans le plexus. » Il brandit le poing et se martela le milieu du thorax. « Comme si on m'avait frappé avec une batte de base-bail. Voilà la première chose que j'ai ressentie.

— Et vous vous êtes déplacé sur la scène de crime ? Ou est-ce que vous l'avez observée d'un point fixe ?

— D'un point fixe… Comme on nous l'a appris. Toujours observer une scène de crime depuis un point fixe. Chercher les anomalies, les détails incongrus. Chercher l'évidence avant tout le reste.

— Et donc ?

— Le ruban, bien sûr. »

Killarney hocha la tête. « Oui… Le ruban, l'étiquette. Et ensuite ?

— Le parfum de lavande.

— Aucun doute là-dessus ?

— Non, c'était bien de la lavande… comme pour les deux autres.

— Vous étiez sur les deux autres scènes de crime ?

— Non. Il se trouve simplement que j'étais de permanence le jour du deuxième meurtre. Je n'étais pas officiellement en charge de cette affaire-là. En revanche, pour le troisième, j'ai lu le rapport préliminaire, et, enfin, la nuit dernière, le plus récent…

— Qui était présent sur la deuxième scène de crime ?

— C'était du ressort du commissariat n° 4, dit Miller. Aucun d'entre nous ne s'en est occupé.

— Et le troisième… » Killarney consulta les feuilles de papier posées sur le bureau à côté de lui. « Barbara Lee… Est-ce que l'un d'entre vous était sur les lieux ? »

Carl Oliver, assis à la droite de Miller, leva la main. « Moi et mon collègue, Chris Metz. »

Metz leva à son tour la main pour se signaler et ajouta : « Officiellement, ça tombait dans la juridiction du n° 6, mais ils n'avaient personne sous la main. Donc on nous a demandé d'y aller.

— Ce qui est une des raisons évidentes pour lesquelles cette série de meurtres n'a pas été résolue depuis huit mois, dit Killarney. Et ce qui explique pourquoi votre directeur a confié l'affaire à un seul commissariat et à un seul inspecteur… N'est-ce pas, monsieur Miller ? »

Miller acquiesça.

56

Killarney reporta son attention sur Carl Oliver. « Parlez-nous donc du troisième crime, inspecteur Oliver.

— Même chose. La lavande.

— On tient peut-être la signature. Le ruban, dans la deuxième affaire… Mlle Ann Rayner… le ruban était…

— Rose, intervint Al Roth.

— Et nous avons l'étiquette vierge. Une étiquette à bagage ? Une étiquette d'identification pour un cadavre anonyme ? Une étiquette d'objet trouvé ? On n'en sait rien, on ne peut qu'émettre des hypothèses. »

Sur ce, Killarney hocha lentement la tête, décroisa ses bras et enfonça les mains dans ses poches. « Margaret Mosley, Ann Rayner, Barbara Lee, Catherine Sheridan. 37 ans, 40 ans, 29 ans et 49 ans, respectivement. Des rubans : bleu, rose, jaune et blanc. Le même parfum sur chaque scène de crime. Notre ami a peut-être arrosé d'eau de lavande le corps, le lit et les rideaux, afin de couvrir l'odeur de décomposition. Sans doute pensait-il ainsi retarder la découverte des corps. » Il pencha la tête sur le côté, plissa vaguement les yeux en direction de Miller, puis regarda Roth. « Ou peut-être pas. Quoi qu'il en soit, ça n'a pas marché dans la dernière affaire puisqu'une pizza avait été commandée. Il…

— Il se peut aussi que l'étiquette et la lavande ne signifient rien du tout, proposa Miller.

— Mais tout à fait, monsieur Miller. "Oh ! quelle toile enchevêtrée nous tissons lorsque pour la première fois nous pratiquons la tromperie…" N'est-ce pas ? » Il lui adressa un sourire complice. « Personnellement, je rejette la faute sur la télévision. »

Miller fit une grimace.

« Et sur Internet, ajouta Killarney.

— Je ne comprends pas…

— Vous savez combien de techniques criminelles on peut recenser à la télévision ou sur Internet ? »

Miller ouvrit la bouche pour répondre.

« Simple question rhétorique, monsieur Miller. Ce que je veux dire par là, c'est que vous pouvez trouver sur Internet à peu près tout ce qui concerne une scène de crime. À partir du moment où vous savez quels éléments recherchent les médecins légistes et les experts scientifiques, vous pouvez les leur dissimuler ou carrément leur faire découvrir des choses qui n'ont aucune signification.

— Vous pensez qu'il va tuer de nouveau ? »

Sourire de Killarney. « Tuer de nouveau ? Notre ami ? Oh ! que oui, monsieur Miller… Je peux vous le garantir. »

Les inspecteurs présents échangèrent des regards – gênés, vacillants.

« Maintenant vous voulez savoir comment retrouver ce type, j'imagine ? reprit Killarney. Vous voulez savoir ce que je sais. Vous voulez connaître la formule magique qui éclairera ces ténèbres du rayon de la vérité et de la raison, n'est-ce pas ? »

Les inspecteurs ne dirent rien. Ils attendaient la suite.

« Pour être très franc, la formule magique n'existe pas, pas plus que le rayon de la vérité et de la raison. Vous retrouverez cet homme à force de persévérance… Une persévérance de tous les instants, et rien d'autre. La chance n'a rien à faire là-dedans. Les conjectures non plus. » Killarney sourit. « Je sais que je vous dis là des choses que vous savez déjà, mais il est parfois bon de se faire rappeler les règles fondamentales du travail d'enquête. Et si vous tenez absolument à trouver une raison, une explication… Eh bien, messieurs, je vous dirai qu'on ne peut pas rationaliser l'irrationnel. La seule personne qui sache exactement pourquoi notre Tueur au ruban agit comme il agit, c'est…

— Lui-même, conclut Miller à sa place.

— Bravo, inspecteur Miller. Vous avez tiré le gros lot. »

Mon nom est John Robey, et je sais absolument tout ce que vous pouriez avoir envie de savoir sur Catherine Sheridan.

Je sais dans quelle rue elle habite, la vue qu'elle a de son jardin. Je sais ce qu'elle aime manger et où elle fait ses courses. Je sais quel est son parfum, les couleurs qui lui vont bien, selon elle. Je connais son âge, son lieu de naissance, la manière dont elle ressent mille et une petites choses, et pourquoi…

Mais je sais un tas d'autres choses encore. Les choses importantes. Les choses qui lui faisaient peur. Les choses qui la poussaient à se demander si elle avait fait les bons choix. Et ce qu'elle craignait qu'il n'arrive si elle s'était trompée.

Je sais le trivial et le complexe ; aussi bien le simple que le difficile.

Je sais les ombres qui nous suivent et celles qui nous attendent.

Et j'ai mes propres ombres, mes propres peurs, mes propres petits secrets.

Comme mon nom, par exemple, car je ne me suis pas toujours appelé John Robey…

Mais l'heure n'est pas à ces détails. Nous en reparlerons quand nous aurons un peu de temps.

Pour le moment je serai John Robey, et je vais vous dire ce que je sais.

Je sais l'amour et le dépit, les cœurs brisés et les désillusions. J'ai compris que le temps sert à émousser cette lame de rasoir qu'est le deuil, jusqu'à ce que la plaie des souvenirs soit moins profonde et que ne subsiste plus que la douleur de l'oubli forcé.

Je sais tout des promesses tenues comme des promesses trahies.

60

Je connais Catherine Sheridan, Darryl King et Natasha Joyce. Je connais la fille de Natasha, Chloe.

Je connais Margaret Mosley ; je connais son apparte-ment au croisement de Bates Street et de la 1re Rue. Je connais le bow-window baigné de soleil qui donne, au loin, sur Florida Avenue.

Je connais Ann Rayner, le sous-sol de sa maison sur Patterson Street NE.

Je connais Barbara Lee, sa maison qui fait l'angle entre Morgan Street et New Jersey Avenue, à moins de cinq rues au sud-est de là où je me trouve actuellement.

Je sais que je suis un homme fatigué. Non par manque de sommeil – ces derniers jours j'ai trop dormi. Non, pas cette fatigue-là.

Je suis épuisé à force de porter le fardeau de ces choses.

Il y a la part secrète. Chacun de nous possède sa part secrète. C'est là que sont nos péchés et nos transgres-sions, nos crimes et nos injustices, nos manquements à la raison, à la foi et à l'honnêteté, nos vices, nos méfaits et toutes nos disgrâces…

La part secrète nous hante. Elle nous suit comme une ombre, puis elle nous attend avec une patience et une force inébranlables. Quelle est la formule, déjà ? Au bout du compte, ce sont nos mauvaises actions et le manque de souffle qui nous tuent tous.

Mon fardeau est bien assez lourd pour un seul homme. La vérité ? J'en ai à revendre pour trois, pour cinq, pour sept hommes.

Elle m'a rattrapé, je crois, et, quand je me retourne pour regarder ma propre part secrète, je me rends compte qu'il n'y a qu'une seule manière d'expier.

En disant la vérité. En portant la lumière de la vérité dans les recoins les plus sombres et en ne me souciant pas de savoir qui, ou quoi, sera éclairé au passage.

Alors tout sera terminé.

Il ne me reste qu'une chose à faire... D'ici là, je peux porter la lumière. Dévoiler les ombres. Montrer au monde ce qui s'y cache.

Ils ne veulent pas le voir – n'ont jamais voulu, ne voudront jamais.

Trop tard. Ils vont quand même le voir.

4

Miller et Roth se remirent au travail l'après-midi. Miller était déjà envahi par un sentiment d'urgence face aux événements qui s'annonçaient. Killarney avait terminé son laïus, répondu aux questions, puis Lassiter leur avait martelé la tête avec sa volonté de résultat. Killarney les suivrait de loin, sans jamais intervenir, mais il serait tenu au courant de leur progression.

Miller avait abandonné sa première idée – sa réticence à être mêlé à une grosse affaire criminelle – et se disait maintenant que c'était peut-être la meilleure chose qui pouvait lui arriver. Elle lui permettait déjà de ne plus trop penser aux événements récents.

Les paroles de Killarney résonnaient encore dans sa tête lorsqu'il quitta avec Roth le n° 2 pour Columbia Street. Roth avait sur lui une photo de Catherine Sheridan. Récupérée sur son passeport et retouchée à la palette graphique, comme l'avait suggéré Reid, afin d'en améliorer le contraste et les couleurs, elle avait ensuite été reproduite au format carte postale. Miller l'avait étudiée de près pour tenter de percer la femme qui s'y cachait, cette femme dont les traits dégageaient quelque chose de particulier et de marquant, mais qu'il n'arrivait pas à définir. On aurait dit que sa vie avait été frappée par la même tragédie qui entourait sa mort.

La veille, samedi 11 novembre, avait été la Journée des anciens combattants, étonnamment froide, car à Washington l'ensoleillement variait peu et les températures descendaient rarement au-dessous de 8 °C en novembre. Un petit thermomètre sur la véranda de la maison de Catherine Sheridan aurait indiqué 2 °C. Journée des anciens combattants oblige, défilés et commémorations avaient retenu l'attention de la majorité des habitants de Washington – avec en point d'orgue le cimetière d'Arlington : les enfants minuscules se tenant face aux énormes statues d'acier qui représentaient les pertes américaines en Corée. Une journée de souvenir, de deuil, symbolisée par cette inscription gravée au mémorial de la Seconde Guerre mondiale : « Aujourd'hui les canons se sont tus… La pluie de la mort a cessé de tomber – les mers ne charrient que le commerce ; partout les hommes marchent droit dans la lumière du jour. Le monde entier a retrouvé la paix. » Il y avait eu le son lointain des fanfares, des tubas, défiant le bruit de la circulation matinale. Des gens avaient jeté un regard plein de respect vers la rumeur en se rappelant ce que la Journée des anciens combattants signifiait pour beaucoup, un père disparu, peut-être un fils, un frère, un voisin, un amour d'enfance. Ils s'étaient arrêtés un moment, avaient fermé les yeux, pris une longue inspiration, hoché la tête comme pour une prière et repris leur marche. L'air vif était chargé de souvenirs, et les passants, en les percutant, avaient pu s'imprégner de leur tristesse, de leur nostalgie et de leur douceur. Pendant une journée, Washington était devenue une ville du souvenir, une ville de l'oubli.

« D'abord la maison, ensuite la bibliothèque, dit Miller alors que Roth et lui conduisaient en direction de Columbia Street. Si tant est que la bibliothèque soit ouverte aujourd'hui. »

Pour toute réponse, Roth se contenta d'opiner.

À leur arrivée, Greg Reid était dans la cuisine de Catherine Sheridan. Il sourit et leva un bras pour les saluer. À la lumière du jour, il ressemblait à William Hurt, avec un visage ouvert à la vie, aux autres, peut-être celui d'un homme qui donnait plus qu'il ne recevait. « C'est vous qui êtes sur le coup, alors ?

— Oui, c'est nous, dit Miller. Comment ça se présente ?

— Je l'ai envoyée au coroner. J'ai procédé à un premier examen, relevé les empreintes, fait les photos. La routine. Mais j'ai deux ou trois choses pour vous. » Il désigna d'un geste du menton la table de la cuisine. « Vous avez déjà récupéré sa carte de bibliothèque, n'est-ce pas ? Il y a aussi un peu de nourriture achetée dans un *deli*. Du pain, du beurre, des trucs comme ça. C'est du pain bio. Genre baguette. Sans conservateurs. Fabriqué hier, si on en croit l'étiquette.

— Quel *deli* ? demanda Roth.

— L'adresse figure sur l'emballage. »

Miller sortit son calepin de sa poche. « Il y avait des messages sur le répondeur ?

— Il n'y a pas de répondeur.

— Un ordinateur ?

— Je n'ai trouvé aucun ordinateur, ni fixe ni portable, dit Reid avec un sourire gêné.

— Qu'est-ce qu'il y a ?

— Je n'ai jamais vu un endroit pareil.

— Quoi donc ?

— Cette maison.

— Qu'est-ce que vous voulez dire ?

— Jetez un coup d'œil vous-mêmes. Tout est très propre, presque trop propre.

— C'est probablement le tueur qui a tout nettoyé, intervint Roth. Ils connaissent le truc par cœur, maintenant. Un grand merci aux *Experts*.

— Je ne parlais pas de ce genre de propreté. On dirait que personne n'a vraiment vécu ici. Un peu comme dans un hôtel, si vous voulez. On n'a aucune trace du bordel habituel qu'on trouve chez les gens normaux. Le panier à linge sale, dans la salle de bains, est vide. Il y a des peignes, des produits cosmétiques, du dentifrice, mais tout en quantité réduite.

— Vous avez travaillé sur une des scènes de crime précédentes ? demanda Miller.

— J'étais sur celle de Patterson Street, en juillet.

— Ann Rayner, précisa Roth.

— Vous pensez que c'est le même type ?

— Tout le laisse croire. » Reid s'interrompit un instant. « J'ai demandé une confirmation au coroner, mais il y a peut-être autre chose... Je ne peux pas en avoir le cœur net avec un simple examen élémentaire.

— C'est-à-dire ?

— Cette femme, Catherine Sheridan... Elle était avec quelqu'un hier.

— Avec quelqu'un ?

— Il semblerait qu'elle ait eu un rapport sexuel avec quelqu'un.

— Vous n'en êtes pas sûr ?

— Autant que peut l'indiquer un examen superficiel. Elle avait du lubrifiant spermicide dans la zone vaginale. Du Nonoxynol-9. Vérifiez auprès du coroner pour avoir confirmation. Elle pourra procéder à un examen interne.

— Mais aucune trace de viol ?

— Aucun élément externe ne l'indique, non.

— Et l'heure de la mort est confirmée ? demanda Roth.

— En se fiant à la température du foie et à celle de l'endroit, entre 16 h 45 et 18 heures, hier. Le coroner pourra sans doute vous donner quelque chose de plus précis.

— Vous avez fait le rappel automatique du dernier numéro de téléphone ?

— J'avais déjà assez à faire avec la dame, je me suis dit que vous pourriez vous en charger. »

Roth traversa la cuisine jusqu'au salon. Il enfila ses gants en latex, souleva le combiné et appuya sur le bouton de rappel.

Miller l'entendit échanger quelques mots avec quelqu'un à l'autre bout du fil, puis raccrocher et revenir à la cuisine.

« La pizzeria. J'ai le nom et l'adresse.

— C'est déjà ça, dit Miller. On va faire un tour chez les voisins, à la bibliothèque, au *deli*, et ensuite on ira à la pizzeria. Dans combien de temps vous aurez terminé ici ? »

Reid haussa les épaules. « Je n'ai pas encore tout examiné en haut. Le temps de travailler sur le corps et de l'emballer pour le coroner… Encore tout un étage à faire. J'en aurai pour un bon moment.

— On repassera.

— Je pense que vous pouvez me laisser la journée. Je suis tout seul, maintenant. »

Reid les abandonna dans la cuisine et monta à l'étage. Roth trouva le sac du *deli* : une baguette, 250 g de brie, une motte de beurre doux, le tout intact. Le pain datait du 11, comme l'avait indiqué Reid. « Cuit du matin. Sans conservateurs. Demain ce pain sera une vraie batte de base-ball ! » disait l'étiquette. Miller sourit, Roth aussi, puis Miller se rappela dans quel état on avait retrouvé Catherine Sheridan, la position de son corps, le teint de son visage, le malaise régnait partout… De quoi anéantir instantanément le moindre sourire. Pour plusieurs jours.

Roth nota dans un coin de sa tête l'adresse du *deli*. Miller et lui quittèrent la maison par la porte de la cuisine et traversèrent le jardin jusqu'au trottoir.

S'agissant des dernières pensées de Catherine Sheridan, Miller ne pouvait s'en tenir qu'à des hypothèses. À ce stade, il devait se contenter des endroits où elle s'était rendue le samedi matin et, peut-être, des raisons de ces déplacements. Roth et lui arpentèrent la rue et parlèrent avec quelques personnes qui n'étaient pas chez elles la nuit précédente. Les autres n'avaient strictement rien à leur dire. La maison située à droite de celle de Sheridan était manifestement vide. La veille au soir, le doute était encore permis ; mais Roth en fit le tour, posa ses deux mains en visière contre la vitre et scruta l'intérieur du rez-de-chaussée : des meubles couverts de poussière, des pièces silencieuses et figées dans le temps. Le voisin de gauche, lui, n'était pas encore rentré chez lui. Les deux inspecteurs quittèrent Columbia Street et se dirigèrent vers la bibliothèque Carnegie.

« Généralement nous sommes fermés le dimanche », expliqua la bibliothécaire. Elle s'appelait Julia Gibb, elle avait une tête de bibliothécaire et la voix feutrée qui allait avec. Elle les dévisagea derrière une paire de lunettes à demi-monture. « Aujourd'hui nous sommes ouverts à cause du 11 Novembre. Comme hier nous avons fermé à midi, nous ouvrons aussi jusqu'à midi aujourd'hui. Pour compenser. »

Elle hésita une seconde, puis reprit : « Vous êtes là pour Catherine Sheridan, n'est-ce pas ? » Elle chercha sous son guichet et en sortit un exemplaire du *Post*. « Je ne sais pas quoi vous dire. C'est une histoire horrible. Vraiment horrible… »

Miller posa les questions, Roth prit les notes. Julia Gibb ne connaissait pas Catherine Sheridan, pas plus que n'importe quel autre usager. Elle n'avait rien remarqué de suspect dans son comportement, mis à part le fait qu'elle avait rendu des livres sans en emprunter d'autres. « J'essaie de me rappeler si je lui ai dit quelque chose. Hier ? Hier, je crois que je n'ai pas prononcé un seul mot.

— Quels livres a-t-elle rapportés ? demanda Miller.

— J'ai noté ça quelque part. Je sais que ça n'a pas grande importance, mais, vu ce qui s'est passé, j'ai pensé que ça pourrait intéresser quelqu'un. »

Elle glissa à Miller une feuille de papier sur le guichet. Roth la ramassa, parcourut les titres des ouvrages – *Bellefleur* et *Eux*, de Joyce Carol Oates, *Outremonde* de DeLillo, et deux autres qu'il ne connaissait pas.

« Et elle est repartie à quelle heure ?

— Relativement tôt… Il était peut-être 9 h 45. Je sais qu'on venait juste d'ouvrir.

— Vous l'avez vue repartir ?

— En fait, j'étais avec un autre usager, et j'ai entendu la porte se refermer. J'ai levé les yeux, je n'ai pas vu qui c'était, mais je me suis dit que ça ne pouvait être que Mlle Sheridan, car, quand l'usager avec qui j'étais est reparti, je me suis retrouvée toute seule. »

Miller hocha la tête et regarda Roth. Ce dernier fit signe qu'il n'avait plus de questions à poser.

« C'est terminé pour le moment, dit Miller. Merci pour votre aide, mademoiselle Gibb.

— Je vous en prie. C'est une véritable tragédie, non ? C'est terrible qu'une chose pareille arrive à une femme comme elle.

— En effet », répondit Miller sur un ton détaché, avant de poser un dernier regard sur la liste des titres et de la ranger délicatement dans la poche de son manteau.

Alors qu'ils s'éloignaient de la bibliothèque, Miller comprit parfaitement l'effet que ces brefs instants produisaient. Ils servaient à lui rappeler l'existence des autres. Catherine Sheridan était une personne – avant sa mort, quelque part, elle avait vécu. Comme Julia Gibb. Des gens ordinaires regardaient la vie des autres exploser autour d'eux. Collisions d'humanité. Moments d'horreur. Personne n'y comprenait rien et souvent personne ne cherchait à comprendre. Miller avait maintenant dans sa poche la liste des tout derniers livres que Catherine Sheridan avait lus. Aurait-elle fait un autre choix, se demandat-il, si cette femme avait su qu'il s'agirait là des dernières lignes qu'elle lirait jamais ? Réflexion étrange, certes, mais qui, à la lumière de ce qui s'était passé, ne faisait que confirmer le caractère fragile et imprévisible de la vie.

La même sensation l'envahit lorsqu'ils se présentèrent devant le *deli* situé au croisement de L Street et de la 10e Rue. Le patron s'appelait Lewis Roarke et avait quelque chose d'irlandais dans son accent, sa tignasse noire, ses yeux bleu délavé. Il ne se souvenait pas de Catherine Sheridan, même quand Roth lui montra la photo retouchée. Le samedi avait été une grosse journée. Il était tôt. Les gens s'étaient succédé pour acheter de la mortadelle, du chorizo, du salami, des paniers de fromages, des sandwichs. Ils étaient venus avec leurs gamins, leurs grandsparents. Ça n'avait pas arrêté. Voilà. Non, il n'avait aucun souvenir de Catherine Sheridan. Mais pourquoi aurait-il dû s'en souvenir ? D'après sa photo, elle avait tout l'air d'une femme ordinaire, et le monde était rempli de femmes ordinaires. Un piercing dans le nez, une mèche bleue, ou quelque chose dans le genre, il aurait pu se rappeler, en effet. Mais une femme ordinaire ? Il sourit, secoua la tête et s'excusa, bien qu'il n'eût aucune raison de s'excuser.

Roarke prit la carte que Miller lui fit passer par-dessus le haut comptoir en verre, attendit que les deux inspecteurs aient traversé la rue et jeta la carte à la poubelle. S'il ne se souvenait de rien maintenant, de quoi se souviendrait-il demain, après-demain ? Il avait des clients qui attendaient. « Bonjour, que puis-je pour vous ? »

Miller et Roth retournèrent à leur voiture garée au coin de la rue.

« Donc elle va à la bibliothèque, résuma Roth ; elle rend ses bouquins et n'en emprunte aucun. Elle va ensuite au *deli*, et tout ça à pied, *a priori*. Là, elle achète du pain, du beurre et du fromage, mais ne rentre pas chez elle avant 16 h 30, environ.

— Parce que entre-temps elle est allée quelque part et a couché avec quelqu'un.

— Peut-être. Ou peut-être pas. Tu veux qu'on aille voir le coroner ? Ou la pizzeria ?

— La pizzeria. Je veux voir toutes les personnes à qui elle a parlé. »

Roth mit le contact.

« Entre nous soit dit, ajouta Miller, si elle n'avait pas commandé la pizza… Merde, sans cette pizza, on ne saurait peut-être même pas qu'elle est morte. »

5

À quelque distance du commissariat n° 2 de Washington, le genre de distance où la classe sociale, la culture et la couleur de la peau comptaient plus que les kilomètres, Natasha Joyce attendait la sonnerie de 11 heures dans le couloir de l'école de catéchisme de sa fille. Accolé à un centre de loisirs municipal décati, le bâtiment avait conservé une partie de son caractère malgré les graffitis. La porte d'entrée comportait plus de verrous et de cadenas que Natasha pouvait en dénombrer et, le long des murs à l'intérieur, là où s'affichaient dessins d'enfants et programmes récréatifs, on voyait encore la surface rugueuse des blocs de béton, les peintures faites à la hâte, les éraflures et les fissures dues à la négligence et au manque d'argent. C'était un lieu paisiblement triste, reflet maussade d'une Washington délaissée.

De là où elle était, à travers le verre dépoli, Natasha pouvait voir les taches de couleur se déplacer à mesure que les enfants allaient et venaient dans la salle, entendre leurs voix qui s'élevaient et se superposaient, leurs cris de désapprobation et leurs rires. La cloche sonna enfin. Natasha Joyce entra dans la salle. Elle adressa un sourire à la maîtresse de Chloe, Mlle Antrobus, une femme plutôt gentille mais très collet monté. Une métisse, une sang-mêlé, moitié-moitié. Deux ou trois générations avant, une Blanche avait dû coucher avec un Noir. Aujourd'hui, Mlle Antrobus n'appartenait plus à personne. Ni aux Noirs ni aux petits Blancs peureux et arrogants de Georgetown. Peut-être qu'elle avait trouvé un point d'ancrage chez le Christ. Peut-être qu'elle faisait juste semblant.

Mlle Antrobus la regarda une nouvelle fois, sourit et se faufila parmi les gamins jusqu'à Natasha, qui se tenait toujours près de la porte.

« Ce n'est peut-être rien du tout », dit-elle. Ses yeux semblaient balayer l'air de gauche à droite, comme si elle cherchait quelque chose qui n'existait pas. « J'avais un exemplaire du *Post* sur mon bureau, continua-t-elle. Un article sur cette histoire horrible… La femme qui s'est fait assassiner. »

Natasha Joyce se figea sans un mot. Elle sentit ses traits se crisper mais s'efforça de n'en rien montrer.

Chloe était près de la porte, pressée de s'en aller, comme si du poivre la démangeait sous la peau.

« Chloe a vu la photo de cette femme et… a dit qu'elle la connaissait. » Mlle Antrobus eut un sourire nerveux. « Je savais que ce n'était pas possible… qu'elle avait dû confondre avec quelqu'un d'autre.

— Elle a une imagination fertile, répondit Natasha en observant Chloe.

— Vous en avez entendu parler ? »

Natasha fronça les sourcils. « Je ne suis pas sûre de bien comprendre…

— Une femme a été assassinée samedi. Il y avait sa photo dans le *Post*. Chloe m'a dit qu'elle l'avait reconnue. Elle ne… *Vous* ne la connaissiez pas, mademoiselle Joyce, si ? »

Natasha secoua la tête. « Non. Je ne vois pas du tout avec qui elle a pu la confondre. »

Dans sa propre voix, elle entendit l'angoisse affleurer. Elle tenta un sourire – forcé, artificiel. Elle avança jusqu'à la porte et posa la main droite sur la poignée. De sa main gauche, elle fit signe à Chloe de venir.

Sa fille se trouva soudain à ses côtés, l'oreille dressée, l'œil pétillant. « Maman ! s'exclama-t-elle. La dame… Tu te souviens ? Elle est venue avec un homme, la fois où ils cherchaient papa, et l'homme t'a donné de l'argent… Tu te souviens quand il t'a donné de l'argent et qu'on est allées acheter la poupée Polly Petal… »

Natasha avait déjà ouvert la porte. Elle poussait Chloe dans le couloir, tout en regardant Mlle Antrobus avec le sourire le plus naturel possible.

« Elle était dans le journal d'aujourd'hui, la gentille dame… »

Natasha jeta un dernier coup d'œil vers Mlle Antrobus, qui les dévisageait toutes les deux, elle et Chloe. À son expression, on sentait qu'elle était prête à appeler quelqu'un.

« Tu as dû confondre », dit Natasha à sa fille, suffisamment fort pour que la maîtresse de catéchisme l'entende. Elle était dans le désarroi le plus complet, elle ne comprenait pas ce qui se passait, mais elle savait qu'elle mentait à sa fille.

Trois rues plus loin, Natasha Joyce acheta le *Post*. Elle étudia la photo de Catherine Sheridan, puis lut les deux ou trois premiers paragraphes de l'article.

« C'est bien elle, dis, maman ? »

Natasha secoua la tête. « Je ne sais pas, ma chérie… On dirait que c'est elle. Mais c'est peut-être simplement une dame qui lui ressemble. » Elle priait pour que ce fût le cas, pour que ce visage monochrome qui la scrutait fût celui d'une parfaite inconnue. Elle l'avait maintenant vu deux fois – d'abord à la télévision, ensuite dans le journal – et elle avait peur. Plus que peur.

« Je crois que c'est elle, maman… Elle a le même regard.

— Quel regard, chérie ? »

Chloe haussa les épaules. « Je ne sais pas… Peut-être comme si elle savait que quelqu'un allait l'attraper. »

Natasha rit nerveusement. Elle se rappelait avoir discuté avec ces deux personnes sous un vent glacé. Une femme et un homme. C'était il y a combien de temps ? Cinq ans. Mon Dieu ! oui, au moins cinq ans. La femme s'appelait Catherine Sheridan. Et l'homme ? Il mâchait un chewing-gum, il avait des tics. Le genre nerveux congénital. Comme s'il guettait quelqu'un, quelqu'un qui risquait de les voir.

Ils lui avaient posé des questions sur son petit ami, le père de Chloe. Il s'appelait Darryl King. Et Natasha se souvint d'avoir pensé : « Mais qui sont ces gens ? Comment des gens comme eux connaissent Darryl ? »

Chloe leva vers elle ses grands yeux doux et lumineux, innocents comme l'enfant qui vient de naître. « Qui a pu la tuer, à ton avis ? »

Natasha rit de nouveau. « Ce n'est pas la même dame, insista-t-elle. Je suis sûre que ce n'est pas la même dame. » Elle replia le journal et le cala sous son bras. Puis, prenant la main de Chloe, elle se mit en marche.

Elles n'échangèrent aucun mot jusqu'à la maison. Une fois arrivées, Natasha s'assit un moment dans le salon. Comme si elle attendait une chose qu'elle savait inéluctable. Elle entendait sa fille jouer dans sa chambre. Elle se demanda dans quelle mesure Chloe avait compris. En tout cas, elle paraissait tranquille, comme si rien au monde ne pouvait la déranger. C'était comme ça que Natasha avait toujours voulu voir sa fille : comme si rien ne pourrait jamais l'atteindre. Elle se poserait toujours entre Chloe et le reste du monde. Elle l'avait fait face à Darryl, et, même si Chloe avait 4 ans quand il était mort, elle savait que les enfants sentaient les choses et que parfois les plus jeunes étaient les plus futés. Ça avait été quelque chose, vraiment, un travail de tous les instants, que de maintenir le monde de Darryl à distance, hors de vue, hors de la vie de Chloe. Tâche difficile, presque impossible, mais la petite semblait avoir survécu, s'en être tirée, indemne. Jusqu'à la photo dans le journal.

Natasha jeta à nouveau un coup d'œil à ce visage qui la fixait ; elle essaya de se rappeler quand elle avait vu la femme pour la dernière fois. Environ deux semaines avant la mort de Darryl – avant que Darryl King ne se fasse assassiner pour s'être mêlé de choses dont il n'aurait jamais dû se mêler. Même femme ou pas, Natasha reçut un coup au cœur. Elle se rendit compte que Chloe avait vu ce qui s'était passé, qu'elle avait regardé attentivement, qu'elle se souvenait de cette époque, celle de la mort de son père, du jour où cette femme était venue chercher Darryl. Et de l'homme qui l'accompagnait, du fait qu'il s'était beaucoup intéressé à la gamine, comme s'il se sentait coupable... Il lui avait filé 20 dollars, comme ça, directement de sa poche. Et, avec cet argent, ils avaient acheté la poupée, cette poupée qui occupait une place si importante depuis tant de temps. Polly Petal. Connerie de poupée de merde. Voilà que cinq ans après, elle revoyait la tête de cette bonne femme dans le journal...

Natasha frémit. Elle se sentait étourdie, presque apeurée. Elle n'avait pas envie de repenser à toutes ces choses, ne voulait pas se souvenir. Elle voulait laisser le passé au point précis où elle l'avait abandonné.

Au bout d'un moment, elle sortit de la cuisine et se tint dans le couloir. Par la porte entrouverte de la chambre, elle observa sa fille. Un frisson la parcourut lorsqu'elle vit la poupée posée juste devant Chloe, comme si elles regardaient toutes les deux la télévision.

Tout s'est cassé la gueule, pas vrai ? se dit-elle. Ce faisant, elle se remémora sa vie avec Darryl King, toutes ces années en arrière. À quel point elle l'avait aimé. À quel point elle avait cru qu'il était le bon, le seul, la chose la plus importante qui lui soit jamais arrivée. Et puis, après, quand il était devenu quelqu'un d'autre. Son comportement, son arrogance, la façon dont sa vie avait commencé à prendre l'eau de toutes parts.

« C'est l'héro, ma chérie ! La blanche, quoi. C'est ma came, ma poudre, mon fixe… Je prends cette merde, ou alors c'est elle qui me prend. Qu'est-ce que ça peut foutre ?

« Je te parle pas de crack, trésor. Non, je te parle de mon caillou, de mon shoot, ma dope, ma neige, mon produit, ma galette, mon sachet magique, mon kif…

« J'ai le monde entier dans ma poche, chérie. Tu devrais essayer cette merde, tu sais ? Tu vas en devenir dingue. »

Et comment, parfois, il partait en vrille et se lançait dans son numéro sur *le-monde-qui-ne-veut-pas-de-moi*.

« Tu sais ce que les autres pensent des gens comme nous ? Les gens comme nous sont prêts à tout. On prend ce qu'on veut. On dépouille tout le monde. On choure dans les sacs de nos propres grands-mères. Qu'ils aillent se faire enculer ! Tous ! C'est comme ça qu'ils nous voient, alors c'est comme ça qu'on va être ! »

Combien de fois Natasha avait-elle songé à abandonner cette vie-là ? Elle y avait pensé tout le temps… surtout quand Chloe lui avait raconté que quelqu'un l'avait traitée de pute défoncée au crack.

« C'est quoi une pute défoncée au crack, maman ? »

Personne ne devrait être traité de pute défoncée au crack à l'âge de 5 ans.

La vérité ? Au bout du compte, Darryl King ne détenait pas la vérité. Malgré tout l'amour qu'elle lui avait porté, et si aveugle que cet amour eût été, elle savait que la vision du monde de Darryl était fausse. Elle ne vivait pas comme un animal, dans la crasse et la merde, dans des pièces sinistres remplies de télés et de consoles volées, d'emballages de bouffe graisseux. Tout n'était pas moisi, tout ne sentait pas la pisse, le vomi de bébé et la mort. Les couloirs de son immeuble ne résonnaient pas des quintes glaireuses de grands-pères tuberculeux, ni des vagissements de bébés non désirés et atteints de colique. Parce qu'elle venait de là, peut-être qu'elle était méprisée, détestée et indésirable, comme Darryl aurait voulu le lui faire croire. Mais, elle, elle n'y croyait pas. Pas tout le temps.

Elle avait une fille de 9 ans qui s'appelait Chloe. Elle était propre, elle avait été désirée. Elle n'avait pas pour nom Delicia, Lakeisha ou Shenayné-LeQuanda…

Le père de Chloe était mort. Lui s'appelait Darryl King. Il était fou, mais Natasha l'avait aimé – désespérément, aveuglément, au début, et, quand tout était parti à vau-l'eau, elle avait continué, dans l'espoir que les choses redeviendraient comme avant. Natasha Joyce avait suffisamment aimé Darryl King pour lui donner un enfant, puis, quand tout avait sombré, s'asseoir à ses côtés malgré la pression sanguine, les sueurs froides, la nausée et l'hyperventilation, l'hypersensibilité, les hallucinations tactiles, les cafards qu'il imaginait ramper sous sa peau, l'euphorie, la paranoïa, la dépression et l'exaltation, la panique, la psychose, les crises…

Elle l'avait suffisamment aimé pour essayer par tous les moyens de le faire décrocher de la drogue.

Mais la dépendance avait été plus forte, beaucoup plus forte, que tout ce qu'il recelait d'amour ou de loyauté. Il avait pris tout ce qu'ils possédaient, tout ce qu'ils ne possédaient pas.

Une fois, Darryl avait décampé et n'était pas rentré pendant deux jours.

Natasha avait alors compris qu'un jour il s'en irait et ne reviendrait jamais.

Elle savait que la vie consistait à échapper à ce qu'on ne voulait pas être, à essayer de se cramponner à ce qu'on désirait, on essayait encore et toujours, ou alors on acceptait d'être ce que les autres voyaient de nous et on décrétait qu'on ne changerait jamais.

C'est ce qu'avait fait Darryl : il était devenu ce que les autres pensaient qu'il devait être. Un loser. Un bon à rien. Un nègre au cerveau rempli de crack.

Un visage l'avait regardée en face à la une du *Post* et tout lui revenait à la figure. Natasha pria pour que ce ne soit pas cette même femme qui était venue chercher Darryl, élégante, extrêmement courtoise, affublée de son acolyte, nerveux – mâchant son chewing-gum, ne disant rien et lui donnant 20 dollars pour Chloe avant de s'en aller. Natasha les avait pris pour des flics, mais ce n'était pas le cas. C'était la femme qui avait parlé. Elle avait semblé bien comme il faut. Mais apeurée. Elle avait donné son nom. Natasha ne s'en souvenait plus aujourd'hui, mais elle savait que ce n'était pas Catherine Sheridan. Et voilà qu'un dingue, un type qu'on surnommait le Tueur au ruban, venait de l'assassiner. Sa quatrième victime, disait-on. Il y avait une chose dont Natasha Joyce était sûre et certaine : elle savait que ce dingue était un Blanc.

À supposer qu'il s'agisse bien de la même femme. Mais ça y ressemblait. Elle lui ressemblait. Rien de plus.

Et des gens qui ressemblaient à d'autres gens, ça courait les rues.

C'était l'intuition qui parlait, l'intuition ou les tripes, peu importe le nom qu'on donnait à cette chose…

Chloe avait vu le visage dans le journal et n'avait pas hésité une seconde.

Natasha regarda sa fille et se dit : « Il faut que je te sorte de là, ma petite. Coûte que coûte. Tu n'auras pas la vie que j'ai eue, ni celle de Darryl, ni la vie que ces petits Blancs peureux et arrogants de Georgetown pensent que tu mérites d'avoir. Je ferai tout ce qu'il faut. »

Elle s'était déjà fait ce genre de réflexions mais cette fois elle avait le sentiment d'une certitude, d'une urgence, d'une nécessité.

Elle repensa à Darryl : « Darryl… Qui que tu aies été, où que tu te sois fourré, qui que tu aies rencontré ou pas rencontré… ta fille, notre fille, mérite mieux que ça… Qu'est-ce que tu en penses, hein, Darryl, espèce de pauvre enculé de nègre défoncé jusqu'à la moelle ? Oh ! mon Dieu, Darryl, je ne vois pas comment j'aurais pu t'aimer plus ! J'ai tout tenté. J'ai donné tout ce que j'avais à donner alors que je te voyais t'enfoncer. Et puis j'ai cru que je pourrais oublier. Je ne voulais pas savoir ce qui s'était passé. J'ai fait semblant de croire que toute cette merde était derrière nous, mais non, et toujours pas, et c'est vrai ce qu'on dit, comme quoi toutes les choses qu'on refuse d'affronter nous reviennent à la gueule un jour ou l'autre… »

Jetant un dernier coup d'œil à la une du *Post*, elle se dit : « Espèce de connasse. Pourquoi est-ce que tu es allée te faire buter par un pauvre taré ? »

Elle n'allait pas attendre que cette froussarde de Mlle Antrobus appelle les flics et leur raconte des salades. Elle se disait que Mlle la Métisse *Jésus-est-notre-ami-et-*

je-suis-une-fouille-merde était bien le genre à faire ça, et qu'il lui revenait donc à elle, Natasha, d'appeler en premier. Pour dire aux flics qu'elle savait peut-être quelque chose.

Natasha Joyce avait 29 ans. Cela faisait un peu plus de cinq ans que le père de Chloe était mort. Elle avait vu sa courte existence se diluer tranquillement dans une seringue hypodermique. Maintenant, la police allait revenir. Si Mlle Antrobus passait son coup de fil, les flics passeraient voir Natasha chez elle. Ils lui demanderaient pourquoi Chloe avait reconnu la femme dans le journal. Natasha ne savait pas mentir. Elle leur expliquerait que quelqu'un était venu dans la cité, un jour, pour parler avec Darryl King. Ensuite, ils voudraient savoir dans quelle magouille il avait trempé, comment il avait connu cette femme aujourd'hui morte. Elle répondrait qu'elle n'était pas certaine qu'il s'agisse de la même femme. Ils verraient bien dans ses yeux à quel point elle avait peur d'être mouillée là-dedans. Elle n'avait pas voulu savoir à l'époque – elle ne voulait toujours pas savoir. Pourtant, quelque chose en elle lui disait que comprendre, ne serait-ce qu'un peu, ce qui s'était alors passé lui ferait du bien. Pas parce que ce seraient de bonnes nouvelles – du jour où Darryl avait touché à l'héroïne, il n'y avait jamais eu de bonnes nouvelles – mais parce qu'elle pourrait tourner un peu la page. Ça avait été une période merdique, vraiment merdique, mais une partie intégrante de sa vie, dont Chloe faisait partie. Rien que pour ça, ça valait le coup de savoir. Pourquoi ? Pour pouvoir dire la vérité à sa fille, plus tard, quand elle serait en âge de comprendre, pour la regarder droit dans les yeux et lui dire que son père n'était pas un raté complet. Qu'il avait été quelqu'un. Qu'il avait fait au moins une chose bien dans sa vie. Peut-être, après tout, que cet homme et cette femme étaient des gens bien, des gens venus aider Darryl. Ou peut-être que lui les avait aidés. Peut-être même qu'il essayait de s'en sortir et que ces gens auraient pu rendre sa réhabilitation possible.

Ou alors tout le contraire.

Ce n'étaient peut-être que des gros dealers bien sapés, débarqués de Capitol Hill pour refourguer leur came aux nègres. Ensuite, une bonne femme s'était fait tuer. La fameuse Catherine Sheridan. La même qui était venue aux nouvelles de Darryl, et alors peut-être que le type qui était avec elle l'avait tuée, après une embrouille autour d'un deal, qu'il l'avait démolie et étranglée à mort. Il avait peut-être assassiné les trois premières, ou alors il avait tué celle-là comme les trois autres pour faire croire à tout le monde qu'il s'agissait du Tueur au ruban…

Ça aurait été finement joué, pensa Natasha.

Elle savait qu'elle allait devoir appeler les flics, leur dire qui elle était, où elle habitait, leur expliquer que la femme morte dans le journal était venue chercher Darryl King cinq ans auparavant, qu'il y avait peut-être un lien…

Elle devrait leur dire que Darryl King avait disparu un jour et qu'on l'avait retrouvé mort, et qu'aujourd'hui encore elle ignorait ce qui s'était vraiment passé.

Elle s'empara du journal. Elle arracha la première page et la jeta dans l'évier. Puis, avec un briquet, elle y mit le feu et la regarda se ratatiner et se transformer en une feuille morte noircie.

La page se consuma des bords vers le centre – lentement, patiemment. L'odeur âcre lui irrita les narines.

La dernière chose qui partit en fumée fut le visage de la femme, et la dernière partie de son visage à disparaître, ce furent ses yeux froids et sans vie, des yeux qui regardaient Natasha Joyce comme si elle était responsable de sa mort.

6

Robert Miller et Al Roth se trouvaient dans une pizzeria non loin du carrefour entre M Street et la 11e Rue. Miller pensait que son collègue aurait mieux fait de rassembler l'ensemble des dossiers et des rapports concernant les trois meurtres précédents, mais les visites à domicile et les interrogatoires devaient toujours être menés par deux inspecteurs. En toutes circonstances, il fallait instaurer une méthode corroborative et s'y tenir.

Le patron de l'établissement était jeune, 33 ou 34 ans maximum. Une bonne tête, l'air honnête, des cheveux blonds coupés court. « Bonjour, dit-il en souriant.

— Vous êtes Sam ? demanda Miller.

— Oui, je suis Sam. » Il les regarda l'un après l'autre. « C'est vous qui avez appelé tout à l'heure, n'est-ce pas ? »

Miller montra son insigne. « Vous avez reçu une commande hier soir, aux alentours de 17 h 45, et la pizza a été livrée dans une maison de Columbia Street vers 18 heures.

— Je suis au courant. La femme morte. Je ne sais pas quoi vous dire. Le coursier… Putain, je ne sais pas comment j'aurais réagi face à un truc pareil.

— C'est vous qui avez pris la commande ?

— Oui.

— Elle vous a paru comment au téléphone ? »

Sam grimaça et secoua la tête. « Elle ? Non, ce n'est pas une femme qui a passé la commande. C'était un homme. »

Miller regarda Roth. « Un homme ? »

— Oui, j'en suis sûr, un homme. Aucun doute. J'ai demandé tous les détails concernant la commande – une croûte fourrée au fromage, un supplément de monterey jack, une double dose de champignons, tout ça, quoi. Je l'ai notée, j'ai demandé au type son numéro de téléphone, il me l'a donné. Et puis je lui ai demandé son nom, il m'a répondu "Catherine". J'ai fait : "Quoi ?" Il s'est marré et il m'a dit : "C'est le nom de la personne qui veut la pizza. Catherine." J'ai dit : "Très bien, alors pour Catherine." Je lui ai ensuite récapitulé la commande et il me l'a répétée très lentement. Du coup, la discussion m'est bien restée dans la tête.

— Comme s'il voulait que vous vous en souveniez ?

— C'est ce que je suis en train de me dire. Il voulait que je me souvienne bien de lui. »

Miller jeta un coup d'œil vers Roth, dont l'expression valait tous les discours du monde. L'assassin de Catherine Sheridan avait téléphoné pour commander une pizza. Il avait fait en sorte que Catherine Sheridan soit découverte tout de suite.

« Il parlait comment ? demanda Miller.

— Il parlait comme on parle à Washington. Rien de spécial. Une voix tout ce qu'il y a de plus normale. Si j'avais su qu'on m'interrogerait sur lui, j'aurais peut-être fait plus attention.

— Ne vous inquiétez pas, vous nous avez déjà bien aidés. Vous avez gardé le numéro qu'il vous a indiqué ?

— Il est sur la commande.

— Vous l'avez encore ? »

Sam feuilleta des documents derrière le guichet, chercha dans deux endroits différents et revint avec un bout de papier jaune de la taille d'une carte à jouer. « Voilà, dit-il en le passant à Miller.

— Je peux le garder ?

— Bien sûr. »

Miller récupéra le papier et jeta un coup d'œil dessus. « Indicatif 315… Il y a un indicatif 315 à Washington ? »

Sam haussa les épaules. « Je ne sais pas. Pas sûr. Pour être très honnête, je n'y ai même pas pensé en notant le numéro. C'est tellement la folie, le samedi…

— Pas de problème. On vérifiera. » Il tendit à Sam une carte de visite. « Si vous repensez à quelque chose…

— Dans ce cas je vous appelle », l'interrompit Sam, le sourire aux lèvres, comme heureux de pouvoir rendre service.

« Merci bien. » Miller lui serra la main.

« Pas de quoi. »

Miller tendit le bras vers la porte et s'arrêta net. « Une autre question… Concernant le paiement. Vous ne prenez jamais les coordonnées de la carte de crédit au téléphone ?

— Si, parfois, mais la plupart des commandes sont payées en liquide.

— Celle-là aussi ?

— Bien sûr. C'était vraiment une commande normale. Le seul truc bizarre, c'est quand il m'a donné le nom de la femme. À part ça, aucune différence avec les autres commandes.

— D'accord. Merci de nous avoir accordé un peu de temps. » Miller brandit le petit papier jaune. « Et merci pour ça. »

Ni lui ni Roth ne parlèrent pendant le trajet jusqu'à la voiture.

Miller se disait, avec une certitude résignée, que tout ce qui ressemblait de près ou de loin à une vie normale allait disparaître pendant quelque temps ; disparaître jusqu'à ce qu'ils attrapent quelqu'un. Et la vie normale ne reprendrait son cours que si ce quelqu'un se révélait être la bonne personne. Rien de nouveau sous le soleil.

Une fois dans la voiture, il regarda le numéro imprimé en haut de la fiche de commande. « Je suis sûr que ce n'est pas un indicatif de Washington. Je crois qu'il s'agit d'autre chose.

— La question est : qui peut bien commander une pizza pour une femme morte ?

— Il voulait qu'on la retrouve, répondit Miller sur un ton détaché. Il voulait que tout le monde sache ce qu'il avait fait. Les trois précédentes ont été découvertes presque par hasard, comme c'est souvent le cas. Mais celle-là ? Celle-là, c'est autre chose. »

Il secoua la tête. Presque tous les éléments étaient identiques : l'absence d'effraction, le passage à tabac, le ruban, l'étiquette, jusqu'à l'odeur de lavande. Tout, sauf le visage de Catherine Sheridan, laissé intact, et puis maintenant ça. Killarney aurait certainement expliqué que l'assassin avait atteint le sommet de son art. Des modifications, des changements mineurs ; il était conscient qu'à chaque nouvelle étape il attirait un peu plus l'attention sur lui.

« C'est ce qu'il veut, reprit calmement Miller. Il veut que les gens voient ce qu'il a fait. »

Au commissariat, Miller composa le numéro de téléphone. Il n'obtint rien d'autre qu'une tonalité continue. Il scotcha le petit papier jaune au mur à côté de son bureau pour ne pas l'oublier dans la paperasse démente qui, il le savait, allait rapidement s'amonceler. Roth et lui firent les demandes nécessaires pour que les documents concernant Mosley, Rayner et Lee soient envoyés au n° 2. Miller s'entretint ensuite avec Lassiter, lui demandant des renforts pour mettre un peu d'ordre dans les dossiers. Lassiter lui confia Metz, Oliver et deux agents en uniforme du bureau administratif. À 14 heures, six hommes se retrouvèrent donc entassés dans le bureau du premier étage.

« Il me faut les enregistrements téléphoniques, dit Miller. Le fixe et le portable. Je veux aussi tous les relevés bancaires et l'accès à tous les ordinateurs à chacun des domiciles. Ensuite, j'ai besoin de connaître les parcours professionnels, de retrouver les cartes de membre, bibliothèques, clubs de sport ou associations professionnelles, de savoir à quels magazines elles étaient abonnées et tout le tremblement. On va devoir examiner tout ça à la loupe, centimètre par centimètre… Histoire de voir s'il y a un dénominateur commun, n'importe quoi qui relie ces femmes à un lieu ou à une personne, et surtout qui les relie entre elles. »

Il téléphona au bureau du coroner. On lui expliqua que l'autopsie de Catherine Sheridan n'était pas encore terminée et que le coroner adjoint Hemmings ne pourrait pas les recevoir avant le lendemain. Miller n'avait pas vu Hemmings depuis l'enquête du coroner du 2 novembre, celle-là même qui lui avait épargné des poursuites civiles et pénales. Un vrai foutoir. La police avait cru un moment pouvoir étouffer l'affaire, mais non, le monde entier avait été tenu au courant. Une enquête de routine sur un meurtre, une visite chez une prostituée du nom de Jennifer Ann Irving pour l'interroger en tant que témoin potentiel. Miller avait empêché qu'un crime ne soit commis sur les lieux et s'était retrouvé avec sur le dos une grosse enquête de l'inspection interne et trois mois de suspension.

Puis avaient suivi les apparitions en public, les déclarations de Lassiter et du directeur de la police, le battage qui entourait toujours ce genre d'affaires. À la sortie du tribunal, après que les dernières preuves eurent été soumises au jugement, Miller et Hemmings s'étaient retrouvés, dans le secret des alcôves qui séparaient le public des bureaux des juges, et avaient échangé quelques mots. Loin des journalistes fouineurs, il avait pris le temps de la remercier et, au moment de s'en aller, l'avait prise dans ses bras – un simple geste pour lui exprimer toute sa gratitude, rien de plus. C'est à cet instant précis qu'ils s'étaient fait surprendre par un photographe du *Globe* un peu plus malin et curieux que les autres. Nul besoin d'être grand clerc pour entrevoir les conséquences d'une telle photo. Neuf jours s'étaient écoulés depuis ce cliché fatal. Entre-temps, Catherine Sheridan était morte. Voilà que Miller allait devoir reparler à Marilyn Hemmings ; il savait que ça allait être compliqué. Il n'était pas pressé.

Ce dimanche après-midi, Roth et Miller se plongèrent dans les dossiers des meurtres. À la fin de la journée, ils se retrouvaient avec plus de questions que de réponses. Miller ressentait toute la pression de cette affaire, le poids qui s'accumulait sur ses épaules. Il lut des rapports qui ne rimaient à rien. Il identifia plusieurs points sur lesquels des questions auraient pu être posées mais ne l'avaient pas été. Dès la mort de Margaret Mosley, en mars, des pistes d'investigation auraient pu être suivies, mais à présent – comme d'habitude – tout ce qu'on aurait pu y découvrir était parti en fumée. Les gens allaient et venaient ; les gens oubliaient ; les gens touchaient du doigt ces tragédies et faisaient tout leur possible pour ne plus y penser.

À 18 heures, les agents administratifs rentrèrent chez eux. Metz et Oliver restèrent jusqu'à 20 heures pour apporter les derniers éléments aux panneaux où s'afficheraient les cartes et les photos concernant chacun des quatre meurtres. Sur le coup de 21 heures, Miller avait un mal de crâne épouvantable, qu'aucun café ne semblait soulager. Pour chaque victime, des tas d'éléments paraissaient illogiques, notamment pour ce qui touchait à leur identité. Les dates de naissance ne correspondaient pas aux registres d'état civil ou d'hôpital. Les enquêtes précédentes avaient été bâclées. Il y avait beaucoup de travail mais Miller, bien que déjà galvanisé par l'excitation et l'énergie que suscitait l'enquête, ne voyait pas d'un bon œil toute l'attention et le temps qu'une telle tâche exigerait.

À 21 h 45, Roth se prépara à partir. Dans l'encadrement de la porte du bureau, il demanda à Miller s'il voulait passer chez lui.

Miller sourit en faisant non de la tête. « Je n'ai pas besoin de me sentir comme la cinquième roue du carrosse.

— Rentre chez toi, alors. Prends une douche, dors un peu. On n'arrivera à rien ce soir.

— Je n'en ai pas pour longtemps. Va voir tes gamins… Profites-en autant que tu peux. »

Roth n'ajouta rien ; il leva simplement la main et quitta les lieux.

Miller se leva de son bureau, s'approcha de la fenêtre et attendit de voir les phares de la voiture de son collègue disparaître dans la nuit. Il connaissait Amanda Roth, la femme d'Al ; même sans avoir jamais vraiment discuté avec elle, il l'aimait bien. Il avait aussi rencontré leurs trois enfants, 14, 11 et 7 ans. À l'époque où Al gagnait une misère, les parents d'Amanda avaient aidé les jeunes mariés à s'acheter une petite maison en grès à deux étages. Al et Amanda avaient attendu que le stade MCI, devenu entre-temps le stade Verizon, commence à attirer des gens dans le quartier, puis ils avaient patienté, le temps que les promesses de réhabilitation immobilière soient effectives. Ils avaient vu ces mêmes promesses trahies, vu un nouveau maire commencer son mandat, vu les promesses renouvelées et souri en voyant la courbe des prix décoller, si bien que la petite famille de cinq habitait maintenant une maison qui valait presque 400 000 dollars, payés rubis sur l'ongle, récépissé à l'appui. Albert et Amanda Roth étaient des habitants de Washington pur jus. Tout ce qu'ils possédaient, ils l'avaient gagné, et tout ce qu'ils avaient gagné, ils l'avaient mérité. Des gens comme eux, accrochés à leur judaïté comme à leur raison de vivre : voilà justement ce que la mère de Miller aurait voulu qu'il devienne – et qu'il ne deviendrait jamais.

Parmi les voitures de service Miller jeta son dévolu sur une berline parfaitement ordinaire. Il rentra chez lui, la tête remplie de textes, de notes d'entretien, de rapports de police, de détails manquants qui lui sautaient aux yeux et lui rappelaient à quel point les analyses préliminaires sur les scènes de crime avaient été superficielles et bâclées. Il en avait été ainsi avec Margaret Mosley, avec Ann Rayner, avec Barbara Lee. Mais il n'en irait pas ainsi avec Catherine Sheridan – avec les livres qu'elle avait rendus à la bibliothèque, les produits achetés au *deli* et qu'elle n'avait pas consommés, le rapport sexuel qu'elle avait eu avec un inconnu entre 10 h 30 et 16 heures.

Tous les feux passaient au vert sur son passage et il se gara en haut de Church Street juste avant 23 heures. Le *deli* était fermé mais il y avait de la lumière au fond. Il toqua à la porte. Zalman vint lui ouvrir. Il lui arrivait aux épaules, avait le crâne dégarni, le visage zébré de rides : Zalman Shamir incarnait en tout point ce qu'un vieux monsieur juif devait être. Ses manières dissimulaient sa profondeur d'esprit, et, même s'il laissait les rênes de la boutique à sa femme, Miller savait pertinemment que le *deli* n'aurait jamais existé sans les efforts inlassables de Zalman.

« *Ach*, elle est furieuse après toi, dit-il à Miller. Tu pars sans manger ce matin. Hier soir on est là quand tu reviens et tu n'as rien à nous dire.

— Salut, Zalman.

— Salut toi-même. Amène-toi dans l'arrière-boutique et viens t'expliquer. J'ai déjà assez mal à la tête comme ça. »

Miller passa devant les deux ou trois tables disposées du côté droit du *deli*, les quelques chaises destinées aux vieux amis qui venaient les lundis et les jeudis pour jouer aux échecs. Sur sa gauche trônait le buffet froid. Harriet disposait sur la vitrine en verre au-dessus les *latkes* de pommes de terre, les boulettes de matza et le *gefilte fisch*.

Harriet et Zalman Shamir étaient des gens bien. Ils faisaient tout au ralenti, comme en 1956, l'année où ils avaient racheté la cafétéria au coin de Church Street. Ils vivaient dans l'appartement au-dessus. Leur fils, qui menait une carrière brillante, leur avait ensuite acheté une petite maison à trois niveaux, où ils s'étaient installés onze ans plus tôt. Miller avait repris l'appartement au-dessus quand il était devenu inspecteur. Depuis, il voyait les Shamir quasiment tous les jours. Harriet faisait à manger, trop à manger ; parfois, persuadée que Miller ne se nourrissait pas assez, elle se glissait chez lui pour lui laisser des plats dans le réfrigérateur. Presque chaque soir et chaque matin, il passait discuter avec eux. Elle avait toujours préparé le petit déjeuner pour trois, et même pour quatre, lorsque Marie McArthur s'était installée chez Miller. Le soir, parfois, quand il trouvait la boutique ouverte en rentrant, ils s'asseyaient tous les trois dans l'arrière-cuisine, et Harriet l'interrogeait sur sa vie, sur les choses qu'elle lisait dans le journal. Zalman, lui, ne disait rien, occupé derrière eux à découper son poulet ou ses bagels, à presser des oranges. Et Miller parlait à cet étrange couple de vieux Juifs comme à des parents adoptifs, comme pour fuir la noirceur de sa vie au-delà de ces murs. Harriet lui posait des questions sur les affaires, sur les crimes, avec une lueur fascinée dans les yeux, et Miller lui racontait, en souriant, ce qu'il pouvait lui raconter.

« Tu atténues toujours les choses, se plaignait-elle en posant sa main sur la sienne. Zalman et moi, tu sais, on est des enfants de la guerre. On a vu ce que les gens pouvaient se faire les uns aux autres. On a vu ceux qui revenaient des camps. »

Mais comme Miller ne voulait pas empoisonner leur existence avec les détails de ses journées, il se réfrénait. Il souriait, prenait la main d'Harriet, l'embrassait en quittant la boutique et montait l'escalier. Dans son dos, elle lui conseillait de se trouver une nouvelle femme – « une fille bien, cette fois ! » – et Miller entendait Zalman dire à Harriet de se mêler de ses affaires, et elle lui répondait de se taire parce que c'étaient justement ses affaires.

Ce soir-là, Miller entendit Harriet le saluer du fond de la boutique.

« Bonsoir, Harriet, lui dit-il avec un sourire.

— Je t'entends. Je t'ai entendu te moquer de moi.

— Mais je ne me moque pas de toi. »

Harriet apparut dans l'encadrement de la porte, les cheveux serrés dans un filet, les mains pleines de farine. Un peu plus petite que son mari, elle portait un peignoir sous son tablier et un torchon sur l'épaule. Elle avait toujours la même allure – vieille, mais jamais vieillissante. « Regarde-moi ce bazar, dit-elle d'un air mécontent. Deux jours que je prépare le petit déjeuner, et toi, tu es où, hein ?

— Désolé, mais j'ai dû partir de bonne heure.

— Désolé, mon œil, oui ! Tu as une tête à avoir mangé des hamburgers et du soda. Tu as mangé des hamburgers et du soda. J'ai raison ou j'ai pas raison ? »

92

Miller haussa les épaules.

« Viens dans la cuisine. Viens manger quelque chose de raisonnable, pour une fois dans ta vie.

— Harriet… Je n'ai pas faim. » Miller se retourna et regarda Zalman. « Zalman… Tu peux lui expliquer? »

Zalman leva les bras en un geste d'impuissance. « Je ne dis rien. Je ne peux pas t'aider sur ce coup-là, Robert. » Il haussa les épaules, retourna dans l'arrière-boutique et s'occupa des préparatifs pour le lendemain.

« Tu viens prendre du café et du gâteau au miel, hein?

— Juste un bout… Un petit bout, d'accord?

— *Ach*, arrête de dire des bêtises, répondit Harriet en le prenant par le bras jusqu'à la table de la cuisine. Bon, tu es sur une grosse affaire, oui? » demanda-t-elle en découpant une tranche de gâteau au miel et en versant du café.

Miller hocha la tête. « Une grosse affaire, oui.

— Et quelle est cette grosse affaire qui t'empêche de passer dire bonjour le matin? »

Miller eut un sourire entendu. « Écoute, on ne va pas reparler de ça, Harriet. Je te raconterai quand ce sera terminé.

— Et Marie, alors? Elle est partie pour de bon?

— Je crois, oui… Je crois qu'elle est partie pour de bon. »

Harriet secoua la tête. « C'est complètement idiot. Vous les jeunes, vous n'avez aucune persévérance… Une petite dispute et tout est fini, c'est ça? »

Miller ne répondit pas. Il jeta un coup d'œil vers Zalman. Zalman fit non de la tête. « Je n'ai rien à voir là-dedans, semblait-il dire. Et ne t'avise pas de me mêler à tout ça. »

« Mange, lui ordonna Harriet. Mange avant de finir mort de faim. »

Miller prit la tranche de gâteau au miel. Il resta là, assis sans rien dire, pendant un moment, dans sa petite oasis, comme une fenêtre étroite à travers laquelle il pouvait se glisser incognito et abandonner le reste derrière lui.

Le monde, avec toute sa noirceur, l'attendrait jusqu'au lendemain matin. Ce lundi 13 il prendrait connaissance des détails de l'autopsie, il retournerait au domicile de Catherine Sheridan, relierait et comparerait entre eux tous les éléments qu'il pourrait glaner dans les précédents dossiers. La perspective l'effrayait autant qu'elle l'excitait. Au moins, il avait l'impression d'avoir un but à poursuivre. Il n'avait pas repensé à son ex, Marie McArthur, pendant six heures, et seules la remarque d'Harriet et la présence des cartons dans son couloir, près des toilettes, lui avaient rappelé son existence. Ils contenaient les dernières affaires de Marie, ultimes vestiges des longs mois qu'ils avaient passés ensemble. C'était peut-être là le seul point positif parmi tout le reste.

Il prit congé d'Harriet et Zalman un peu avant minuit. À 1 heure du matin, après avoir pris une douche et balancé un tas de vêtements dans la machine à laver, Robert Miller s'allongea sur son lit, la fenêtre légèrement entrebâillée pour laisser passer la rumeur de la ville, et ferma les yeux.

Il ne s'endormit pas tout de suite. Il pensa à la chose. *La* chose qui lui parlerait à voix basse pendant que personne d'autre ne serait là pour écouter.

Finalement, vers 2 heures du matin, il sombra dans un sommeil agité et inégal.

Avant, il y a longtemps de ça, avant que je ne devienne John Robey... il y a eu mon père.

Big Joe. Big Joe le menuisier.

Il restait debout sans rien dire, parfois pendant plusieurs minutes. Et, dans ces moments-là, je savais que la pire chose à faire aurait été de le déranger. J'entendais ma mère lui parler, bredouillant des phrases qui avec le temps devenaient de plus en plus incohérentes, et, lui, il écoutait, la patience faite homme, puis il s'asseyait au bord du lit avec sa seringue, son ampoule, sa patience, son cœur brisé, et il l'aidait à surmonter sa douleur.

« De la morphine, me disait-il. Ça provient des fleurs de pavot... des pavots rouge vif. Rouge sang, exactement. Parfois, il y en a des champs à perte de vue. On en tire l'opium, et de l'opium on produit la morphine, et ça l'aide, tu comprends ? Ça enlève la douleur... pendant quelque temps... »

Ses yeux étaient mouillés de larmes.

Il détournait la tête, et je reculais pour me tenir dans le couloir devant leur chambre.

Il avait toujours l'air épuisé. Le genre d'homme qui se consumait à force de réfléchir. Comme si dans la tête de mon père, quelle que fût l'heure à laquelle il partait, quel que fût son état de préparation, il faisait toujours nuit. Je crois qu'un jour il a perdu son chemin. Depuis, il n'a cessé de le chercher et ne l'a jamais retrouvé.

C'est comme ça que j'ai rencontré la morphine, l'opium, l'héroïne...

L'héroïne. Du mot grec hêrôs, *c'est-à-dire « le héros »... « le guerrier »... mi-homme, mi-dieu...*

C'est-à-dire plein de choses différentes selon la facette que l'on étudie.

Moi ? J'ai étudié les deux facettes.

Je connais mon père, le menuisier. Big Joe. Je sais pourquoi il a fait ce qu'il a fait, et quel prix ça nous a tous coûté.

Je me souviens de lui debout dans le couloir. Il portait un chapeau. « Viens, dit-il. On sort.

— Où ça ? » Enfant geignard. J'avais, quoi ? 6, 8 ou 10 ans.

« Surprise.

— Donne-moi un indice.

— Vers l'autoroute et même un peu plus loin. » Un sourire énigmatique aux lèvres. « On y va et on revient, juste pour voir la distance…

— Oh ! papa… »

Big Joe aurait compris ce qui s'est passé. Pourquoi ça s'est passé. Les raisons derrière tout ça.

Big Joe aurait compris, il m'aurait toisé – moi l'enfant geignard de 6, 8 ou 10 ans – et il aurait dit quelque chose.

« Peu importe ce qu'ils inventent… Je peux te garantir que j'ai enduré bien pire et bien plus longtemps. »

Quelque chose comme ça. Quelque chose qui aurait prouvé qu'il avait compris.

7

Le lundi matin, Miller arriva au commissariat n° 2 un peu après 8 heures, suivi de Roth un quart d'heure plus tard. Ils furent accueillis par les dossiers en désordre, les montagnes de gobelets à café et de canettes de Coca vides, l'odeur du tabac froid.

Miller déblaya un coin de bureau, tira un téléphone vers lui, décolla du mur le petit papier jaune et composa encore une fois le numéro. Il avait un dernier espoir bien qu'il sache que ça ne mènerait à rien. Il n'y avait eu aucune erreur quand ils avaient appelé la veille. Ce n'était pas un numéro de téléphone. Miller le composa trois fois de suite et, trois fois de suite, tomba sur l'éternelle tonalité ininterrompue, celle qui indiquait un faux numéro.

Il appela alors le standard et demanda à faire vérifier le numéro auprès de la compagnie téléphonique. Le résultat fut négatif : il ne s'agissait pas d'un numéro ; ni en fonctionnement ni désactivé : ça n'avait jamais été un numéro de téléphone.

Miller scrutait le petit bout de papier jaune. *315 3477.*

« Au fait, lança-t-il à Roth. Le numéro de téléphone, là… Non identifié. À part ça, qu'est-ce qui peut comporter sept chiffres ? »

Sur ce, le téléphone sonna. Il décrocha. « Miller à l'appareil. » Il hocha la tête, trouva un stylo dans un pot, fit de la place pour poser une feuille de papier. « Bien sûr… Passez-la-moi. »

Miller écouta un moment puis se pencha vers l'avant, l'air concentré. « Naturellement. Bien sûr, on va vérifier ça. »

Il se tut de nouveau, tout ouïe.

« Non, bien sûr que non. Ces choses-là sont toujours traitées avec discrétion, mais on vérifiera. Vous avez laissé votre numéro de téléphone au standard ? Très bien… Je peux vous demander de m'épeler votre nom ? »

La ligne coupa.

« Chiotte ! » lâcha Miller en raccrochant. Il souleva de nouveau le combiné, demanda au standard si la personne avait bel et bien laissé son numéro. La femme n'avait rien laissé.

« Alors ? demanda Roth.

— Une bonne femme… Elle appelait au sujet d'une gamine qui prétend avoir reconnu Sheridan pendant son cours de catéchisme. Elle a raccroché quand je lui ai demandé son nom. On n'a pas de téléphone non plus.

— Une gamine ? Quelle gamine ?

— Elle a donné son nom : Chloe Joyce. Elle habite dans une cité. La femme m'a dit que la petite a vu une photo de Sheridan dans le journal, hier, et qu'elle a fait une remarque là-dessus. »

Roth eut une moue dubitative.

« Merde, Al, tu connais la musique. On a quelque chose, on fait un rapport et, ensuite, si on n'a rien d'autre… »

Roth leva la main. Miller se tut. Avec un sourire résigné, il tendit le bras et alluma l'ordinateur. « Combien de coups de fil comme ça on va recevoir, à ton avis ? »

Miller sourit à son tour. « À peu près cent mille, je pense.

— Comment ça s'écrit… J-O-Y-C-E ?

— J'imagine.

— Une idée de la cité où elle habite ?

— Pas la moindre… Essaie-les toutes. »

Roth tapota sur son clavier. Miller attendit patiemment, se surprit à repenser à ce qui avait bien pu se passer entre 10 h 30 et 16 h 30 le 11, pendant ces six heures de la vie de Catherine Sheridan qu'il n'arrivait pas à reconstituer. La bibliothèque, le *deli*, puis le retour à la maison, remarqué par le vieux voisin qui aimait reluquer les jolies filles à la télé. Avec qui avait-elle partagé ses toutes dernières heures passées sur cette terre ?

Miller se souvint aussi de sa discussion avec le capitaine Lassiter, la veille, après le départ de Killarney. Les yeux de Lassiter portaient la marque du désastre, charriant tous les drames de sa vie – la mort de sa femme, le suicide de sa sœur trois ans auparavant, la frustration et le déni, la conviction chevillée au corps que tout était foutu, sinon aujourd'hui, du moins bientôt. Ces yeux-là ? Ils avaient tout vu et tout absorbé, en vrais professionnels.

Tandis que Roth cherchait dans l'ordinateur, Miller téléphona au bureau du coroner. Il tomba sur Tom Alexander, l'assistant d'Hemmings.

« Laissez-nous encore deux petites heures. Après le déjeuner, ça vous va ? »

Miller répondit que ça lui allait puis lui demanda si Marilyn Hemmings était dans les parages.

« Elle est là, oui. Dans les boyaux jusqu'aux coudes, mais elle est là. »

Miller le remercia et raccrocha.

« J'ai quelque chose, dit Roth. Entre Landover Hills et Glenarden, j'ai une certaine Natasha Joyce, dont la fille s'appelle Chloe.

— Ça suffira amplement. Viens, on va faire un petit tour chez elle. »

Roth prit le volant, à la demande de Miller, qui voulait réfléchir tranquillement à ce qu'il dirait à cette fameuse Natasha Joyce. Un coup de fil anonyme, le prénom d'une petite fille : rien de plus. Mais, faute de mieux, c'était déjà ça.

La circulation était fluide ; ils ne perdirent pas de temps et, avant même que Miller eût vraiment décidé de la marche à suivre, ils étaient déjà sur place.

Roth se gara aux abords de la bretelle d'accès qui s'enfonçait dans la cité. Il savait pertinemment que laisser leur voiture dans la cité elle-même revenait à souhaiter sa disparition dans les plus brefs délais.

Ils marchèrent côte à côte. Miller s'arrêta soudain et resta planté là quelque temps, les mains enfouies dans les poches de son manteau. Il voyait la buée de son souffle se dissiper dans l'air, et tous les aspects ravagés de la vie que cet endroit symbolisait. Il voyait les graffitis, les ordures, les poubelles retournées, les bouteilles vides et leurs sachets en papier marron qui bravaient les éléments. Il voyait les cages d'escalier qui menaient tout droit au désespoir et à la frustration, la honte et l'humiliation ressenties par nombre de ces habitants, et il se demandait la raison de tout cela.

« Là-bas », dit Roth en indiquant une direction.

Miller lui emboîta le pas au milieu des cahutes en parpaing où végétaient des gens qui méritaient tellement mieux.

Elle est là, pensa-t-il, *la saloperie qu'on ne veut pas accepter comme étant partie intégrante de la capitale des États-Unis.*

« 18, dit Roth. Immeuble 18, premier étage. »

Ils montèrent l'escalier, dans une pénombre oppressante. Il était tôt le matin, mais cet endroit donnait l'impression de ne connaître que le crépuscule. Et puis il y avait cette odeur, un mélange d'ammoniaque, de pisse, de merde, de sang, d'ordures et de papier humide. Ça sentait le vieux matelas et le barbecue cramé, les illusions et les espoirs d'une vie meilleure qui n'existait pas.

Tout ça est tellement pourri, se dit-il.

Roth frappa à la porte avant de s'en écarter. Miller à droite, lui à gauche, la main posée sur son pistolet, toujours dans le holster, mais le bouton-pression ouvert. Il pouvait dégainer en une fraction de seconde.

Pourri jusqu'à la moelle.

Le bruit d'une présence humaine à l'intérieur.

Des chaînes, des loquets, des verrous – comme pour garder le meilleur à l'intérieur et laisser tout le reste à l'extérieur.

« Qui est-ce ? demanda la voix.

— C'est la police, madame. »

Un silence.

Roth regarda Miller.

Miller dit : « Ouvrez la porte, madame… C'est la police.

— C'est bon, j'ai compris ! » répondit Natasha Joyce avant de tourner la clé.

La porte s'ouvrit. Miller entra en premier, suivi de Roth, qui refermait déjà le bouton-pression de son holster. Le couloir était lumineux et fraîchement repeint, la moquette élimée par endroits, mais propre. L'appartement ne sentait pas mauvais, en tout cas rien à voir avec l'escalier de l'immeuble. C'était comme une petite oasis, isolée face au désert qui la cernait derrière les murs.

Miller sortit son insigne.

« Je sais qui vous êtes, dit Natasha Joyce.

— Vous êtes Mlle Natasha Joyce? Vous avez une fille prénommée Chloe? »

Natasha eut un vague sourire. « La maîtresse de catéchisme, c'est ça? Elle vous a appelés? »

Miller fronça les sourcils.

« C'est pour ça que vous êtes là, pas vrai? La bonne femme dans le journal. Celle qui s'est fait tuer samedi.

— Oui, fit Miller avant de jeter un coup d'œil vers Roth dans son dos. Vous nous attendiez? »

Natasha Joyce secoua la tête, l'air résigné. « Les gens comme nous attendent toujours les gens comme vous, non? »

Miller se tenait debout dans le couloir impeccablement repeint de chez Natasha Joyce, attendant qu'elle lui fasse signe d'aller vers la cuisine. Il semblait pris dans une bulle de silence, qui ne lui laissait entendre que le son lointain d'un dessin animé.

« Ma fille regarde la télévision dans sa chambre. Je voulais qu'elle reste ici avec moi, aujourd'hui. Ce n'est pas un jour sans école qui lui fera du mal. On peut discuter sans problème. »

Elle conduisit les deux inspecteurs jusqu'à l'étroite cuisine, leur indiqua deux chaises, de chaque côté d'une table encore plus étroite. Elle s'adossa à l'évier, les mains agrippées au rebord en chrome, les doigts serrés comme si elle attendait une mauvaise nouvelle. Elle regarda au loin et s'éclaircit la gorge, puis se tourna vers Miller : c'était le premier qu'elle avait vu devant la porte, le premier à lui avoir parlé. Et, bien que plus jeune que Roth, une ombre sur son visage montrait qu'il avait vécu mille fois plus de choses. Natasha Joyce avait décidé que Robert Miller était le chef et que si elle devait parler, c'était à lui qu'elle le ferait. « Qu'est-ce que vous voulez savoir? dit-elle.

— On a reçu un coup de téléphone. »

Miller observa attentivement Natasha Joyce. Quelque chose sur son visage semblait dire que pour elle la vie laisserait toujours un arrière-goût de déception. C'était une belle fille, avec des dreadlocks sur un côté du crâne, l'autre étant couvert de cheveux longs attachés en arrière par une barrette. Mais c'est son regard qui interpella Miller. Il lui rappela celui d'une autre fille, une fille qu'il avait voulu aider un jour.

Natasha paraissait distraite, mal à l'aise. Son tee-shirt laissait deviner qu'elle avait beaucoup transpiré. Des gants en caoutchouc étaient posés sur le plan de travail, une odeur de désinfectant planait dans l'air. Elle avait fait le ménage chez elle.

« Un coup de téléphone de la maîtresse de Chloe, c'est ça ? Mlle Antrobus ?

— Elle n'a pas donné son nom.

— C'est elle. Elle m'a parlé hier, quand je suis allée chercher ma fille. Je me suis dit qu'elle vous appellerait. » Natasha Joyce adopta une sorte de demi-sourire, puis éclata de rire. « J'allais vous appeler moi-même. Merde, j'aurais dû. Maintenant ça va vous paraître bizarre.

— Quoi donc ? »

Natasha sembla ne pas entendre la question. Elle secoua la tête et continua sur sa lancée. « C'est une pauvre conne flippée, oui... Une pauvre conne. Je crois que c'est parce qu'elle est métisse, vous comprenez ? Ni noire ni blanche... Personne ne veut d'elle. Ça doit être spécial à vivre.

— Elle n'a pas donné son nom, répéta Miller, et elle ne s'est plainte ni de vous, ni de votre fille, ni de rien, mademoiselle Joyce. Je crois que la femme qui nous a téléphoné pensait simplement que vous saviez peut-être quelque chose au sujet de Catherine Sheridan, la femme qui a été assassinée samedi...

— Elle ne s'appelait pas comme ça, coupa Natasha, sur la défensive, comme si elle tenait là le moyen de marquer des points contre ces connards de flics blancs. Elle ne s'appelait pas comme ça et je ne pense pas qu'on parle de la même femme… Mais elle est venue ici environ deux semaines après la mort de Darryl. »

Miller fronça les sourcils. « Excusez-moi, mais je ne comprends pas bien. Vous dites qu'elle ne s'appelait pas comme ça ?

— Sheridan. Catherine Sheridan. Elle ne s'appelait pas comme ça quand elle est venue ici, un jour, avec l'autre taré pour voir Darryl.

— Darryl ?

— Le père de Chloe. Darryl King. C'était mon petit ami… mon mec, quoi. Et le père de Chloe.

— Il est mort ?

— Oui, il est mort en 2001.

— Désolé, répondit Miller, compatissant, avant de revenir au cœur du sujet. Et cette femme, celle qui a été assassinée… Elle est donc venue voir Darryl avec quelqu'un d'autre ?

— Je n'en sais rien, bordel. Je ne sais plus quoi penser. Une femme est venue un jour, ici, pour parler avec Darryl. Elle ressemblait à celle dans le journal. Elle est venue avec un homme, et à plusieurs reprises, à ce que je sais. Ils ne m'ont parlé qu'une fois, même si je les ai vus deux ou trois fois. Ils disaient qu'ils cherchaient Darryl, ils m'ont demandé si je savais où il était. Mais à ce moment-là il partait en vrille… vraiment en vrille, vous voyez ce que je veux dire ? Il prenait je ne sais combien de doses de cette merde.

— Cette merde ?

— L'héroïne. Darryl était un junkie, oui, monsieur, un vrai de vrai, un toxico professionnel… Donc vous pouvez bien m'interroger sur cette bonne femme, je vous dirais que je l'ai vue deux ou trois fois il y a cinq ans de ça, et encore, si on parle bien de la même personne... Mais quel serait le rapport entre elle et Darryl King, et pourquoi Darryl King aurait le moindre lien avec elle ? ça, j'en sais foutre rien. Je ne pense pas pouvoir vous aider. La seule raison pour laquelle je vous parle – et je vous aurais appelés de toute façon si l'autre conne ne m'avait pas grillée –, c'est que je commence à me dire que ces gens ont peut-être un rapport avec ce qui est arrivé à Darryl. Vous voyez ? »

Miller regarda Roth, manifestement déçu. C'était de l'histoire ancienne, une affaire qui remontait à cinq ans, et le peu dont ils disposaient venait de se réduire à rien du tout.

« L'homme qui l'accompagnait, demanda Miller. Comment était-il ? »

Natasha pointa un doigt vers Roth. « Comme lui.

— Comme moi ? s'écria Roth, mal à l'aise pendant une fraction de seconde.

— Oui, comme vous. Chemise, cravate, costard, manteau, cheveux foncés, tempes un peu grisonnantes... Mais nerveux, en plus. Il avait l'air nerveux. Enfin, merde, je ne sais pas comment vous dire... Peut-être pas nerveux, mais, disons, plutôt... vigilant. Comme s'il était sur ses gardes.

— Et sa tête, à quoi elle ressemblait ? Un détail particulier, peut-être ? »

Natasha haussa les épaules. « Je n'en sais rien. Je ne m'en souviens pas. C'est vieux, tout ça. Je n'ai pas vraiment fait attention, ce jour-là. C'était la bonne femme qui parlait. Lui ne disait rien. Je le reconnaîtrais peut-être si je le revoyais. Je ne sais pas. »

Elle s'arrêta de parler.

« D'autres choses ?

— Non, pas vraiment. Il m'a filé 20 dollars en me disant d'acheter un joli cadeau pour Chloe. Alors je lui ai acheté une poupée. Elle l'adore, elle l'a toujours gardée depuis. C'est la seule raison pour laquelle elle se souvient de ces gens.

— Et ils avaient simplement dit qu'ils voulaient parler avec Darryl ? Rien de plus ? »

Natasha fit oui de la tête.

« Pouvez-vous nous en dire un peu plus sur cet homme ? Des signes distinctifs ? Un détail inhabituel dans son apparence ? Des tatouages, des cicatrices, des taches de naissance ?

— Non, rien de spécial.

— Bien sûr, bien sûr, fit Miller. D'autres choses, mademoiselle Joyce ?

— Je ne sais pas dans quoi trempait Darryl. Vraiment, je n'en sais rien... Il se peut que cette femme soit venue ici histoire de ramasser de la dope pour elle et son taré de copain. Je l'ai vue deux ou trois fois, peut-être.

— Vous vous rappelez exactement quand ?

— Environ deux semaines avant la mort de Darryl.

— Qui remonte à quand ?

— Au 7 octobre 2001. »

Roth prenait des notes sur son carnet.

« Vous avez une idée d'un autre lien éventuel entre Darryl King et cette femme ?

— Si j'avais une idée, je vous le dirais. »

Miller se tut quelques secondes. « Vous en pensez quoi, Natasha ? demanda-t-il d'un ton empreint de compassion et de gentillesse.

— De quoi ? Qu'est-ce que je pense de quoi ?

— De cette femme. Vous croyez qu'il s'agit de la même ?

— Je ne sais pas… Je ne peux pas en être certaine. Elles se ressemblent, mais elles auraient pu être sœurs, non ? » Soudain, elle partit d'un rire nerveux. « Je n'en sais rien… Vraiment rien.

— Chloe avait l'air sûre d'elle, non ?

— Ne la mêlez pas à ça. Putain, mais qu'est-ce que vous nous voulez à la fin ? Une bonne femme est venue chercher mon mec il y a cinq ans de ça, juste avant sa mort. Je suis incapable de vous dire comment ces deux-là le connaissaient ou ce qu'ils voulaient. Ça aurait pu être la même…

— Est-ce qu'il s'agissait de la même femme, Natasha ? »

De sa poche intérieure, Miller sortit la photo de passeport de Catherine Sheridan – retouchée, en couleurs, beaucoup plus nette que dans le journal. Lorsqu'il la montra à Natasha, il nota le changement d'expression sur son visage : ses yeux s'écarquillaient, elle semblait respirer sans un bruit, comme surprise, sous le choc ou effrayée.

« Je crois peut-être que… Peut-être que oui… Je ne peux pas en être sûre et certaine… »

Miller brandissait toujours la photo devant elle.

Les yeux de Natasha s'embuèrent.

« Natasha ?

— Ou… oui… Je crois que c'est elle… C'est elle qui est venue… »

Miller remit la photo dans sa poche. Il jeta un coup d'œil vers Roth.

« Je ne veux pas me retrouver mêlée à tout ça, dit Natasha. Je n'ai rien à voir avec cette femme.

— Je comprends bien, mademoiselle Joyce, mais elle est venue ici pour voir Darryl et…

— Merde, les gars, c'était il y a cinq ans, vous comprenez ? Darryl est mort. Et maintenant cette femme aussi.

Nom de Dieu, j'ai une gamine, moi! » Elle s'interrompit soudain pour regarder Miller droit dans les yeux. « Vous avez des enfants ? »

Miller fit non de la tête.

Natasha s'adressa à Roth. « Vous, vous en avez. Vous avez une tête à en avoir.

— Trois. »

Puis, elle se tourna à nouveau vers Miller : « Il peut comprendre, lui. Demandez-lui. Il sait comment ça se passe quand on a des enfants. Je ne sais pas dans quelle merde s'est foutue cette bonne femme, et encore moins pourquoi elle est venue ici pour voir Darryl, mais je ne veux pas que ma fille ait quelque chose à voir avec ces conneries. J'ai passé Dieu sait combien de temps à la protéger contre toutes les saloperies que Darryl ramenait à la maison. » Elle prit une grande bouffée d'air, essaya de recouvrer son sang-froid. « On a survécu, vous comprenez ? On a survécu à toute cette merde. Parfois j'ai cru qu'on n'y arriverait jamais, mais on l'a fait. Maintenant, c'est fini, d'accord ? Je vous ai raconté tout ce que je savais… Je n'ai plus rien à vous dire. Démerdez-vous et retrouvez le type qui a fait ça, mais foutez-nous la paix, d'accord ? »

Le silence régna dans la cuisine pendant un petit moment, puis Miller se leva de sa chaise et tendit sa carte à Natasha. « Si vous repensez à quelque chose… »

Elle prit la carte, l'examina, la retourna. Elle s'essuya les yeux du revers de la main, se décolla du rebord de l'évier et marcha vers la porte de la cuisine.

Miller et Roth la suivirent jusqu'à l'entrée.

Miller s'arrêta dans l'entrebâillement de la porte. « Je comprends, dit-il à voix basse. Je n'ai peut-être pas de gamins, mais je suis quand même capable de comprendre. »

Natasha hocha la tête, tenta de sourire à travers ses larmes. Il y eut un éclair de gratitude dans son regard, et puis soudain plus rien.

Les deux policiers redescendirent l'escalier. Natasha les regarda s'en aller jusqu'en bas des marches puis disparaître hors de sa vue.

Chloe apparut sur le seuil de sa chambre au moment où elle refermait la porte d'entrée à clé.

« C'était qui, maman ? »

Natasha sécha ses larmes du bout des doigts. « Personne, ma chérie… Absolument personne… »

Sur ce, Chloe haussa les épaules, fit volte-face et disparut.

Natasha Joyce resta plantée là pendant quelques instants, le cœur lourd, un peu frissonnante, et elle se rendit compte qu'elle ignorait quasiment tout de ce qui était arrivé à Darryl King, le père de son enfant.

8

Avant de regagner le commissariat n° 2, ils s'arrêtèrent pour boire un café. Miller savait qu'ils ne faisaient que tuer le temps en attendant le déjeuner. Il voulait voir Marilyn Hemmings. Il voulait connaître les résultats de l'autopsie. Il voulait creuser la piste de la rencontre entre Natasha Joyce et Catherine Sheridan, cinq ans auparavant.

De retour au commissariat, il se planta devant la fenêtre de son bureau, sans bouger. Roth était parti chercher une boisson dans le couloir. Le mur à sa droite comportait maintenant deux panneaux en liège – assez grands, peut-être 1,80 m sur 1,20 m chacun – sur lesquels étaient accrochés les photos des quatre victimes et de leurs maisons ou appartements respectifs, une carte de chaque quartier où les crimes avaient eu lieu, des notes, des messages, et enfin le petit bon de commande jaune sur lequel figurait le numéro 315 3477.

En revenant, Roth tendit une canette à Miller.

« Putain de numéro, râla ce dernier. Je ne vois pas... »

Roth resta debout quelques instants ; il pencha légèrement la tête sur le côté. Tout en sirotant bruyamment son Sprite. « Sept chiffres, dit-il. Peut-être des coordonnées mathématiques ?

— Qu'est-ce que tu y connais, en coordonnées mathématiques ?

— Que dalle.

— *Idem* pour moi.

— Et si on inverse… 7743513 ? »

Miller fronça les sourcils, intrigué. « Colle un zéro devant et tu as un numéro de dossier judiciaire. L'indicatif 077… Ce sont toujours des séries de trois chiffres, puis trois, puis deux, avec le même indicatif, non ? Essaie de le taper dans le fichier informatique. »

Roth posa sa canette sur le rebord du bureau et alluma l'ordinateur. Les deux hommes attendirent, impatients comme deux gamins le soir de Noël. Ils tapèrent le numéro, attendirent encore un peu. Le processeur ronronnait furieusement.

Miller, à la fenêtre, regardait le ciel blanc et uniforme. *Qu'est-ce que c'est que cette vie, nom de Dieu ?* se disait-il. *Traquer des gens qui font ce genre de saloperies à d'autres gens.*

« En plein dans le mille ! s'écria Roth.

— Qu'est-ce que tu as trouvé ?

— Encore notre ami… Notre ami qui se révèle être décidément très intéressant. Darryl Eric King, né le 14 juin 1974, arrêté le 9 août 2001 pour détention de cocaïne. Numéro de dossier 077-435-13.

— Tu déconnes ! »

Roth fit non de la tête. « Je suis on ne peut plus sérieux. Regarde… Darryl King… » Il recula pour que Miller voie mieux l'écran. « Numéro de dossier 077-435-13. Darryl Eric King. »

Miller se tut pendant quelques secondes ; il n'en revenait pas. « J'ai du mal à y croire, finit-il par dire calmement. Ça fait beaucoup en même temps. » Il s'interrompit de nouveau, scrutant l'écran pour tenter de donner un sens à ce qu'il voyait. « Ça s'est passé où ?

— Au commissariat n° 7.

— Qui l'a arrêté?

— Un certain sergent Michael McCullough... Tu connais? »

Miller fit signe que non. « Et qu'est-ce qui s'est passé ensuite? »

Roth cliqua sur plusieurs pages. « Relâché le jour même, huit heures après. Aucune inculpation.

— Comment est-ce possible? Il s'est fait arrêter avec combien sur lui?

— Trois grammes... Trois grammes et demi, pour être précis.

— Merde. Soit c'était un indic, soit il a refilé des tuyaux à ce McCullough. Peut-être qu'il lui a balancé son dealer ou un truc dans le genre.

— Si c'était un indic, ce serait mentionné sur son dossier », répondit Roth, qui ne semblait pas convaincu. Il fronça les sourcils, se pencha en avant et examina le texte écrit en tout petit sur l'écran.

Miller lui lança un sourire entendu. « Or on dispose du système informatique le plus moderne et le mieux organisé au monde, pas vrai?

— Donc il faut qu'on aille voir ce McCullough.

— Fais des recherches sur lui... Il est toujours au n° 7? »

Roth referma le dossier King, en consulta quelques autres, tapa le nom de McCullough et attendit. Il se retourna enfin vers Miller, qui se tenait toujours à la fenêtre, le dos tourné. « Il n'est plus là. »

Miller fit volte-face. « Plus là? Il est mort?

— Non, plus dans la police. Il est parti en mars 2003.

— Combien de temps est-ce qu'il a servi?

— Voyons voir... 1987. Ça nous fait donc seize ans? »

Miller acquiesça. « Il a perdu ses vingt années de cotisation. Pourquoi se barrer quatre ans avant la retraite? Il aurait pu poireauter pendant quatre ans derrière un bureau en faisant jouer l'invalidité, bordel. Après seize ans de service, ça fait quand même un paquet de fric jeté par la fenêtre.

— À moins qu'il n'ait été *obligé* de partir.

— Qu'est-ce qu'on en sait ?... Pour l'instant, ça n'a pas d'importance. L'essentiel, c'est de le retrouver. Il faut absolument qu'on lui parle. On a là un lien direct entre le meurtre de Catherine Sheridan et une arrestation antérieure. » Miller regarda vers la fenêtre, l'air perplexe. « Putain, lâcha-t-il, davantage pour exprimer sa surprise qu'autre chose. Il faut qu'on retrouve ce McCullough. On va mettre Metz sur le coup, et tous ceux qui n'ont rien d'urgent pour le moment. » Il traversa la pièce et s'assit devant le bureau. « Bon, qu'est-ce qu'on a ? Chloe Joyce affirme reconnaître Catherine Sheridan. On apprend qu'il y a cinq ans cette Catherine Sheridan est allée dans la cité pour discuter avec Darryl King. Lui, on ne peut pas lui parler puisqu'il est mort. Mais il s'est fait arrêter environ deux mois avant sa mort par ce fameux sergent McCullough, du commissariat n° 7. Et le numéro de dossier de King correspond au numéro laissé à la pizzeria par l'assassin de Sheridan...

— Est-ce que ça veut dire que McCullough était l'homme qui accompagnait Sheridan dans la cité ?

— Je n'irais pas jusque-là. Je me demande surtout *pourquoi* Catherine Sheridan est allée voir Darryl King, et pas seulement une fois, mais deux, voire trois. Et encore, ça, ce sont les fois où elle ne l'a pas trouvé et est allée voir Natasha Joyce.

— Tu penses que Catherine Sheridan se droguait ?

— Le coroner nous le dira », fit Miller en attrapant sa veste sur le dossier de la chaise.

Il avait du mal à comprendre ce qui s'était passé. Il était reparti de l'appartement de Natasha Joyce chiffonné et frustré, avec le nom d'un type mort, et ce type mort revenait à la vie dans une affaire vieille de cinq ans. Le numéro laissé à la pizzeria ne renvoyait pas à une ligne téléphonique, mais à un dossier judiciaire : c'était une piste, c'était beaucoup mieux que tout ce dont ils disposaient jusqu'à présent, et ça l'agaçait.

À moins de deux kilomètres de là, au sous-sol de l'immeuble qui accueillait les bureaux du coroner du comté, Marilyn Hemmings se tenait au-dessus du corps de Catherine Sheridan. Elle montrait à son assistant, Tom Alexander, ce qu'elle avait trouvé.

« Vous voyez ? » dit-elle.

Marilyn Hemmings avait une petite trentaine d'années, peut-être un peu jeune pour ce métier, mais elle avait affronté suffisamment de soupçons quant à ses compétences professionnelles pour pouvoir afficher un je-ne-sais-quoi de cynique et de dur. Elle n'en demeurait pas moins une belle femme, mais une femme dont le charme tenait surtout à cette indépendance d'esprit qui transpirait de tous ses pores. Le coroner de la ville de Washington étant officiellement en congé jusqu'en janvier, Marilyn l'avait remplacé avec une belle assurance. Ce jour-là, alors qu'elle examinait de près le torse de Catherine Sheridan, cette assurance était criante.

« Une question, dit Tom Alexander.

— Je vous écoute ?

— Simple curiosité… Combien de temps est-ce qu'elle aurait pu survivre avec ça ?

— Impossible à dire. Les gens réagissent différemment. Ça dépend de plusieurs facteurs. Vous avez trouvé qui était son médecin ?

— Toujours rien pour l'instant.

— Elle ne figure pas dans le fichier médical du comté ? »

Alexander fit non de la tête.

Hemmings grimaça. « Qu'est-ce qu'on a, du coup ? Toujours rien sur le numéro de Sécurité sociale. Ses empreintes dentaires et digitales, son ADN… Ils ne correspondent à rien. Et, en plus, elle n'est même pas dans le fichier médical du comté.

— À moins qu'elle ne se soit fait arrêter un jour, elle n'apparaîtra jamais dans nos banques de données… Mais, même dans ce cas, la police ne relève que les empreintes, et elles se perdent dans la nature un nombre incalculable de fois.

— Sans blague, ironisa Hemmings.

— Qu'est-ce qu'on fait alors ?

— On termine ça. La procédure habituelle. Ensuite, on appelle les inspecteurs en charge de cette affaire et on leur dit de venir ici pour récupérer le rapport.

— Je les ai eus au téléphone. Ils sont en chemin. C'est Robert Miller. » Alexander s'arrêta pour regarder un instant Hemmings, comme dans l'attente de sa réaction.

Elle lui adressa un demi-sourire. « Qu'est-ce qu'il y a ?

— Rien… Rien du tout.

— Mon œil, Tom ! Vous essayez de m'énerver.

— Non, non, pas du tout…

— Vous ne devriez pas croire ce qu'on raconte dans les journaux… »

Hemmings fut soudain interrompue par la sonnerie du téléphone sur le bureau.

Alexander décrocha, confirma quelque chose, remercia son interlocuteur, raccrocha. « Ils sont là, dit-il.

— J'y vais. Terminez le rapport et commencez à nettoyer les chariots. »

Hemmings quitta la salle d'autopsie et se dirigea vers son bureau. Elle ôta sa blouse de laboratoire puis emprunta le couloir à gauche jusqu'à l'entrée principale. À son arrivée, Roth et Miller l'attendaient.

Elle sourit en voyant Miller, qui lui renvoya la politesse, mais avec un embarras certain.

« Robert », dit-elle d'une voix chaleureuse.

Il lui serra la main. « Marilyn, répondit-il en pointant le menton vers Roth. Vous connaissez mon collègue, Al Roth ?

— Inspecteur Roth, dit-elle. Oui, on s'est croisés quelques fois.

— Ravi de vous revoir. » Roth réchauffa l'ambiance en ajoutant : « Je crois que le pire de ces conneries dans les journaux est passé, non ? »

Hemmings lui sourit. « Comme de l'eau sur les plumes d'un canard.

— Vous avez terminé l'autopsie de Sheridan ? demanda Miller.

— Tout juste. Venez dans mon bureau. »

Ils la suivirent dans le couloir. Miller était bien content d'avoir Roth à ses côtés. Même s'il n'y avait rien eu entre Hemmings et lui, la presse avait fait croire le contraire. Expérience pénible, et qui l'aurait peut-être moins été s'ils avaient pu faire plus ample connaissance. Désormais, tout n'était que tension et regards en coin, Miller se demandant si elle se sentait aussi gênée que lui, et si cette gêne provenait de son envie de reparler de ces événements ou, plutôt, de sa volonté de faire comme s'ils n'avaient jamais eu lieu.

« Il y a une chose intéressante avec ce cas, dit Marilyn Hemmings en s'asseyant à son bureau. Il ressemble aux trois précédents, mais tout de même avec quelques différences. »

Elle leur désigna deux chaises, l'une près de la porte, l'autre contre le mur. Roth et Miller s'exécutèrent.

« L'un de vous deux aurait-il étudié la médecine légale… ou la pathologie, peut-être ? »

Miller fit signe que non, Roth aussi.

Hemmings acquiesça. « On retrouve un corps quelque part. Un corps mort. Pour nous, il n'existe que quatre catégories de décès : accident, suicide, meurtre ou causes naturelles. Un homme nettoie son arme et se tire une balle dans le thorax. La balle lui perfore l'aorte, le sang coule suffisamment pour lui comprimer le cœur et le tuer. Le même homme peut aussi prendre la même arme, la coller contre son thorax et appuyer sur la détente. Le résultat, les dégâts et la cause du décès seront les mêmes, mais dans ce dernier cas l'origine est intentionnelle. Il voulait se tuer et il l'a fait. Sa femme, qui lui en veut parce qu'il la trompe, lui tire une balle à bout portant dans le thorax et le tue. Même cause, même résultat, mais mobile différent. Enfin, vous avez le type qui fume trop, qui boit trop de bière et qui crève un pneu de sa voiture sur l'autoroute. Il est stressé, furieux, il essaie de changer sa roue tout seul, soudain une fragilité héréditaire lui fait éclater l'aorte, son thorax est inondé de sang, et il meurt. Dans tous ces cas-là, on fait toujours la même chose. On détermine l'identité du sujet, quand c'est possible, la cause du décès, la manière, le mécanisme ou le mode, et, pour finir, on fait de notre mieux pour établir l'heure précise de la mort. Tout cela est possible quand vous avez un corps complet, sur lequel une autopsie est praticable. »

Hemmings regarda d'abord Roth, puis Miller. « C'est ici que les trois victimes précédentes ont été examinées, avec analyses des rubans, des étiquettes, des fibres, des cheveux – la totale. Mais on n'a rien trouvé de significatif… Absolument rien.

— Vous disiez, intervint alors Miller, que Sheridan ressemblait aux trois autres tout en étant différente ? »

Hemmings sourit. « J'ai dit ça, en effet.

— C'est-à-dire ? Différente comment ? insista Roth.

— C'est bien pour ça que je vous ai parlé des quatre catégories de décès. Dans mon esprit, il ne fait aucun doute que cette femme a été assassinée. Le problème est de savoir *comment* elle a été assassinée. Le mode et le mécanisme. Ils diffèrent des trois cas précédents.

— En quoi ?

— Les trois premières femmes ont été frappées puis étranglées ; le ruban a été attaché autour de leur cou après la mort. Or celle-là, Sheridan… Elle a été étranglée préalablement.

— Préalablement ? Qu'est-ce que vous voulez dire par là ? demanda Miller.

— Quand une personne est encore en vie, les contusions sur son corps sont très particulières, très différentes de celles infligées à un corps déjà mort.

— Et dans ce cas précis ? »

Marilyn Hemmings se fendit d'une sorte de demi-sourire. « Dans ce cas précis, il y a quelque chose que moi-même je ne comprends pas très bien, à moins de l'aborder selon une perspective complètement différente. Vu les contusions sous-cutanées – elles sont très nombreuses – et la manière dont ces contusions se sont décolorées, il apparaît que les blessures ont été infligées après le décès.

— Je ne comprends pas. Vous êtes en train de nous dire que, dans les trois affaires précédentes, les coups ont été reçus avant la strangulation, mais que, dans ce dernier cas, les coups sont arrivés après ?

— Oui, il semblerait bien.

— Et la strangulation… Elle est quand même morte à cause de la strangulation ?

— Oui, la strangulation reste indubitablement la cause du décès. Pour la deuxième victime, ç'a été difficile à déterminer… Ann Rayner, la secrétaire juridique. Elle a été tellement tabassée qu'elle a pu mourir bien avant d'être étranglée. Il y a eu une hémorragie dans le cerveau, dans les orbites oculaires, à la base du cou. Une agression très, très violente, et malgré les signes d'asphyxie, de toute manière, je pense qu'elle n'aurait pas survécu.

— Donc qu'est-ce que vous constatez pour Sheridan ?

— Je constate une mort très similaire, mais une agression différente. Je constate une femme étranglée *puis* violemment frappée, et dont le visage est resté intact, contrairement aux autres.

— Votre intuition ? Votre sentiment là-dessus ?

— Ce que j'en pense ? Je pense que je ne peux pas répondre à cette question, Robert. »

En entendant son prénom, et la façon dont elle l'avait prononcé, Miller la regarda soudain. Il était indéniable qu'il se sentait, d'une certaine façon, redevable vis-à-vis d'elle. Le témoignage de cette femme l'avait blanchi d'une accusation qui aurait pu mettre un terme à sa carrière. Elle l'avait sauvé d'un mauvais pas. Était-ce simplement de la gratitude qu'il éprouvait à son égard ou un sentiment plus complexe ?

« Vous n'êtes pas obligée de l'écrire noir sur blanc, dit-il. Vous pourrez très bien nier avoir affirmé quoi que ce soit. Je veux juste savoir quel est votre sentiment sur ce qui a pu se passer. »

Hemmings jeta un coup d'œil vers Roth, lequel hocha la tête, comme pour la rassurer.

« Je pense que quelqu'un… Je pense que quelqu'un a voulu faire en sorte que ce meurtre-là ressemble aux trois premiers. En tout point.

— Mais ce n'était pas la même personne ? »

Hemmings hésita. « Mon humble avis, rien de plus ?

— Rien de plus.

— C'était quelqu'un d'autre, inspecteur… Je pense qu'il s'agit d'un plagiaire. »

Miller regarda Roth. Les deux hommes restèrent muets.

« Encore trois choses, reprit Marilyn. Avant tout, le fait que nous n'ayons pas pu l'identifier formellement… »

Miller voulut intervenir, mais Hemmings le coupa immédiatement.

« Son passeport ? Oui, c'est vrai, on a son passeport. On a même son permis de conduire. Mais il n'existe aucun véhicule à son nom officiellement répertorié.

— Ce qui n'a rien d'original, dit Roth. Il y a des tas de gens qui ont le permis sans posséder de voiture.

— Je sais, mais ce n'est pas tout. Pour l'instant, son numéro de Sécurité sociale ne correspond pas à son nom, mais à celui d'une femme portant un nom vaguement espagnol. Je l'ai noté quelque part. »

Miller secoua la tête. « Désolé, mais je ne comprends pas…

— Encore une fois, coupa-t-elle, j'ai son numéro de Sécurité sociale, du moins supposé, mais, quand j'interroge la base de données, elle me sort un nom totalement différent.

— Comme pour les autres », fit remarquer Miller.

Hemmings leva les yeux vers lui.

« Pour les autres aussi, on a des problèmes d'identification, répéta-t-il.

— L'identification de la victime, dit-elle, est la première chose qu'on tente d'établir. Or, dans ce cas précis, rien n'en est sorti. Ni ADN, ni empreintes digitales, ni empreintes dentaires. Et quand son numéro de Sécurité sociale nous a renvoyés vers un nom différent… J'avais aussi une bonne raison de chercher son nom dans les archives médicales du comté.

— Elle était malade ?

— Mieux que ça. Elle était en train de mourir d'un cancer. »

L'expression sur le visage de Miller résumait tout : il était dépassé, comme s'il lui fallait digérer trop d'informations en même temps. « Un cancer grave ? demanda-t-il.

— Du thorax… Enfin, du poumon, pour être précise. Son poumon droit. À un stade bien avancé. Mais, surtout, elle ne figurait pas dans les archives médicales du comté, ce qui veut dire qu'elle ne consultait pas de médecin.

— Bien avancé ? intervint Roth. Qu'est-ce que ça signifie ?

— Difficile à dire. C'est un truc bizarre, le cancer. Vous avez des cellules qui prolifèrent anormalement, on appelle ça des cellules folles, et, quand vous en avez suffisamment qui prolifèrent à grande vitesse, vous vous retrouvez avec une tumeur. Le corps est bien équipé pour combattre certaines de ces tumeurs, qui grossissent en restant toujours bénignes. Dans le cas de Catherine Sheridan, en revanche, il s'agissait d'une tumeur maligne, très maligne, et je ne pense pas qu'elle aurait pu vivre encore longtemps.

— Est-ce qu'elle prenait des médicaments ou suivait un traitement ?

— Aucune trace de quoi que ce soit dans son organisme. Même pas d'antidouleur. Rien. Et je vous répète que nulle part je n'ai vu la présence d'un médecin. Certes, il existe des cliniques alternatives, en grand nombre d'ailleurs, mais celles qui sont légales ont tout de même l'obligation d'avoir une licence, d'enregistrer les données des patients et de dire qui vient chez elles pour se faire soigner.

— Mais il y a des endroits où les gens peuvent bénéficier de soins médicaux sans devoir laisser leurs données personnelles ? demanda Roth.

— Bien sûr. Des avorteurs clandestins, des vétérinaires qui pratiquent des opérations bénignes, des chirurgiens esthétiques qui exercent illégalement…

— Mais des gens qui traitent les cancers ? »

Hemmings haussa les épaules. « On peut toujours l'imaginer. J'ai même entendu parler d'homéopathes qui utilisent la vitamine K contre le cancer. Mais en général l'administration sanitaire leur tombe dessus et ils s'enfuient au Mexique.

— Pourquoi ?

— Pourquoi le Mexique, ou pourquoi est-ce qu'ils se font allumer par l'administration sanitaire ?

— Pourquoi est-ce qu'ils se font allumer ?

— Eh bien, parce que la vitamine K est censée marcher mille fois mieux que la plupart des autres médicaments… Parce que ce n'est pas cher, parce que vous n'avez pas vraiment besoin d'avoir une grande expérience médicale pour l'administrer, que sais-je encore ? Ce ne sont que des hypothèses, mais je sais d'expérience que l'administration sanitaire déteste voir des gens pratiquer des choses qui ont l'air de faire du bien. »

Miller eut un sourire caustique. Pour une femme de son âge, Marilyn Hemmings était trop cynique.

« Y a-t-il donc un moyen, demanda alors Roth, de prouver que les trois premières femmes ont été tuées par une autre personne que l'assassin de Catherine Sheridan ?

— Tout ce que je vous dis pourra être débattu devant un tribunal. Vu comment le cabinet du procureur fonctionne en ce moment, vous avez intérêt à ramener le bonhomme avec des aveux signés de sa main et une bande vidéo qui le montre en flagrant délit avant de pouvoir obtenir un mandat, ne serait-ce que pour fouiller dans ses poubelles.

— Vous êtes d'un profond cynisme, remarqua Miller, une fois encore surpris par les propos de Marilyn Hemmings.

— Cynique, moi ? Réaliste, je dirais. Je vois ce que ces connards font tous les jours, inspecteur. Vous aussi, j'en suis persuadée. Mais, moi, j'y ai droit en direct. Sur combien de meurtres avez-vous été envoyé cette année ?

— Oh ! je ne sais pas... Dix, vingt ?

— Vous couvrez la juridiction de votre commissariat, n'est-ce pas ?

— Oui.

— Et il y a d'autres inspecteurs qui s'occupent des homicides ?

— Oui, au total on doit être entre six et dix.

— Eh bien, pour le moment, le coroner n'étant pas là, il y a moi, Tom Alexander et deux autres personnes à tour de rôle. On couvre les juridictions de onze commissariats de police, et même quinze en comptant les trop-pleins qu'on se partage avec Annapolis et Arlington. Mon établissement peut recevoir quatre cents corps en même temps, avec une chambre froide qui, en cas de besoin, peut en contenir cent cinquante supplémentaires. Sur les six cents cadavres que l'on traite chaque mois, 68 % sont des victimes d'assassinat ou de meurtre, des accidentés de la route avec délit de fuite, des noyés et des suicidés. Là-dessus, au moins deux cent soixante-quinze sont des homicides, avec certaines choses... Enfin ai-je vraiment besoin de vous expliquer ce que les gens sont capables de se faire les uns aux autres, inspecteur ?

— J'ai compris le message, répondit Miller. Vous disiez que vous aviez remarqué trois choses... Le technicien médico-légal affirmait qu'il était possible que Sheridan ait eu un rapport sexuel le jour de sa mort.

— C'est en effet la troisième chose.

— Vous pouvez nous en dire plus sur la personne avec qui elle a eu ce rapport ?

— Je ne peux rien vous dire sinon que c'était un rapport protégé. L'homme portait un préservatif. On a relevé du Nonoxynol-9, un agent spermicide très répandu qu'on retrouve sur une dizaine de modèles. Ça ne nous mène pas loin.

— Pas d'autres poils pubiens dans la zone vaginale ?

— Non, rien sous les ongles, rien dans les cheveux, et rien sur les traces au cou qui puisse m'aider à vous dire quoi que ce soit sur le bonhomme. Il est droitier, à mon avis. C'est tout. Les traces de constriction sont un peu moins profondes à gauche, avec les pouces centrés sur le cou. Il savait exactement où appuyer, mais ça aurait très bien pu être aussi un coup de bol. Il était debout derrière elle, puis il a fait le tour, et il était bel et bien devant elle quand elle est morte. Il était droitier : voilà à peu près tout ce que je sais.

— On va régler cette histoire d'identification, dit Miller sur un ton qui trahissait une volonté de se rassurer.

— Laissez-moi vous dire une bonne chose, Robert… Quand on n'arrive pas à retrouver l'identité précise de quelqu'un dans aucune base de données, c'est que quelque chose cloche sérieusement.

— Donnez-moi toujours le nom que vous avez obtenu avec son numéro de Sécurité sociale », proposa Roth.

Hemmings saisit un bout de papier sur le bureau et le lui tendit.

« "Isabella Cordillera", lut Roth à haute voix. C'est tout ce que vous avez ?

— C'est tout ce qu'il y avait. Si vous cherchez à partir du numéro, c'est le nom que le système vous donne.

— Il peut y avoir des bugs, dit Miller. Il y a forcément une explication. On va finir par découvrir ce qui s'est passé.

— Tenez-moi au courant, d'accord ? Ça m'intéresse au plus haut point.

— Je vous transmettrai tout ce que je pourrai. En tout cas, merci encore pour votre aide. »

Marilyn Hemmings haussa les épaules. « Vous m'avez demandé mon avis, point final. Il y a donc eu une séquence différente, ou une manière différente de faire la même chose. Est-ce que je peux me lever devant le juge et jurer solennellement sur la Bible que le type qui a tué les trois premières n'est pas celui qui a tué Catherine Sheridan ? Non. Est-ce que je peux répondre à votre question sur mon intuition dans cette affaire ? Oui. Et mon intuition me dit qu'il s'agissait de quelqu'un d'autre.

— Et ce quelqu'un d'autre a dû accéder aux dossiers confidentiels des affaires précédentes pour pouvoir tuer et positionner le corps de la même manière, dit Roth.

— Très certainement. Si j'ai bien compris, les journaux n'ont pas précisé la position du corps quand il a été retrouvé et n'ont rien dit au sujet de la lavande.

— Non, ils n'en ont pas parlé, confirma Miller.

— Ce qui signifie qu'on a affaire à quelqu'un qui travaille au sein de la police, peut-être parmi les techniciens scientifiques, ou dans l'équipe médicale qui s'est rendue sur une des scènes de crime... Ou alors quelqu'un qui appartient au bureau du coroner du comté.

— Ou quelqu'un qui a accès à nos systèmes informatiques », ajouta Roth.

Un silence s'installa pendant quelques instants, le temps que chacun envisage toutes les conséquences de ce qui venait d'être dit. Puis Hemmings se leva de sa chaise et tendit la main. Miller la salua, Roth aussi. Elle les raccompagna dans le couloir, jusqu'à la sortie.

Dehors, en arrivant au bout de l'allée, Miller se retourna et vit Marilyn Hemmings qui l'observait par le hublot découpé dans la porte. Elle hocha la tête, lui adressa un sourire gêné et disparut.

Vous voulez savoir ce que c'est, le réel ?

Je vais vous dire ce que c'est, le réel.

C'est le monde où j'ai appris à haïr en profession-nel.

Un monde dans lequel j'ai oublié comment parler aux vraies gens, et, quand je dis les « vraies gens », je veux dire des gens comme vous – gentils, attentionnés, des gens qui vous aidaient simplement parce que vous étiez un autre être humain. Rien de plus. Vous étiez un frère humain sur cette terre, et ça suffisait largement.

Un monde dans lequel j'ai oublié comment faire preuve de gentillesse et de compassion. Comment pas-ser des coups de téléphone. Comment commander un plat au restaurant. Comment exprimer ce que je voulais dire, mettre en doute mes convictions, donner ma parole, tenir mes promesses. Un monde dans lequel j'ai fini par oublier mon propre nom. J'ai cessé d'être cet enfant qui allait à l'école, qui restait sagement assis pendant que son père lui expliquait le bois, le grain et la densité, et le cycle de la nature qui rendait tout possible d'une manière impossible. J'ai oublié comment regarder les gens et comment voir autre chose que ce qu'on me disait de voir.

Avec Catherine, on a parlé de ces choses-là. On en avait déjà parlé avant. Ensuite on a parlé de sa mort, comment, quand, ce que je ferais après, et je lui ai raconté une his-toire sur mon père, Big Joe le menuisier, et à la fin elle a rigolé, et pleuré, et on s'est tenu la main pendant un long moment sans dire grand-chose.

Ce n'était pas la première fois qu'on en parlait, mais on pensait que ce serait la dernière.

Je me rappelle qu'elle avait dit : « C'est ça, le réel, n'est-ce pas, John ? » Puis elle avait souri. « Tu sais quoi ? Il ne faut pas si longtemps que ça pour arriver là-bas, pas vrai ? » Elle avait poussé un soupir, tendu le bras et touché ma main. « Mais en revenir ? avait-elle susurré. Mon Dieu, je ne sais pas si j'aurai assez de temps pour faire ce trajet-là ! »

9

Washington. Empêtrée dans la campagne des élections de mi-mandat qui faisait rage depuis des mois. Des publicités républicaines mesquines, des mensonges, des calomnies, et j'en passe. Des démocrates qui répliquaient en faisant feu de tout bois. Des millions de dollars dépensés pour assurer la mainmise de Bush sur le Congrès. Les gens n'avaient aucune envie d'entendre parler de tueurs en série et de crimes violents. Les gens ne voulaient pas détacher les yeux de la bataille qui se jouait devant eux, dans leur propre arène. Face à cela, Roth et Miller étaient une quantité négligeable. Mais, pour ce dernier, rien n'égala le sentiment d'urgence qu'il éprouva en découvrant le rapport d'autopsie de Catherine Sheridan. Ce fut un coup de tonnerre.

Il était 16 heures passées. Roth et Miller se trouvaient dans leur bureau, assis devant deux tables accolées. Dès que Miller finissait de lire une page du rapport d'autopsie, il la passait à son collègue. Chaque nouveau détail lui donnait une vision plus précise de la scène de crime – la façon dont Sheridan avait été positionnée sur le lit, le ruban autour de son cou, le nœud impeccable, l'étiquette vierge, le parfum entêtant de la lavande masquant l'odeur d'un corps mort.

Dans ses grandes lignes, le mode opératoire était le même que pour les trois meurtres précédents. Le ruban et l'étiquette à bagage étaient de marques ordinaires. Ni l'un ni l'autre ne comportaient d'empreintes digitales ou de cellules épithéliales. Aucun cheveu, aucun poil, aucune fibre. Confirmation que la victime avait eu un rapport sexuel dans la journée de samedi. Aucun indice de viol. Pas de lésions ou de contusions internes. Présence de Nonoxynol-9 correspondant à l'utilisation d'un préservatif. Aucune sécrétion interne permettant d'identifier l'ADN du partenaire sexuel. La présence de résidus de savon sur le pubis et entre les orteils de la victime laissait penser qu'elle avait pris une douche ou un bain après le rapport sexuel.

« Ça va ? demanda Roth.

— Ça va, répondit Miller.

— Elle allait mourir de toute façon, visiblement.

— Oui, comme tout le monde. Ça ne change pas grand-chose au fait que quelqu'un l'a assassinée et qu'on n'a rien de nouveau, sinon qu'elle a couché avec quelqu'un… Et le fait qu'elle n'existe pas vraiment, bien entendu. »

Roth ne dit rien.

« Il faut que je retourne chez elle, continua Miller. Il faut que j'inspecte sa maison de fond en comble. Les techniciens médico-légaux et les scientifiques analysent l'environnement immédiat, mais ils ne regardent pas le reste.

— Tu crois vraiment que ça va nous mettre sur la piste du type qui a fait ça ?

— Celui avec qui elle a couché, tu veux dire ? Ou celui qui l'a tuée ?

— Les deux… Il se peut que ce soit la même personne.

— J'espère qu'il y aura des choses sur lui.

— Et sinon ?

— Sinon, on en reste exactement au même point. On n'a rien à perdre. »

Miller se leva et lui tendit le rapport d'autopsie, comme si le simple contact de ces pages le troublait.

La voiture de Greg Reid était toujours garée devant la maison. Il était presque 18 heures. Il faisait déjà sombre, la température avait bien baissé ; en arrivant dans l'allée – avec la bicoque du vieux voisin en ligne de mire et le cordon de sécurité toujours placardé sur la porte d'entrée –, Miller fut pris d'une angoisse, d'une gêne. Les lumières, le bruit et le tumulte du samedi soir avaient disparu mais l'impression demeurait la même.

Il y a quelque chose d'autre ici, pensa-t-il. *Je suis déjà venu ici. Dans un endroit comme celui-là. Un endroit où la vérité avançait masquée.*

Avec qui était-elle ? se demanda-t-il une fois de plus. *Entre la bibliothèque, le* deli *et sa maison, où se trouvait-elle avant que le vieux voisin ne lève la tête de son jeu télévisé et la voie rentrer pour la dernière fois chez elle ?*

Où es-tu allée, Catherine Sheridan ? Nom de Dieu, où es-tu allée ?

« Robert ? »

Miller sursauta.

« Tu viens ? » demanda Roth, debout à côté de la porte d'entrée. Il avait détaché le ruban de scène de crime d'un des deux montants et le soulevait.

« Tout de suite », répondit Miller avant de le suivre à l'intérieur.

Natasha Joyce composa le numéro de téléphone qu'elle avait trouvé et attendit sagement. On lui dit de patienter, puis on lui demanda quel service elle souhaitait contacter, et elle attendit de nouveau.

Elle finit par tomber sur une oreille attentive. Une fois qu'elle eut expliqué en détail l'objet de son appel, l'homme lui dit : « Et votre lien avec la personne décédée, madame?

— Le lien? C'était mon petit ami.

— Pas de lien officiel, donc, fit l'homme sur un ton neutre.

— Il était le père de ma fille. Ça compte, non? »

Natasha sentait bien que l'homme essayait de se montrer compatissant et compréhensif avec cette pauvre conne de Noire à l'autre bout du fil. « Vous voulez que je vous dise, madame?

— Pas vraiment, non.

— Je sais que ça peut sembler injuste mais, pour avoir accès aux archives officielles et obtenir que la police ou qui que ce soit ouvre un dossier… Je suis désolé, mais c'est impossible.

— Je veux juste savoir où il a été retrouvé mort. C'est le père de ma fille, nom de Dieu! Il est mort quelque part et je ne sais même pas *où*…

— Donnez-moi son nom complet.

— King… Darryl Eric King.

— Date de naissance?

— Le 14 juin 1974.

— Et la date du décès?

— Le 7 octobre 2001.

— Ah!… 2001, vous dites?

— Oui, le 7 octobre 2001.

— Dans ce cas, madame, je suis désolé mais je ne peux vraiment pas vous aider.

— Pardon?

— Les dossiers sont archivés au bout de cinq ans. Toutes les informations que j'aurais pu avoir ici ont donc été archivées il y a un mois, à la suite de quoi elles ont complètement disparu de la base de données. »

Natasha se tut pendant de longues secondes. « C'est une blague, finit-elle par répondre d'une voix blanche et incrédule.

— Je suis désolé, madame, mais c'est la vérité.

— Donc si je veux savoir quel commissariat s'est occupé de cette affaire ?

— Je ne sais pas, madame, fit l'homme après un temps d'hésitation. Ça m'a tout l'air d'être une aiguille dans une botte de foin. Il faudrait sans doute que vous contactiez tous les commissariats de la ville… ou alors la direction administrative de la police, au cabinet du maire. On pourra peut-être vous aider là-bas.

— Vous avez leur numéro ?

— Non, désolé. Appelez les renseignements pour ça.

— Bien… La direction administrative de la police.

— Oui, madame.

— Merci.

— Je vous en prie… Bonne journée. »

Et la ligne coupa.

Natasha Joyce resta figée pendant un moment, le combiné toujours collé à l'oreille.

« Maman ? »

Elle se retourna aussitôt.

L'œil épuisé, les cheveux ébouriffés, Chloe était à la porte ; elle avait une main sur la poignée et la tête penchée sur le côté.

« Maman… J'ai faim. »

Natasha sourit. « Bien, ma chérie… Je vais préparer le dîner. Dans quelques minutes, d'accord ?

— D'accord », répondit sa fille avec un sourire.

Natasha reposa le combiné sur son socle. Elle ne bougea pas pendant quelques instants, le ventre noué par un profond malaise.

C'était le même malaise qui gagnait Robert Miller dans la cuisine de Catherine Sheridan, sur Columbia Street.

Quelque part à l'étage, il entendait Al Roth en train de discuter avec Greg Reid.

Miller ressentait comme une étrange familiarité. Il n'avait mis les pieds dans ce lieu qu'une fois, et était resté à peine plus d'une heure, mais il avait l'impression que la maison s'était frayé un chemin au plus profond de lui-même.

Il s'attarda sur les placards, le four, le réfrigérateur. Il sortit de sa poche un gant en latex fin, l'enfila sur sa main droite et ouvrit la porte du réfrigérateur. À l'intérieur, il découvrit de la charcuterie, un bol de sauce au piment recouvert de cellophane, un bidon de lait en plastique, dont la date d'expiration tombait deux jours plus tôt, et une demi-bouteille de chardonnay, le bouchon bien enfoncé dans le goulot. Largement suffisant pour une seule personne.

Il se retourna, essaya de voir tout et rien à la fois, de repérer le moindre petit détail incongru. Il se planta à côté de la porte de derrière et regarda le petit jardin à travers le panneau de verre. Il tenta d'ouvrir la porte, mais elle était fermée à clé.

Il repensa à l'allure de la femme quand il était arrivé sur les lieux. Catherine Sheridan avait été une belle femme et, d'après ce que montraient ses vêtements, une femme qui s'habillait bien. Miller l'imaginait sûre d'elle et confiante. Puis quelqu'un lui avait infligé ça – cette profanation, cet avilissement ignoble – et l'avait laissée ainsi, exposée à tous les regards, à quatre pattes sur le lit, comme si ce quelqu'un avait voulu qu'elle le voie s'en aller. Il y avait le ruban, aussi. Un mince ruban blanc soigneusement noué à la base du cou. L'étiquette sans nom. Et l'odeur de lavande, envahissante, écœurante.

Miller voulut chasser cette image de sa tête ; il craignait de s'en souvenir jusqu'à la fin de ses jours.

Après avoir entendu Roth et Reid descendre l'escalier, il passa dans le couloir pour aller à leur rencontre. « Monsieur Reid, dit-il.

— Inspecteur, répondit l'autre.

— J'espère que vous êtes repassé chez vous depuis la dernière fois qu'on s'est vus. »

Reid se contenta de sourire.

« Vous avez quelque chose pour nous ? »

Reid sortit alors un sachet en plastique contenant une coupure de journal. Miller s'empara du sachet et le brandit vers la lumière.

« Ça vient du *Washington Post*, j'ai l'impression, dit Reid.

— Où l'avez-vous trouvée ?

— Sous le matelas, dans l'autre chambre.

— Égarée ou plutôt placée là exprès ?

— On dirait que ça a été placé là exprès. Le papier est tout plat, comme si on l'avait posé sur les lattes en bois avant de remettre le matelas dessus. »

Miller examina de près la petite coupure de presse. « Selon des résultats officieux, déchiffra-t-il, il semblerait qu'il jouisse d'une avance confortable sur ses quatre rivaux. Ses partisans sont descendus dans la rue hier pour reprendre l'hymne de sa campagne, le "Give Peace a Chance" de John Lennon. Une victoire offrirait au président vénézuélien Hugo Chavez un puissant allié dans la région, mais la Maison-Blanche a d'ores et déjà fait part de ses doutes quant à la régularité du… » Miller leva les yeux. « Du quoi ?

— Alors ? dit Reid en haussant les épaules.

— Qu'est-ce que j'en sais ? Un truc sur des élections en Amérique du Sud.

— Je crois qu'il s'agit du *Post*. Ça ressemble à leur typo », répéta Reid avant d'ajouter : « J'ai quelque chose d'autre pour vous. »

Sur ce, il recula, se dirigea vers la porte d'entrée et se pencha pour chercher quelque chose dans une valise. Il revint avec un autre sachet, à l'intérieur duquel se trouvait une enveloppe en papier kraft.

« Vous avez des gants ? » demanda-t-il à Miller.

Miller sortit de sa poche intérieure un deuxième gant et l'enfila.

Reid ouvrit le sachet, tira l'enveloppe et en sortit quelques photos au format 6 × 4. Elles étaient au nombre de trois – deux en couleurs, une en noir et blanc.

Sur chacune d'entre elles, Catherine Sheridan posait, quinze ou vingt ans plus tôt, aux côtés du même homme, un homme qui la dépassait facilement de quinze centimètres. En les tenant par le bord, Miller posa les photos sur le plan de cuisine.

« Où étaient-elles ?

— Sous le tapis de la chambre. Juste en dessous du lit où on l'a découverte. »

Roth examina à son tour chacun des clichés. « Elle faisait quelle taille, déjà ?

— 1,60 m ? répondit Miller. Peut-être 1,62 m. Elle était assez petite.

— Donc le type qu'on voit là-dessus doit mesurer dans les 1,77 m. »

Miller eut un sourire désabusé. « Taille moyenne, poids moyen, cheveux entre brun clair et brun foncé, bien rasé, aucun signe distinctif apparent… Pourquoi est-ce qu'il faut toujours que ces types-là ressemblent à dix millions d'autres personnes ?

— Et encore, intervint Roth, estime-toi heureux de ne pas travailler à Tokyo.

— Il y a quelque chose d'écrit derrière celle-là, dit Reid en tendant la photo en noir et blanc à Roth, qui l'examina de près.

— "Noël 1982." Ça nous avance énormément. » Il jeta un deuxième coup d'œil dessus. « Qu'est-ce que c'est que ce truc ? Une forêt ? Une jungle ?

— Quoi qu'il en soit, je me dis que c'est sans doute le type qui est allé voir Darryl King avec notre mystérieuse femme.

— Comme si ça pouvait être aussi simple, sourit Roth.

— Peut-être que ça l'est, Al, mais ça ne rend certainement pas les choses plus simples pour autant. Qui est ce type, bordel ? On n'a rien. Pas de nom, rien qui le distingue vraiment de la masse…

— On va faire un tour chez Natasha Joyce, suggéra Roth. Voyons si elle le reconnaît.

— Vous ne pouvez pas prendre les photos avec vous, intervint Reid. Il faut d'abord que je les emporte au labo pour analyser les empreintes et tout le reste.

— Dans combien de temps ? demanda Miller.

— Je suis encore loin du compte. Passez demain matin. Je pourrai vous les copier. Appelez-moi pour vérifier qu'elles sont prêtes, OK ? Désolé, mais je ne peux pas faire plus.

— Et la coupure de journal ?

— Vous pouvez la prendre. J'ai déjà pris des photos, et elle est trop petite pour y retrouver des empreintes partielles. Mais vous me la rapportez demain matin. »

Miller le remercia. Roth se dirigea vers la porte d'entrée.

« Une dernière chose », dit Reid.

Miller se retourna.

« Si elle a couché avec quelqu'un…

— Elle *a* couché avec quelqu'un. Le coroner a confirmé ce que vous disiez.

— Très bien. Mais en attendant il n'y a aucune trace de sperme sur le lit. » Reid leur lança un petit sourire en coin. « Ça ne veut pas dire grand-chose, mais…

— C'est logique, rétorqua Miller. Le rapport du coroner dit qu'elle s'est douchée après, ce qui expliquerait aussi l'absence d'autres poils pubiens.

— Il se peut aussi qu'elle soit allée chez quelqu'un d'autre.

— Ou à l'hôtel. Mais, comme vous dites, ça fait partie des choses qu'on ne peut ni confirmer ni infirmer.

— Dans ce cas, fin de la discussion. »

Miller hésita un instant, debout au milieu de cette cuisine bien éclairée qui, encore trois jours avant, avait vu Catherine Sheridan se préparer un repas, peut-être boire un verre de chardonnay, écouter la radio.

Puis quelqu'un était passé la voir. Quelqu'un qui avait déjà fait la même chose à trois reprises.

Huit mois. Quatre cadavres. Pas un mot.

« Au fait, dit-il. J'ai oublié de vous demander… Le DVD qui passait. Il y a des empreintes dessus ?

— Uniquement celles de Sheridan, répondit Reid. Désolé.

— C'est la vie. »

Miller remercia Reid et suivit Roth dehors.

Un jour, Catherine et moi sommes allés dans la cité. On a pris la John Hanson Highway qui relie Landover Hills à Glenarden. On allait là-bas pour trouver un certain Darryl King, un jeune Noir héroïnomane et père d'une fille prénommée Chloe. On n'a pas trouvé Darryl, mais la mère de Chloe, Natasha Joyce. Chloe était avec elle. Une petite fille mignonne, qui devait avoir maximum 4 ou 5 ans et qui me rappelait d'autres petites filles, à d'autres époques. C'était surtout Catherine qui parlait. Moi, je surveillais la voiture. Je surveillais la rue. Je mâchais un chewing-gum et je crevais d'envie de fumer une cigarette. Natasha Joyce était incapable de nous dire où se trouvait Darryl King. Je voyais la peur dans ses yeux. Je voulais qu'elle n'ait pas peur, mais je ne pouvais rien dire. Je lui ai donné 20 dollars. « Pour votre fille, lui ai-je dit. Vous lui achèterez un beau cadeau, d'accord ? » Je crois que ce sont les seuls mots que j'ai prononcés.

On est repartis bredouilles. Je savais alors que Darryl avait perdu le contrôle de la situation, qu'il était devenu ce qu'il avait le plus redouté.

Sur la route du retour, j'ai repensé à mon père, à une expression qu'il arborait de plus en plus et qui avait fini par paraître figée sur son visage. Une expression qui signifiait que les bonnes choses étaient éphémères, fragiles, trop aisément oubliées. Cette idée que le pire attendait toujours au tournant.

J'ai repensé aussi à Natasha Joyce, beaucoup plus jeune qu'elle ne le paraissait. Trop de vie, trop vite. Tout en angles droits et en bords tranchants. Dix ans de vie ruinés entre la troisième et la terminale. J'ai repensé aux quatre nobles vérités du bouddhisme : toute l'existence n'est que souffrance, le désir de vivre est la cause des vies répétées, seule l'annihilation du désir permet la délivrance, enfin la seule issue possible reste l'élimina-

tion de l'égoïsme. J'ai repensé au niveau de bêtise que j'avais atteint. Comme dans la vieille blague, celle du type tellement bête qu'il se fait virer d'un boulot qu'il n'avait pas.

J'ai repensé à tout ça pendant qu'on retournait à Washington, au-delà de Chinatown, jusqu'au petit appartement au croisement de New Jersey Avenue et de Q Street. Catherine m'a déposé à deux rues de là. Une habitude qu'on avait prise dans les mois précédents. Elle ne m'a pas dit au revoir. Moi non plus. Autre habitude. J'ai levé la main et j'ai souri. Elle a fait de même. J'ai marché jusqu'à chez moi. Elle a redémarré.

Il en passerait, du temps, avant que Catherine Sheridan ne meure, mais nous savions tous les deux que l'échéance approchait.

Bien avant tout cela – avant que je ne rencontre Catherine Sheridan, avant même que je ne devienne John Robey –, il y a eu un passé.

Une partie de ce passé concernait mon père.

Tout le monde l'appelait Big Joe. Big Joe le menuisier. Du coup, moi, j'étais Little Joe, même si mon vrai nom n'avait aucun rapport. Je suis resté Little Joe jusqu'à la mort de mon père ; puis tout le monde s'en est allé tranquillement, doucement, et je suis devenu moi-même.

« Au centre du tronc d'arbre, il y a le cœur de bois, me disait-il. C'est la colonne, l'épine dorsale, le squelette. » Il soulevait un morceau de bois, le retournait dans ses mains, me montrait la coupe, les volutes, comment il s'éclaircissait vers le bord. « L'aubier, c'est la chair. La chair est faible, sujette aux ravages du temps et de la nature. »

Il souriait, reposait le bois et s'en retournait à son banc.

« *Si tu veux qu'une chose dure, construis-la en partant du cœur.* »

Parfois, je regardais le bois tourner dans le tour, ou rester immobile pendant que le ciseau ou la machine à échopper incisait sa chair. Le bois était vivant. Immobile, muet, mais vivant quand même. Mon père travaillait le bois comme s'il l'aidait simplement à devenir ce qu'il avait toujours voulu être. À chaque essence correspondaient des rêves. Le cèdre blanc rêvait de bardeaux, de bateaux, de canoës et d'armoires ; le peuplier partait dans des rêves débridés, habités peut-être par des piliers de véranda et des rocking-chairs ; le hickory était dur, un bois intraitable, qui pensait parquets et étagères ; le nyssa était tendre et se souvenait de son feuillage luxuriant, tout en songeant aux mains patientes des vieillards qui approchaient lentement de la mort. Le noyer noir ? Dense, presque incompréhensible. Je me disais que le noyer noir rêvait de cannes et de cercueils.

« *Ta mère ne sera plus jamais ce qu'elle a été* », disait mon père. Je sentais l'odeur d'huile sur ses mains, le vernis, la colle. Il souriait. « *Je ne sais pas comment te l'expliquer parce que c'est une chose que je ne comprends pas moi-même.* »

« *Ta mère va mourir* », disait-il calmement, avant de poser la paume de sa main contre ma joue, et là je humais le bois, la sève, le vernis, l'ambre, je sentais le grain, la densité... l'arbre lui-même, écrasé par le poids de ses propres fruits, les feuilles qui se tournaient vers le soleil à mesure que le jour progressait.

Je croyais sentir tout ça. Je voulais le croire.

Un enfant plein d'imagination.

C'est seulement après – des années après – que je saisirais les dangers de l'imagination. Mais il serait trop tard.

« *Elle va nous quitter, me susurrait-il, puis il fermait les yeux quelques instants et respirait fort. Et, là, il ne restera plus que toi et moi, fiston... Plus que toi et moi.* »

Je trouve ça paradoxal, incroyablement paradoxal.

Ces derniers jours, j'ai regardé les informations. Ici même, à Washington, à un jet de pierre de la Maison-Blanche ; avec les résultats des élections à mi-mandat, je vois maintenant où tout ça va aller.

Catherine est morte, et je sais très bien ce qu'elle aurait pensé, ce qu'elle aurait dit.

« *Ça a été ma vie. Ça a été la seule vie dont je me souviendrai.* »

Elle m'aurait regardé droit dans les yeux, elle m'aurait transpercé du regard comme seule Catherine Sheridan savait le faire, et elle aurait dit. « *Tout est truqué... Le monde, tu comprends ? Le monde est truqué – les médias, la propagande, tous les schémas mentaux qu'ils fabriquent grâce à la télé, au cinéma et à tout le reste... Ils veulent te faire croire que tu n'es rien. Je n'ai encore jamais rencontré un seul adulte qui croie encore au bonheur. Le bonheur, c'est un truc de môme. Il suffit de se prendre assez de coups avant ses 12 ans pour commencer à se demander à quoi ça rime. J'ai connu tout ça. J'ai vu des choses que je ne souhaite à aucun autre être humain de voir. Ça a été une très belle histoire faite de choses terribles, aussi américaine que le napalm.* »

Ou peut-être pas.

Peut-être qu'elle aurait simplement dit adieu.

Ou alors non, peut-être pas adieu. Trop définitif. Or Catherine croyait en la circularité des choses.

Peut-être au revoir[1]...

---

1. En français dans le texte.

Mais fi ! Je suis amer et je suis fatigué. Cela fait si longtemps que j'ai entendu et vu les pires choses que mon jugement en est altéré. Peut-être que ce n'est pas si terrible que ça. Peut-être qu'en réalité nous n'avons pas fait les choses que j'ai vues. Peut-être que je me suis trompé. Ma vision s'est brouillée. J'ai vu des choses et je les ai prises pour d'autres. Voilà ce qui s'est passé.

Sauf une chose. Celle qui a tout déclenché. Celle sur laquelle Catherine Sheridan et moi pensions pouvoir agir.

Et c'est bien ce que nous avons fait. Maintenant c'est fait. Il est trop tard pour revenir en arrière.

Et pendant que le monde vaque à ses occupations, que le peuple américain se demande si la situation va changer à présent que les républicains ont perdu leur mainmise sur le Congrès, je vais au travail, je fais mon boulot et j'attends que la police frappe à ma porte et me dise ce que j'ai prévu d'entendre.

Parfois je me surprends à retenir mon souffle en attendant cet instant-là.

10

Dans la voiture, Roth prit Miller de court en lui demandant : « Qu'est-ce que tu en penses ? »

— Ce que j'en pense ? Je ne crois pas avoir une idée plus claire de ce qui a pu se passer qu'au départ.

— Je parlais du fait que cette femme semble ne pas exister. »

Miller poussa une sorte de ricanement. « Tout le monde existe, Al. Crois-moi, il y a une merde dans le système quelque part. Elle a un numéro de Sécurité sociale, un dossier dentaire, des empreintes digitales, un ADN et Dieu sait quoi encore. »

Roth ne voulait pas le froisser Il se contenta de demander. « Bon, on va où maintenant ?

— Au *Washington Post*.

— Tu as l'adresse ?

— 11-50, 15ᵉ Rue, à peu près trois rues à l'est de la station de métro Farragut North. »

Roth tendit le bras et mit le contact. Miller jeta un coup d'œil à sa montre.

Robert Miller était habitué à ce que les gens l'identifient au premier coup d'œil. Pour lui, ça allait de soi. La réceptionniste du *Washington Post* – jolie fille, à peine 30 ans, les cheveux coupés aux épaules – sourit poliment et, lorsqu'ils arrivèrent devant son guichet, leur dit : « Messieurs ? », comme si elle savait qu'il allait y avoir du grabuge.

Miller sortit son portefeuille et montra son insigne. La jeune femme ne prit même pas la peine de réfléchir.

Il regarda son badge : Carly Newman.

De sa poche intérieure, il sortit le sachet en plastique. « Si je vous cite quelques lignes, vous pouvez me dire de quel article elles sont tirées ?

— Vous savez, l'intégralité de notre journal est consultable en ligne, répondit-elle sur un ton un peu hautain. Vous allez sur washingtonpost.com, vous tapez une demi-douzaine de mots et le moteur de recherche peut balayer tous les exemplaires du journal recensés dans le système. Jusqu'à pas mal d'années en arrière.

— Vous pourriez le faire pour nous ? » demanda Miller. Il aurait voulu expliquer à Carly – si charmante fût-elle – qu'ils sortaient tout juste du bureau du coroner ; il aurait voulu lui parler d'une belle femme élégante que quelqu'un avait décidé d'étrangler, de frapper sans pitié et de laisser dans une posture obscène, alors même qu'elle se mourait d'un cancer. Il aurait voulu dire tout cela à Carly Newman avant qu'elle ne reprenne son petit ton condescendant.

« Bien sûr, inspecteur », fit Carly avec un sourire qui semblait indiquer qu'elle avait d'abord envisagé de répondre autre chose.

Miller lui tendit le sachet. Elle tapa sur son clavier quelques mots tirés de l'article et attendit.

« L'article s'intitule : "Raz-de-marée prévu pour Ortega aux élections nicaraguayennes". Il est signé Richard Grantham. » Carly leva les yeux. « C'est un de nos journalistes fixes, pas un pigiste. Il travaille au département politique.

« — Vous pouvez m'imprimer l'article ?

— Bien sûr. » La jeune femme cliqua, fit défiler le texte, cliqua de nouveau. Quelque chose se mit à turbiner sous son bureau. Elle se pencha, se releva et tendit la page imprimée.

Miller jeta un coup d'œil dessus. « Scrutin », dit-il à Roth.

Celui-ci fit une grimace.

« Le mot qui manquait à la fin, tu te rappelles ? "Une victoire offrirait au président vénézuélien Hugo Chavez un puissant allié dans la région, mais la Maison-Blanche a d'ores et déjà fait part de ses doutes quant à la régularité du… scrutin." C'était ça, le mot qui manquait à la fin du papier.

— Il date de quand ?

— Du 10.

— La veille de son assassinat.

— Quelqu'un a été assassiné ? » demanda Carly Newman.

Miller la regarda et lut sur son visage une expression qu'il connaissait par cœur : le réel venait de faire irruption dans la vie de cette femme. Un réel sombre et dérangeant, un réel qui la ferait plusieurs fois gamberger avant qu'elle l'oublie… Et le lendemain, peut-être le surlendemain, la semaine suivante, quelqu'un dirait ou ferait quelque chose, quelqu'un prononcerait le mot « scrutin », ou alors elle croiserait une autre personne nommée Miller, et tout à coup ça lui rappellerait à quel point tout cela était éphémère, flou et nébuleux.

« Oui, répondit-il. Quelqu'un a été assassiné. »

Roth tendit la main pour récupérer la coupure de journal. Miller demanda à la réceptionniste si Richard Grantham était disponible, au cas où ils auraient besoin de lui parler.

« Pas en ce moment. La plupart des équipes de jour sont absentes. Pour l'instant, il n'y a que les équipes de nuit. Mais à part ça il est là presque tout le temps. » Elle sourit. « Vous savez, Richard est une vraie légende ici.

— Une légende ?

— Il doit avoir à peu près 70 ans, mais pour son âge il a une forme *incroyable*. Il était là quand Woodward et Bernstein ont traqué Nixon.

— Ah oui ?

— Bien sûr. Richard relisait leurs articles avant qu'ils les envoient à l'impression. Il a pas mal de bonnes histoires à raconter. »

Miller la remercia encore. Au moment où ils se retournèrent pour partir, elle leur lança : « La personne qui a été tuée… Il y a un rapport avec l'article ? »

Miller lui adressa un sourire rassurant. « Vous ne pourriez pas imaginer deux choses plus éloignées. »

Il perçut tout de suite un immense soulagement chez la réceptionniste. Après tout, peut-être qu'elle n'y repenserait plus jamais, qu'elle méritait de ne jamais réfléchir à ce genre de choses. Certaines personnes choisissaient de vivre ainsi. Certaines personnes n'avaient pas à subir ça.

Dehors, alors que 20 heures approchaient, Roth et Miller restèrent là sans rien dire. Leur souffle faisait de la fumée, le ciel était limpide.

« Prends la voiture, dit Miller. Je suis à sept ou huit rues plus au nord. Tu salueras Amanda pour moi, d'accord ?

— Compte sur moi… À demain. »

Les mains enfouies dans les poches de son manteau, Robert Miller ne partit pas tout de suite. Il poussa un long soupir et regarda la buée de son souffle se dissiper dans l'air froid. L'hiver s'était installé. Comment disait le poète, déjà ? « Les minutes traînent, les heures filent, les années s'envolent, les décennies assomment. Le printemps nous charme, l'été nous enchante, l'automne nous comble, l'hiver nous tue. »

Il se mit à marcher en essayant de ne penser qu'au bruit de ses pas sur le trottoir. Une fois devant chez lui, il emprunta l'escalier de service. Il alluma ensuite le chauffage central, balança ses chaussures d'un grand coup de pied, se planta devant les rideaux ouverts et regarda, par la fenêtre, les lumières de Corcoran Avenue et de New Hampshire Avenue. *Voilà quelle est ma vie*, se dit-il. *Voilà le monde que je me suis créé. C'est ça que je voulais ?*

Il se rappela alors le jour où, enfant, debout dans l'escalier, il avait entendu à la dérobée une discussion entre ses parents.

« Il finira tout seul, expliquait son père. Il a du mal à se faire des amis. Je suis inquiet pour lui.

— Il est indépendant, c'est tout, avait répondu sa mère.

— Ce n'est pas de l'indépendance, c'est un manque de sociabilité. Il devrait faire du sport, sortir, voir d'autres gamins...

— Il est heureux tout seul

— Heureux ? Qu'est-ce que ça veut dire quand on reste tout le temps à la maison ? Ce gamin n'est pas heureux. Enfin, écoute, il a besoin de se tordre le visage pour sortir un sourire.

— Laisse-le tranquille, il se débrouillera très bien. D'accord, il a du mal à se faire des copains. Mais tu ne t'es jamais dit qu'il était plus intelligent que les autres ? »

Manifestement pas, puisque Ed Miller avait sermonné son fils jusqu'à son dernier souffle.

« Tu ne sors pas assez. Qu'est-ce qu'il y a ? Tu n'as pas de petite copine ? Merde, Bobby... Qu'est-ce que tu as dans la tête ? Tu n'aimes pas les gens, c'est ça ? »

Miller avait intégré la police de Washington à 24 ans. Il se demandait souvent si ce choix n'expliquait pas, en partie, la crise cardiaque qui avait fini par tuer son père.

« Nom de Dieu, mais qu'est-ce que tu es allé foutre dans la police ? Merde, la police ! Qu'est-ce qui t'a pris ? »

Ils en étaient restés là. Ed Miller avait d'abord fait comme si son fils était quelqu'un d'autre, mais ça n'avait pas duré. Robert était là quand son père avait subi son attaque ; il avait eu recours aux techniques enseignées au sein de la police – bouche à bouche, massage cardiaque –, mais la crise, plus forte que la bête, l'avait terrassée sans peine.

Sa mère survécut deux ans, le temps de voir Robert décrocher son diplôme, puis gravir rapidement les échelons de la police, devenir un homme sérieux et grave, et passer tout son temps dans les bouquins au lieu de voir les filles, de sortir avec ses copains ou de faire des mondanités. Elle s'en inquiéta un peu, comme si Ed disparu, elle avait repris le flambeau ; pourtant rien ne changea. Son fils restait le même. Brillait dans la police. Eût-elle vécu encore un peu qu'elle l'aurait vu promu inspecteur, le plus jeune dans toute l'histoire de Washington. Sourire fier, larme discrète, regret de ne pas avoir son mari à ses côtés pour voir ce que leur fils avait fait de sa vie. Mais non, le sort en avait décidé autrement. Ses deux parents étaient morts bien avant que Robert Miller ne monte sur l'estrade, serre la main du directeur de la police de Washington, reçoive son insigne, se retourne pour voir crépiter les flashes des appareils photo. Un événement important, crucial, mais qui était désormais loin derrière, comme une succession de souvenirs fragmentés et vains, face aux mois qui venaient de s'écouler.

De sa poche de pantalon, Miller sortit le sachet contenant le bout de papier journal. Une coupure d'un article du *Washington Post* sur des élections en Amérique latine. Une femme assassinée et cancéreuse qui semblait n'avoir jamais consulté de médecin ni pris de médicaments d'aucune sorte. Un coroner dont l'intuition lui disait que les trois premiers meurtres avaient été commis par un autre homme... Si tel était le cas, quelqu'un au sein de la police, des services d'urgence, voire au bureau du coroner, avait reproduit un crime brutal pour une raison qui le regardait. Et, pourtant, ni Roth ni lui n'avaient véritablement intégré le fait que tout, ou presque, de la vie de Catherine Sheridan demeurait un mystère. Ils ne savaient toujours pas où elle travaillait, d'où elle tirait ses revenus ; ils ne connaissaient pas les noms de ses amis, de ses parents, de ses frères ou sœurs...

Même son propre nom devenait celui d'une autre, dès qu'ils grattaient sous la surface.

Lundi 13 novembre, le soir. Huit mois après le premier meurtre. Aucune piste sérieuse.

Miller se disait que c'était exactement le genre de choses qui vous ruinaient un bilan de compétence interne.

Le genre de choses qui poussaient certaines personnes à démissionner.

Il avait envie de dormir ; il savait qu'il n'y arriverait pas.

Il était éreinté. Ses paupières pesaient des tonnes, il avait mal à la tête. Il resta malgré tout assis là un long moment, titillé par quelque chose qu'il savait être important.

James Stewart, se dit-il. *Je n'arrête pas de repenser à James Stewart, au film qui passait... à la musique que j'ai entendue quand on était à l'étage...*

Le DVD n'avait trahi aucune empreinte digitale autre que celles de la victime elle-même. L'assassin n'aurait pas été assez bête pour laisser des empreintes derrière lui, mais Miller avait espéré découvrir une tache, un bout de gant en latex, n'importe quoi prouvant que le tueur avait mis le DVD dans le lecteur et appuyé sur la touche « lecture ». Pourquoi ? Parce que ça aurait fourni un nouvel éclairage sur leur homme, indiqué un chemin vers la vérité. Il avait mis un film et commandé une pizza. Mis un film et commandé une pizza...

Vers minuit, Miller finit par se lever de son fauteuil et regagna sa chambre.

Malgré les cartons dans le couloir, ultimes vestiges de ces quatorze mois partis en fumée, ce n'était pas Marie McArthur qui occupait ses pensées. Ni la lente agonie de leur histoire, sa mort apparemment interminable, comme lorsqu'on s'avance vers le bord d'une falaise au ralenti, en croyant peut-être que le gouffre n'arrivera jamais...

Non, ce n'était pas cela qui le hantait, car il estimait avoir consacré une énergie plus que suffisante à tenter de comprendre ce qui s'était passé.

Sa toute dernière pensée – celle qui lui fit fermer les yeux – fut pour Marilyn Hemmings. La manière dont elle avait regardé par le hublot de la porte quand il était arrivé au bout de l'allée. Son petit hochement de tête, son sourire gêné. Il se rappela ce qu'il avait ressenti en la prenant dans ses bras, après l'enquête du coroner, juste avant le flash de l'appareil photo, avant qu'ils ne comprennent tous deux ce que les gens se figureraient – qu'il y avait quelque chose entre eux, qu'elle avait fabriqué des preuves pour lui éviter l'accusation de meurtre...

Il repensa à la photo du *Washington Globe* qui les montrait ensemble. Dessous, la légende n'avait rien dit d'intéressant. D'ailleurs, il n'y avait rien d'intéressant à en dire. Les gens croyaient ce qu'ils voulaient bien croire.

Il finit par s'endormir, mais ne rêva pas. Il eut beau se réveiller aux premières heures du jour et repasser dans sa tête le film des événements récents, il n'en comprenait pas mieux le sens profond. Il se sentait submergé.

Oui, il ne trouvait pas de meilleur terme : submergé.

Un homme d'âge mûr, vêtu d'un costume strict gris foncé, se tenait dans le couloir de sa maison. Dans sa main, un journal, un numéro du *Washington Post*. Il regardait la photo de Catherine Sheridan. Elle le regardait aussi, l'air d'attendre qu'il dise quelque chose.

L'homme marcha jusqu'au bout du couloir et entra dans son bureau ; malgré l'heure tardive, il décrocha son téléphone et composa un numéro.

Il attendit, sans le moindre signe d'impatience sur son visage.

On décrocha à l'autre bout du fil.

« Vous avez lu le *Post* de dimanche ? »

Il acquiesça, puis fronça légèrement les sourcils.

« C'était une des nôtres ? C'est nous qui avons fait ça ? »

Il secoua la tête.

« Je croyais qu'on avait arrêté le coup des étiquettes à bagage… »

Il grimaçait.

« Je m'en fous. Maintenant ça commence à attirer l'attention. Or la dernière chose dont on a besoin, c'est d'avoir la presse sur le dos, bordel. »

Il écouta, l'air irrité.

« Non, c'est *vous* qui allez m'écouter, répliqua-t-il un ton plus haut, sentant la colère qui montait. Le mélo, je m'en passe volontiers. On n'est pas dans un téléfilm. Je vous confie un boulot et je vous fais confiance pour employer les bonnes personnes, pas un malade mental en bout de course qui se croit plus malin que tout le monde. »

Il serrait le poing, essayait de garder son calme.

« Non ! lâcha-t-il. Manifestement ce n'est pas le cas. Je me fous de savoir ce qui lui est arrivé. Au moment où je vous parle, j'ai devant moi un article en une qui explique que cette connerie continue encore. Trouvez-moi d'où ça vient. Mettez-y un terme. Il n'y a rien… »

Interrompu, il écouta et commença à hocher la tête.

« Alors démerdez-vous. Et démerdez-vous bien, bordel. C'est la dernière fois que j'entends parler de cette connerie, compris ? »

Il acquiesça.

« Bien, faites en sorte que oui. »

Il raccrocha, jeta un dernier coup d'œil sur le visage de Catherine Sheridan, puis balança le journal sur le bureau à sa droite.

« Bande de connards », grogna-t-il entre ses mâchoires serrées, avant de se retourner et de quitter la pièce.

« *Mouillage au vent,* disait toujours mon père. *Mouillage au vent.* »

Un jour, je lui ai demandé ce que ça voulait dire.

« *Le bateau arrive au port et s'amarre à la jetée. Le vent souffle de la mer, il va pousser le bateau contre la jetée, alors le capitaine jette l'ancre de l'autre côté pour immobiliser le bateau. Ça veut dire que tu fais bien attention des deux côtés. Tu fais tes préparatifs. Tu prends tes précautions.* » Il souleva une mince lamelle de bois verni, lisse comme du verre. « *Du bois de placage. Je vais faire une forme avec du noyer noir, de la coquille d'ormeau et de la nacre. Ça va être la plus belle chose que tu aies jamais vue... Et tu vas pouvoir m'aider, fiston. Tu vas pouvoir m'aider à la faire.* »

Il ne voulait pas me dire ce que c'était. Je lui ai demandé dix fois, mais il ne voulait rien me répondre.

Toujours le mouillage au vent.

J'ai aidé mon père à faire ses préparatifs sans rien comprendre de ce qu'il avait en tête. Aurais-je refusé si j'avais su ?

Parfois, je montais la voir là-haut. 15 ans, j'avais. Je montais l'escalier, j'entendais craquer les marches sous mes pieds. Je sentais mon cœur battre, je me demandais dans quel état elle serait, si elle allait être réveillée et folle, ou endormie, pour ainsi dire morte, avec les bruits de toux grasse qui lui meurtrissaient la poitrine quand elle respirait.

Elle me faisait peur. J'étais un adolescent – saturé d'hormones, la tête aux filles, au football, à toutes sortes de choses parfaitement normales – et ma mère me faisait peur. Les autres gamins ne connaissaient pas ça. Ils avaient des parents normaux, des vies normales, leur plus grand problème consistait à savoir s'ils avaient de l'argent de poche et une fille pour le week-end.

Je restais sur le palier un moment, les mains moites. Et puis je m'approchais de sa porte et je ne disais rien pendant une seconde – histoire de m'armer de courage, de recouvrer mon sang-froid. Je sentais la poignée glisser entre mes doigts et je devais m'essuyer la paume contre mon tee-shirt pour avoir une meilleure prise.

Je poussais doucement la porte. Je ne voyais rien à travers le rideau que mon père avait fixé au-dessus du lit. J'entendais juste son souffle, rauque et profond. Elle dormait, et j'étais bien content.

Sa peau était pâle et diaphane. Comme de la gaze, comme de la nacre – comme une peau de tambour tendue sur son visage, surtout quand elle susurrait et soupirait. Des doigts maigres, incapables de donner à ses mains la moindre force ; sous les couvertures, un corps aux allures d'épouvantail. Il ne restait plus rien d'elle. Rongée de l'intérieur, voilà à quoi elle ressemblait, depuis toujours, dans mon souvenir. Ce n'était pas la personne que je voulais avoir pour mère. C'était quelqu'un – ou quelque chose – d'autre, et je la regardais en silence, n'osant pas respirer ou émettre le moindre son, car si elle se réveillait, elle se mettait à hurler, à pleurer ou à délirer, et j'en avais assez entendu pour pouvoir le supporter encore…

J'ignorais ce que mon père avait en tête, mais Big Joe avait toujours réponse à tout, une solution à chaque problème.

« Fiston, me dit-il, ta mère est malade. Elle a une maladie qu'on ne peut pas vraiment soigner. »

Vertige, souffle court, larmes se formant sous mes yeux. Je ne voulais pas pleurer. Je ne voulais plus jamais pleurer.

« Il n'y a pas de mal à pleurer, me dit Big Joe en posant sa main contre ma joue. Pleure, si tu veux.

— Ça changera quelque chose ? »

155

Il sourit, secoua la tête. « Certaines personnes pensent que oui.

— Et toi ? Tu en penses quoi ?

— Je ne vois pas comment c'est possible.

— Alors je ne vais pas pleurer. »

Il y eut un long silence, puis je fermai les yeux et demandai : « Combien de temps ?

— Avant qu'elle nous quitte ? Je ne sais pas, fiston, je ne sais pas du tout.

— Quelqu'un le sait ? »

Il ne me répondit pas.

« Qu'est-ce qu'on fait alors ?

— Qu'est-ce qu'on fait ? Je ne vois rien d'autre à faire que d'attendre.

— Alors c'est ce qu'on va faire. On va attendre. »

Ces souvenirs-là remontent à des siècles. Aujourd'hui nous sommes le lundi soir 13 novembre, et Catherine nous a quittés. Exactement comme ma mère. Plus que tout, c'est ça, la plus belle ironie de l'histoire.

Les cours sont terminés. Je suis en train de ranger des livres dans mon sac et d'épousseter la craie sur les manches de ma veste.

Je me retourne et je regarde le tableau sur lequel j'ai noté – bien visible – une phrase très célèbre.

« L'injustice où qu'elle soit menace partout la justice. »

Je crois que nous avons tué l'homme qui a dit ça.

Qu'est-ce que je leur ai raconté aujourd'hui ? De quoi ai-je gavé leurs cerveaux malléables ? L'éthique de la littérature. La responsabilité qui incombe à l'auteur, celle de se montrer honnête et intègre, de donner au lecteur une représentation des problèmes aussi exacte que possible.

« *Mais selon quel point de vue ? m'a demandé un étudiant. La vérité est relative. Elle est perçue de façon très différente d'une personne à l'autre.*

— *Oui. La vérité est relative. La vérité est personnelle, individuelle.*

— *Où est la limite, alors ? À partir de quand la perception qu'a un individu de ce qu'il considère être la vérité devient-elle un mensonge ? »*

Je ris. Je sors ma meilleure imitation de Jack Nicholson et je réponds : « La vérité ? Vous voulez la vérité ? On ne peut pas supporter la vérité... »

La cloche sonne. Fin du cours. L'étudiant me regarde au moment de s'en aller et je vois dans ses yeux un soupçon, une accusation. Sa question n'a jamais trouvé de réponse.

Et je me dis : J'étais comme toi. Il y a très longtemps, j'étais comme toi.

Et ensuite, nous avons trouvé la limite qui sépare la vérité du mensonge. Nous l'avons franchie tant de fois qu'elle s'est brouillée, qu'elle s'est estompée, qu'elle a, pour finir, complètement disparu.

Peut-être les pires mensonges étaient-ils ceux que nous racontions pour la bonne cause.

Peut-être les pires mensonges étaient-ils ceux que nous nous racontions.

11

Mardi matin. Le ciel, couleur de pansement sale, hésitait à lâcher sa pluie. Après avoir accompagné sa fille à l'école, Natasha Joyce était chez elle, assise sur la marche la plus basse de l'escalier. Le combiné du téléphone collé à l'oreille, l'air d'avoir la tête ailleurs, un peu absente, cela faisait plusieurs minutes qu'elle patientait, bercée par la musique d'ascenseur du cabinet du maire. Une musique d'ascenseur pour les Blancs. Chloe ne serait pas de retour avant plusieurs heures. La maison était propre et Natasha, seule. Elle n'arrêtait pas de penser au plus âgé des deux flics, tellement proche de ce type qui était venu avec cette femme, Sheridan. Cette femme qui ne s'appelait pas Sheridan. Les deux hommes ne se ressemblaient pas physiquement, mais ils avaient *quelque chose* en commun. Peut-être que le premier était un flic, lui aussi…

« Madame ?

— Oui, je suis là, dit Natasha.

— Désolée, madame, mais je crois que nous avons un problème avec notre système informatique. Vous m'avez bien dit King, c'est ça ? Darryl Eric King ?

— Oui, exact.

— Date du décès : le 7 octobre 2001 ?

— Oui, c'est bien ça. »

Une brève hésitation. « Ça devrait être là, pas de doute.

— Peut-être le délai d'envoi des dossiers… J'ai parlé à quelqu'un, il m'a dit qu'au bout de cinq ans les dossiers partent tous aux archives. Alors il y a peut-être un retard, ou quelque chose ?

— Tout ça se fait électroniquement, madame », dit la femme à l'autre bout du fil. Une Noire, à l'évidence. Elle avait l'air de vouloir aider Natasha Joyce à trouver ce qu'elle cherchait. « On nous balance les données jusqu'ici et elles intègrent directement notre système. Si ce dossier existe, il devrait être là.

— Qu'est-ce que ça veut dire alors ? »

Natasha était anxieuse, agitée. Encore quelque chose qui clochait.

« Qu'est-ce que ça veut dire ? répéta la femme. Eh bien, ça veut dire que quelqu'un, quelque part, a merdé. Voilà.

— Et qu'est-ce que je fais avec ça, moi ?

— Vous me donnez votre numéro, mademoiselle Joyce, et, dès que je peux, j'envoie un mail aux services informatiques pour leur demander ce qu'ils en pensent. D'accord ?

— Mais vous allez me rappeler ?

— Vous avez Internet ? »

Natasha sourit. Genre… « Non, je n'ai pas Internet.

— Dans ce cas je vous rappellerai, oui. Mais soyez patiente. Ça va peut-être mettre un peu de temps pour obtenir une réponse de ces gars-là.

— Bien, merci à vous, répondit Natasha avant de lui laisser son numéro.

— Je ferai de mon mieux, d'accord ?

— Merci.

— Pas de quoi. Bonne journée. »

— Oui, merci… Vous aussi. » Elle s'apprêtait à raccrocher lorsque lui revint soudain une idée. « Mademoiselle ? Mademoiselle ? »

Elle aurait souhaité lui demander son nom, mais la ligne était coupée.

Natasha hésita encore une seconde, reposa le téléphone sur son socle et se leva de l'escalier.

Bizarrement, elle avait l'intuition qu'elle n'aurait pas de nouvelles de la direction administrative de la police.

Bizarrement, aussi, elle avait peur.

Miller se rendit sur le site imdb.com et tapa « La vie est belle » dans le moteur de recherche. Le film durait deux heures et dix minutes. Il appela Tom Alexander au bureau du coroner et eut une idée du créneau horaire qu'il leur faudrait explorer. Il consulta les notes qu'il avait prises dans la voiture. Cela faisait maintenant trois heures qu'il était debout, dont deux passées au bureau. Ce qu'il avait découvert le troublait profondément. Si ce que cette découverte impliquait se vérifiait…

Alexander était en train de lui expliquer que Catherine Sheridan avait été assassinée entre 16 h 45 et 18 heures, dans l'après-midi du samedi 11 novembre. Le vieux voisin l'avait vue rentrer chez elle aux alentours de 16 h 30. La pizza avait été commandée à 17 h 40, ce que confirmaient les relevés téléphoniques du domicile. Le livreur était arrivé vers 18 h 05, et il lui avait peut-être fallu deux ou trois minutes pour découvrir le corps. Miller avait reçu l'appel du commissariat n° 2 juste après 18 h 30 et débarqué sur place à 18 h 54, Roth apparaissant dans le jardin dix minutes après. Ils étaient montés tous les deux à l'étage et avaient franchi le seuil de la chambre de Sheridan sur le coup de 19 h 15 environ. Ils n'y étaient restés que quelques minutes et ils étaient redescendus ; à ce moment-là, le générique du film défilait sur l'écran de la télévision. Disons qu'il était alors 19 h 30 : dans ce cas, le film avait dû commencer vers 17 h 20. Peut-être que le type avait assassiné Catherine Sheridan puis lancé le film. Miller se gratta la tête, se leva de son fauteuil et marcha jusqu'à la fenêtre. Il y avait quelque chose avec ce film. Il y avait quelque chose autour de ce film à la con.

La porte s'ouvrit derrière lui. C'était Roth, le visage rougeaud, comme s'il faisait froid dehors. Miller n'avait pas remarqué. D'ailleurs, pendant tout le trajet, il n'avait rien remarqué, son esprit tout entier concentré sur l'univers de Catherine Sheridan, sur le monde qu'elle avait habité au cours de ses dernières heures de vie, ce monde que Miller semblait incapable de percer à jour.

« On en est où ? demanda Roth. Tu as pris un café ? »

Miller, d'un signe de tête, montra un gobelet Starbucks sur son bureau. Il était 9 heures passées ; cela faisait environ trois heures qu'il était debout.

« Tu n'as pas bien dormi », fit remarquer Roth, rappelant l'évidence.

Miller haussa les épaules.

« Au fait, tu as le bonjour d'Amanda... Elle m'a demandé ce que tu faisais pour Thanksgiving.

— Invitation en bonne et due forme ou simple politesse de sa part ?

— Simple politesse, je pense.

— Ça poserait un problème si je passais, c'est ça ? Il y aura toute la famille ?

— Ce n'est pas une famille. Les Juifs ne font pas des familles. Ils font des dynasties.

— Dis-lui que je suis déjà pris. Que les parents de ma petite amie m'ont invité.

— Mais tu n'as pas de petite amie.

« — Au moins, ta femme arrêtera de s'inquiéter pour moi.

— Je ne peux pas lui raconter ça, bordel. Elle va me torturer jusqu'à ce que j'avoue que tu racontes des salades.

— Dis-lui ce que tu veux, Al. Je ne veux pas aller chez vous et jouer la cinquième roue du carrosse pour cette connerie de dîner de Thanksgiving. »

Roth agita la main avec nonchalance. « Je lui dirai quelque chose.

— Bon, il faut qu'on retrouve qui est cette Sheridan.

— Qu'est-ce qu'on a à se mettre sous la dent ?

— Que dalle. Je ne sais pas ce qu'elle faisait comme boulot. Tu sais ce qu'elle faisait comme boulot, toi ? »

Roth fit signe que non.

« Et *nous*, qu'est-ce qu'on fait comme boulot ? » dit Miller, caustique. Il s'empara du dossier Sheridan, repoussa sur le côté la pile des dossiers Mosley, Rayner et Lee. « J'ai déjà lu tout ça... Il n'y a rien sur son travail. J'ai entré son numéro de Sécurité sociale dans notre base de données. Comme Marilyn nous le disait, ce numéro correspond à une Portoricaine du nom d'Isabella Cordillera. Quand tu entres le nom d'Isabella Cordillera, tu apprends qu'elle est morte dans un accident de voiture en juin 2003. Quand tu essaies d'obtenir des détails sur cet accident de voiture, eh bien... il n'y a rien du tout. »

Roth prit le dossier et le feuilleta, comme si Miller avait négligé un détail.

« Ce n'est pas la seule surprise qui nous attend, reprit Miller. On a les numéros de Sécurité sociale des trois autres femmes. En apparence, ils sont normaux. Jusqu'à ce que tu commences à creuser un peu plus loin en arrière. »

Roth fronça les sourcils, jeta le dossier Sheridan sur le bureau et se pencha. « Ces dossiers ont été constitués avant, dit-il. Ils contiennent presque huit mois de rapports d'enquête.

— Les rapports d'enquête sont réglos. Ce n'est pas ça qui me pose problème, Al, mais les bonnes femmes elles-mêmes.

— Attends, il y a quelque chose qui m'échappe, là.

— Les collègues avant nous… Ils ont essayé de trouver les dénominateurs communs entre ces femmes, pas vrai?

— Oui, bien sûr… Évidemment. C'est ce que j'aurais fait.

— Moi aussi. Mais j'ai commencé à aborder le problème sous un autre angle. On cherche des dénominateurs communs entre elles en tant que victimes d'assassinat, alors qu'on devrait chercher ce qui les relie les unes aux autres en tant qu'individus.

— Par exemple?

— *Primo*, elles étaient toutes célibataires. *Deuzio*, elles avaient peu d'amis… Et même aucun ami proche, d'après ce qu'on sait. Tous les témoignages proviennent des voisins, des collègues de travail, mais rien qui vienne d'un petit ami ou d'une meilleure copine, genre la fille avec qui elles allaient faire du shopping ou de la gym, ou que sais-je? Comme Amanda, tu comprends? Elle a bien des copines, non? Celles avec qui elle passe trois plombes au téléphone tous les deux jours.

— Oui, ça, elle en a.

— Ces quatre femmes, en revanche, non. Aucune d'elles n'a été décrite par une personne se considérant comme un ou une amie *proche*.

— C'est impossible. Tout le monde a…

— Manifestement pas, coupa Miller. Manifestement pas tout le monde.

— Bon, et donc?

— Donc elles étaient toutes célibataires et avaient peu d'amis. J'ai demandé à Metz et Oliver de récupérer le maximum de renseignements sur leurs domiciles… Le bail, le contrat de location, les emprunts, où sont allés leurs effets personnels, ce genre de choses.

— J'ai l'impression que ce type choisit des femmes solitaires… Il les observe, il les suit…

— Pas réaliste. Il doit forcément plus ou moins les connaître, ou alors il s'agit d'une coïncidence incroyable. Tu trouves une femme, tu commences à la suivre, tu te familiarises avec ses faits et gestes, tu découvres des choses sur son travail, les personnes avec qui elle traîne, et, dès que tu te rends compte qu'elle a un semblant de vie personnelle, tu la laisses tomber pour aller en chercher une autre qui ferait une meilleure candidate ? Non, ça me paraît impossible.

— Tu parlais de leur numéro de Sécurité sociale…

— Oui, les trois premières. En apparence tout va bien – aucun problème. On fait une vérification de routine, ni plus ni moins que d'ordinaire, et tout tient parfaitement. Si le numéro de Catherine Sheridan avait donné le même genre de choses, je n'aurais jamais cherché plus loin.

— Sauf que son numéro ne collait pas, c'est ça ?

— Exact. Alors je me suis mis à creuser. Je suis remonté cinq ans en arrière, j'ai commencé à jeter un œil sur les permis de conduire, les PV, les clubs ou les organisations auxquels elles appartenaient, les comptes en banque, bref tout ce qui m'est passé par la tête, et je me retrouve aujourd'hui avec un profil commun.

— Quel genre ? demanda Roth en se penchant encore plus.

— Pour chacune d'elles, il y a un truc qui cloche. » Sur ce, Miller se leva, prit un bloc de feuilles jaunes sur son bureau et s'assit à côté de Roth. Avec son stylo, il indiqua quelques lignes qu'il avait écrites. « Margaret Mosley, 37 ans, avec comme date de naissance indiquée sur son permis de conduire : juin 1969. Or quand on cherche dans l'état civil de la ville, il n'y a aucune mention d'une Margaret Mosley née en juin 1969.

— Donc elle n'est pas née ici, remarqua Roth.

— Son dossier de Sécurité sociale indique qu'elle est née à Washington.

— Donc il y a une erreur quelque part. »

Miller lui lança un sourire entendu. « Tu n'as encore rien vu, mon cher. Deuxième victime : Ann Rayner, 40 ans, date de naissance indiquée, le 3 janvier 1966. Le dossier de Sécurité sociale ne fournit aucun lieu de naissance, du coup on ne peut même pas savoir si sa naissance a été enregistrée.

— Pourtant, le dossier de Sécurité sociale *doit* recenser le lieu de naissance.

— De même que n'importe quel médecin ou centre médical doit recenser tout patient qui vient se faire soigner, n'est-ce pas ?

— Et la troisième ?

— La troisième a l'air nettement mieux. Date de naissance : le 24 février 1977. Pour le lieu, son dossier de Sécurité sociale indique Washington DC. L'état civil nous confirme qu'une Barbara Caroline Lee est bien née à Washington le 24 février 1977. Mais il nous apprend aussi que cette Barbara Caroline Lee est morte le 27 février de la même année.

— Trois jours après ?

— Lieu du décès : l'hôpital universitaire. Cette fameuse Barbara Lee n'est jamais sortie du service des urgences de la maternité, et elle a encore moins vécu vingt-neuf ans et travaillé chez un fleuriste.

— Dis-moi, tu as bossé ce matin… Putain, j'aurais mieux fait de rester chez moi.

— Tout est bidon. » Miller se leva de son fauteuil et, une fois de plus, s'approcha de la fenêtre. « Le dénominateur commun n'est pas entre ces femmes en tant que victimes, mais en tant qu'individus. Et tu sais quoi ? »

Roth haussa le sourcil.

« Je pense qu'il va falloir qu'on trouve ce que Catherine Sheridan faisait dans la vie, qui elle connaissait, si tant est qu'elle ait connu des gens. Je veux savoir ce qui est arrivé à ce Darryl King. Ensuite il faudra qu'on découvre qui est allé le voir avec Catherine Sheridan.

— Tu veux aussi te renseigner sur le deal qui a été fait avec ce flic, McCullough ?

— Tous. Je veux savoir qui sont *tous* ces gens-là.

— Je vais demander à quelqu'un de recenser tous les McCullough de Washington.

— Pour l'instant, on va chercher les photos auprès de Reid et on retourne chez Sheridan. On passe tout au peigne fin jusqu'à découvrir qui elle était vraiment. »

Roth se leva à son tour. « Et les trois premières victimes ? Qu'est-ce qu'on en fait ?

— C'est d'abord elle qui m'intéresse… On se penchera sur les trois autres quand Metz et Oliver nous auront donné les infos. » Miller souleva sa veste. « Le type a commandé une pizza par téléphone en donnant le numéro de dossier judiciaire de Darryl King, visiblement. On est sûrs que McCullough connaissait ce numéro. Peut-être qu'on a donc affaire à un flic. Retraité, certes, mais flic quand même. Et puis on a la coupure de journal, les photos sous le lit… On ne sait pas ce que ça donnera mais en tout cas on a plus d'éléments qu'avec les trois premières. J'ai l'impression qu'il nous demande de le retrouver, Al… Je crois qu'il *veut* qu'on le retrouve. »

En bas, au standard, Roth demanda au sergent de garde de lancer une recherche sur Michael McCullough.

« Vous allez où? voulut savoir le sergent. Au cas où Lassiter me pose la question.

— À la police scientifique. On a quelques photos à récupérer. »

Je suis né en juillet 1959 à Salem Hill, Virginie, le jour où Castro est devenu président de Cuba. Salem Hill est située à la bifurcation entre les routes US 301 et US 360, près d'Ashland. Notre petite ville formait simplement une extension de la route. Ma mère est morte quand j'avais 20 ans. Le jeudi 13 septembre 1979. Mon père est mort le lendemain. À l'âge de 21 ans, j'ai rencontré Catherine Sheridan ; aujourd'hui elle est morte aussi. J'ai l'impression de connaître beaucoup de morts. Plus que je ne connais de vivants.

Mardi matin. J'ai envie de me faire porter pâle.

Quand j'y pense, ça me fait rire. Si j'avais su à quoi ressemblerait ma vie, mon Dieu, je me serais fait porter pâle avant même de commencer !

Ces derniers jours, j'ai beaucoup repensé à mon père. Au genre d'homme qu'il a dû être pour faire tout ce qu'il a fait ; en quoi cela m'a influencé, car, j'ai beau y avoir réfléchi, ce n'est que maintenant que je commence vraiment à saisir l'importance et la portée de ce qui s'est passé.

Quel genre d'homme pouvait faire cela ? Un homme violent ou un homme bon ? Un homme égoïste ou un homme d'une générosité telle que je n'aurais jamais pu espérer comprendre ? J'ai 47 ans et je ne comprends toujours pas complètement.

Ma vie se divise en deux – ça, je le sais. L'avant. Et l'après.

L'avant :

« Reste là », dit-il. Il me donna un bout de bois, fin comme une lame de couteau. « C'est de l'acajou. Brandis-le à la lumière. Regarde le grain. » Je le brandis. Je regardai le grain.

« Le grain, c'est comme l'empreinte digitale que le temps laisse sur le bois. Dans une coupe, le grain nous *parle du climat, de la maladie, des cycles de croissance, des années de sécheresse et d'humidité, du passage des saisons, de tout un tas de choses. Le grain nous montre ce qui s'est passé... La vie qu'il y avait autour de l'arbre, tu comprends ? »*

J'acquiesçai, je souris. Je comprenais.

Il me tendit un chiffon et un pot de cire. Le chiffon était doux comme du duvet, jaune et lisse.

« Applique la cire en un geste circulaire, par petites touches. Couche après couche. Il te faudra cinq ou six couches, parfois plus. »

Il me montra comment je devais plier le chiffon en quatre et le placer au bout de mon index.

« Passe ton doigt sur la surface de la cire. Tu l'effleures sans la creuser. Si tu la creuses, il y en aura trop. Tu dois récupérer une petite noix sur le chiffon. Ensuite tu la fais pénétrer dans le bois, en décrivant des cercles, comme je t'ai dit. Quand la cire a bien imprégné le bois, tu laisses reposer une nuit et tu recommences la même opération le lendemain, une noix de cire, sur la surface du bois, de façon circulaire. »

Il me demanda de lui montrer comment je faisais.

« Moins vite, dit-il. Va moins vite. »

Je fis mes cercles plus lentement, en regardant le bois absorber la cire.

« Bien. » Il me tendit une autre lamelle de bois, longue de 15 centimètres, large de 3,5. « Fais celle-là maintenant. Et quand tu auras terminé, il y en a d'autres qui t'attendent.

— À quoi servent-elles ? »

Il sourit. Il se tenait au-dessus de moi, entouré d'une odeur de bois, de cire et de tabac mêlés, et il me sourit.

« Tu verras bien. Attends. »

Je fis comme il me dit. J'attendis. Et je vis. Si j'avais su, je ne l'aurais jamais cru.

Et l'après :

Je me retrouve debout au milieu d'un champ et soudain je me rends compte que tout ce qu'on m'a dit n'était que mensonge, un mensonge tellement énorme et complet, et tellement ancien que les menteurs eux-mêmes ont fini par croire qu'il s'agissait de la vérité, absolue et indiscutable.

Je suis donc debout au milieu d'un champ. 13, 14 ans sans doute, et je me dis que je suis l'être le plus important sur terre... Putain, j'en bande, tellement je suis important, et ça fait à peine quelques semaines que je suis là, et je comprends tout à coup que je vais devoir commencer à me mentir à moi-même, vite et fort, pour continuer sur ma lancée.

« Je déteste la manière dont ils te regardent, dit quelqu'un.

— Qui ça ? » je demande. Je regarde le visage de l'homme ; sa peau, on dirait du cuir tanné par le soleil.

« Les gamins... Les gamins dont tu viens de tuer les parents.

— Tuer ? » je fais, naïvement.

Il me regarde en coin. « Merde, petit, ça fait combien de temps que tu es là ?

— Je suis arrivé le mois dernier. »

Un sourire entendu, un hochement de tête, un clin d'œil. « Tu vas piger le truc bien assez tôt, t'en fais pas. Il faut un début à tout, comme on dit. Sauf qu'ici il n'y a pas de préliminaires avant qu'on te baise. »

Il éclate de rire. Il rit et il s'en va.

Et je me retrouve tout seul dans un champ, au milieu du trou du cul du monde, à l'autre bout de la terre, à me demander s'ils m'ont un jour dit quelque chose de vrai.

Aveuglement sélectif. Surdité sélective.

Je me réveillerais le lendemain. L'aurore aux doigts gelés et crochus…

Bienvenue dans le réel, connard.

Dans les années qui ont suivi, nos souvenirs colorés par le temps, Catherine et moi discutions longuement. On parlait de la mer des Antilles, du Pacifique. La côte des Mosquitos et Bluefields. Les volcans. Les forêts. Les tremblements de terre et les glissements de terrain, les ouragans, l'érosion du sol et la pollution de l'eau, la mortalité infantile, l'Alliance pour la République, les syndicalistes d'Amérique centrale, les alternatives chrétiennes, les libéraux indépendants…

Et nous.

On parlait de nous. De ce que nous avons fait. Pourquoi nous l'avons fait.

Mouillage au vent. Je me souvenais de ça. Les carabines AR-7 de calibre 22. Les balles de petit calibre qui se déformaient facilement à l'impact, les rendant difficiles à identifier. Remuer les chevilles, avant d'entrer dans une maison silencieuse, pour faire craquer les articulations. La procédure permettant d'évaluer la présence d'équipements de surveillance installés par l'ennemi. La fumigation pour s'en débarrasser. Le coup du contrefacteur, une technique toute simple consistant à utiliser les doigts d'une main pour stabiliser l'autre main, histoire de bien imiter une écriture. Les appâts sous forme de jolies filles. Les mannequins pour tromper la surveillance et donner une fausse idée du nombre de personnes présentes dans un véhicule. Les courriers ouverts, les boîtes à musique, les intrusions nocturnes, les orchestres…

Nous parlions de personnages légendaires, d'endroits comme Alger ou le Salvador, de moments dans l'histoire où des systèmes politiques qui avaient mis des décennies à se mettre en place étaient renversés en moins d'une heure. Tout ça parce qu'on avait découvert du pétrole ou des réserves de gaz naturel, ou parce que la partie la plus au nord d'un État africain enclavé devenait la route la plus sûre pour aller vers un endroit plus important.

Et ces innombrables cocktails où les personnages les plus vénérés semblaient boire le plus et repartir les premiers. Une galerie de gens vus à travers le prisme de miroirs déformants. Ils se voyaient comme ils avaient été jadis – enflés de certitude et de patriotisme, de cette ardeur qui jamais ne doute d'elle-même – et savaient trop bien désormais que ces choses-là avaient disparu dans quelque recoin d'une jungle décimée, dans les yeux d'un petit orphelin, dans les ruines fumantes d'un village rasé.

Ils étaient tous là. Il suffisait de regarder n'importe lequel d'entre eux assez longtemps pour savoir qui mentait à qui, en repérant simplement qui il évitait.

Dans la plupart de ces endroits, on se gourait. Des mois de préparation et on se gourait complètement. Les renseignements nous avaient indiqué une école, un rendez-vous de personnages importants. Treize engins incendiaires – de ceux qu'affectionnaient la bande à Baader et les Brigades rouges, de ceux qu'on leur avait appris à fabriquer – et on a tué onze écoliers. Ou plutôt on les a propulsés directement vers l'au-delà. On en a blessé trente autres. Les représailles ont été promptes et efficaces. Ils ont laissé vingt-deux têtes décapitées sur les marches de l'église, à Esteli. Deux pour chaque enfant tué. On est repartis de là la queue entre les jambes, le cœur soulevé. Sur les huit membres de notre équipe, six avaient des enfants.

On parlait de l'un des pays les plus pauvres du continent, de la dette extérieure, des émeutes, des révo-

lutions, des 670 millions en réserve face à une dette de 4,5 milliards…

On parlait du carrefour le plus florissant et le plus profitable en Amérique centrale pour tout ce qui concernait la cocaïne américaine et l'échange d'armes contre de la drogue. Au moins depuis le début des années quatre-vingt – c'est-à-dire l'époque où l'on s'est mêlés de la partie. Au moins depuis cette époque-là.

On parlait du réel.

Catherine et moi… Dieu sait combien de fois on a parlé de ces choses-là, et ça ne s'est jamais arrangé. On a passé tellement d'années à fuir ces ombres en courant, tout ça pour comprendre que c'étaient nos propres ombres.

Mais aujourd'hui tout a changé, à tel point qu'on ne peut plus revenir en arrière.

Aujourd'hui ce n'est qu'une question de temps.

12

11 heures du matin. Natasha Joyce quitte son appartement et s'éloigne de la cité à pied. Elle attrape un bus qui l'emmènera jusqu'à Fairmont Heights par Martin Luther King Highway. Le métro à East Capitol Street et six stations plus loin, elle sort pour déboucher au coin de A Street et de la 6ᵉ Avenue. Un immeuble imposant, tout en marbre et granit. Elle porte un manteau, mais le froid est mordant, scandé par des rafales de vent qui lui mouillent les yeux. Elle monte les marches, pénètre dans le majestueux hall d'entrée de la toute-puissante direction administrative de la police, où travaillent des gens qui ne vous rappellent jamais. Honneur à l'homme blanc. Beaucoup de grands mots et de belles paroles, rien de plus.

Un homme au guichet, visage pincé, comme s'il s'était pris une grosse claque cinq minutes avant. Une voix hautaine. « Puis-je vous aider, mademoiselle ?

— Je cherche quelqu'un… J'ai téléphoné, on m'a dit qu'on me rappellerait. Pour l'instant, rien du tout.

— Et qui avez-vous eu au téléphone, mademoiselle… ?

— Joyce. Je m'appelle Natasha Joyce. Je n'ai pas pris le nom de la dame, mais elle était au bureau des archives. »

L'homme arbora un sourire compréhensif. « Je crois qu'aux dernières nouvelles il y avait à peu près deux cent quarante personnes recensées au bureau des archives, mademoiselle Joyce. Peut-être que si vous me donniez quelques détails concernant votre requête, je pourrais chercher moi-même dans la base de données.

— Je cherche un certain Darryl King. Mort en octobre 2001. Si je m'adresse à vous, c'est parce qu'il a été retrouvé par la police, à l'époque. On est venu chez moi pour m'annoncer qu'il était mort. Donc je voulais savoir qui l'avait retrouvé, vous comprenez ? Savoir ce qui avait pu se passer. »

L'homme parut étonné ; il ouvrit la bouche, comme pour poser une question, puis se ravisa. Il tapa sur son clavier d'ordinateur, attendit, secoua la tête et tapota de nouveau.

Puis il sourit, comme s'il était enfin content de lui. « Vous avez appelé à 8 h 48 ce matin, en effet. Appel reçu par l'opératrice n° 5… Voilà. Darryl Eric King. Il y a un message qui me dit qu'il n'y a pas d'archives le concernant, et il semble que l'opératrice n° 5 ait envoyé une demande auprès de nos services informatiques…

— Je suis au courant, répliqua Natasha sur un ton impatient. Je l'ai eue il y a plus de deux heures et elle m'a dit qu'elle me rappellerait. Or elle ne m'a toujours pas rappelée. C'est pour ça que je viens vous voir. »

Nouveau sourire compatissant de l'employé, dont le visage indiquait une certaine patience, comme s'il avait affaire à une enfant, une jeune enfant, peut-être un peu retardée pour son âge. On y va lentement et on répète s'il le faut. « Mademoiselle Joyce… dit-il en levant les mains de son clavier et en les joignant comme à la prière. Parfois ces choses-là mettent un peu de temps à se débloquer. Voyez-vous, ces dossiers sont très anciens…

— La femme à qui j'ai parlé m'a dit qu'on balançait le truc automatiquement. Ça arrive en une ou deux secondes – voilà ce qu'elle m'a expliqué. Mais elle ne m'a rien dit sur les dossiers anciens… Comme quoi ils seraient anciens et devraient venir jusqu'ici à pied ou je ne sais pas quoi. C'est ça que vous êtes en train de m'expliquer ? » Elle parlait d'une voix indignée, irritée. Le Blanc au visage pincé allait peut-être se prendre une deuxième claque avant la fin de la journée. « Ce n'est pas si compliqué que ça, ce que je demande, si ? » Elle secoua la tête de droite à gauche. Elle était prête à brandir un doigt menaçant devant le petit homme blanc. « Tu vas me parler gentiment, petit bonhomme, sinon tu vas très vite t'en manger une méchante. » Peut-être avec les mains sur les hanches. Marre, maintenant. Quatre siècles d'oppression vont cesser ici et maintenant, connard.

« Mademoiselle Joyce. Je comprends parfaitement votre situation… »

Elle était furax. Vraiment. « Ah oui ? vous comprenez ? Vous comprenez quoi ? Entre ce que vous comprenez et ce que, moi, je comprends, il y a des milliards de kilomètres, monsieur…

— Mademoiselle Joyce. » Sa voix se fit grave. Lui aussi était furieux, il commença à se lever de son siège. « Rien ne justifie que vous me parliez sur ce ton. Si vous ne vous comportez pas de manière polie, je vais être obligé d'appeler la sécurité et de vous faire expulser de ce bâtiment… Et, croyez-moi, mademoiselle Joyce, vous ne m'intimidez absolument pas. Je fais de mon mieux pour vous aider dans vos recherches, et je ne vous ai manqué ni de respect ni… »

Natasha Joyce recula et baissa la tête. « Je m'excuse », dit-elle. Elle savait qu'elle allait droit dans le mur si elle explosait ce petit merdeux de Blanc. « Je suis un petit peu retournée, monsieur. Et certains événements récents m'ont rappelé des choses que je pensais pouvoir oublier. Alors tout ce que je cherche, c'est un peu d'aide… » Elle sortit un Kleenex de sa poche. Elle arborait son air de petite fille perdue, le demi-sourire, la mine défaite. Tout était bon à prendre.

Le connard hautain à tête de pince sourit. Il leva les mains en signe d'apaisement. *On oublie tout*, se disait-il. *On reprend de zéro. On repart en arrière, on rembobine un peu la cassette et on recommence, d'accord?*

« Bien, lâcha-t-il. Excuses acceptées. On va essayer de faire notre possible pour vous aider, mademoiselle Joyce, mais vous devez comprendre que ces choses prennent parfois plus de temps que prévu. Comprenez notre situation : on s'occupe des dossiers d'un tas de commissariats différents et de milliers d'agents, actifs, retraités, et même morts… »

Sa voix traîna un peu. Il tapotait sur son clavier et lisait l'écran en hochant le menton.

« Attendez-moi ici », dit-il, sourire aux lèvres, et il se leva.

Il disparut pendant de longues minutes. Natasha l'attendit patiemment. Il revint accompagné.

Amanda téléphona pendant qu'ils étaient en route vers le siège de la police scientifique.

« Mais bien sûr que oui, lui expliquait Roth. On en reparlera quand je rentre ce soir… Oui, ma chérie, bien sûr. Moi aussi, je t'aime.

— Des problèmes? » demanda Miller.

Roth rangea son portable en faisant non de la tête. « À gauche, là, répondit-il. La première à droite au bout, ça ira plus vite. »

Miller suivit ses indications et se gara à environ quarante mètres de l'immeuble de la police scientifique.

À l'intérieur, ils se présentèrent. Le standardiste semblait les attendre. « De la part de Greg Reid, dit-il en faisant glisser une enveloppe vierge sur le guichet. Il est absent. Parti sur une autre affaire. Il m'a dit que vous aviez quelque chose pour lui. »

Miller acquiesça et lui tendit le sachet en plastique renfermant la coupure de journal. « Quand vous le voyez, dites-lui merci de notre part. »

Les deux inspecteurs quittèrent l'immeuble et regagnèrent leur voiture.

Reid avait fait des copies des trois photos et les avait soumises à un procédé numérique qui les rendait plus nettes que les originaux.

« Tu trouves qu'il a une tête de tueur en série ? demanda Roth en scrutant de près le visage de l'homme.

— Ça a quelle tête, un tueur en série ? »

Roth lui repassa la photo et démarra. « Dieu seul le sait. En tout cas, direction Columbia Street, maintenant. »

Ils arrivèrent devant la maison de Catherine Sheridan juste avant 10 heures. Roth se gara le long du trottoir et coupa le contact ; les deux hommes restèrent assis en silence pendant un moment. Le moteur émettait de petits bruits en refroidissant.

« Qu'est-ce qu'on attend, au juste ? demanda Roth.

— Elle a pris cette rue pour rentrer chez elle. Il y a trois jours. » Miller ferma les yeux, sourcils froncés, front plissé. « Je veux savoir par où elle est passée entre le *deli* et ici.

— On pourrait lancer un appel à témoins, proposa Roth. Demander à tout Washington si quelqu'un l'a vue.

— Non, je ne suis pas sûr. Lassiter a peut-être encore deux jours devant lui, ou jusqu'à la fin de la semaine, après quoi le patron va convoquer une cellule spéciale. Ils n'ont vraiment pas envie d'un appel à témoins, crois-moi. Tu sais comment ça marche. »

Roth ne dit rien. Il savait quand il valait mieux se taire.

« Qu'est-ce qu'elle a fait entre son départ du *deli* et son arrivée chez elle ? Est-ce que le type était déjà dans la maison à son retour ? Est-ce qu'elle a mis le DVD, et ensuite l'autre est arrivé par-derrière ? » Miller tourna la tête vers Roth. « J'y ai pensé… À ce que je fais quand quelqu'un passe me voir chez moi, ou quand le téléphone sonne pendant que je suis en train de regarder un film.

— Tu appuies sur "pause", non ? »

Miller acquiesça. « Exact. Or elle n'a pas appuyé sur "pause", ce qui veut dire qu'elle regardait le film alors que le type se trouvait déjà dans la maison. Ou alors que…

— Qu'il l'a butée et que, ensuite, il a mis le film.

— Oui.

— Ce serait carrément bizarre.

— Je suis d'accord. Ce serait carrément très bizarre.

— On retourne dans la maison, du coup ?

— Tout à fait. » Miller posa la main sur la poignée de la portière. « Et on n'en ressort pas tant qu'on ne sait pas qui était vraiment cette Catherine Sheridan. »

Je me demande ce qu'aurait dit mon père s'il avait su ce que je deviendrais.

Le Minnesota envoie un musulman le représenter au Congrès, un homme lié à Louis Farrakhan, leader de la « Nation of Islam ».

En Virginie, des officiels ont expliqué à NBC News que le FBI enquêtait sur d'éventuelles intimidations subies par certains électeurs.

Et pas plus tard que la semaine dernière, le 7 novembre, le pied de nez suprême. Un ancien révolutionnaire marxiste, un homme que je n'ai que trop connu pendant trop longtemps, retrouve la présidence de la République. L'actuelle administration américaine a lancé des menaces voilées selon lesquelles elle imposerait des mesures punitives.

En novembre 1980, Reagan et Bush remportèrent l'élection. La guerre se prolongea pendant encore quatre années, les Américains vendant activement des armes à l'Iran pour en soutenir le coût. Le deuxième pays le plus pauvre du continent américain, juste après Haïti, un pays que Reagan voulait absolument prémunir contre l'infiltration communiste, qu'il craignait de voir remonter par le Honduras, le Guatemala, jusqu'en plein Mexique. Le Guatemala... Là-bas aussi, on y était. On y est toujours, pour mettre notre grain de sel et embobiner tout le monde. Cinq mille meurtres par an.

C'est une ligne très ténue, celle qui court du Mexique à la Colombie par le canal de Panamá. La coke. L'héroïne. Les armes. L'argent. Mais, bordel, qu'est-ce qu'on croyait ? L'infiltration communiste par les pipelines d'Amérique du Sud ? Combien d'années suis-je resté là-bas ? Combien de véritables communistes ai-je trouvés en face de moi ?

Quel triste paradoxe. C'en serait presque drôle si tant de gens n'étaient pas morts.

Aujourd'hui, Bush Jr regarde l'empire s'écrouler. En juin 1986, les États-Unis furent enfin reconnus coupables d'avoir enfreint le droit international en soutenant les rebelles. L'arrêt de la Cour internationale de justice stipulait que l'Amérique devrait verser une compensation, mais Reagan boycotta l'ensemble et ignora le verdict.

« Vous enfreignez vos obligations, prises en vertu du droit international coutumier, de ne pas recourir à la force contre un autre État, de ne pas intervenir dans ses affaires intérieures, de ne pas violer sa souveraineté et de ne pas entraver la marche du commerce maritime pacifique. »

Voilà ce qu'avait dit la Cour internationale.

« Vous êtes coupables d'avoir entraîné, armé et financé des forces paramilitaires, notamment en posant des mines dans des eaux étrangères... »

« Allez tous vous faire foutre, toi, ta mère, ton père et le cheval sur lequel tu es arrivé », avait dit Reagan.

En 1986 et 1987, on est restés assis sans rien faire pendant qu'ils discutaient, et puis un accord de paix a finalement été signé.

Six ans après, on a sorti un autre grand coup. Une fois de plus, le gouvernement s'est fait dégager par une rébellion appuyée par les États-Unis. On a persisté dans notre refus de verser une compensation pour les dégâts qu'on avait occasionnés et, en 1991, l'Union de l'opposition nationale, un gouvernement qu'on avait installé par la force, annonça que les demandes pour une compensation américaine seraient abandonnées.

Et voilà que le fils prodigue est revenu. Une belle ordure, celui-là. Il utilise son immunité du Congrès pour échapper aux accusations de viol lancées par sa belle-fille, et il occupe de nouveau le fauteuil présidentiel.

Le Venezuela pleure de rire. Comment disait Chavez, déjà ? « Nous nous unirons, comme jamais jusqu'ici, pour bâtir un avenir socialiste. L'Amérique latine cesse d'être – et pour toujours – l'arrière-cour de l'impérialisme américain. Yankee go home ! »

L'administration Bush parle d'une élection « transparente ».

Moi, je dis : « Eh ! George Dubya... La Floride, ça te rappelle quelque chose ? »

On se retrouve donc à Washington et, pour la première fois depuis 1994, les démocrates ont repris le contrôle de la Chambre des représentants.

Il y a quatre jours de ça, l'administration américaine a reconnu sa défaite aux élections de mi-mandat. Elle a même perdu la Virginie, pourtant bastion républicain s'il en est. On a ressorti les démentis qui ne démentent rien, les affirmations qui n'affirment rien, mais, quel que soit le bout par lequel on aborde la question, il semblerait que les républicains vivent aujourd'hui leur propre « reddition extraordinaire ».

Le Watergate, à côté... ce n'était rien.

Les ramifications sont pires que ce que vous pouvez même imaginer.

Rumsfeld s'en va. Putain, ce type a 74 ans. Bush dit qu'on a besoin d'un nouvel élan en Irak, et qui est-ce qu'on ressort ? Robert M. Gates, directeur de la CIA sous Bush Sr, de 1991 à 1993. Il était directeur adjoint, sous la houlette de William Casey, directeur de la CIA un peu plus tôt, entre 1986 et 1989. On récolte ce qu'on sème. Il semblerait.

Et, merde, j'entends des gens dire : « On va se faire botter le cul pendant les deux prochaines années. »

Oh ! je ne crois pas... Vu comment ces gens fonctionnent, ils auront trouvé une solution d'ici à la fin de la semaine. Patience, mes amis, patience.

Je regarde ces choses se déployer et je suis frappé par la folie complète de ce que nous faisons avec notre pays, avec nos vies. Je repense aux pays que nous avons bombardés depuis la fin de la dernière guerre. Je peux vous en dresser la liste. Chine, Corée, Guatemala, Indonésie, Cuba, Congo, Pérou, Laos, Vietnam, Cambodge, Grenade, Libye, Salvador, Panamá, Irak, Soudan, Afghanistan, Yougoslavie. Et ceux-là, ce sont ceux dont on vous a parlé.

Et on était là à chaque fois, en sous-main, au cœur des expéditions, et après. J'en ai vu deux, et deux m'ont suffi. À Catherine aussi. On était là – accomplissant notre mission, faisant notre devoir, représentant le chef exécutif du gouvernement fédéral, le directeur administratif de l'exécutif, le commandant en chef des forces armées. Comme on dit : quand on sait ce que fait la CIA, on sait ce que le Président veut que l'on fasse.

On a retenu l'attention pendant beaucoup trop longtemps. Je sais ce qui s'est passé là-bas. Je sais aussi ce qui s'est passé en Afghanistan, en Colombie, dans des endroits trop nombreux pour que je les nomme.

Et la merde que j'ai vue ? Les choses dont je suis au courant ?

On a fait ce qu'on a fait, et ce qu'on a fait, on doit le payer.

Mais, croyez-moi, cette fois, d'autres personnes vont également payer.

Parfois cette simple idée m'est insupportable.

Je me demande ce que mon père en aurait pensé s'il avait survécu.

Mais il n'a pas survécu. Il est mort. Et peut-être une petite part de moi est-elle morte avec lui.

13

Ce n'est que plus tard – une heure après, peut-être deux – que Natasha Joyce sentit comme un malaise, une inquiétude. Insidieux, presque impalpables. Ce n'était pas dans ce qui avait été dit ni dans ce qu'on lui avait demandé, mais dans *la manière* dont on le lui avait demandé.

Le réceptionniste de la direction administrative de la police était en effet revenu accompagné d'une femme, une Blanche – bien habillée, la quarantaine bien tapée, une attitude compréhensive, chaleureuse – qui l'emmena dans un bureau. Natasha la suivit sans poser de questions ; une fois dans la petite pièce anonyme et dépouillée, les deux femmes restèrent silencieuses pendant un bref instant. Natasha avait l'impression d'être épiée, épluchée du regard. Alors la femme posa sur le bureau une mince enveloppe en papier kraft, plusieurs feuilles de papier quadrillé, un stylo.

« Je m'appelle Frances Gray, commença-t-elle. Je travaille pour le bureau des affaires publiques de la police de Washington. Notre rôle consiste à faire le lien entre le public et les gens qui gèrent les questions policières. » Elle sourit. « Avant qu'on commence, avez-vous des questions ?

— Avant qu'on commence quoi ?

— Notre entretien.

— Notre entretien ?

— Au sujet de votre requête de ce matin.

— C'est vous qui vous en occupez, maintenant?

— Oui. »

Natasha recula sur son siège et croisa les bras. « Eh bien, j'ai une question à vous poser, madame Gray…

— Appelez-moi Frances. Cet entretien n'a rien de formel.

— Frances? Très bien, si vous préférez. Alors… voilà ma question. Comment ça se fait que tout à coup j'obtienne un bureau et une personne comme vous alors que j'ai passé un simple coup de fil?

— C'est la procédure normale dans ces cas-là, mademoiselle Joyce.

— Vous êtes en train de me dire que c'est la procédure normale pour toute personne qui vous interroge sur la mort de quelqu'un?

— Non, bien sûr que non… Pas pour n'importe quelle personne qui enquête sur une mort normale… » Frances Gray s'arrêta juste à temps et eut un petit rire sec..« Ça paraît tellement froid, dit comme ça. Je ne veux pas avoir l'air insensible, mais la mort de votre petit ami…

— Je ne vous ai pas dit que c'était mon petit ami.

— Non, en effet, mais vous en avez parlé à un des employés des archives quand vous les avez appelés hier.

— Ah oui? »

Frances sourit. « Oui… Vous les avez appelés hier. Apparemment, ils vous ont répondu que tous les dossiers étaient archivés au bout de cinq ans et que vous devriez donc tenter votre chance ici.

— Cette conversation a été enregistrée?

— Oui. On aime faire preuve d'efficacité dès qu'il s'agit de requêtes importantes.

— Je ne comprends pas, Frances… Je n'y pige rien du tout. »

Frances fronça les sourcils et inclina la tête sur le côté. « Vous ne comprenez pas ? Qu'est-ce que vous ne comprenez pas, Natasha ?

— Je ne comprends pas que vous vous donniez autant de peine pour quelqu'un comme Darryl. Enfin je veux dire… C'était peut-être le père de ma fille, mais pas non plus un personnage important. Rien qu'un petit voleur à deux balles et un junkie. »

Frances observa un silence, puis secoua légèrement la tête. « On ne vous a rien dit, n'est-ce pas ? demanda-t-elle sur un ton calme.

— Dit quoi ? À quel sujet ?

— Au sujet de Darryl King… De ce qui s'est passé au moment de sa mort ?

— Mais il n'y a pas grand-chose à savoir, non ? Il s'est fait tirer dessus. Un flic l'a retrouvé, c'est ce qu'on m'a dit. Je voulais juste savoir si ce flic était toujours dans les parages pour que je puisse lui demander ce qui s'est passé. »

Frances hochait la tête lentement. « D'accord… D'accord, Natasha. Est-ce que je peux vous demander, à mon tour, pourquoi, après tant d'années, vous voulez savoir ce qui s'est passé ?

— Pour ma fille. J'ai une gamine de 9 ans. Elle s'appelle Chloe. Je commence à me dire qu'il faudrait que je sache un peu ce qui s'est passé. S'il y a autre chose derrière ce qu'on m'a raconté. Elle grandit, elle va commencer à me poser des questions, et un jour elle va me demander qui était son père et ce qui lui est arrivé. Et pour vous dire la vérité… » Natasha s'interrompit et sourit. « En vrai, Frances, mentir aux enfants, ça, je sais pas faire, vous comprenez ? »

L'expression de Frances résumait tout ; elle semblait comprendre exactement ce que Natasha voulait dire.

« Dites-moi ce que vous savez sur ces événements, et puis, moi, je vous dirai tout le reste, d'accord ? »

Natasha poussa un long soupir. Elle se tassa sur son siège et ferma les yeux. Lorsqu'elle les rouvrit, elle vit Frances qui attendait patiemment, prête à entendre tout ce que Natasha avait à lui raconter.

Miller passa un long moment, debout, immobile, à étudier le salon de Catherine Sheridan.

À la lumière du jour, l'absence totale de caractère de cette pièce sautait aux yeux. Il n'y avait ni fleurs, ni décorations, ni tableaux aux murs. En fouillant la cuisine, Roth et lui avaient trouvé les éléments de base – des couverts, des casseroles, une poêle, un wok –, les produits d'entretien et les torchons, une boîte contenant du cirage marron et noir, une bombe aérosol, un chiffon doux. Aucune roulette à pizza, aucune baguette chinoise, aucun pot de fleurs, aucune étagère à épices, aucun séparateur de jaunes d'œuf. Ils cherchèrent dans les placards, dans les tiroirs. Ils trouvèrent tout ce qu'une cuisine pouvait contenir d'éléments pour satisfaire les goûts les plus simples et les plus basiques, mais rien – en tout cas du point de vue de Miller – d'un tant soit peu personnel.

Il observa en silence les accessoires et les ustensiles disposés sur le plan de travail. « Ça ne colle pas, dit-il. Il y a quelque chose qui ne colle pas dans cette maison.

— Combien de temps est-ce qu'elle a vécu ici ? demanda Roth.

— D'après le dossier, trois ans, trois ans et demi, quelque chose comme ça. »

Roth regarda vers la fenêtre et parut distrait un instant. « Tu sais ce que ça me rappelle ? finit-il par dire. Ça me rappelle un film que j'ai vu un jour… On retrouvait un type mort à Central Park, habillé, avec des chaussures, une veste, une cravate, une chemise et tout le barda. Il avait même un pardessus. Mais toutes les étiquettes avaient été arrachées. Tout ce qui pouvait indiquer d'où il venait, où il vivait… Tout avait disparu. Pas de porte-monnaie, pas de portefeuille, pas de clés, pas de permis de conduire. Et pas d'étiquettes, même à l'intérieur de sa veste.

— Comme si quelqu'un avait nettoyé les lieux, répondit Miller. Quelqu'un qui serait passé ici et aurait enlevé tout ce qui pouvait nous renseigner sur cette femme.

— Tu as vu les autres maisons ? »

Miller fit non de la tête. « Et toi ?

— Seulement celle de Rayner. En juillet. Je me suis rendu sur la scène de crime une fois. En pleine nuit. Du coup, je n'ai pas vu grand-chose. J'aurais pu y retourner le lendemain mais je ne l'ai pas fait. Deux agents y sont allés avec les experts scientifiques, c'est tout.

— Jusqu'à maintenant, cette affaire n'avait pas grand intérêt, pas vrai ?

— "Grand intérêt" ? demanda Roth. Qu'est-ce que tu veux dire par "grand intérêt" ?

— La première, Margaret Mosley… Il s'agissait d'un simple meurtre. Je dis *simple* meurtre, mais c'était un incident isolé. Comme un crime sexuel. Ça arrive, tu comprends ? La deuxième, celle que tu as vue, c'était une coïncidence, non ? Comme on dit, "jamais deux sans trois". Donc arrive la troisième, Barbara Lee, et maintenant on a un schéma. Il suffit d'une quatrième et, *là*, on met le pied sur le territoire du tueur en série. C'est comme ça qu'ils le comprennent, chez le cabinet du maire. Aujourd'hui, on a de quoi s'inquiéter sérieusement. La rumeur circule, les gens oublient les élections et ils se rappellent que quelque chose les titillait dans un coin de leur tête. Ils commencent à envoyer des lettres au *Post* et la presse débarque partout en demandant ce qu'on fait pour enrayer cette épidémie de meurtres.

— Et celui-là est le plus important, non ? dit Roth, dressant un constat plus qu'il ne posait vraiment une question.

— Celui-là est différent. » Miller s'avança jusqu'à la table et s'assit en face de son collègue. « Telle que je vois la situation… Putain, je ne sais pas bien ce que je vois. Je vois deux personnes différentes. Il y a quelque chose dans ce crime qui sent le plagiat, mais c'est impossible – à moins, bien sûr, qu'il n'ait été commis par quelqu'un au sein de la police. Quoi qu'il en soit, peu importe qui l'a commis ou ne l'a pas commis, il y a quelque chose de différent ce coup-ci. Je ne te parle pas uniquement du livreur de pizzas, du fait que notre assassin ait tué cette femme puis appelé quelqu'un pour qu'on la retrouve. En plus de ça, j'ai comme le *pressentiment* que… » Miller secoua la tête. « Merde, Al, je sais pas. Le coup de la pizza, cette autre bonne femme, Joyce, le numéro de dossier de Darryl King qui se trouve être le numéro de téléphone laissé… Enfin tout ça. La coupure de journal sous le matelas… Peut-être que ça signifie quelque chose, peut-être rien du tout.

— Je pensais à un truc… Il peut s'agir d'un plagiaire non pas parce que le mec aurait eu accès aux dossiers ou aux archives, mais parce qu'il connaîtrait le premier tueur.

— Comment ça ? Comme s'ils étaient deux ?

— C'est juste une autre piste qui expliquerait la similitude entre les meurtres.

— Entre nous, c'est encore plus effrayant que s'il s'agissait d'un flic ou un truc dans le genre.

— En tout cas, il faut qu'on sache qui était cette femme. Pour l'instant, elle n'est personne. Pour l'instant, son numéro de Sécurité sociale appartient à une certaine

Isabella Cordillera et, autant qu'on sache, il n'y a aucune Isabella Cordillera qui soit vivante.

— C'est de quelle origine, ce nom ?

— Qu'est-ce que j'en sais ? Espagnole ou portugaise.

— Il faut qu'on vérifie. Il y a peut-être quelque chose de ce côté-là.

— Bon, qu'est-ce qu'on fait maintenant ? Tu es prêt à fouiller cette maison de fond en comble avec moi ? »

Miller se leva et ôta sa veste. « L'étage. On commence par en haut et on redescend. »

Roth le suivit, posa sa veste sur le dossier de la chaise et se dirigea vers l'escalier.

« Un quoi ? demanda Natasha.

— Un informateur, répondit Frances Gray. Au moment de sa mort, Darryl travaillait pour la police. Il donnait pas mal de renseignements très utiles sur les trafics de drogue dans cette partie de la ville. Et suite à l'enquête…

— Il est mort, coupa Natasha.

— Oui, en effet. Il est mort. Mais il a permis d'envoyer en prison pas mal de gros bonnets. »

Natasha sentit des larmes fendiller son armure et rouler sur ses joues. Elle ne savait pas quoi dire. Elle était surprise, pour le moins, mais aussi soulagée, curieusement. Soulagée que Darryl ait tenté de réparer les dégâts qu'il avait commis…

« Attendez, dit-elle. Il s'est fait choper ou quoi ? »

Frances Gray fronça les sourcils mais ne dit rien.

« Il balançait ces mecs parce que les flics le tenaient par la gorge et qu'il avait passé un accord avec eux pour être disculpé ?

— Non, ce n'est pas ce que dit le dossier que nous avons. Il y est expliqué qu'il a proposé ses services volontairement.

190

— Mais il est mort *comment*, au juste ?

— Vous savez qu'il a été abattu ?

— Bien sûr que je le sais, mais qui l'a abattu ?

— Ça, répondit Frances Gray, on ne sait pas. Pas exactement, en tout cas. On sait que c'est un des hommes qui se trouvaient dans l'entrepôt où il y a eu la descente…

— Il a participé à une descente dans un entrepôt ? Vous vous foutez de ma gueule ? Pourquoi est-ce que la police a emmené un indic junkie sur une descente dans un entrepôt ? »

Frances Gray secoua la tête. « Je ne connais pas tous les détails. Tout ce que je sais, c'est qu'un des officiers de police qui était le contact de Darryl s'est fait également tirer dessus. Il a quitté la police mais j'ai cru comprendre que Darryl travaillait avec lui depuis quelque temps avant cette fameuse descente… Je ne sais pas exactement ce qui s'est passé. Je ne dispose que de quelques détails sur cette affaire, vous comprenez ? J'aimerais pouvoir répondre à toutes vos questions, Natasha, mais je ne suis pas en mesure de le faire… Non pas que je ne veuille pas ou que la police y voie un inconvénient, mais parce que les archives ont disparu.

— Quoi ?

— L'ancien bâtiment des archives a subi une inondation il y a deux ou trois ans. Une grande partie des dossiers a été irréparablement endommagée. Les documents ont tout simplement disparu, Natasha, par conséquent je ne peux que vous indiquer ce que l'on sait d'après le bref rapport rédigé par l'officier de police après sa sortie de l'hôpital.

— Et qui était-ce ? Cet officier… Qui était-ce ?

— Son nom ?

— Oui, son nom… Comment s'appelait-il ?

— Désolée, mais je ne peux pas vous fournir cette information. Je n'ai pas le droit de révéler l'identité d'un officier de police…

— Vous venez bien de me dire qu'il avait quitté la police ? Dans ce cas, il n'est plus officier de police. »

Frances Gray lui adressa un sourire patient. « Je suis désolée… Il y a quand même une confidentialité à respecter autour de ces questions. Les gens qui ont été arrêtés et inculpés sont toujours en prison, vous comprenez…

— Nom de Dieu, j'ai déjà eu droit à ça ! Bordel, personne ne veut me répondre d'une manière simple ! Qu'est-ce que vous croyez que je vais faire, hein ? Je vous ai dit pourquoi je voulais savoir ce qui s'était passé. Ma fille avait 4 ans quand son père s'est fait tuer. Tout ce qu'on nous a dit, c'est qu'il avait reçu une balle. Je n'ai même jamais identifié son corps. C'est sa mère qui s'en est chargée, vous comprenez ? Elle a vu son propre fils allongé avec un trou dans le torse. Son seul enfant. Elle avait perdu son mari des années auparavant… et tout ça pour voir son fils se suicider à petit feu à coups de seringues dans les veines. Vous savez ce qu'elle est devenue ? Je vais vous le dire : elle est morte de chagrin, la pauvre vieille. Plus envie de vivre. En six mois, fini. Maintenant il ne reste plus que moi. Moi et la fille de Darryl. Et on veut savoir ce qui s'est passé, et dès que je vous pose une question simple…

— Ça suffit. » L'intervention de Frances Gray stoppa net Natasha dans son élan. « Vous n'avez pas l'air de comprendre quelle est notre situation…

— Votre situation ? Arrêtez vos conneries. Putain… *votre* situation ? Et la mère de Darryl King, à votre avis, elle était dans quelle situation ? Je vais vous dire quelque chose. Est-ce que vous avez pensé une seule seconde à la tête qu'elle aurait faite, cette vieille femme, si vous lui aviez expliqué que son fils aidait la police à nettoyer une partie du trafic de came à Washington ? Vous vous êtes un peu demandé comment elle aurait réagi à la mort de son fils si on lui avait appris ça ?

— Mademoiselle Joyce… Franchement, j'essaie de prendre votre problème en considération, j'essaie de vous aider du mieux que je peux, et pour le moment votre attitude ne m'aide pas du tout.

— Vous devriez vraiment vous écouter, ma petite dame. C'est moi qui suis venue ici parce que, vous autres, vous ne m'avez jamais rappelée. Vous êtes descendue pour venir me voir au guichet… Vous avez voulu me parler, vous avez voulu m'aider à comprendre ce qui s'est passé, et je vous demande une petite information…

— Que je n'ai pas le droit de vous transmettre, dit Frances Gray sur un ton neutre.

— Qu'est-ce qu'on fout, alors ? On attend quelqu'un qui *a* ce droit ? C'est ça qu'on va faire ? »

Frances Gray sourit, mais son sourire avait quelque chose de faux et d'onctueux. « Nous allons clore cet entretien, mademoiselle Joyce, et je vais me renseigner pour savoir si cette information peut éventuellement vous être transmise. Voilà tout.

— Et vous n'allez jamais me rappeler, pas vrai ? C'est comme ça que ça va se passer. Dites-moi si je me trompe. »

Frances Gray secoua la tête. Elle rassembla son dossier, ses papiers, son stylo ; elle se leva, rajusta sa jaquette de tailleur et s'avança vers la porte. Une fois dans le couloir, elle attendit patiemment que Natasha lui emboîte le pas.

« Je vous raccompagne jusqu'à l'entrée », dit-elle sur un ton froid. Alors qu'elle marchait vers la réception, Natasha Joyce maudissait déjà son impatience, son emportement, son foutu caractère impulsif.

L'attitude. Darryl King en parlait souvent. « L'attitude, ma chérie, elle est tout le temps la même, mais parfois elle t'aidera et parfois elle ne te mènera à rien. »

Frances Gray expliqua à Natasha Joyce qu'elle la re-contacterait le plus vite possible. Elle lui souhaita une bonne journée, fit demi-tour et s'en alla, faisant claquer ses talons sur le sol en marbre et laissant la place à l'écho, puis au silence.

L'homme au guichet de la réception souriait. « J'espère que nous vous avons été utiles », dit-il gentiment.

Natasha esquissa un sourire gêné. « Très utiles », répondit-elle, s'excusant presque. Elle se rua hors du bâti-ment pour trouver la pluie qui, en cette fin de matinée, avait commencé de tomber en son absence.

Dans un discours devant le Club de la presse nationale, Richard Helms, directeur par intérim de la CIA, dit un jour : « Vous devez simplement nous faire confiance. Nous sommes des hommes d'honneur. »

Le capitaine George Hunter White, se rappelant ses années de service à la CIA, disait : « J'ai trimé de bon cœur sur le terrain parce que c'était marrant. Où d'autre un jeune Américain plein de vigueur pouvait-il mentir, tuer, tromper, voler, violer et piller avec l'aval et la bénédiction des tout-puissants ? »

C'étaient là des choses de l'après…

Après l'histoire avec ma mère, après ce qu'avait fait mon père, en gagnant mon concours…

Avant ça

La patience faite homme. Debout devant l'établi, une boîte de cire en fer-blanc à ma droite, plusieurs bandes de placage à ma gauche. Une par une. Lisses comme du verre. Lisses comme du rouge à polir et du mercure.

« Elles sont fines, dit mon père. Tords-les et elles craqueront comme des biscuits. Prends bien soin de les polir jusqu'à ce que tu puisses voir ton reflet dedans.

— À quoi servent-elles ? » lui redemandai-je.

Il sourit, secoua la tête. « Tu vois cette planche là-bas ? » Il pointa son doigt taché de teinture. *« Cette planche, il faut la couper et la façonner. Une fois qu'elle sera poncée, je dessinerai une forme dessus, puis je couperai des entailles et des creux, et ensuite les bois de placage que tu es en train de polir s'emboîteront pour donner une forme.*

— De la marqueterie, dis-je.

— Exact, acquiesça-t-il. De la marqueterie.

— Et la planche, elle sert à quoi ?

— Elle sert à quoi ? Mais à quoi servent les choses ? Elle a sa propre raison d'être, tu comprends ? Chaque

chose a sa raison d'être, et une fois que tu comprends cette raison d'être…

— Sérieusement.. Elle sert à quoi ? »

Il tendit le bras et agrippa mon épaule. « Je te le dirai quand on aura terminé. »

Je le regardai travailler. Il ne dit pas un mot.

Plus tard, en y repensant, Catherine Sheridan me revint en mémoire d'une curieuse manière.

Même dans ses silences, elle avait plus de choses à dire que toutes les personnes que j'ai connues.

Encore une fois, pendant l'après :

On s'est rendu compte que Reagan était une enflure.

Chef exécutif du gouvernement fédéral, directeur administratif de l'exécutif, commandant en chef des forces armées. Supposé ne devoir rendre de comptes à personne.

Les trois branches du gouvernement des États-Unis – législative, exécutive et judiciaire. Oubliez le pouvoir législatif – un ramassis d'avocats et de ronds-de-cuir, de bureaucrates, de subalternes sans visage. Le pouvoir judiciaire englobe la Cour suprême, il a autorité sur tous les tribunaux américains, il s'occupe de « l'interprétation de la Constitution », quel que soit le sens de cette expression. Mais, même dans ce cas, on parle ici du président de la Cour suprême et des huit juges qui la composent : et par qui sont-ils nommés ? Exactement, les amis, par l'enflure toute-puissante en personne.

On en arrive donc à l'exécutif. Nom de Dieu, un monstre aux dimensions les plus extraordinaires ! L'État, le Trésor, la Défense, le FBI, le ministère de l'Intérieur, le Bureau de la Maison-Blanche, le Conseil de sécurité nationale…

La liste est très longue.

Et les gens de la CIA, ce magnifique oxymore vivant, on les trouve au sommet de l'exécutif. Qui sont-ils ? Allons, pas de chichis entre nous. Ces gens-là, c'est l'espionnage, les opérations clandestines, les exécutions clandestines, les nettoyages, la déstabilisation, les assassinats, les coups d'État et la destruction de tout ce qui, d'une manière ou d'une autre, s'oppose à la section american way of life *du président des États-Unis. Une putain d'armée personnelle. Ses petits soldats.*

Certains membres de la CIA étaient des gens bien.

Mais ils ne le restaient jamais longtemps.

C'est une duperie. Vous ne pouvez pas avoir une organisation corrompue et égoïste peuplée de gens qui sont là pour les meilleures raisons du monde. Ceux qui se retrouvent à la CIA soit s'alignent sur le programme, soit comprennent en quoi consiste le programme et se tirent de là le plus vite possible. Parfois, comme on le sait tous, ils sont dégagés par la force, et c'est la véritable définition de la « reddition extraordinaire ».

Et puis vous avez des gens comme moi.

J'ai commencé il y a très longtemps, après l'histoire avec mon père et ma mère. Quand j'étais gamin et que je ne savais foutrement rien de ce que je ferais de ma vie.

Ils ont décelé quelque chose. Les bergers. C'est comme ça qu'on les appelle. Les types qui sortent pour rameuter des troupeaux entiers, afin de les recruter, de les endoctriner, de les former et de leur faire subir tout le processus, toutes les étapes qui écrèment la masse jusqu'à n'en garder que quelques-uns. Les bergers.

Ils ont décelé quelque chose en moi. Le solitaire. Le perdant. Celui qui ne rentrait pas dans le cadre. Ils étaient forts. Dieu, qu'ils étaient forts ! Subtils, intelligents, sournois. Ils m'ont travaillé au corps. Ils ont repéré mes allégeances, mes intérêts, les choses auxquelles je croyais, celles auxquelles je ne croyais pas. Ils se sont insinués dans les bonnes grâces du campus de l'université. Ils étaient là depuis la nuit des temps. Lawrence Matthews. Professeur de philosophie. Université de Virginie, à Richmond. J'étais là depuis moins d'un an. Mes parents étaient morts à peine huit ou dix semaines plus tôt. J'ai changé de matière principale. Ça a fait un peu de bruit. Lawrence Matthews s'est montré patient, compréhensif – un homme bien. Il avait compris que les études d'ingénieur étaient le choix de mon père, que les maths, la physique et le reste n'étaient tout simplement pas mon truc. L'anglais et la philosophie : c'était ça, mon univers, et, après la mort de mon père, c'est là que je suis allé.

Le Pr Lawrence Matthews était là pour me recueillir, et il l'a fait. De grandes discussions. La politique. La vie. La mort. L'au-delà. Dieu en tant qu'icône, Dieu en tant qu'identité. Beaucoup de conneries, beaucoup de foutaises. Lawrence Matthews adorait ça. Il pouvait vous parler jusqu'à vous faire disparaître dans votre propre trou du cul. C'était son métier. Je crois qu'il avait été formé à mener les interrogatoires et, le jour où il en avait eu marre, ou qu'il avait pris conscience des choses, il avait été placé là, à l'université de Virginie, histoire de garder un œil sur les futures recrues de la Compagnie. C'était un grand lecteur. Il lisait dans les yeux des gens et, quand il lisait quelque chose d'intéressant, il transmettait au berger. Alors le berger venait, et c'était un ami du Pr Matthews. Et cet ami du Pr Matthews était un type bien, un type normal, capable de boire une bière, de reluquer les étudiantes et de fumer des cigarettes avec les plus jolies d'entre elles.

Mon berger s'appelait Don Carvalho. Je n'ai jamais su s'il s'agissait de son vrai nom ; pour être très honnête, je me foutais pas mal de connaître son vrai nom. Il était là pour accomplir une mission, et il l'accomplissait aussi bien qu'un autre. Don Carvalho était maître de son destin – du moins c'est ainsi que je le voyais. Il savait tout. Putain, il ne devait pas avoir plus de 28 ou 29 ans, mais j'avais l'impression qu'il savait tout ce qu'il fallait savoir sur l'essentiel. Don était un magicien, un sorcier, un porte-parole des minorités opprimées, un politicien, un rebelle, un insurgé, un terroriste spirituel au service des esthètes. Don était là pour parler de Camus et de Dostoïevski, de Soljenitsyne, de Soloviev, de Descartes, de Kerouac, de Ken Kesey, de Raymond Chandler, des films d'Edward G. Robinson. Son père, avocat à Hollywood, connaissait du beau monde. Son grand-père en connaissait encore plus, il pouvait raconter des histoires sur Cary Grant qui travaillait pour les services secrets britanniques pendant la guerre et démasquait les sympathisants du nazisme au sein de l'industrie du cinéma. Don Carvalho connaissait des gens qui avaient travaillé pour Joe McCarthy. Sa mère était israélienne, de Tel-Aviv, impliquée au début des années cinquante dans la formation d'une chose nommée le Mossad – ha-Mossad le-Modiin ule-Tafkidim Meyuhadim : l'Institut pour l'espionnage et les affaires spéciales. L'Institut.

« Eux, ils ont l'Institut, me dit Don Carvalho. Nous, on a la Compagnie.

— La Compagnie ?

— La Central Intelligence Agency.

— Ah oui ! La CIA. Je connais. »

Don sourit, puis il secoua la tête et, posant une main sur mon épaule, me dit : « Oh ! que non, mon ami.. Oh ! que non. »

Il changea de sujet.

Voilà comment ils fonctionnaient. Ils vous donnaient un avant-goût. Ils vous laissaient leur poser une question mais ne répondaient pas. Finement joué. Tous les moyens étaient bons. Toujours en train de vous tester, *de vous observer, d'essayer de sonder vos principes, vos limites, jusqu'où vous étiez prêt à aller pour vous faire comprendre. Ils cherchaient une conviction, une foi inébranlable dans la Bonne Manière de Faire. Apparemment. Ou apparemment pas.*

Entre ma rencontre avec Don Carvalho, lors du réveillon du nouvel an 1979 chez Lawrence Matthews, et ma première visite à Langley, il s'écoula six mois. Aujourd'hui cela ne me paraît pas très long. Plus tard, Don m'avoua que ma « conversion » fut une des plus rapides qu'il eût jamais effectuées.

Encore un an et j'allais sur le terrain, avec à la clé les événements parmi les plus importants de ma vie. Du moins est-ce ainsi que je voyais les choses à l'époque. Maintenant, je sais qu'ils n'avaient aucune importance, sauf un. L'événement le plus important se produisit en décembre 1980. Je vivais dans un appartement en périphérie de Richmond. C'est là que tout a changé. C'est là que le monde s'est éclairé d'une nouvelle lumière pour moi.

Tout simplement, c'était la fin de qui j'étais et le début de qui je suis devenu.

Et dire que tout a commencé à cause d'une fille qui portait un chapeau turquoise.

14

À 13 h 15, Robert Miller pensait avoir un peu compris ce qu'il étudiait.

Catherine Sheridan était une énigme.

Miller étudiait une identité étrangement unique et indéniablement *fabriquée*. Tel était son sentiment alors qu'il passait en revue les étagères de cette femme, ses papiers, sa correspondance, son journal. Il examina son passeport, son permis de conduire, ses cartes bancaires, ses cartes de crédit, ses chéquiers ; il trouva des photos de lieux qu'elle avait manifestement visités ou de gens qu'elle avait connus, des cartes postales reçues d'une personne qui signait simplement *J*.

Après avoir appelé Reid pour vérifier que les techniciens médico-légaux et les experts scientifiques avaient terminé leur travail, que l'accès à la maison et à son contenu était désormais illimité, Robert Miller et Albert Roth commencèrent à classer les objets et les documents relatifs à la vie de Catherine Sheridan en plusieurs compartiments. Ils posèrent certaines choses sur la moquette du couloir, à l'étage, et, lorsque l'espace vint à manquer, déplacèrent le tout jusqu'à la chambre. Ils poussèrent le lit contre le mur, l'armoire et le fauteuil dans la salle de bains. Vêtements, chaussures, sacs et autres objets du même ordre furent rangés sur la droite. Au milieu de la pièce, ils disposèrent plusieurs piles de documents – tout ce qui avait trait à la comptabilité, à l'identité de Sheridan, à ses vacances et à ses séjours, à sa correspondance personnelle (quasi inexistante), aux papiers de la maison et aux factures. Cela terminé, ils s'aperçurent une fois encore que rien ne paraissait même indiquer la profession de Catherine Sheridan. Miller passa au crible ses relevés bancaires : ce qui était sûr, c'est qu'à la fin de chaque mois une somme d'argent atterrissait sur son compte. Les 4 000 dollars ou presque étaient versés par un établissement, la United Trust, le dernier vendredi de chaque mois, et ce depuis juin 2003.

« Elle ne s'est pas installée ici il y a trois ans et demi ? demanda Roth.

— D'après ce que je sais, oui.

— Donc en juin 2003. On n'a rien qui remonte avant. Tous les relevés bancaires s'arrêtent à cette date. Rien d'antérieur.

— On va tout éplucher de nouveau.

— Je savais que tu allais me dire ça. »

Sur le coup de 14 h 20, Miller leva les yeux et secoua la tête. « C'est bien ça. Tout s'arrête en juin 2003. Avant ça, rien. On dirait qu'elle n'a jamais existé jusqu'à il y a trois ans et demi.

— C'est-à-dire au moment même où la femme au nom espagnol s'est tuée dans un accident de voiture… Cordillera, c'est bien ça ?

— C'est bien ça.

— Donc Catherine Sheridan usurpe le numéro de Sécurité sociale d'une femme morte, mais pas son identité, elle débarque dans cette maison d'on ne sait où, et toutes les références qui ont pu exister avant cette date n'existent plus.

— Quel bordel, fit Miller. C'est… Je ne comprends rien à ce truc de dingue. »

Roth cambra le dos et étira ses bras au-dessus de sa tête.

« Protection de témoin, peut-être ? » proposa Miller, plus sur le ton de l'affirmation que de la question.

Roth lui lança un sourire caustique. « Pas très efficace, leur protection, en tout cas, si ? »

La pluie s'était calmée. Natasha Joyce s'arrêta sous l'auvent d'une épicerie puis traversa la rue en courant avant de monter les marches de la bibliothèque Carnegie. Au guichet se trouvait une femme dont le badge, au revers de sa veste, indiquait « Julia Gibb ».

« La section des journaux », demanda Natasha.

La femme lui répondit par un franc sourire, puis se pencha vers elle. « Actuels ou archivés ?

— Il y a cinq ans ?

— Archivés, alors… Premier étage, à droite en haut de l'escalier, tout droit et, au bout du couloir, derrière une porte, vous aurez la politique, puis l'histoire, et enfin les archives de presse. D'accord ?

— Merci. »

Natasha se dirigea vers l'escalier.

C'était un tout petit article, vraiment rien de spécial, mais elle le trouva en page 5 du *Washington Post* daté du 8 octobre 2001 : « Un mort au cours d'une descente anti-drogue. » Natasha parcourut l'article, sans vraiment le lire ni prêter attention aux propos des policiers, du cabinet du maire, de tous ces connards…

Et puis elle le retrouva.

Michael McCullough.

Le sergent Michael McCullough, blessé au cours du raid contre l'entrepôt. Elle sortit de son sac à main un stylo et un horaire de bus sur lequel elle nota le nom du policier. *Michael McCullough.* S'agissait-il de l'homme avec qui Darryl collaborait, celui qui l'avait embarqué dans l'assaut, celui qui – indirectement, en tout cas – avait provoqué sa mort ? Pourquoi avait-on embringué Darryl King dans une descente des Stups ?

Natasha referma le dossier, salua Julia Gibb d'un petit hochement de tête en repartant et se dirigea vers le commissariat de police le plus proche.

« McCullough, répéta le sergent de garde au commissariat n° 4. Grand M, petit C, grand C, U-L-L-O-U-G-H. C'est bien ça ?

— Oui. McCullough.

— Et qu'est-ce que vous voulez savoir ?

— À quel commissariat il était affilié… Si c'est possible. Il a travaillé sur une affaire il y a environ cinq ans, et j'ai besoin de son aide sur un point.

— Vous dites qu'il n'est plus dans la police ?

— Oui, exact. »

Le sergent Ronald Gerrity, visage émacié, petits yeux noirs comme deux trous dans la neige, sourit et dit : « S'il existe, il doit se trouver quelque part dans la base de données. »

Natasha attendit, rongeant son frein, se retenant de dire au vieux bonhomme de taper plus vite sur son clavier, de lire plus vite aussi.

« Voilà », finit-il par lâcher.

Le cœur de Natasha accéléra d'un coup.

« Ah merde ! non… Pardon, j'étais sur un Mark McCullough. La même famille, peut-être ? »

Natasha secoua la tête. « Je ne sais pas… Je connais seulement Michael. »

Le sergent se remit à lire, à faire défiler son écran, à lire encore. Puis il s'arrêta. « Bingo. Michael McCullough. Sergent. Il a quitté le commissariat n° 7 en mars 2003. »

Natasha dégaina son horaire de bus. Elle griffonna dessus. « Merci beaucoup, dit-elle. Merci pour votre aide.

— Pas de quoi, ma petite dame. C'est tout ce que vous vouliez savoir ?

— Peut-être que si vous aviez une adresse, ou quelque chose ? »

Gerrity sourit et fit non de la tête. « Ça, on n'a pas... Je ne sais pas où vous pourriez trouver ce genre de renseignements. Quand les flics partent à la retraite, ils redeviennent M. Tout-le-monde. On ne les suit plus à la trace.

— Pas grave... Merci. Ça me sera très utile.

— Tant mieux. » Gerrity s'en retourna à son ordinateur et recommença à taper lentement, méthodiquement, sur son clavier.

Natasha Joyce quitta le commissariat n° 4 et reprit la direction de l'arrêt de bus. Elle disposait d'un nom, d'un commissariat, d'une date de départ à la retraite. Ce n'était peut-être rien – peut-être beaucoup. Si elle avait eu plus de temps, si Chloe avait été avec elle au lieu d'être à l'école, elle serait restée pour glaner plus de renseignements sur ce sergent retraité. Mais l'heure filait, et elle devait se dépêcher d'aller chercher sa fille.

Quelque chose bougeait. Il se passait enfin quelque chose. Sa discussion avec Frances Gray avait été difficile à vivre, troublante, mais au moins elle en avait tiré quelque chose. Quelque chose qui pouvait la mener quelque part. Tout ce qu'elle voulait, c'était comprendre ce qui avait pu se produire. Darryl avait tenté d'agir, de changer le cours des événements. Natasha s'en trouvait réconfortée, avec l'espoir qu'au moins une des décisions qu'elle avait prises n'avait pas été complètement irresponsable. Darryl King s'était bien comporté ; elle devait absolument s'en convaincre pour pouvoir regarder sa fille dans le blanc des yeux et lui dire la vérité.

Elle ne voulait rien de plus que la vérité. La vérité sur Darryl King et sur ce qui s'était passé en octobre 2001.

Et si elle découvrait cette vérité, elle pourrait dormir tranquille, oublier le passé et, qui sait? envisager l'avenir. Et, avec ça – même sans rien d'autre –, elle se retrouverait à mille lieues de ce qu'elle avait toujours connu jusqu'alors.

Ils ont compris.

Qu'est-ce que je vous avais dit ?

Ça a même pris moins de temps que je ne pensais.

La fragile mainmise des démocrates sur le Sénat américain est aujourd'hui menacée. Ils y détiennent une majorité d'une voix seulement, à 51 contre 49. Un sénateur démocrate a eu une attaque. S'il ne s'en remet pas, si, pour une raison quelconque, il ne reprend pas son siège lorsque le Sénat se réunit le 4 janvier, alors le représentant républicain devra choisir son successeur. Évidemment. Qui choisira-t-il ? Eh oui ! mes chers amis... Il choisira un homme de son bord. On arrive à 50-50. Un mouchoir de poche ? Pas si vite... Le vice-président Cheney tient entre ses mains le vote décisif, et il soutient George Jr, en bon républicain pure souche. C'est aussi simple que ça. Prenez un sénateur démocrate, poussez-le gentiment vers la sortie, faites en sorte que son homologue républicain lui choisisse un successeur républicain, confiez le vote au vice-président, et le tour est joué. Les républicains reprennent la main. Ils n'ont pas à subir pendant encore deux années un président fantoche.

Le médecin du sénateur démocrate aurait dit : « L'attaque qu'il a subie n'a pas mis sa vie en péril. Une opération chirurgicale couronnée de succès a permis d'évacuer le sang et de stabiliser la malformation. Il se remet sans difficulté, dans l'unité des soins intensifs, et nous attendons un prompt rétablissement de sa part. » Sa femme s'est dite « confiante et optimiste ».

Vous vous interrogez comme moi ? Feraient-ils une chose pareille ? Le pourraient-ils ? Infliger une attaque à un homme à seule fin de reprendre le contrôle de l'organe gouvernemental le plus puissant du monde ?

207

Je ne dirai qu'une chose je ne suis ni *confiant* ni *opti-*
miste.

Nous sommes aujourd'hui le mardi 14. Cela fait trois
jours que Catherine est morte. Sa maison est interdite
d'accès. J'ai pris une matinée de congé pour aller y faire
un tour. Je me suis garé deux cents mètres plus loin dans
la rue, et j'ai vu arriver deux inspecteurs. L'un d'eux
s'appelle Robert Miller. Il a l'air sérieux, investi, le genre
d'homme qui a passé toute sa vie à poser des questions
et attendre des réponses. L'autre est un peu plus vieux,
un vrai père de famille. Il porte une alliance, il a cette
allure très ton sur ton, très chemise assortie à la cravate,
de celui qui se fait bichonner à la maison. J'aime bien
leur dégaine, à Miller et son collègue. J'ai découvert
le nom de Miller dans un article de journal. On disait
qu'il menait l'enquête sur le Tueur au ruban. Il faut bien
qu'ils lui donnent un surnom. Sans cela, il n'y a rien, vous
comprenez ? En tout cas Miller est sur le coup, et l'article
expliquait aussi qu'il participait à l'enquête sur le meurtre
de Margaret Mosley en mars dernier. Pour l'instant, ils
ne sont pas plus avancés qu'il y a huit mois. Et tant que
je n'irai pas vers eux et que je ne leur apporterai pas
quelque chose sur un plateau, ils ne comprendront jamais
ni d'où vient cette histoire ni où elle va. Oh ! et puis peut-
être que si. Je ne devrais peut-être pas sous-estimer leur
intelligence.

Ainsi donc, je les ai vus arriver et j'ai attendu un peu
plus longtemps. Je suis reparti avant eux. Il fallait que je
sois de retour au travail pour les cours de l'après-midi.

Je me dis un, voire deux ou trois jours. Je me dis qu'ils
vont commencer à avoir de la chance quand ils vont
retourner chez Natasha Joyce avec les photos que j'ai
mises sous la moquette. Elle leur dira ce qu'ils veulent

entendre, et il reviendra à Miller et à son collègue d'en faire ce qu'ils peuvent.

Je serai prêt à les recevoir.

Ça fait longtemps que je suis prêt.

Les choses que j'ai dû faire... Mon Dieu, voilà des choses qui vous apprennent à attendre comme un professionnel !

15

Miller attendait tranquillement Natasha Joyce devant la porte de l'appartement. Il voyait la buée de son souffle dans l'air vif, sentait le froid lui étreindre les os. Il aurait voulu rentrer chez lui. Il aurait voulu être ailleurs, n'importe où.

« Pas là », précisa inutilement Roth.

Miller leva de nouveau son poing et cogna le bord de l'encadrement.

« Je suis sérieux, Robert : elle n'est pas là. On reprend la bagnole. »

Miller capitula et s'en retourna vers la voiture ; une fois à l'intérieur, néanmoins, les deux hommes décidèrent d'attendre, dans l'espoir que Natasha Joyce revienne chez elle. Au bout de seulement trente-cinq minutes, Miller donna un petit coup de coude à Roth. Celui-ci regarda à gauche. Natasha et la petite fille se frayaient un chemin sur la partie défoncée du trottoir et contournaient la clôture grillagée.

« Vraiment un endroit de merde pour une gamine », fit remarquer Roth en posant la main sur la poignée de la portière.

Miller posa la sienne sur son épaule. « Attends un peu. On leur fout la paix deux secondes. On la laisse rentrer et enlever son manteau. J'ai pas envie de lui parler dehors, dans le froid et avec la petite dans les pattes. »

Roth recula sur son siège, sans rien dire, et attendit huit ou neuf bonnes minutes. Puis les deux hommes finirent par monter jusqu'à l'appartement.

« Je pensais vous appeler, dit Natasha Joyce en ouvrant la porte et en les laissant pénétrer dans le couloir.

— Nous appeler ? »

Elle acquiesça et passa dans la cuisine, suivie de Roth et de Miller. La question n'eut pas de réponse avant qu'ils ne soient tous assis à la petite table.

« J'ai appris des choses », expliqua Natasha.

Miller la regarda. Elle semblait moins nerveuse. Leur dernière visite remontait à seulement vingt-quatre heures. On aurait juré un mois.

« Quelles choses ? voulut savoir Roth.

— J'en sais un peu plus sur ce qui est arrivé à Darryl. J'ai appelé l'administration de la police au cabinet du maire…

— Pardon ? »

Natasha grimaça. « Comme si j'avais commis un crime ! » Elle s'esclaffa, presque de manière naturelle, et Miller découvrit en elle la jeune fille qu'elle avait dû être avant que Darryl King fasse irruption dans sa vie, avec sa drogue et son cortège d'horreurs. « Il y a un service administratif de la police au cabinet du maire, reprit-elle. Ils ont des renseignements sur tout ce qui est lié à la police. Et je leur ai téléphoné. Ils m'ont dit qu'ils me rappelleraient mais je n'ai reçu aucun coup de fil. Alors je suis allée les voir et j'ai parlé avec une bonne femme. Elle m'a appris que Darryl était un informateur de la police. »

Miller jeta un coup d'œil vers Roth. Ils repensèrent tous deux à cette non-inculpation pour détention de cocaïne qui remontait à août 2001. Au numéro de dossier judiciaire. Au numéro donné à la pizzeria.

« Et l'homme pour qui il travaillait, le flic… J'ai retrouvé son nom. Michael McCullough. Commissariat n° 7, ici même à Washington. Il est parti en mars 2003.

— Cette femme, comment s'appelle-t-elle ?

— Gray. Frances Gray.

— C'est elle qui vous a expliqué tout ça ? Comme quoi Darryl travaillait avec un flic du nom de McCullough ? »

Natasha secoua la tête, puis elle sourit, contente d'elle. « Elle m'a fait comprendre que Darryl participait à une sorte d'assaut contre un entrepôt de drogue le jour où il s'est fait tirer dessus. Je suis allée à la bibliothèque pour vérifier dans les journaux, et c'est là que je suis tombée sur le nom de ce type. Et de là au commissariat n° 4, où quelqu'un a recherché sa trace dans l'ordinateur et m'a annoncé que McCullough était parti à la retraite en mars 2003. »

Miller se pencha vers elle et lui lança un regard intense. « Et maintenant que vous disposez de ce nom, Natasha… Maintenant que vous l'avez, qu'est-ce que vous allez faire ?

— Je vais traquer cet enculé, non ? »

Miller leva une main. « En aucun cas, Natasha. » Il secoua la tête. « Sérieusement, vous ne pouvez pas…

— Je fais ce que je veux. Je vais le choper et lui demander ce qui est arrivé à Darryl. Je veux savoir ce qui s'est passé pour pouvoir l'expliquer à Chloe quand elle sera grande. Vous ne voyez peut-être pas la différence que ça fera ?

— Par rapport à quoi ? demanda Miller.

— Par rapport à ce que ma gamine pensera de son père quand elle sera assez grande pour comprendre. Il a été abattu alors qu'il aidait les flics à combattre le trafic de drogue dans ce quartier. Vous ne voyez toujours pas la différence que ça fait ? »

Miller ouvrit la bouche pour répondre mais Natasha ne lui en laissa pas le temps.

« La mère de Darryl a dû venir jusqu'ici pour identifier son corps. Elle est morte six mois après. Cette vieille dame est morte de honte après avoir découvert ce que son fils était devenu. Si on lui avait raconté la vérité, je peux vous garantir qu'elle serait encore en vie aujourd'hui. »

Roth releva la tête. « Excusez-moi, je peux vous demander où se trouve votre fille en ce moment ?

— Au fond du couloir. Chez une vieille dame qui s'appelle Esme. Elle aime bien aller chez elle de temps en temps, lui tenir compagnie deux ou trois heures. Elles regardent la télé ensemble, mangent des marshmallows avec du chocolat chaud.

— Elle est bien, cette gamine, non ? » fit Miller.

Natasha Joyce sourit : l'espace d'un instant, on l'aurait crue incapable de parler.

Miller tendit la main et la posa sur la sienne. Elle ne broncha pas. Elle ne recula pas.

« Je vais vous demander quelque chose, reprit Miller, conscient qu'il marchait sur des œufs. Je vais vous demander de regarder quelques photos. En échange, je retrouve Michael McCullough pour vous. Il doit y avoir ses coordonnées quelque part dans les fichiers. Je saurai le retrouver.

— Des photos ? Quelles photos ?

— On veut juste que vous regardiez quelques photos d'un type et que vous nous disiez si vous le reconnaissez. D'accord ?

— Quel type ?

— On ne sait pas qui c'est. Ça peut être n'importe qui, mais si on vous dit qui on pense qu'il est avant de vous les montrer, ça pourrait vous influencer. Il faut simplement que vous les regardiez sans idée préconçue, d'accord ?

213

— Montrez voir… Oui, bien sûr. Mais je ne vais pas lâcher ce McCullough. Je regarde les photos et en échange vous m'aidez à le retrouver. C'est ce que vous m'avez dit. »

Roth tira de sa poche intérieure le sachet qui contenait les photos et le passa à Miller. Celui-ci les disposa sur la table, face cachée. Il fit glisser la première jusqu'à Natasha.

Il sentit son cœur bondir lorsque la jeune femme retourna la photo. Elle n'eut besoin que d'une fraction de seconde pour affirmer : « C'est lui.

— Qui donc ? demanda Roth. Qui est-ce ?

— Le type qui est venu ici avec la bonne femme morte.

— Vous en êtes absolument certaine ? »

Natasha prit les autres photos, qu'elle examina rapidement une par une. « C'est le même. C'est le même type qui est venu ici pour demander à voir Darryl. Là-dessus il est plus jeune, mais il n'y a aucun doute possible. »

Miller jeta un coup d'œil vers Roth. Ce dernier esquissa un sourire crispé. Ils avaient enfin quelque chose. Mais *quoi*, au juste ?

« Donc vous allez retrouver ce mec. C'est bien ça, non ?

— C'est bien ça », répondit Miller. Il se leva de sa chaise et rassembla les photos. Après les avoir repassées à Roth, il se dirigea vers la porte. « On se reparle bientôt, d'accord ? »

Natasha Joyce le transperça du regard. Il y avait dans ses yeux une lueur froide et déterminée.

« Je tiendrai parole, dit-il. Je retrouverai la trace de Michael McCullough et je saurai ce qu'il est devenu. Je comprends que vous vouliez connaître le fin mot de cette histoire, Natasha. Vous nous avez aidés, et je *reviendrai* vers vous à propos de ce flic. Entendu ? »

Natasha regarda vers Roth.

« Il fait toujours ce qu'il dit, confirma ce dernier.

— Retrouvez la personne que vous devez retrouver, répondit-elle. N'oubliez pas que vous m'avez fait une promesse. »

Miller sourit et lui prit la main. « Faites attention à vous, d'accord ?

— On fait ce qu'on peut », lâcha-t-elle avant d'ouvrir la porte d'entrée.

« On dirait un putain de puzzle, commenta Roth une fois qu'ils eurent rejoint leur voiture.

— Tu arrives à te faire une idée du tableau ? »

Roth fit non de la tête. « Et toi ?

— Je n'en sais rien… Peut-être, peut-être pas. En tout cas je n'aime pas ça. » Il s'arrêta un instant et se retourna pour jeter un coup d'œil à l'appartement de Natasha Joyce. « Quoi qu'il arrive, je n'aime pas du tout ça. »

Fin d'après-midi. Le cours est terminé. Assis dans ma salle, les pieds posés sur le bureau. Une sensation de néant, de vide, de creux en moi. Je repense à l'époque où j'étais étudiant et où ils sont venus me parler – Lawrence Matthews et Don Carvalho.

Je repense à ce chapeau. Ce foutu chapeau à la noix, ce béret turquoise qu'elle portait ce fameux jour de décembre où je l'ai vue dans un café de Richmond.

Le 10 décembre 1980. Un mercredi. Je m'en souviens. Ça et son foutu béret.

C'était cinq semaines après que Reagan et Bush eurent remporté l'élection avec plus de dix millions de voix d'avance sur Carter et Mondale. Carter avait pâti de la crise énergétique, des files d'attente aux stations-service, du cauchemar de la prise d'otages à Téhéran. Les républicains prenaient la Maison-Blanche, ils allaient nettoyer tout ce que les démocrates avaient dégradé et raté, et j'écoutais Don Carvalho m'expliquer que le nom de la personne au pouvoir ne changeait pas grand-chose, que la compagnie pour laquelle il travaillait était une institution neutre et non partisane, au service de l'ordre et de la stabilité, quel que fût le camp politique qui obtenait les faveurs du moment.

« Ce n'est plus une question de politique », me dit-il. Nous étions tous les deux assis dans un delicatessen *à l'italienne, au coin de Klein Street et de la 4ᵉ Rue, près de la vitrine. Genou relevé, pied posé sur le rebord de son fauteuil, Don avait son éternelle cigarette sans filtre vissée au coin des lèvres.*

« Plus une question de politique ? lui demandai-je, davantage une question rhétorique qu'autre chose. Mais bien sûr que c'est une question de politique. »

Don reposa son pied par terre et se pencha vers moi avec un sourire. « Tu vois, c'est là que tu te plantes, mon cher. La politique est une façade. » Il agita la main en direction de Langley. On ne prononçait jamais le nom de Langley. C'était toujours « là-bas » ou « chez nous », ou « l'hôtel ». Il poursuivit. *« Là-bas, ils n'en ont rien à foutre de savoir qui est à la Maison-Blanche. Ils veulent juste faire en sorte que les besoins élémentaires et fondamentaux de la démocratie et de la stabilité internationale soient bien assurés. Tout est une question de contrôle, c'est tout – pas de politique. Ils s'en branlent de savoir qui détient le pouvoir, et où, quel dictateur à la con a pu dégager quel autre dictateur à la con. Les coups d'État, toutes ces conneries... »* Don secoua la tête et éclata de rire. *« La domination globale n'est pas le problème, John, et ne l'a jamais été. On ne cherche pas à dominer le monde. On essaie juste de maintenir le* statu quo *pour faire en sorte que les gens obtiennent ce qu'ils veulent et puissent le garder par la suite.*

— *Tu ne peux pas me faire avaler ça, Don. »*

Et il se contenta de sourire, de son éternel sourire ; puis il changea de sujet.

Je voyais très bien dans son jeu, lui et tant d'autres comme lui. J'étais allé à Langley plein de fois. On m'endoctrinait, on m'apprenait à « penser ». Déjà je me tournais vers les croyances et les attitudes qui prédominaient dans nos rencontres préliminaires.

« Là-bas, c'est un peu le centre mondial des obsessionnels du contrôle, m'avait dit Don. N'écoute pas tous ceux qui affirment et pontifient ; écoute ceux qui avancent une opinion et l'assument comme telle. Quand un type te dit qu'il sait comment fonctionnent les choses, tu peux être sûr qu'il n'en sait rien du tout. Un autre pense avoir une idée, il n'est pas sûr, il veut aborder le problème sous divers angles : voilà le type qui nous intéresse, celui qui est capable de réfléchir à cent à l'heure. Voilà pourquoi

tu es là, mon cher, parce que la gestion de ce pays... Bon sang, mais qu'est-ce que je raconte ? Ça n'a plus rien à voir avec la gestion de ce pays, mais avec la gestion de cette putain de planète tout entière... En tout cas ce boulot repose sur les épaules de quelques hommes capables de penser par eux-mêmes, pas d'un troupeau de moutons idiots, et encore moins d'une poignée de connards prétentieux qui sont infoutus de voir plus loin que les dogmes qu'on leur a vissés dans la tête. »

Don travaillait comme ça. Il me disait que j'étais doué. Que j'étais indépendant. Que la moindre pensée qui me traversait l'esprit ne pouvait être qu'une pensée parfaitement libre et autonome – sinon pourquoi me serait-elle venue ?

Avec le recul, je me rends compte à quel point tout cela était sournois. Les premières rencontres, l'impression de franchise pendant les forums de discussion. On se voyait deux, parfois trois fois par jour. Café, cigarettes, fauteuils confortables, assis à huit, dix ou douze dans une même pièce, Don généralement présent, avec un autre type nommé Paul Travers, qui était lui aussi, je crois, un berger. Ils causaient, ils glosaient et pendant ce temps-là des gens nous observaient par des vitres sans tain installées à droite de la pièce. Réunion suivante, un autre sujet, et ainsi de suite. En décembre, discussions sur l'assassinat de John Lennon, sur les bonnes sœurs américaines tuées au Salvador, sur le retour de José Napoléon Duarte et du quatuor de la junte. On parlait de Reagan, de Carter, de Bush Sr, des grèves de la faim en Irlande du Nord, de l'assassinat d'Anastasio Somoza Debayle, dont la Mercedes avait été prise en embuscade à Asunción par un petit groupe d'hommes équipés d'armes automatiques et d'un bazooka. La police d'Asunción avait annoncé l'arrestation de plusieurs coupables. Or la réfutation des charges retenues contre eux était soutenue par la junte au pouvoir, qui exprimait simplement « sa joie après la mort d'un être malfaisant ». Le débat avait duré plusieurs jours. Je commençais à me dire que c'était là que Carvalho et Travers voulaient nous emmener. Don avait toujours plus de choses à raconter que les autres ; il connaissait toujours mieux l'histoire et le contexte des sujets que nous abordions. Les jours passaient. De nouvelles personnes arrivaient. D'autres semblaient disparaître discrètement.

« Pas le meilleur matériel pour ce qui nous intéresse, m'expliqua Don quand je l'interrogeai sur ces gens.

— Pas le meilleur matériel ? demandai-je, étonné par l'expression.

— Ils n'ont pas une pensée libre. Ils ne sont pas ouverts d'esprit. Ils n'ont pas ce qu'on appelle une perspective simultanée. Savoir aborder une situation selon deux facettes, voire trois ou quatre facettes s'il s'agit d'une situation plus complexe, tu comprends ? Voilà le genre de personnes qu'il nous faut, mon cher... Des gens comme toi. »

Sur ce, il sourit, tendit le bras et m'agrippa l'épaule : une fois de plus, il me donnait le sentiment d'avoir été choisi pour un talent inné que je possédais en quantité légèrement supérieure aux autres.

Et elle, c'était pareil. Ce jour-là – le 10 décembre –, je la vis passer devant la vitrine du delicatessen où Don et moi étions assis, puis franchir le seuil de la porte avec un long manteau beige et son béret turquoise, aller jusqu'au comptoir, commander un café à emporter et attendre tranquillement sans se retourner avant d'être servie.

En partant, elle jeta un coup d'œil dans ma direction. Don disait que c'était comme si on avait allumé une ampoule dans ma tête. Je vis une caricature de moi-

même, tout droit sortie d'un Tex Avery, la langue qui pend jusqu'au sol, les cheveux hérissés, la fumée qui sort par les oreilles. Vous voyez le tableau. C'était ma première rencontre avec Catherine Sheridan, bien qu'à l'époque elle ne s'appelât pas comme ça. Ma première rencontre, et le jour où j'ai décidé de savoir qui elle était : son nom, son travail, ses idées, ses réflexions, ses croyances, ses convictions.

Don Carvalho me regarda la regarder et sourit tout seul.

Je la fixai des yeux alors qu'elle sortait du deli et repartait dans la rue. Je crois que Don sentit mon envie de me lever et de la suivre. Il m'attrapa alors le bras. Il me tranquillisa, comme il l'avait fait mille fois, comme il le referait mille fois.

« T'en fais pas, John, me dit-il presque en chuchotant. Elle est dans le groupe de discussion de demain. »

16

« On va vérifier qui était cette Isabella Cordillera, dit Roth au moment où Miller mit le contact et s'éloigna du trottoir.

— Et on va parler à Lassiter, aussi. Il faut qu'on le tienne au courant. »

Roth jeta un coup d'œil à sa montre. « Il est un peu plus de 16 heures… Lassiter sera là jusqu'à 17 heures, peut-être 17 h 30. »

Miller sourit.

« Qu'est-ce qu'il y a ?

— Je crois qu'on va avoir un emploi du temps très chargé tant qu'on n'en aura pas terminé avec cette affaire.

— J'ai prévenu Amanda que ça allait être comme ça pendant un petit bout de temps.

— Elle va bien ?

— Évidemment qu'elle va bien. Tu connais Amanda. Elle va toujours bien.

— Elle est peut-être ce que tu as de meilleur, tu sais ? »

Roth s'esclaffa. « Inscris-toi au club, mon vieux. Inscris-toi au club. »

Le sergent à la réception était toujours là lorsqu'ils regagnèrent le commissariat n° 2. « On n'a pas de trace d'un

Michael, dit-il. Pas dans la bonne tranche d'âge, en tout cas : je vous en ai trouvé un qui a 7 ans et un autre qui en a 61. Ce sont les deux seuls Michael McCullough à Washington. »

Miller haussa les épaules. « Donc il est parti après avoir pris sa retraite.

— Élargissez le champ, dit Roth. Voyez ce que vous pouvez trouver.

— On a déjà commencé, répondit le sergent.

— Vous pouvez appeler Lassiter ? demanda Roth. Dites-lui qu'on est là et qu'on monte.

— C'est comme si c'était fait. »

Le sergent souleva le combiné et appela le bureau de Lassiter. Miller et Roth étaient déjà dans l'escalier.

Natasha regarda par la fenêtre de la cuisine, vers la zone sauvage et envahissante, vers les ordures et les immondices qui débordaient des allées, des entrées et des portiques. Gardant son calme, elle respira profondément et se demanda pourquoi Darryl n'avait jamais parlé avec elle. Non pas à elle, mais *avec* elle. Pourquoi ne l'avait-il jamais prise à part pour la faire asseoir, poser un bras autour de ses épaules, l'attirer contre lui un bref instant et lui dire ce qu'il avait sans doute voulu lui dire depuis si longtemps ? « C'est comme ça. Voilà qui je suis et ce que je fais. C'est comme ça que j'essaie de réparer les dégâts. »

Elle ferma les yeux, la poitrine envahie par une sensation désagréable, et repensa à sa fille Chloe au fond du couloir, à Esme, à ces deux-là en train de regarder la télévision, sans bien se comprendre, et au fait que ça n'avait pas d'importance, parce qu'elles étaient plus qu'heureuses de partager un moment ensemble… Natasha regrettait que Darryl ne soit plus là, surtout pour voir ce que sa fille était devenue. Pour voir, aussi, les fruits de ce qu'il avait semé. Mais il était mort. Abattu par un homme sans nom, pour une raison inconnue. Et ce Michael McCullough, parti à la retraite et volatilisé, et ce Robert Miller, avec son collègue, et cette promesse de retrouver McCullough afin de lui demander ce qui lui était passé par la tête pour emmener Darryl dans une descente de police…

Voilà aujourd'hui quelle est ma vie, se dit-elle. *Alors profites-en à fond ou tire-toi de là.*

Elle sourit toute seule et se détourna de la fenêtre. Son souffle s'arrêta net.

Miller alluma son ordinateur, attendit qu'il se mette en marche, puis inscrivit le nom d'Isabella Cordillera dans le moteur de recherche. Au bout d'une seconde, il leva les yeux vers Roth. « Jette un coup d'œil là-dessus », dit-il avec un sourire.

Il secoua la tête, fronça légèrement les sourcils puis observa le visage de Roth se modifier lorsqu'il vit la première entrée sur l'écran.

« "Cordillera Isabella, lut Roth. Grande masse continentale s'étendant sur environ trois cent soixante kilomètres, de Chinandega sur la côte occidentale jusqu'à Montañas de Colon, à la frontière du Honduras, la *cordillera* Isabella est, avec la *cordillera* de Talamenca au Costa Rica, l'une des plus vastes chaînes montagneuses d'Amérique centrale", etc. » Il regarda Miller, ébahi. « D'abord une coupure de presse à propos d'une élection. Et maintenant ça ?

— Je crois que quelqu'un essaie de nous dire… »

Mais Miller fut interrompu par la sonnerie du téléphone sur son bureau.

Des yeux. Des yeux assez sombres pour être à peine visibles.

Ce fut la première et, peut-être, la seule chose qu'elle vit, car il y avait quelque chose dans les yeux de l'homme qui la pétrifia et la réduisit au silence. Cette manière dont il la transperçait du regard lui donna l'impression de n'être rien du tout.

Elle se remit à respirer, puis l'homme secoua la tête et posa un doigt sur sa bouche ; en voyant son allure, elle comprit qu'il valait mieux ne rien dire, ne rien faire, qu'il se passait quelque chose qui la dépassait complètement et que, si elle se rebiffait, ce quelque chose allait l'avaler tout cru. Elle avait donc tout intérêt à rester là, tranquillement, en respirant le moins fort possible, et à écouter ce que l'homme lui dirait.

Et ce qu'il dit fut : « Natasha. »

Lorsqu'il prononça son nom, elle sentit comme un effondrement intérieur, elle sentit ses jambes vaciller ; elle dut tendre la main derrière elle pour saisir le plan de travail, se maintenir en équilibre, rester debout, trouver un appui et s'assurer qu'elle ne s'évanouirait pas dans la seconde…

« Natasha Joyce », répéta l'homme sur un ton très calme.

Et Natasha – malgré l'appel de sa raison, malgré cette voix intérieure qui lui criait de ne pas jouer à ce jeu –, Natasha hocha la tête avant d'esquisser un curieux demi-sourire et de dire : « Oui… Je suis Natasha.

— Bien, répondit-il. C'est très bien. »

Il fit un pas en avant, un seul ; elle avait beau vouloir lui demander qui il était, ce qu'il faisait, pourquoi il était chez elle, et d'abord *comment* il avait pu entrer chez elle, ça ne changeait rien, absolument rien, car en son for intérieur elle savait que les mots qu'il prononcerait seraient les derniers qu'elle entendrait, sans doute le dernier événement de sa vie, tant ce petit pas qu'il fit, à peine vingt ou vingt-cinq centimètres, sentait la fin du voyage. Elle n'avait jamais ressenti une chose pareille de toute sa vie… Même quand elle avait hurlé à la mort pendant son accouchement, même quand une femme flic lui avait annoncé que Darryl King s'était fait tuer d'une balle dans le thorax… Même à ce moment-là… Même à ce moment-là…

Un vague son s'échappa de ses lèvres. Elle sentit le poids de son corps résister à la gravité, mais cette gravité était comme de l'eau lourde, et la tension qui généralement la maintenait debout et à laquelle elle ne pensait jamais, cette tension sembla se dérober sous elle. Bien qu'agrippée de toutes ses forces au rebord du plan de travail, bien qu'accrochée à la vie… Bien que fermant les yeux et ânonnant une espèce de prière pour un Dieu auquel elle ne croyait plus depuis longtemps, elle savait que tout ça n'avait plus d'importance…

Ses genoux étaient en coton, en caoutchouc, comme une matière élastique qui cédait sans aucune difficulté…

Et ils cédèrent.

Ils cédèrent sous elle.

L'homme aux cheveux grisonnants et aux yeux sombres fut là pour la rattraper, et elle comprit que ce seraient les dernières mains qu'elle sentirait sur elle, et le regard de cet homme – compréhensif, patient, presque compatissant, presque apitoyé –, le dernier que quiconque poserait sur elle…

Elle pensa à Chloe au bout du couloir.

Elle pensa à la dernière chose qu'elle avait dite au père de son unique enfant… Une enfant qui grandirait désormais orpheline, qui déboulerait dans ce même couloir d'ici moins d'une heure, en sortant de chez Esme, puis frapperait à la porte et, trouvant celle-ci close, retournerait aussitôt chez Esme, laquelle viendrait elle-même, aurait cet étrange pressentiment qui vous dit que quelque chose ne va pas mais sans savoir quoi, l'impensable… Pourtant

quelque chose dans le cerveau humain, au plus profond de
votre âme, vous informe, sans même que vous ayez à réfléchir une seconde, qu'il est arrivé un malheur…

Ce genre de chose.

Esme tournerait la poignée et la sentirait lui résister,
elle cognerait contre la porte avec ses petits poings, et,
n'obtenant aucune réponse, aucun signe, rebrousserait
chemin, tournerait sur sa gauche et irait au fond du couloir, chez M. et Mme Ducatto. Lui, obèse, italien, pas mauvais bougre mais grande gueule, grossier et parlant fort,
lui sourirait tout en comprenant vaguement et en essayant
de se montrer le plus patient possible devant cette petite
Noire qu'Esme traînait derrière elle, puis il les accompa-
gnerait jusqu'à la porte et essaierait à son tour de l'ouvrir,
proposerait d'appeler le concierge, et Esme lui dirait que
ce dernier était parti faire un tour, et que, oui, elle prenait
la responsabilité de défoncer la porte, et qu'il valait mieux
qu'il la force immédiatement car il se passait quelque
chose de grave, d'horriblement grave…

En effet, il abattit la porte.

Il défonça cette foutue porte avec ses larges épaules
et faillit tomber lorsque le montant céda comme du petit
bois. Il dit à la vieille dame et à la petite de ne pas bouger,
puis il entra et regarda dans l'appartement, en se disant
qu'il reviendrait les voir pour leur annoncer que tout allait
bien et que Natasha Joyce s'était endormie…

Or elle ne dormait pas.

Elle était certes dans son lit, ou plutôt *sur* son lit, éten-
due sur le dos, les bras en croix, la tête tournée sur le côté
comme si elle attendait son amant, comme si elle avait
espéré voir quelqu'un débouler par cette même porte et
la trouver…

Étranglée, tabassée, Natasha Joyce était couverte
d'ecchymoses. Ses yeux injectés de sang lui donnaient

226

l'air de venir tout droit d'un de ces films gores, sur des psychopathes-violeurs, qui sortent uniquement en vidéo ; à voir la manière dont son épaule était démise, on se disait que son bras avait été déboîté, ce qui était le cas, et, lorsque Marilyn Hemmings enfilerait ses gants en latex vers 14 h 30, le mercredi 15 novembre – et se rendrait compte qu'elle avait analysé le corps de Catherine Sheridan à peine quatre jours plus tôt –, elle percevrait, dans la manière dont Natasha Joyce avait été frappée et étranglée, comme une volonté d'en *finir*.

« C'est comme ça », dirait-elle à Robert Miller.

Mais cela se passerait mercredi.

Plus tard.

Au moment précis où Natasha Joyce sentit tout son être se liquéfier et le poids de son corps chuter lentement sur le sol de la cuisine, elle n'avait en tête qu'une seule pensée, une seule question – dont la réponse lui échapperait désormais à jamais : « Qu'est-ce qui est arrivé à Darryl ? »

Et la force de cette question était telle qu'elle parvint même à la formuler – des mots ténus, presque inaudibles, lorsque l'homme aux cheveux grisonnants, chaussé d'une paire de tennis, se baissa et pressa ses deux pouces contre ses yeux.

« Qu'est-ce… Qu'est-ce qui est arrivé à Darryl ? »

L'homme ne dit rien. Il ne l'entendit pas bien. Mais eût-il entendu qu'il n'aurait pas été en mesure de l'aider. Il ne connaissait pas la réponse à sa question. Surtout, sa formation lui interdisait formellement d'interrompre sa tâche pour discuter de quoi que ce soit avec sa cible.

C'eût été une entrave au règlement.

Aussi simple que ça.

La douleur et la pression dans ses yeux la firent s'évanouir. Alors l'homme la souleva doucement, presque comme une enfant, et la transporta jusqu'à cette petite chambre où avait été conçue sa fille unique.

Il la reposa sur le lit.

Il replia ses doigts et les fit craquer.

Il se mit au travail.

Le Président dirige la Compagnie. La Compagnie obéit aux ordres.

Si vous savez ce que fait la Compagnie, alors vous savez ce que le Président veut que l'on fasse.

On appelle ça le déni plausible ; les affirmations qui n'affirment rien, les démentis qui ne démentent rien. Tout ça pour le salut du Président. Tout ce que l'on fait est situé à la marge. Le Président ne donne jamais d'ordres directs. Il suggère quelque chose à quelqu'un, et ce quelqu'un prend sur lui d'exécuter un ordre qui n'a jamais été, officiellement, un ordre. Ce même quelqu'un porte le chapeau, du moins face à la presse, mais il est en réalité récompensé par une belle propriété à Martha's Vineyard ou un siège au conseil d'administration d'une grande banque internationale, ou une retraite très généreuse.

La secrétaire d'État Madeleine Albright expliquait un jour la nature passive-agressive de la CIA : « Elle est victime du syndrome de l'enfant battu. »

On estime que plus de 40 % des activités de collecte de renseignements par la CIA portent sur les États-Unis eux-mêmes, ce qui est interdit par la loi. En décembre 1974, Richard Helms – alors ambassadeur en Iran, mais futur directeur de la CIA – fut rappelé du Moyen-Orient pour expliquer à Gerald Ford le cauchemar qui s'annonçait si la presse ou l'opinion apprenaient la nature exacte des opérations menées par la CIA. Ford apprit ainsi que la gestion directe des tentatives d'assassinat de Castro par Robert Kennedy n'était que la partie émergée d'un gigantesque iceberg. Cet iceberg descendait jusqu'à des profondeurs abyssales – insondées, inexplorées, inconnues.

Dès la fin janvier 1981, je commençais à croire que l'on agissait bien, en tout cas plus de cinq fois sur dix. Plus de cinq fois sur dix, on faisait tout parfaitement. Plus de cinq fois sur dix, on faisait plus de bien que de mal.

J'étais aussi amoureux de quelqu'un qui pensait la même chose.

À la fin janvier 1981, j'avais commencé à envisager la possibilité que Catherine Sheridan et moi, nous puissions faire la différence. Je ne l'avais encore invitée nulle part. Je n'avais réussi qu'à avoir trois ou quatre discussions fortuites avec elle.

En février 1981, on a commencé à apprendre quelques bases. Interprétation de photographies, supervision d'agents, collecte d'informations, analyse des équipements militaires et des cycles économiques, liaison avec les commissions de supervision du Congrès, les activités d'une journée lambda dans n'importe quel bureau opérationnel partout dans le monde. Les chefs de bureau à Istanbul, au Maroc, à Tanger, à Kaboul, Vienne, Varsovie, Londres, Paris... Leur vie, leurs noms, leurs procédés, leur histoire. On parlait de la réalité de ce que l'on faisait et des raisons qui nous poussaient à le faire. On parlait des fluctuations de la monnaie, de la diminution volontaire du PIB, de la déstabilisation d'un ethos politique par l'action graduée du contre-espionnage et de la propagande. On parlait de Coca-Cola, qui déblayait le terrain pour la Compagnie. Plus tard ce seraient McDonald's et KFC.

Au cours de la dernière semaine de février, je me suis porté volontaire pour un travail de terrain. Le bureau que j'ai choisi manquait de personnel. J'avais 21 ans, et le monde que m'avaient vendu Lawrence Matthews et Don Carvalho me faisait bander.

À trois reprises, j'ai entendu Catherine Sheridan discuter de ce qui se passait en Amérique du Sud ; à chaque fois elle m'a conforté dans ma conviction que c'était elle qui devait partir avec moi.

Au quatrième jour du mois de mars, je suis allé lui parler.

Nous quittions ensemble une réunion, et nous faillîmes nous rentrer dedans à la porte ; je lui demandai où elle allait.

Elle fronça les sourcils et secoua la tête. « J'ai un rendez-vous, me dit-elle froidement. Pourquoi ?

— Je voulais vous demander quelque chose... Non, pas vous demander. Je voulais vous parler de cette chose dont on a discuté. »

Elle eut un demi-sourire et secoua de nouveau la tête. « Qu'est-ce qu'il y a à en dire ? Il y a l'opposition. On soutient les rebelles, on finance leur entraînement et leur matériel militaire... Ça me paraît logique de vouloir couper la route entre le communisme sud-américain et le Mexique, non ? »

Je haussai les épaules d'un air détaché. Mes mains étaient moites. Je portais dans les bras un tas de livres, et je les sentais glisser lentement. « En apparence, oui. »

Je dis cela tranquillement, détendu. En essayant d'oublier que je la retenais, que je l'empêchais de voir celui ou celle avec qui elle avait rendez-vous. Son petit ami, peut-être ?

« En apparence ? Qu'est-ce que vous voulez dire ? »

Je secouai la tête. « Je vois que vous êtes occupée. Vous allez quelque part, vous avez rendez-vous...

— Ce n'est pas si important que ça... »

Alors je fis passer ma pile de livres de ma main droite à ma main gauche. « Il faut que j'aille faire quelque chose, lui dis-je. Est-ce que vous avez un moment pour en parler ?... J'envisage la possibilité d'aller là-bas... »

Elle éclata de rire. « Moi aussi. C'est incroyable... Eh bien, oui, j'aimerais en discuter. Plus tard. Qu'est-ce que vous faites après ?

— Je suis pris jusqu'à demain soir, mentis-je. On se voit à la prochaine réunion, dans ce cas... On trouvera le bon moment pour vous comme pour moi. »

231

Je souris, mais sans en faire trop, histoire de garder cet air détaché et sérieux. Je voulais simplement connaître son avis, rien de plus.

Elle parut étonnée un bref instant, puis me sourit. Des yeux vifs, de longs cheveux foncés attachés en arrière, une barrette en bois qui les maintenait sur le côté, un sourire vaguement de biais qui lui donnait l'air perpétuellement intéressé par une chose secrète. Catherine Sheridan ressemblait un peu à Cybill Shepherd dans le film de Bogdanovich, La Dernière Séance, *mais en brune, avec des traits plus ciselés, un peu plus aquilins. Quand elle me souriait, j'étais comme propulsé dans un monde merveilleusement beau.*

Je hochai la tête pour dire que j'acceptais que l'on se voie le lendemain, puis je tournai les talons et m'en allai.

« John ? » me dit-elle ; je fus surpris car je ne m'attendais pas à ce qu'elle eût retenu mon nom.

Je me retournai.

Elle ouvrit la bouche pour dire quelque chose, me lança encore son étrange sourire, puis secoua la tête et éclata de rire.

« Tout va bien, dit-elle. Ce n'est rien. »

Je haussai les épaules. J'étais ravi ; je me demandais si elle aussi jouait au chat et à la souris.

Je rentrai chez moi à pied et passai le plus clair de la nuit à me demander ce que je dirais à Catherine Sheridan. Le lendemain – malgré toutes ces heures de réflexion –, je me rendis compte que ce que j'avais prévu de lui dire n'avait aucune importance.

C'était Lassiter qui appelait. Il était un peu plus de 16 h 30. Miller fut laconique dans ses réponses, il raccrocha et rassembla ses dossiers, ses autres notes et la paperasse.

Roth se leva de son fauteuil et s'avança vers la porte, suivi par Miller.

Une volée de marches plus loin, au fond du couloir, Lassiter les attendait déjà, les mains contre les hanches. Il ressemblait à Bradlee du *Washington Post*.

« Bordel de Dieu ! commença-t-il. Qu'est-ce qui vous arrive, les gars ? Merde, on croirait que vous étiez en permission. »

Roth et Miller pénétrèrent dans le bureau. Lassiter leur emboîta le pas et referma la porte.

Miller voulut parler mais Lassiter leva la main pour lui intimer le silence. « Commencez par le commencement. Reprenez tout depuis qu'on a découvert le cadavre de cette Sheridan... J'ai eu votre rapport, mais, bordel, vous tapez comme des cochons.

— La coupure de journal, dit Miller. Vous l'avez eue, n'est-ce pas ? »

Lassiter balaya la remarque d'un revers de main. « Ça ne veut rien dire...

— Ça ne voulait rien dire jusqu'à ce qu'on découvre que le numéro de Sécurité sociale de Catherine Sheridan débouche en réalité sur le nom d'une chaîne montagneuse en Amérique centrale.

— Dites-moi ce que vous avez de concret… Dites-moi ce que vous pensez de cette affaire.

— Un tueur en série, fit Miller. Aucun doute là-dessus. Sheridan n'existe pas, en tout cas pas en tant que Catherine Sheridan. On a cherché, et les identités de toutes ces femmes comportent des éléments douteux. On tombe sur la coupure de journal, on retrouve le double lien avec l'Amérique centrale, et puis arrive cette histoire avec la fille de la cité.

— La petite Joyce, c'est ça ?

— La petite Joyce, oui. Le numéro de téléphone laissé à la pizzeria est le numéro de dossier judiciaire de son petit ami Darryl King, aujourd'hui mort. On est retournés chez Sheridan, on a découvert des photos sous le tapis, des photos qui montrent Sheridan avec un type. On a amené les photos à Natasha Joyce, qui nous a confirmé que ce type est le même qui cherchait Darryl King deux semaines avant sa mort, en 2001.

— Et où est-ce que ça vous mène, tout ça ?

— On a retrouvé le nom de l'officier de police qui avait procédé à l'arrestation. Il s'appelle Michael McCullough. Il semblerait que King était un indic ou un truc dans le genre ; il s'est retrouvé embarqué dans une descente contre un entrepôt et il s'est fait flinguer. Qu'est-ce qu'il foutait là-dedans ? Je n'en sais rien. Pour finir, on a Catherine Sheridan. Avec elle, il y a des tas de choses qui ne collent pas. Il faut qu'on détermine ce qu'était cette fameuse United Trust d'où lui venait son argent…

— Donc on a un vague lien avec un flic en retraite qui a travaillé avec le petit ami de cette fille il y a cinq ans de ça et des numéros de Sécurité sociale qui ne collent pas. C'est bien ça ?

— Plus des photos d'un type qu'on aimerait beaucoup interroger, intervint Roth.

— Elles remontent à quand, ces photos ? »

Miller secoua la tête. « Natasha a vu le bonhomme il y a cinq ans. Elle nous a dit qu'il n'y avait aucun doute : c'était lui, mais plus jeune. Je vais demander aux gars de la police scientifique d'utiliser leur logiciel, celui qui permet de voir la tête qu'aurait n'importe qui cinq, dix ou quinze ans après qu'une photo a été prise... On peut lui mettre une moustache, une barbe, des cheveux gris, tout ce qu'on voudra. Une fois qu'on aura rassemblé six ou sept photos, on lance un avis de recherche et on voit si on arrive à le retrouver.

— L'aiguille et la botte de foin dans la même phrase, remarqua Lassiter, l'air de rien.

— C'est ça, rétorqua Miller.

— Et c'est un putain de cauchemar. J'ai rendez-vous avec le directeur de la police ce soir. Tout ce que vous faites, je suis obligé de le signaler à ce Killarney, du FBI. Le moindre rapport que vous me pondez, il en reçoit une copie. Une autre copie va directement au juge Thorne, pour je ne sais quelle raison à la con. Ces foutus agendas politiques... Bref, le patron veut qu'il en soit ainsi, et je ne sais pas quel flingue on lui a braqué sur la tempe, mais il n'a pas le choix. Je me retrouve avec quatre femmes mortes en l'espace de huit mois. On a connu pire, mais vous allez voir que la presse va nous tomber dessus avec cette histoire de Tueur au ruban, et je vais me retrouver à vendre des tee-shirts sur Internet avant la fin de la semaine prochaine. Vous vous souvenez du merdier avec le tireur fou ? » Lassiter secoua la tête et prit une longue inspiration. « Je ne sais plus quoi dire. Je n'ai personne de plus qualifié que vous pour diriger cette enquête. Ils vont me demander ce qu'on fabrique, je vais leur répondre qu'on étudie toutes les pistes de très près, et tout le tralala. Qu'est-ce que je peux faire, bordel ?

— Nous refiler plus de monde, répondit Miller. Dès que j'aurai fait imprimer ces photos, je vais avoir besoin du maximum de gens pour faire les interrogatoires.

— Vous avez mis Metz et Oliver sur les trois premières victimes. Ils y consacrent tout leur temps. Je ne peux pas vous donner plus. Cette fois, vous allez lancer un avis de recherche. Ça, je *peux* le faire. Au-delà, je suis écartelé dans tous les sens. Vous connaissez la musique autant que moi. Beaucoup de bruit dans la presse, deux ou trois questions du directeur, et l'affaire se calme un petit moment. Ça recommence un peu plus tard, le tapage devient plus gros, ça dure quelques jours de plus. Une troisième fois, une quatrième fois, et maintenant on se retrouve dans la merde. Il faut que je puisse leur donner quelque chose. Il faut que vous me fassiez une espèce de topo, quelque chose qu'ils puissent comprendre. Des dealers morts et des femmes assassinées qui n'ont pas les bons numéros de Sécurité sociale ? Pas vraiment un beau cadeau de Noël, si vous voyez ce que je veux dire.

— Je fais avec ce que j'ai, capitaine, répliqua Miller. Vous vous êtes tapé ce genre de conneries pendant des années.

— Faites faire vos photos. Employez tous les moyens à notre disposition. Imprimez-les et balancez-les à tous les véhicules de patrouille. Continuez ce que vous faites, mais faites plus et plus vite. Appelez-moi sur mon portable si ce soir vous avez quoi que ce soit. Ce soir, ce serait parfait. Si je reçois un coup de fil qui m'annonce une bonne nouvelle pendant que je discute avec le patron, je me sentirai nettement moins con qu'en ce moment. »

Miller jeta un coup d'œil vers Roth. Celui-ci fit non de la tête – rien d'autre à ajouter.

« Allez… Faites de votre… pire », conclut Lassiter.

Les deux inspecteurs quittèrent le bureau, refermèrent la porte et attendirent d'avoir fait trois mètres dans le couloir pour ouvrir la bouche.

Miller s'arrêta devant l'escalier et s'empara de son pager qui commençait à biper.

Il appuya sur le bouton, lut le message et regarda son collègue. « Oh ! putain… Oh ! putain de merde. »

Et ce sur quoi elle m'interrogea, ce furent mon père et ma mère, et, moi, je ne voulais pas lui répondre. Je ne voulais pas raconter toute l'histoire encore une fois. Il me semblait que j'avais passé les dix-huit derniers mois de ma vie à la raconter aux gens que je rencontrais.

Catherine, c'était différent. Je ne voulais pas qu'elle appartienne au passé. Je voulais qu'elle soit le présent et l'avenir. Je lui mentis donc sur mes parents, sans le moindre remords.

Nous en étions donc là – le mercredi 5 mars 1981. Vingt-cinq jours au moins avant qu'un certain John Hinckley III, 25 ans, fils d'un magnat du pétrole de Denver, disc-jockey et ancien étudiant de Yale, n'attende tranquillement devant l'hôtel de Washington où Ronald Reagan faisait un discours devant les membres d'un syndicat et lui tire une balle de 22 dans le torse. La balle se logea dans son poumon gauche, à moins de sept centimètres du cœur. Un des médecins présents sur place affirma plus tard que si Hinckley avait utilisé un 45, Reagan serait mort sur le coup. La femme de Reagan fut conduite à l'hôpital, où ce dernier prononça la première de ses célèbres phrases. Citant un film des années trente, il dit : « Chérie, j'ai oublié de me baisser. » Aux chirurgiens, il lança, alors même qu'on l'anesthésiait : « J'espère que vous votez républicain, les gars. »

La tentative d'assassinat laissa Reagan indemne. Elle fit vraiment connaître aux Américains George Bush, le vice-président de Reagan et ancien directeur de la CIA. On ne le savait pas à l'époque, mais il allait jouer un rôle de plus en plus crucial dans la construction de la nouvelle Amérique, l'Amérique des années quatre-vingt et quatre-vingt-dix, une Amérique dont hériterait son fils, George W.

« Le fait que Ronald Reagan se soit fait tirer dessus avec une balle de .22, me dit Don Carvalho plus tard, nous révèle quelque chose sur la politique et le contrôle politique dans ce pays. Hinckley avait reçu un revolver de petit calibre. On aurait très bien pu lui refiler un 45 ou un 38, quelque chose qui aurait pu faire vraiment du dégât, mais non, il a débarqué à la fête avec un jouet... »

J'ouvris la bouche pour dire quelque chose, mais Don leva la main. « Je vais te dire une bonne chose à propos des services secrets... Tu les as déjà vus, n'est-ce pas ?

— À la télé, oui, bien sûr. Mais je ne connais aucun agent secret personnellement, si c'est ça que tu veux savoir.

— Tu devrais aller en voir un. Ce sont des robots, ces types. Des automates. » Il sourit. « Dans le jargon, on les appelle des cafards.

— Des cafards ? Comme les insectes ?

— Bien sûr.

— Pourquoi donc ?

— Tu sais combien de temps un cafard survit une fois qu'on lui coupe la tête ?

— Aucune idée... Une minute, peut-être deux.

— Neuf jours.

— Quoi ?

— Neuf jours, je te dis. Tu décapites un cafard, il survit encore neuf jours. Et tu sais de quoi il meurt ?

— Aucune idée.

— De faim... Ce con meurt de faim parce qu'il n'a plus de bouche. C'est fou, non ?

— C'est dégueulasse.

— En tout cas, voilà comment on surnomme les types des services secrets. Ils seront prêts à se prendre une balle dans le buffet pour le Président. Ils se feront sauter la cervelle si la survie du Président l'exige. Il faut appar-

tenir à une curieuse espèce, une espèce spéciale, pour vivre ce genre de vie. Aucune relation sociale. Aucune amitié hors de leur propre cellule, et encore, il s'agit plus d'une relation de travail. C'est un autre monde, John, un monde complètement différent, mais quoi que tu puisses penser de ces gens-là, malgré tout leur vie a un sens. »

Je haussai les sourcils.

« *Croire en quelque chose, reprit Don Carvalho. Croire en quelque chose avec une telle ardeur et un tel dévouement que ça en devient un mode de vie à lui tout seul. Voilà un truc que je peux respecter. Je ne le ferais pas forcément, pas à ce point-là, mais je peux le respecter.*

— *Je ne pense pas pouvoir croire en quelque chose à ce point-là, répondis-je, et je compris aussitôt combien mes propos devaient sembler naïfs.*

— *Bien sûr que si. Ne serait-ce que croire en toi. Comme tout le monde.*

— *Peut-être.*

— *Évidemment que si. Et si tu crois en toi, alors tu es obligé de croire en la nécessité de maintenir la structure sociale qui te permet de profiter de ton propre mode de vie.*

— *J'imagine, oui.*

— *Et maintenir son propre mode de vie passe par une responsabilité : faire en sorte, de toutes les manières possibles, que ce mode de vie ne soit pas menacé par les périls extérieurs, même ceux que l'on ne soupçonne pas.*

— *Par exemple ?*

— *Les éléments criminels. L'afflux de drogue dans notre société. L'afflux d'idéologies et de philosophies qui mettent en danger la stabilité de notre démocratie.*

— *Tu parles du communisme, c'est ça ?*

— Le communisme, les franges les plus extrémistes du socialisme, le trafic d'héroïne, l'influence du crime organisé sur la politique et le gouvernement. La capacité des aspects les plus sombres de l'humanité d'infiltrer la vie quotidienne des simples citoyens, sans que ceux-ci se rendent compte que leur vie est sous influence.

— Et qu'est-ce que tu veux que je fasse là-dedans ? »

Don haussa les épaules et m'adressa un sourire nonchalant. « Que tu y réfléchisses. C'est tout ce que j'attends de toi. Contente-toi d'y réfléchir. »

Ce que je fis, et que je faisais déjà depuis trois semaines. Ma discussion avec Catherine Sheridan avait été un avant-goût de ces choses-là, des brusques changements de point de vue qui se produisirent après la tentative d'assassinat contre Reagan.

Ce qui arriva le 30 de ce mois joua un rôle déterminant dans la décision que Catherine Sheridan et moi allions prendre. Et cette décision elle-même régirait le cours de nos vies pour les vingt-cinq années suivantes. Quelqu'un m'a dit, un jour, qu'on ne rejoignait pas la Compagnie, mais qu'on l'épousait, notamment pour ce qui touchait la partie « jusqu'à ce que la mort nous sépare ». La première fois que Catherine Sheridan et moi nous assîmes face à face dans ce même café des environs de Richmond où je l'avais rencontrée, la première fois que nous eûmes une véritable conversation, les choses prirent une tournure à laquelle je ne m'attendais pas.

Après les plaisanteries liminaires et les phrases que l'on se sentait obligés de dire sans vouloir les dire, elle me demanda comment j'étais arrivé à Langley.

« J'étais à l'université. Et toi ?

— Mon père était dans le bain dès le début.

— Il appartenait à la CIA ?

— Jusqu'à la moelle », répondit-elle. Elle se cala sur son siège, éloigna sa tasse de café avec l'arête de sa main. « Il était là au tout début. À la fin de la guerre, il est passé directement de l'armée au Bureau des services stratégiques, l'OSS, créé par Roosevelt en juin 1942. » Sur ce, elle me sourit et écarta une mèche rebelle de son front. « Tu savais qu'au début de la Seconde Guerre mondiale l'Amérique était la seule puissance à ne pas avoir de services secrets ?

— Non, je l'ignorais.

— Roosevelt en a finalement donné l'ordre après Dieu sait combien de temps. Il s'opposait violemment au projet, mais il a cédé sous la pression. Il a donc fini par confier la mise en place de cette agence à un certain William Donovan, héros de la Première Guerre. L'agence a survécu trois ans avant d'être démantelée par Truman. Mais il y avait un type en Suisse, un certain Allen Dulles, passionné par ces questions de collecte de renseignements ; c'est lui qui a insisté pour qu'on maintienne une agence centrale de renseignements.

— J'ai entendu parler de Dulles, mais pas vraiment de Donovan.

— Donovan a été l'homme qui a installé des bases en Angleterre, à Alger, en Turquie, en Espagne, en Suède... Il a même maintenu une forme de liaison permanente avec le NKVD à Moscou. Et puis, après le démantèlement de l'OSS, il n'y avait plus rien pour garder ces bases en état de marche – jusqu'en septembre 1945, lorsque Truman a donné son feu vert à la création de la CIA. Dulles a fini par en prendre le contrôle en 1953. Donovan a été nommé ambassadeur en Thaïlande, il a subi une attaque, a perdu la boule en 1957, et il est mort en 1959. »

Je me mis à sourire, presque à rire.

« Qu'est-ce qu'il y a ? me demanda Catherine Sheridan.

— C'est comme un documentaire, non ? »

Elle rit. Elle avait un rire charmant. On se disait, en l'entendant, que c'était la personne la plus vraie sur terre. « Tu connais la blague du lapin ? »

Je fis signe que non.

« La CIA, le FBI et la police de Los Angeles se disputent pour savoir qui est le plus fort pour attraper les criminels. Alors le Président décide de les tester en lâchant un lapin dans une forêt… »

Je fronçai les sourcils. « Un lapin dans une forêt ? »

Elle leva la main. « C'est une blague. Laisse-moi terminer, veux-tu ?

— Très bien. Donc le Président envoie un lapin dans la forêt.

— Les types du FBI y vont. Deux semaines de recherches, aucune piste : ils brûlent la forêt, massacrent tout ce qui bouge et ne s'excusent même pas. Ils expliquent au Président que le lapin n'a eu que ce qu'il méritait Ensuite, la police de Los Angeles se lance..

— Attends, deux secondes… Je croyais que la forêt avait été brûlée et que le lapin était mort.

— Mais, bon sang, je comprends mieux pourquoi Don Carvalho t'adore ! Tu veux bien écouter ma blague jusqu'au bout ?

— Vas-y. Excuse-moi. Donc la police de Los Angeles y va…

— Oui. Les flics de Los Angeles se lancent. Trois heures plus tard, ils ramènent un ours. Il s'est bien fait tabasser, il sort de là les mains sur la tête en criant : "D'accord, d'accord ! Je suis un lapin ! Je suis un lapin !" Après, le Président envoie les mecs de la CIA. Ils installent des animaux indics dans toute la forêt. Ils interrogent tous les témoins végétaux et minéraux. Trois semaines plus tard, après avoir déployé onze cents agents et dépensé 4,5 millions de dollars, ils pondent un rapport de 755 pages, avec la preuve concluante et définitive que non seulement le lapin n'existait pas, mais que cette espèce n'a jamais existé. »

Je riais avant même qu'elle ait terminé, non parce que c'était drôle, mais parce que c'était vrai.

Une heure, deux cafés et un demi-paquet de Lucky Strike plus tard, Catherine Sheridan me demanda si j'allais rester à Langley. Elle ne savait pas du tout qui j'étais. Je lui répondis ce que je pensais qu'elle voulait entendre. J'exprimai quelques doutes. Je la laissai y lire ce qu'elle voulait y lire.

« Et toi ? » demandai-je.

Elle n'hésita pas un seul instant. J'admirais cette qualité, qui lui resterait chevillée au corps jusqu'à la toute fin. Et même là, à l'heure de sa mort – conscients de tout ce que l'on savait, de cette longue histoire derrière nous –, elle n'a jamais douté que nous agissions de la meilleure manière possible.

« Oui, me dit-elle. Je reste jusqu'au bout. »

18

Les premiers mois qu'il avait passés à la Criminelle, Robert Miller comptait les morts.

Il en avait dénombré trente-neuf, puis il avait arrêté de compter. Au bout d'un certain temps, il y en avait des centaines. Les compter ne rimait à rien. Les victimes commençaient à se brouiller dans son esprit, les hommes ressemblaient aux autres hommes, les filles aux autres filles, et même les enfants ne se distinguaient plus vraiment les uns des autres. Les morts n'étaient que des morts – des inconnus sans visage, sans nom : M. et Mme Tout-le-monde, au croisement de la rue Machin-Chose et de l'avenue X, dans un appartement banal.

Mais ces morts, Robert Miller ne les avait jamais vraiment connus. Jamais personne de proche n'était mort pendant son service.

Albert Roth, lui, travaillait depuis dix-sept semaines au sein de la Criminelle lorsqu'on lui avait demandé de surveiller un type nommé Leonard Frost, un indic sur le point de bénéficier de la protection des témoins. Roth s'occupa de lui trois jours durant, ensemble ils jouèrent aux cartes, regardèrent un peu la télé, parlèrent brièvement de la pluie et du beau temps. Quand ils se séparèrent, il lui serra la main et lui souhaita bonne continuation. Quatre heures plus tard, Frost n'était plus de ce monde : une balle dans la tête au moment où il entrait dans la cellule du commissariat nº 5. Abattu par un homme déguisé en officier de police. Roth avait visité quelque trois cent cinquante scènes de crime et vu plus de quatre cents macchabées. Leonard Frost était le seul à qui il eût jamais parlé.

Devant le cadavre amoché de Natasha Joyce, Robert Miller et Albert Roth étaient muets, sous le choc. Ils restèrent un long moment plantés sur le seuil de sa chambre. Elle avait été couchée sur son lit – sur le dos. Sa chemise et le tee-shirt qu'elle portait dessous étaient maculés de grandes taches de sang. Les traces sur son visage et sur son cou indiquaient que le tabassage avait été brutal, incessant. La chair était meurtrie en de nombreux points – de grandes plaques rouges, violacées, qui se détachaient sur sa peau couleur café foncé. Ses yeux étaient fermés à cause du gonflement, et ses lèvres, écaillées de sang séché, de même que ses cheveux soigneusement tressés à la rasta.

Al Roth était livide. Quand il fit un pas vers le corps de Natasha Joyce, il transpirait énormément. Miller et lui se tenaient chacun d'un côté du lit. Ils eurent une impression de déjà vu, comme une image d'un film qu'ils auraient vu à des époques différentes, avec une lueur dans leur regard lorsqu'ils comprirent qu'ils avaient vu la même chose.

L'agent Tom Suskind, premier arrivé sur la scène de crime après le coup de fil passé par un voisin, un certain Maurice Ducatto, avait expliqué à Miller que l'enfant de la victime – Chloe, 9 ans – se trouvait au bout du couloir, chez une vieille dame du nom d'Esme Lewis. Cette dernière était apparemment retournée chez Natasha Joyce avec la petite, avait trouvé porte close, était partie chercher le concierge et, ne le trouvant pas, avait alerté le voisin, ce Maurice Ducatto qui, après avoir tambouriné en vain à la porte, avait pénétré de force dans l'appartement et découvert le cadavre. La vieille dame et la gamine, elles, n'étaient pas entrées. Ducatto les avait envoyées chez lui, où sa femme avait veillé sur elles en attendant l'arrivée de la police. La petite était actuellement entre les mains des services d'aide à l'enfance.

« Et personne d'autre n'est entré ici ? » demanda Miller.

Suskind fit non de la tête. « Personne, sauf Ducatto et moi.

— Et où se trouve votre collègue, agent Suskind ? voulut savoir Roth.

— Il est malade.

— Toute la journée ?

— Hier aussi… Ça fait deux jours que je suis tout seul.

— On ne vous a pas donné un remplaçant ?

— Ils n'ont pas assez de monde. Surtout pour ces quartiers-là. »

Miller ne dit rien. Dans sa tête, il anticipait le scénario avec Lassiter et savait déjà quelles questions celui-ci lui poserait. Dans quelle mesure connaissaient-ils la victime ? Combien de fois étaient-ils allés chez elle ? Avaient-ils appris quelque chose, même un détail, laissant penser qu'elle était une cible à abattre ? Avaient-ils le moindre doute quant à l'identité de l'assassin ? Pensaient-ils qu'il s'agissait du même homme qui avait tué Mosley, Rayner, Lee et Sheridan ? Et pourquoi n'y avait-il pas de ruban cette fois-ci ? Et si Natasha Joyce se révélait bien être une de ses victimes, que feraient-ils face au constat que, manifestement, le tueur les épiait ? Ou alors fallait-il y voir une simple coïncidence ? L'œuvre d'un autre ?

Autant de questions que Miller ne voulait ni entendre ni affronter, et auxquelles il n'avait aucune réponse à fournir.

« Bien, dit-il à Suskind. Restez encore un peu ici. En bas. Bloquez l'accès et laissez la police scientifique faire son boulot. Mais personne d'autre. »

Suskind acquiesça. Il connaissait la musique. Il laissa Roth et Miller dans la chambre de Natasha Joyce.

« Et la gamine ? demanda Roth.

— Eh bien ? Bordel, Al, je ne vais pas te faire un dessin. Les services d'aide à l'enfance vont s'en occuper. Qu'est-ce que tu veux que je te dise ? »

Roth recula et s'assit devant la commode de Natasha Joyce – un meuble merdique à 75 dollars, en sapin, avec un tabouret dépareillé. Il promena son regard sur les divers objets – les brosses, le séchoir, les fers à lisser en céramique, les crayons à sourcil et les rouges à lèvres, les crèmes de visage et la lotion antivieillissement, le démêlant-défrisant pour cheveux rebelles. Les mêmes conneries que sa femme. Les mêmes conneries, mais pas la même gamme de prix. C'était tout ce qu'il restait de Natasha Joyce, ça et une petite fille de 9 ans qui ne comprendrait jamais vraiment ce qui était arrivé à son père et à sa mère.

Miller fit un pas en arrière et ferma les yeux. On aurait dit qu'il essayait de saisir quelque chose qu'il n'arrivait pas à voir, de déceler quelque part un élément nouveau.

« Il est au courant, non ? » dit Roth.

Miller rouvrit les yeux. « Forcément.

— Il doit nous regarder faire. Il sait où on va, il sait à qui on parle. » Il prit son souffle et lâcha un long soupir. « Merde… Ça change tout.

— Ce n'est pas une coïncidence. Et je ne pense pas que Sheridan soit une coïncidence, pas plus que les autres femmes avant elle. Je crois qu'il y a une raison derrière tout ça, une logique, une forme de méthode, dans cette folie. Tous les éléments s'emboîtent… Cette histoire à la con avec Darryl et Natasha, le fait qu'aucune de ces femmes n'a un parcours linéaire… Il y a un sens à tout ça, un lien qui réunit l'ensemble, et on est tellement obsédés par ce qui se passe autour qu'on ne voit même pas ce qu'on a sous les yeux.

— Pourquoi est-ce qu'il n'y a pas de ruban, ce coup-ci? »

Miller referma les yeux et secoua la tête. « Je ne sais pas, Al… Je n'en sais foutrement rien.

— Il faut qu'on retrouve ce type. Celui qui est sur les photos, celui qui était venu ici pour parler avec Darryl.

— On doit aussi avoir une discussion avec cette fameuse Frances Gray et obtenir le maximum de renseignements sur Michael McCullough. »

Par réflexe, Miller voulut tendre la main et toucher Natasha Joyce – un geste de compassion, un geste qui aurait fait comprendre à cette femme qu'il tenait à elle, qu'il était profondément désolé de ce qui lui était arrivé. Car, au fond de lui, il se sentait responsable. Il avait beau savoir pertinemment que ce n'était pas vrai, que le rôle – direct ou indirect – joué par Natasha dans toute cette affaire constituait la seule explication à sa mort, il ne pouvait pas s'en empêcher. Il en faisait dorénavant une affaire personnelle. Quelqu'un l'avait épié. Quelqu'un l'avait vu se rendre chez Natasha Joyce, discuter avec elle, lui poser des questions, et maintenant elle était morte.

« Ça va? lui demanda Roth.

— Comme un lundi.

— On fait quoi, alors?

— On fait comme on a dit. On retrouve le mec sur les photos. On va voir Gray. On retrouve Michael McCullough. Voilà ce qu'on fait. »

Des bruits en bas. Les équipes scientifiques arrivaient. Miller agita la tête, comme pour dissiper un brouillard. Il regarda Natasha Joyce une dernière fois, puis s'avança vers la porte.

Trois jours seulement avaient passé depuis la mort de Catherine Sheridan. Quatre mois s'étaient écoulés entre le premier et le deuxième meurtre, un mois et trois jours entre le deuxième et le troisième, dix longues semaines entre le troisième et le quatrième – et, cette fois, soixante-douze heures. Le lien entre ces quatre morts, si mince fût-il, avait pour nom Darryl King, un héroïnomane doublé d'un indic, tué, à côté d'un sergent de police retraité, pendant une descente contre un entrepôt de drogue cinq ans plus tôt.

Miller savait que tout était lié. Les fils de la toile étaient ténus, peut-être invisibles, mais ils existaient bel et bien. Il en était absolument persuadé.

La patinoire est fermée au public. Certains jours, après la fin des cours, je quitte le Mount Vernon College pour me rendre à la patinoire de Brentwood Park. Les lundis et jeudis soir, et un samedi sur deux, il y a Sarah. Elle répète son numéro, l'exercice qu'elle prépare en vue du championnat national de patinage artistique, en janvier prochain. Elle a 22 ans. Je sais où elle habite, je connais le nom de ses parents, les écoles qu'elle a fréquentées. J'en sais sur elle autant qu'il est possible de savoir.

Je la regarde patiner, s'entraîner avec une ardeur et une application sans pareilles.

Elle répète son numéro et, bien que je sache qu'elle me voit au bord de la patinoire, bien qu'elle fasse semblant du contraire, je me prends à rêver qu'elle ne patine que pour moi, et moi seul.

« C'est l'amour », d'Édith Piaf, est le morceau qu'elle a choisi. Dès que la musique commence – l'introduction au piano crachée par les haut-parleurs au-dessus de nos têtes –, elle s'accroupit très bas sur la glace, presque en boule, puis elle se déploie comme une fleur surgie de nulle part...

Les cordes arrivent après le piano, et la voix de Piaf :

> C'est l'amour qui fait qu'on aime
> C'est l'amour qui fait rêver
> C'est l'amour qui veut qu'on s'aime
> C'est l'amour qui fait pleurer

Un tour sur deux pieds, un saut en boucle piqué, une demi-boucle, un salchow, puis elle exécute une pirouette Biellmann suivie d'une pirouette assise.

Chaque fois qu'elle glisse le long de la bordure, mon cœur manque de lâcher.

Le deuxième couplet, sur un rythme staccato, *doux mais insistant, avec des cordes presque pincées :*

> Mais tous ceux qui croient qu'ils s'aiment
> Ceux qui font semblant d'aimer
> Oui, tous ceux qui croient qu'ils s'aiment
> Ne pourront jamais pleurer

Une entrée sautée, et puis l'entrechat au moment où elle fait face au public, tout en glissant à reculons, en faisant des dents de pointe avec le pied gauche et en levant sa jambe droite…

Le troisième couplet – la section cuivres soulignant le crescendo *d'émotion chanté par Piaf :*

> Et ceux qui n'ont pas de larmes
> Ne pourront jamais aimer…

Et, moi, je regarde Sarah, et je me demande si elle pourra comprendre un jour ce qui s'est passé, pourquoi et comment une telle décision a dû être prise. Car c'est pour ça que nous l'avons fait. C'est pour ça que nous avons fait tout ça.

Un peu plus tard, peut-être une heure après, je suis assis dans une cafétéria au coin de Franklin Street NW. Je sirote mon café. Pour la première fois depuis des années, je rêve d'une cigarette. J'ai le sentiment d'une conclusion imminente ; une fois encore, j'essaie de me convaincre que tout ce que j'ai fait, je l'ai fait pour les bonnes raisons. Je sais que c'est un mensonge, mais un mensonge auquel je me dois de croire, sinon pour moi, du moins pour Margaret Mosley, Ann Rayner et Barbara Lee. Mais aussi pour Catherine, et pour Sarah, enfin.

Je repense aux années que Catherine et moi avons passées là-bas. Aux leçons que nous avons apprises et à celles que nous n'avons pas apprises. Je me souviens de la chaleur, de la folie, du sentiment d'aliénation, de notre conscience d'être les étrangers absolus, les indésirables, les méprisés. Ce qu'on faisait là-bas n'était jamais rapporté par la presse. Ce qu'on voyait ne faisait l'objet d'aucune discussion dans les réunions et les commissions du Congrès, n'était jamais annoncé comme le prochain débat lors des séances de ratification et de résolution des Nations unies. Ce qu'on faisait, c'était commettre des crimes contre l'humanité au nom de... Au nom de quoi? J'ai peut-être oublié. Peut-être qu'on ne m'a jamais vraiment expliqué le pourquoi. On nous avait formés, on faisait ce pour quoi on avait été formés, et tout ce que j'ai appris à Langley m'a permis de rester en vie.

Je vous parlerai de tout ça un autre jour. Pas tout de suite. Pour l'instant, je vais rester assis et boire mon café. Je vais fermer les yeux et repenser à Sarah en train de faire des figures, d'honorer la glace avec quelque chose qui frise presque trop la perfection. Je vais entendre la voix de Piaf se gonfler d'émotion et je vais dire une prière pour Catherine Sheridan, en espérant une fois de plus qu'on avait raison.

Demain, c'est mercredi – mercredi 15. Cela fera quatre jours que Catherine est morte. La dernière fois qu'on s'est parlé, j'ai l'impression que c'était il y a des années. Une éternité. On a vécu, certes, mais avec un peu de temps, si c'était à refaire, je reprendrais tout depuis le début, depuis ma mère, depuis mon père – ce qu'il a fait, et comment son geste a hanté ma vie depuis lors.

Et quelque chose d'autre est arrivé. Deux jours avant la mort de Catherine.

Markus Wolf, une des figures mythiques de la guerre froide, est mort dans son sommeil. Il avait 83 ans. Les Russes l'appelaient Mischa, le « Paul Newman de l'espionnage ». Il avait mis en place l'un des réseaux d'espionnage les plus efficaces de tous les temps. Pendant son règne sur la Stasi, il a fait passer plus de quatre mille agents derrière le rideau de fer. La Stasi faisait la même chose que le KGB. Elle appliquait ce que ses prédécesseurs nazis avaient perfectionné. Elle mettait à contribution les talents d'IG Farben et d'Eli Lilly pour l'aider dans ses expériences et, quand la guerre froide s'est achevée, quand le mur a fini par tomber, ses tout meilleurs éléments sont arrivés ici, au cœur même de la communauté du renseignement américain. J'en ai croisé quelques-uns. Des ordures au cerveau malfaisant et à l'allure mauvaise. Ils travaillent pour nous, maintenant. Ils nous montrent comment gagner les cœurs et les esprits des peuples que nous subjuguons. Et si nous n'arrivons pas à gagner leurs cœurs et leurs esprits, comment les soumettre à coups de trique.

Tout ça, je le sais parce que j'y ai participé. Je suis ce que je suis : je suis devenu ce que j'ai tant cherché à fuir.

Un monstre.

19

Vingt heures passées. Miller debout devant son bureau, Roth assis à droite. Lassiter, adossé contre le mur à gauche, était arrivé juste après le coup de fil de Miller. Il leur posa mille questions. Qu'avaient-ils vu? Y avait-il des éléments – même infimes – qui leur donnaient l'impression d'avoir été suivis ou épiés? Natasha Joyce leur avait-elle dit quoi que ce soit laissant penser qu'elle craignait pour sa vie?

Miller lui répondit dans la mesure du possible.

« Je n'ai pas les gens qu'il faut pour ce genre de choses, répliqua Lassiter. Qui est-ce que vous voulez que je colle sur cette affaire? Dites-le-moi, nom de Dieu! »

Ils repassèrent le problème en revue. Lassiter craignait surtout que les journaux n'aient vent de l'affaire. Des inspecteurs qui rendent visite à un éventuel témoin. Le témoin est assassiné par le même homme que recherchent les inspecteurs. Peut-être. Les journaux récriraient l'histoire comme ils voulaient que le monde entier l'entende. À l'image de ce qui s'était passé avec Miller et Hemmings. Corruption interne. Tout le monde couvrant tout le monde.

Les photos retrouvées chez Catherine Sheridan furent disposées sur le bureau. Elles montraient le visage d'un inconnu, soupçonné de crimes terribles, mais peut-être aussi le visage d'un homme qui n'était coupable de rien.

« Donc on situe ces photos à peu près quand ? demanda Lassiter.

— Entre cinq et dix ans avant qu'il soit allé chercher Darryl King avec Sheridan, répondit Roth. Disons vers 1990, dans ces eaux-là. »

Lassiter se leva de son siège pour jeter un coup d'œil sur chacune des photos contenues dans le sachet. Il les examina une deuxième fois. « Il n'y a rien du tout, dit-il. Rien qui nous indique où elles ont été prises. On dirait presque qu'elles ont été cadrées exprès pour qu'on n'ait aucun indice sur le lieu et l'époque.

— C'est ce que je me suis dit », remarqua Miller.

Lassiter se rassit. « Le spécialiste en analyse d'images arrive dans combien de temps ?

— Incessamment sous peu », répondit Roth en consultant sa montre.

Lassiter se pencha, les coudes posés sur ses genoux, les mains devant lui, ses deux index joints, comme dans une prière. « Vous n'avez pas idée du bordel qui va suivre, dit-il sur un ton posé. Cinq bonnes femmes assassinées. Des élections municipales en février… » Il se retourna soudain en entendant quelqu'un derrière la porte. « Entrez ! » aboya-t-il.

La porte s'ouvrit ; un homme se présenta. Environ 45 ans, les cheveux grisonnants, des lunettes. Il identifia aussitôt Lassiter comme le supérieur hiérarchique, s'avança vers lui, main tendue, et donna son nom : Paul Irving. Lassiter lui montra les photos sur le bureau.

« Vous pourriez vieillir ce type-là de dix, quinze ou vingt ans ? »

Irving hocha la tête. « Tout à fait.

— Vous n'avez pas besoin d'y jeter un œil d'abord ? »

Irving sourit. « On peut faire ce qu'on veut avec une photo. » Il se saisit alors de celle qui montrait Catherine Sheridan avec l'inconnu et la brandit. « Vous voyez ce type ? Je peux découper son visage et mettre le vôtre à sa place, et vous ne verrez aucune différence.

— J'ai juste besoin de voir sa tête vieillie. Cette photo remonte vraisemblablement à Noël 1982. Servez-vous-en de référence. Je veux le voir plus vieux, avec des cheveux gris, et avec une moustache aussi, une barbe, à la fois sur tout le visage et seulement sur le menton. Il me faut entre huit et dix versions différentes de sa tête telle qu'elle pourrait être aujourd'hui, et il me faut ça d'ici une heure ou deux. C'est dans vos cordes ? »

Irving acquiesça et commença à rassembler les photos. « Tout à fait. La ville me paiera la facture, n'est-ce pas ?

— La ville vous paiera, dit Lassiter.

— C'est le Tueur au ruban, non ?

— Qu'est-ce qui vous fait penser ça ?

— Le commissariat n° 2, un coup de fil à pas d'heure, aucune question sur mes tarifs… Je ne suis peut-être pas inspecteur de police, mais je ne suis pas débile non plus.

— Je veux que vous gardiez le secret absolu, dit Lassiter. On m'a dit que vous étiez le meilleur pour ce genre de missions, et j'imagine qu'une telle réputation ne repose pas uniquement sur vos compétences techniques, mais aussi sur votre discrétion. »

Irving lui renvoya un sourire sincère. « En effet, on vous a bien renseigné. Pour ce qui est de la discrétion, vous n'avez aucun doute à avoir sur le sérieux de mon travail. »

Lassiter hocha la tête. « Très bien. Faites ce que vous avez à faire. Vous pouvez revenir ici pour 22 heures ?

— Bien sûr. Plus tôt, même, si je peux.

— Ce serait bien. »

Sur ce, Irving s'en alla. Il emporta avec lui toutes les photos, sauf une.

« Depuis quand est-ce que ces choses-là se font hors du commissariat ? demanda Miller. Je pensais qu'on avait des gens chez nous pour faire ça.

— Le budget, rétorqua Lassiter. Ça vous dit quelque chose ? »

Miller balaya la question d'un revers de main. « Du moment qu'on a des résultats. »

Lassiter recula et tira son fauteuil jusqu'au bureau. Les trois hommes demeurèrent silencieux pendant un petit moment, puis Miller demanda s'il pourrait obtenir quelques inspecteurs en renfort pour l'aider à localiser le suspect.

« Je peux vous filer ce que j'ai, c'est-à-dire Oliver, Metz, Riehl, Feshbach... Peut-être Littman, je ne sais pas encore. Vous comprenez, ils ont leurs propres dossiers à suivre. Mais, une fois qu'on aura distribué ces photos aux patrouilles, je peux demander à ces quatre-là de passer des coups de fil, voire de suivre quelques pistes. De toute manière, je n'ai pas assez de personnel.

— Est-ce qu'on peut raisonnablement demander à Killarney de revenir nous filer un coup de main ? demanda Miller.

— Je vais passer des coups de fil et voir ce qu'on peut faire. Mais laissez-moi vous dire que le patron et le cabinet du maire s'attendent à ce qu'on s'occupe de cette affaire nous-mêmes. Je vais téléphoner aux commissariats nº 4 et nº 7, mais ne vous emballez pas trop non plus, OK ? C'est vous qui êtes en première ligne. »

Al Roth eut un sourire narquois. « On se sent vraiment rassurés. »

Lassiter se leva et replaça le fauteuil contre le mur. « Attrapez-moi ce type, dit-il. Il connaissait à coup sûr la mère Sheridan et il a rencontré la petite Joyce au moins à deux reprises. Faites avec ce que vous avez. Travaillez dur et quelque chose d'autre surgira. » Il consulta sa montre. « Il est 20 h 10. Le spécialiste en analyse d'images devrait être de retour avant 22 heures. Voyez s'il a fait du bon boulot. Sinon, dites-lui de recommencer. Je demande à un des responsables informatiques de venir les scanner et les imprimer en autant de centaines d'exemplaires qu'il faudra. Supervisez tout ça et rentrez chez vous. Demain matin à 9 heures, je veux que vous fassiez un topo aux agents de patrouille avant qu'ils s'en aillent et que vous leur passiez les photos en vous assurant qu'ils ont bien compris, d'accord ? » Lassiter hésita une petite seconde, presque comme s'il pensait à autre chose, puis il secoua la tête et s'avança vers la porte. « Vous avez mon numéro de portable. Vous me téléphonez à n'importe quelle heure, entendu ? »

Miller et Roth restèrent un moment assis sans rien dire.

« Tu peux appeler Amanda pour moi ? » demanda Roth.

Miller fit signe que non. « Chacun sa merde. »

Ils ont parlé de sa mort à la télévision. Natasha Joyce.

Ils en ont parlé pendant que j'étais à la cafétéria ; si j'étais parti deux minutes plus tôt, je n'aurais rien vu.

Mais j'ai vu, et je me suis éloigné du carrefour de Franklin Street NW avec la certitude, froide et sereine, qu'ils allaient bientôt me retrouver.

Je crois, curieusement, que mon soulagement sera immense.

20

Irving revint à 21 h 45. Il frappa à la porte, attendit un peu, entra et déposa une lourde enveloppe sur le bureau.

Miller l'ouvrit, la retourna et étala les photos sur la table.

« C'est bon ? demanda Irving.

— Très bien, répondit Miller. Très, très bien. »

Il signa le reçu tendu par Irving ; une fois celui-ci parti, Roth et lui se tinrent côte à côte, les yeux rivés sur le compagnon inconnu de Catherine Sheridan.

Sans aucun doute possible, et malgré les modifications de son apparence, il s'agissait du même homme. Une constante : le regard. Ses yeux étaient toujours les mêmes.

Roth rassembla les clichés, quitta la pièce et disparut pendant presque vingt minutes. Miller se demanda si l'avis de recherche donnerait quelque chose, si quelqu'un à Washington serait capable de reconnaître l'homme qu'ils cherchaient. Et, même dans ce cas, ce dernier pouvait n'être qu'un quidam. Un ami qui avait tout simplement accompagné Catherine Sheridan au cours d'une virée dans la cité pour toucher un mot à Darryl King. Natasha Joyce ne connaissait pas la raison de ces rendez-vous. Darryl King aurait pu fournir la réponse, mais il était mort. La seule personne qui restait, hormis l'homme lui-même, c'était Michael McCullough, le sergent à la retraite. Et cela relevait tout autant de la gageure.

Miller avait besoin de dormir. C'était comme si son cerveau avait été châtié par l'intensité des événements qui s'étaient succédé depuis le 11 du mois. Une frustration quasiment physique, la sensation tangible de pousser quelque chose qui refusait opiniâtrement de céder. Roth travaillait tard, il faisait le même nombre d'heures que lui, mais il avait toujours une bonne raison de rentrer chez lui. Sa femme, ses enfants, sa maison au coin de E Street et de la 5e Avenue. Il y avait une vie après le commissariat n° 2 de Washington, une vie dont Robert Miller se sentait toujours plus exclu.

Il se leva pour aller à la fenêtre. Il contempla la ville, l'œil sec et lourd, la gorge tapissée d'un arrière-goût âcre, métallique.

Il sourit, envahi par une sorte de résignation philosophique, puis il prit conscience de là où il se trouvait, de ce qu'il n'était rien de plus qu'une silhouette découpée par la lumière dans son dos.

Une soudaine décharge électrique le traversa de part en part. Instinctivement, il recula d'un pas et s'éloigna de la fenêtre ; son cœur battait à tout rompre. De sa main gauche, il attrapa la ficelle des stores et tira d'un coup sec, abaissant les lames métalliques.

Il jeta un coup d'œil vers la porte : des pas se faisaient entendre dans le couloir.

Roth apparut. « C'est bon, dit-il. On en aura cent de chaque… » Il s'arrêta et fit une grimace. « Merde, Robert, tu as l'air d'un…

— Tout va bien, répliqua-t-il du tac au tac. Ça va. Je suis juste un peu crevé… »

— Bon, je te disais donc qu'on aura cent exemplaires de chaque photo avant 9 heures demain matin. La réunion avec les mecs des patrouilles aura lieu en bas, dans la salle de conférences. Autre chose pour ce soir ? »

Miller fit signe que non ; au même moment, le téléphone du bureau sonna. Il décrocha. Il écouta un moment, puis dit : « Bien sûr… Monte. »

« C'est Metz, dit-il après avoir reposé le combiné. Il a des choses à nous dire sur les trois premières victimes. »

Ils attendirent quelques minutes sans échanger un mot. Miller sentait la moiteur de ses mains et l'affolement, maintenant un peu calmé, qui lui retournait le ventre. Là-dessus, Metz se présenta à la porte, manifestement gêné aux entournures.

« Qu'est-ce que tu as trouvé ? » lui demanda Miller.

Metz s'assit. « Pas ce que tu as envie d'entendre. Les maisons des deux premières femmes, Mosley et Rayner, étaient toutes les deux louées. Elles le sont maintenant à d'autres locataires, qui les ont complètement réaménagées. La troisième baraque, celle de Barbara Lee, a été entièrement repeinte, elle est toujours inoccupée, mais de nouveaux locataires arriveront la semaine prochaine. Je n'ai retrouvé aucune trace d'enfants vivants, de petits-enfants, d'oncles, de tantes, de cousins, de frères, de sœurs, de parents. Rien. »

Miller se pencha en avant. « Pardon ? »

Metz hocha la tête. « Tu sais ce que je suis en train de me dire ? Qu'elles bénéficiaient d'une protection de témoin. »

— J'y ai pensé, intervint Roth.

— Impossible, lança Miller. C'est dingue… Absolument aucune famille proche ? Pour aucune des trois ?

— Rien, fit Metz. Et leurs biens ont été remis au tribunal des tutelles du comté. Emballés et consignés dans un entrepôt de la banlieue d'Annapolis. J'ai demandé à consulter les inventaires, mais on m'a répondu que je risquais d'attendre un mois avant qu'ils mettent la main dessus...

— Demande un mandat de perquisition, suggéra Miller.

— J'ai demandé, déjà... On doit me répondre demain.

— C'est de la folie. C'est tout simplement de la folie pure... Je n'en reviens pas.

— C'est forcément de la protection de témoin, dit Metz. Forcément. La seule fois où je suis tombé sur un truc pareil, c'était avec des gens qui bénéficiaient de ce dispositif. »

Miller ne répondit pas.

« Autre chose ? demanda Roth.

— Non. Vous n'aurez qu'à suivre la demande de perquisition demain matin. Continuez là-dessus.

— Très bien. Tu peux rentrer à la maison... On a besoin de toi demain à 9 heures, pour un briefing. »

Metz leur souhaita bonne chance et s'en alla.

Miller ne disait toujours rien.

« Alors ? lui dit Roth.

— Je suis sur le cul. Je n'en reviens pas...

— Rentre chez toi aussi. Prends-toi un truc à manger sur le chemin et essaie de dormir un peu. Il n'y a plus rien à faire ce soir.

— Oui, oui.. Tu pars avant moi, d'accord ? »

Roth se leva. « La petite ne peut pas s'endormir tant que je ne lui ai pas souhaité bonne nuit. »

Miller ne répondit pas.

« Je serai ici avant 9 heures, conclut Roth en s'approchant de la porte. Histoire de mettre les choses en place avant que les autres arrivent.

— À demain, alors. »

Miller entendit la pluie qui fouettait les vitres et regagna la fenêtre.

Vers minuit, dans la cuisine de son appartement sur Church Street, Robert Miller se tenait tranquillement adossé contre son évier. La pluie n'avait pas cessé ; elle s'abattait sur la fenêtre derrière lui. Il cherchait à donner un sens à toutes ces choses qui lui rongeaient l'existence, mais sans envisager la suite des événements, ni même ce qu'il adviendrait de lui s'il échouait dans cette affaire. C'était important. Depuis le début, toutes les affaires avaient été importantes, chacune à sa manière ; mais celle-là remportait la palme. Il avait l'impression que tout Washington braquait ses yeux sur lui. Cinq femmes avaient été tuées et personne ne savait pourquoi. Personne n'avait ne fût-ce qu'une vague idée, un semblant d'explication. Sa tâche aurait pu être facilitée par mille choses. Un témoin, par exemple. Rien qu'un seul témoin oculaire, qui aurait pu regarder les photos, répondre à certaines questions, peut-être leur dire s'ils suivaient la bonne piste. Mais non, ils n'avaient rien sur quoi compter, sinon l'espoir et la chance, les deux atouts les plus précieux dont pouvait rêver un policier. Un espoir permanent, une volonté de persévérer méthodiquement malgré les innombrables impasses – et un zeste de chance, le petit quelque chose permettant de soulever un coin du voile et de faire entendre un murmure de vérité.

Miller scruta la nuit épaisse jusqu'à ce que la lumière du jour revienne, sans pouvoir se défaire de cette impression étrange qu'il avait eue au bureau. Comme si on l'épiait. De la même manière qu'on avait épié Natasha Joyce.

Il se doucha, se rasa, s'habilla. À 7 h 15, il était de nouveau dans sa cuisine. Après avoir avalé un toast nature et une demi-tasse de café noir, il retourna au commissariat nº 2 comme s'il retournait vers son foyer spirituel.

Il récupéra les photos destinées aux équipes de patrouille – une centaine de jeux qui en contenaient chacun une demi-douzaine. Les équipes allaient partir dans leurs véhicules, ces véhicules écumeraient le quartier, et les hommes assis sur le siège passager garderaient l'œil ouvert. Il y aurait des appels, des fausses alertes, des gens qui connaîtraient avec certitude le nom et l'adresse de l'homme sur la photo. Et les patrouilleurs remonteraient la piste, ils découvriraient un homme qui ne ressemblerait absolument pas à la photo, ils remercieraient tout le monde, ils s'excuseraient pour le dérangement et reviendraient au commissariat avec la conviction profonde que Catherine Sheridan avait rendu visite à Darryl King en compagnie d'un fantôme. Tel était le monde dans lequel évoluait Robert Miller. On était loin de *NYPD Blue*, des *Experts* ou de *New York, police judiciaire*. Les affaires ne commençaient pas et ne se concluaient jamais en un seul épisode. Dans la vie, ça ne marchait pas comme ça. Elle était laborieuse et fatigante, la vie, elle éprouvait la patience et les nerfs, et on n'obtenait de résultats qu'à force d'assiduité, de labeur et de constance. Et quelquefois, malgré tous ces efforts, on ne trouvait rien.

Miller brieferait Oliver, Metz, Riehl et Feshbach. Il leur dirait de réagir à chaque appel comme s'ils n'en recevraient aucun autre. Il savait que nulle garantie, nul filtre ne pourrait être employé ; qu'il y aurait toujours un gugusse au courant de quelque chose mais qui n'appellerait pas, qui, au moment de composer le numéro, se raviserait et raccrocherait, ou qui, détestant les flics, déciderait que de les aider serait trahir ses principes. Ou qui aurait peur. Peut-être ça, surtout.

Il sortit pour s'acheter un café. Il revint avec et resta assis dans la salle de conférences jusqu'à ce que Roth arrive, sur le coup de 8 h 45.

« Tu as passé la nuit ici ? lui demanda son collègue.

— Tu es censé être inspecteur de police, c'est bien ça ? répondit en souriant Miller. J'ai une chemise d'une couleur différente aujourd'hui.

— On ne dirait pas que tu es rentré chez toi.

— J'ai simplement envoyé mon corps. Je suis resté ici pour essayer d'y comprendre quelque chose et j'ai envoyé mon corps à la maison, sans moi. »

Roth fronça les sourcils. « Je commence à me faire du souci pour toi, tu sais. »

Miller voulut répondre par un bon mot mais un coup frappé à la porte l'arrêta dans son élan.

Carl Oliver et Chris Metz entrèrent.

« On est là pour le briefing, c'est ça ? demanda le premier.

— Exactement, fit Roth. Asseyez-vous. »

Metz regarda sa montre. « À quelle heure on commence ?

— Officiellement à 9 heures.

— Je vais me fumer une clope et boire un café avant qu'on démarre. Vous voulez quelque chose ? »

Miller fit non de la tête. « Rien pour moi.

— Je veux bien une noisette, dit Roth.

— Tu peux toujours aller te brosser. Noir ou crème, il n'y a pas le choix. »

Roth agita la main. « Prends ce que tu veux. »

Metz se retourna et s'en alla.

« Je vais me chercher un cappuccino décaféiné bien chaud, avec une goutte de lait demi-écrémé, un soupçon d'essence d'amande et un petit parasol au-dessus, enchérit Oliver en suivant Metz.

— Allez vous faire mettre, dit Roth dans leur dos.

— Voilà avec qui on travaille, commenta Miller. Voilà les mecs qui vont retrouver le Tueur au ruban.

— La seule chose qui m'intéresse, c'est de savoir qui se trouve derrière tous ces surnoms. Le Tueur au ruban… Putain, tu parles d'un programme : le Tueur au ruban. Une partie du problème avec ce genre de trucs, c'est qu'on crée un mythe autour de ces types… »

Miller leva la main pour l'interrompre. « Ça suffit, Al. J'ai déjà mal à la tête. Je ne peux plus rien entendre. »

Roth hocha la tête d'un air compréhensif. « Je crois qu'il faut que tu tires un coup, mon vieux.

— Il y a plein de choses qu'il faut que je fasse… Et, pour l'instant, tirer un coup doit être à la quinzième place sur la liste de mes priorités. La première, c'est torcher cette réunion et distribuer ces photos. Je ne sais pas pour toi, mais j'aimerais bien faire un petit tour dans les locaux de l'administration pour rencontrer cette fameuse Frances Gray.

— Exact. Ensuite, on retrouve la personne avec qui Natasha a discuté au n° 4. »

Des voix dans le couloir. Le brouhaha et l'agitation d'hommes qui se rassemblaient.

« On est prêts ? Alors c'est parti. »

Un premier groupe d'hommes franchit le seuil de la porte et commença à s'installer. Miller se tenait à l'avant de la salle, à gauche d'une table où s'entassaient des piles de photos.

Lassiter apparut au cours de la deuxième vague, dans les pas de Metz et d'Oliver. Tout le monde baissa immédiatement la voix. D'un hochement de menton, il désigna le fond de la salle. Il venait là pour apporter un surcroît d'autorité, pour rappeler à ces hommes à quel point la situation était grave.

À 9 h 08, tous les policiers avaient trouvé un siège.

Miller s'éclaircit la voix, souleva une des piles et en sortit une photo.

« Cet homme, commença-t-il, est un individu à qui nous devons parler de toute urgence. »

Peut-être est-ce quelque chose de surnaturel peut-être est-ce le simple fruit de mon imagination ou de ma paranoïa, mais je crois qu'ils ne sont pas loin du tout.

Mercredi matin. 15 novembre. Je suis debout devant une classe d'étudiants, et le silence se fait. Il se peut qu'ils croient que j'ai oublié ce que je voulais dire. Il se peut qu'ils s'en moquent éperdument. Ils ne peuvent pas savoir que, pendant ces quelques secondes, je me suis souvenu d'une conversation sur la stabilité, une conversation qui aujourd'hui semble appartenir au passé d'un autre.

« Tu es stable », me dit-il, comme s'il s'agissait d'une chose rare, extraordinaire. Une chose sublime. Une chose qu'il fallait choyer, préserver.

Il s'appelait Dennis Powers. Il avait un visage large, un menton en galoche qui frisait la caricature et un sourire avec trop de dents. C'était un instructeur et, malgré ses 8 ou 10 centimètres de plus que nous, il avait quelque chose de compact, de sec et de nerveux. Il dégageait quelque chose qui me faisait peur. Avec lui, j'avais l'impression que je devais être prêt à tout, et plutôt au pire.

« C'est un type bien », m'avait dit Catherine la veille. Elle portait de nouveau son béret turquoise, elle était en route pour quelque part, elle tenait des livres sous le bras, et tout ça aurait pu ressembler à une scène sur n'importe quel campus universitaire de la côte est. C'était bien le cas ; on était des étudiants, mais ce qu'on étudiait ne figurait dans aucun programme de l'Ivy League. Géopolitique et affaires internationales. Lutte contre l'infiltration communiste. Subversion. Coups d'État militaires. Assassinats...

Tout cela se passait en avril 1981, environ trois mois avant mon vingt-deuxième anniversaire, et j'y croyais déjà. C'était de l'endoctrinement, du lavage de cerveau, de la propagande – appelez cela comme vous voudrez –, mais c'était subtil, et ça marchait. Avant même que Catherine et moi commencions à bien nous connaître, on était plongés dedans jusqu'au cou. Avant même qu'ils nous demandent d'aller sur le terrain, on était enrôlés, embrigadés, adoubés, acceptés et prêts à l'emploi. Avant le mois de juillet de la même année, alors qu'on montait dans l'avion tous les deux, la conviction que l'on agissait bien coulait dans nos veines.

« Il doit forcément y avoir quelque chose en toi, me dirait un jour quelqu'un bien des années après. Quelque chose en toi qui est fondamentalement d'accord avec les saloperies qu'ils commettent là-bas pour que tu aies été impliqué dès le départ. Les bergers, les lecteurs, les formateurs... Ils savent tous comment le trouver, ce quelque chose, et ils le repèrent comme si tu avais un panneau clignotant sur le front. »

Plus tard je comprendrais, mais encore aujourd'hui je ne sais pas ce qu'ils ont décelé précisément en moi. Peut-être un désaccord fondamental avec la manière dont la vie m'avait été jetée en pleine face. Peut-être la mort de mes parents – ou, mieux encore, les circonstances de leur mort – et la façon biaisée dont j'y ai été mêlé. Peut-être la folie de mon père. « Il devait quand même être un peu déjanté pour faire ce qu'il a fait », me disait Catherine, et je ne pouvais qu'être d'accord. Ce qu'il a fait relevait de la folie, mais en même temps je comprenais, et c'est peut-être ça qu'ils ont décelé en moi, car ce dimanche-là, le jour où j'ai rencontré Dennis Powers pour la première fois, il m'a regardé droit dans les yeux, bien en face, et il m'a dit que j'étais quelqu'un de stable.

« C'est essentiel, la stabilité », me dit-il avant de sourire. Je pensais qu'il avait dans les 45, 50 ans, mais plus tard il m'a expliqué à quel point il était jeune quand il est parti au Vietnam en 1967...

« *J'avais à peine 20 ans en 1967. Plus jeune que toi aujourd'hui.* »

Dennis Powers était né en 1947. Quand je l'ai rencontré en avril 1981, il avait donc 34 ans. Le fait qu'il paraisse beaucoup plus âgé m'a fait peur, comme si trois ou quatre autres vies s'étaient sédimentées, strate après strate, sous sa peau.

« *Je pourrais te raconter un peu ce que j'ai vu, mais je n'ai pas envie. Franchement, personne n'a envie de connaître les choses que j'ai vues.* »

J'ai levé les yeux, haussé un sourcil.

Dennis m'a souri. « *Tu vas me dire que tu as vraiment envie d'entendre certaines histoires, pas vrai ? Tu as envie d'entendre toutes les horreurs dont j'ai été témoin, parce que ça te permettra de mettre les choses en perspective. C'est bien ce que tu vas me dire, non ?* »

Il ne m'a pas laissé le temps de répondre.

« *Je ne vais pas te raconter cette merde, mais je vais te dire autre chose. Ce que j'ai vu là-bas...* » *Il a hoché la tête en direction de l'enceinte du bâtiment de Langley, comme si tout ce qui se trouvait derrière ces murs appartenait à un monde lointain, étrange.* « *Là-bas, c'est de la folie pure et simple* », *a-t-il repris calmement. Il énonçait des vérités universelles, les transmettant de génération en génération.* « *Là-bas, c'est le début d'un monde auquel tu ne voudrais même pas appartenir. Le monde qui nous attend, tu ne voudrais jamais que tes enfants le connaissent. La planète, les gens s'en branlent. La seule chose qui les intéresse, c'est le fric, le cul, la drogue, plus de fric, plus de cul. Il faut que les gens se réveillent, bordel ! Mais avec la télé et toutes les merdes qui les aident à s'endormir, ils ne vont jamais ouvrir les yeux et voir ce qui se passe autour d'eux. Tu comprends ce que je veux dire ?* »

J'ai acquiescé.

« Bien sûr que tu comprends. »

On était dans une annexe d'un des principaux bâti-ments. Par la fenêtre, je pouvais voir des gens passer.

« Tu fais partie de ça, mon ami. Jusqu'à ce que tu ailles là-bas et que tu voies ce que certains êtres humains sont capables de faire à d'autres... Eh bien, tu n'en as pas la moindre idée. »

Je ne disais rien.

« Je te file un flingue, a-t-il enchaîné. Je te file un flingue et je te renvoie dans les années vingt, d'accord ? Tu te retrouves quelque part en Europe – en Autriche ou en Allemagne – et je te montre un bar. Je t'explique que dans ce bar il y a un type assis, et que tu dois entrer là-dedans, sortir ton flingue et tirer dans la tête de cet enfoiré qui est assis là à boire sa bière. » Dennis Powers s'est arrêté un instant et m'a regardé. « Si je te demande de faire ça, tu le fais, n'est-ce pas ? »

J'ai eu un rire nerveux. « Non. Je ne le fais pas.

— Alors si je te dis que le mec assis au comptoir s'appelle Adolf Hitler. Tu entres dans le bar et tu le vois assis en train de boire sa bière, et tu as un calibre 38 dans la poche... Qu'est-ce que tu fais ? »

J'ai souri et hoché la tête. « Je fonce vers lui et je lui tire une balle dans la tête.

— Sans hésitation ?

— Sans aucune hésitation.

— Pourquoi ? »

La réponse me paraissait évidente. « Vingt, trente·mil-lions de personnes échapperont à la mort si je tue Adolf Hitler.

— Tu es sûr de ça ?

— Sûr et certain. »

Powers a acquiescé lentement. « OK, OK. On a main-tenant une mesure étalon pour ce genre de choses. Adolf Hitler, aucune hésitation, donc ?

— Bien sûr.

— Et Staline ?

— Même chose : aucune hésitation.

— Gengis Khan, Caligula, Néron, l'empereur Guil-laume ?

— Évidemment que oui... Merde, tous autant qu'ils sont, je pense.

— Et Churchill ?

— Winston Churchill ? Bien sûr que non.

— En 1914, on l'appelait "le Boucher de Belfast". Il a envoyé la troisième escadre de guerre au large des côtes nord-irlandaises. Il a envoyé des navires de guerre dans le port et ordonné de faire bombarder la ville... »

J'ai secoué la tête. « Tu mets sur le même plan quelques événements négatifs et un nombre considérable d'événe-ments positifs.

— Donc tu es en train de me dire qu'on devrait juger les actes de ces gens-là à la lumière de l'histoire, afin de déterminer s'ils ont fait plus de bien que de mal, et s'ils ont fait plus de mal...

— Alors il est de toute façon trop tard pour faire quoi que ce soit, ai-je répondu en souriant.

— D'accord. Ce qui pose la question de savoir qui décide de ça, et quand.

— À supposer que de telles décisions doivent être prises. »

Powers a regardé un instant par la fenêtre et, avant même de se retourner vers moi, il m'a dit à voix basse. « Elles existent, ces décisions. Elles existent pour de vrai, il y a des gens qui les prennent, et, à l'heure où je te parle, des décisions comme ça sont prises à trois cents mètres d'ici. Une fois qu'elles seront prises, des gens vont être envoyés pour en gérer les conséquences... Maintenant laisse-moi te dire quelque chose, John. » Il s'est enfin retourné pour me regarder droit dans les yeux. « Ces gens-là sont très intéressés par le rôle que tu pourrais jouer dans ces conséquences.

— Le rôle que je pourrais jouer ? Comment ça ?

— Tu n'es pas idiot. Tu sais très bien ce qui se passe ici depuis quelques semaines. Certaines personnes avec qui tu es arrivé ont disparu, pas vrai ? Tu les vois un jour, le lendemain elles ne sont plus là – elles n'ont pas réussi. Mais, toi, pour l'instant, tu as réussi, et aujourd'hui tu te retrouves en face de moi, et je vais te demander de prendre une décision, la plus importante de ta vie. Si tu choisis tel chemin, ta vie vaudra le coup d'être vécue ; si tu prends un autre chemin... Eh bien, dans ce cas ta vie sera ce que tu décideras qu'elle sera, mais c'est sûr qu'elle ne sera pas du tout comme elle aurait pu être. »

Sur ce, il s'est interrompu, puis m'a adressé un sourire compréhensif. « Cette fille avec qui tu traînes... Comment s'appelle-t-elle déjà ? »

Je n'ai pas répondu.

« Allez, mon vieux. Tu crois qu'on n'est pas au courant de tout ce qui se passe ici ? Elle s'appelle Catherine Sheridan.

— Pourquoi me poser la question si tu sais ? »

Powers a rigolé. « Il faut que tu abattes les murs autour de toi, mon vieux. Tu dois apprendre à faire confiance aux gens. Tu fais confiance à Lawrence Matthews, n'est-ce pas ?

— Bien sûr.

— Et à Don ?

— Don Carvalho... Oui, j'ai confiance en lui. Je ne suis pas forcément d'accord avec tout ce qu'il dit, mais...

— Faire confiance ne veut pas dire être d'accord. Il n'est pas question qu'on ait tous la même vision du monde. Putain, qu'est-ce que ce serait si tout le monde était d'accord avec tout le monde ? Non, il s'agit d'avoir la même attitude face aux choses, d'avoir suffisamment d'attitudes communes pour pouvoir prendre une décision sur tel ou tel sujet, et enfin d'agir.

— Par exemple ?

— Très bien, on va un peu voyager. Par exemple en Amérique du Sud.

— En Amérique du Sud ?

— Mais oui, bordel ! Pourquoi pas ? C'est un endroit du tonnerre. Pour l'instant c'est une zone de conflits à la con, mais les paysages sont quand même toujours aussi beaux.

— Et donc ?

— Eh bien, c'est là que ta petite amie va aller en juillet.

— Ce n'est pas ma petite amie.

— D'accord : c'est là que Catherine Sheridan, dont tu voudrais qu'elle soit ta petite amie, va aller en juillet.

— Pourquoi ?

— Parce qu'on a besoin qu'elle aille là-bas.

— Pour quoi faire ?

— Pour remettre certaines pendules à l'heure. Pour qu'elle joue son rôle dans la partie. Qu'elle fasse la différence autant que possible. Mais la raison fondamentale, c'est qu'elle a envie d'y aller.

— Et tout ça pour me dire quoi ?

— Tout ça pour te dire que je pense que tu devrais y aller avec elle.

— Qu'est-ce que j'irais foutre en Amérique du Sud ? lui ai-je demandé, avec un soupçon de défi dans ma voix, *uniquement parce que le ton qu'il employait me donnait envie de le défier.*

— Qu'est-ce que tu irais faire en Amérique du Sud? »
Dennis Powers m'a lancé un sourire complice. « Tuer Adolf Hitler. Voilà ce que tu irais faire. »

21

« Hier après-midi, vers 16 h 45, commença Miller, une jeune femme du nom de Natasha Joyce a été retrouvée assassinée chez elle, dans son appartement de la cité qui est située entre Landover Hills et Glenarden. Elle avait 29 ans et une petite fille de 9 ans nommée Chloe. Pas de mari, pas de concubin connu. Le père de la gamine, un héroïnomane qui s'appelait Darryl King, a été tué en octobre 2001. »

Miller regarda les hommes réunis devant lui. Des vétérans blanchis sous le harnais, tous sans exception vaccinés contre ce genre de choses. Rien de nouveau sous le soleil. Une bonne femme assassinée. Une Noire de la cité, mère célibataire, mari décédé, sans personne pour s'intéresser à elle, personne pour s'en occuper, et certainement sans personne d'autre que sa fille pour assister à l'enterrement.

Miller s'éclaircit la gorge. « Et ce drame est arrivé quatre jours après le meurtre de Catherine Sheridan, retrouvée morte dans sa maison de Columbia Street NW. Vous n'êtes pas sans savoir que les journaux ont surnommé l'assassin le Tueur au ruban. Il laisse en effet un ruban noué autour du cou de chacune de ses victimes. Il les tabasse sauvagement, les étrangle et laisse un ruban. Dans le cas de notre toute dernière victime, il n'y avait pas de ruban, mais il se trouve qu'elle était liée de très près à l'enquête. Le fait que nous l'ayons interrogée a peut-être permis au meurtrier de savoir où elle habitait. »

Un agent leva la main. « Y a-t-il un lien connu entre les victimes ?

— Des liens de circonstance, mais rien de probant. On cherche un homme non identifié, d'âge inconnu, *a priori* entre 40 et 55 ans, et apparemment aperçu à proximité de la quatrième victime il y a cinq ans de cela. Cet homme, Natasha Joyce l'avait identifié devant Al Roth et moi-même comme étant celui qui avait accompagné Catherine Sheridan lors de plusieurs visites effectuées dans la cité de Glenarden en septembre et octobre 2001. Ils étaient allés là-bas pour entrer en contact avec le petit ami de Natasha Joyce, le fameux Darryl King… »

Le même agent leva encore la main. « Donc il y a un lien entre la troisième et la quatrième victime.

— Je répète : uniquement un lien de circonstance. Mais on dispose maintenant d'une photo de cet homme, et il semblerait qu'il ait connu à la fois Joyce et Sheridan. On a d'ailleurs retouché plusieurs photos de lui pour savoir à quoi il ressemblerait aujourd'hui. Il s'agit là d'évaluations fondées sur une estimation de son âge. »

Roth se leva de sa chaise et commença à distribuer les jeux de photos.

« Prenez-les avec vous aujourd'hui, continua Miller. Et même tous les jours. Parlez avec les gens, montrez-leur les photos… Et voyez si quelqu'un reconnaît cet homme. »

Lassiter se leva à son tour et traversa toute la salle pour rejoindre Miller. « C'est une mission prioritaire, dit-il. Entre deux enquêtes, entre deux appels, je veux que vous montriez ces photos dans vos zones de patrouille. Interrogez les gens que vous connaissez. Allez voir les commerçants, les employés de supermarché, les patrons de bar… Bref, vous connaissez la musique. J'ai besoin d'être informé dès que quelqu'un reconnaît ce bonhomme, et si vous avez un petit élément, n'importe quoi, vous prévenez Oliver, Metz, Feshbach ou Riehl. Ils feront la liaison avec Roth et Miller. Tout doit passer par ici. Je dis bien : tout.

— Et si on le voit ? demanda un autre agent.

— Si vous le voyez… » Lassiter réfléchit un instant. « Eh bien, si vous le voyez, je veux que vous le suiviez jusqu'à ce qu'il puisse être appréhendé en douceur. On doit le considérer comme un individu armé et dangereux. N'éveillez aucun soupçon chez lui et contactez-nous sur-le-champ. Donnez le maximum de détails mais assurez-vous bien qu'il est suivi. S'il s'enfuit, coursez-le. S'il tire, répliquez. Il nous le faut si possible vivant et capable de répondre à nos questions. Dès que vous recevez un appel, vous composez le 9, et le standard saura qu'il faut vous mettre en rapport avec le premier inspecteur disponible. Si vous n'avez pas d'autres questions, je vous libère. »

L'ensemble des inspecteurs et des agents commença à quitter la salle. Lassiter s'avança. « Vous quatre, dit-il en désignant Feshbach, Riehl, Metz et Oliver. Vous poursuivez vos missions de routine, mais vous devez gérer tous les appels qui concernent ce type. Je vous ai collé deux agents en renfort au cas où vous seriez tous occupés ; mais je préférerais que vous vous organisiez de manière à ce qu'au moins l'un d'entre vous soit toujours ici. J'ai besoin de quelqu'un de confiance pour faire le lien avec le central si les patrouilles doivent être envoyées quelque part.

— Je me dis qu'on ferait mieux de travailler hors du central si on est tous sur le coup », répondit Metz.

Lassiter acquiesça. « Vous vous démerdez au mieux. Si quelqu'un vous cherche des noises, vous dites que j'ai donné mon feu vert. Soyez prêts. On va avoir besoin de toute l'organisation et de la coopération nécessaires pour gérer l'afflux de boulot. » Il agita la main en direction des photos posées sur le bureau derrière lui. « Rien qu'à Washington, il doit bien y avoir cent mille types entre deux âges qui peuvent correspondre à ce profil.

— Des heures sup ? demanda Riehl.

— S'il le faut. Dans ce cas, j'essaierai de faire en sorte qu'on vous les paie. Mais soyez sages, d'accord ? S'il est tard et que vous n'avez pas d'appels, je n'ai pas besoin de vous avoir tous les quatre au tarif de nuit. »

Metz hocha la tête. Riehl fit une remarque que Miller n'entendit pas. Puis les quatre hommes sortirent de la salle en file indienne.

Lassiter se tourna vers Miller. « Bon, c'est quoi le programme pour vous deux ?

— Retrouver la personne à qui Natasha Joyce a parlé au commissariat n° 4, et puis cette Frances Gray, au siège de l'administration, pour qu'elle nous aide sur le dossier McCullough.

— Il venait de quel commissariat ?

— Du n° 7, répondit Roth.

— Et quand est-il parti ?

— En 2003… Mars 2003, je crois. »

Lassiter fronça les sourcils. « 2003… 2003… Je crois que Bill Young travaillait encore au n° 7 en 2003. Si vous avez du mal, passez-moi un coup de fil. Bill Young est parti à la retraite mais j'ai son numéro quelque part. Il doit se souvenir de tous ceux qui étaient là-bas.

— C'est toujours bon à savoir, dit Miller. On va faire nos recherches et on revient.

— Voyez aussi ce qu'ils ont installé au central. Assurez-vous bien qu'ils ont tout ce qu'il leur faut, assez de téléphones et tout le bazar… Tenez-moi au courant dès que quelque chose bouge, d'accord ? Je veux recevoir trois ou quatre appels par heure. »

Là-dessus, il quitta les lieux.

Miller attendit que le bruit de ses pas ait disparu pour s'affaler sur une chaise. Il prit une longue inspiration, les yeux fermés. « Je me suis penché au-dessus de son corps, dit-il. Natasha Joyce. Hier, je suis entré dans la chambre, j'ai regardé cette fille et je n'ai pas pu m'empêcher de penser à sa gamine. » Il regarda Roth. « 9 ans. Née dans une cité, avec un père junkie tellement dans la merde qu'il termine indic et se fait buter pendant une descente... Un truc dans lequel il n'avait certainement rien à faire, en tout cas pas que je sache. Il meurt, la petite est élevée par sa mère, avec tout ce que ça implique, et la mère elle-même se fait dézinguer par ce type. Elle se retrouve maintenant avec un père toxico mort et une mère victime d'un célèbre tueur en série. » Il ouvrit les yeux et se redressa. « Qu'est-ce que c'est que cette merde, tu peux me dire ? Comment est-ce qu'on peut souhaiter une vie aussi pourrie à quelqu'un ? Maintenant, elle est avec les services d'aide à l'enfance. Elle va finir pupille de la nation, dans un établissement pour jeunes, et puis elle va être trimballée d'un foyer à l'autre... »

Il poussa un long soupir, un soupir qui exprimait l'épuisement et l'abattement.

Roth se pencha et lui prit la main – pour le rassurer, lui dire d'être patient. « Je vais te dire un truc, mon vieux...

— Quoi ? Tu vas encore me dire que je devrais baiser plus souvent ? »

Roth éclata de rire. « Non... Enfin ce n'est pas si loin que ça, si tu veux savoir. Ce que je veux dire, c'est que tu manques de stabilité. Moi aussi, je me tape ça toute la journée, pas vrai ? Je me tape les minables et les petites frappes, je vois les dingues et les désespérés, et tout ce que le monde décide de nous balancer à la gueule chaque lundi matin. Mais il y a une différence fondamentale entre toi et moi.

— Tu as une femme et des enfants. Merci, je suis au courant. Combien de fois je vais devoir encore entendre ça ? »

Roth leva la main. « Tu te souviens du week-end avant la mort de Sheridan ?

— Bien sûr que je m'en souviens. C'était le combien, déjà ? Le 4 ou le 5 ?

— Le 4. Le samedi 4.

— Bon, et alors ?

— Qu'est-ce que tu faisais ce jour-là ? »

Miller secoua la tête en grimaçant. « Putain, qu'est-ce que j'en sais ? Comment veux-tu que je me rappelle ce que j'ai foutu l'avant-dernier samedi ? »

Roth lui adressa un sourire entendu. « C'est précisément ce que je veux t'expliquer.

— Quoi ? Que j'ai une mémoire de merde ?

— Mais non. Que tu n'as rien fait qui mérite qu'on s'en souvienne.

— Donc tu es en train de m'expliquer que je n'ai pas de vie ?

— Exactement… Et tu le sais très bien.

— Ah voilà ! on arrive enfin au cœur du sujet, dit Miller sur un ton railleur. Bon, et toi, qu'est-ce que tu as foutu ce jour-là qui soit tellement mémorable ?

— Le samedi matin, on est allés voir la famille d'Amanda pas loin d'Alexandria Old Town. Ils avaient organisé une excursion pour les gamins sans nous prévenir, une visite au parc national de la Shenandoah, avec un hôtel où on a passé la nuit, et la vue la plus démentielle que tu puisses imaginer. Franchement, c'était incroyable. Absolument incroyable. Au milieu de l'après-midi, on était au pied des monts Blue Ridge, le père d'Amanda portait Abi sur ses épaules, Amanda marchait à côté de Luke, et Stacey était un peu derrière avec la mère d'Amanda. Je me suis arrêté un moment pour regarder le mont Bearfence et j'en ai eu le souffle coupé. Entre nous, quand tu vois un truc pareil, tout paraît évident, tout ce à quoi tu essaies d'échapper et dont tu sais que tu vas y revenir très vite, tout ce fardeau s'allège un peu. L'hôtel dans lequel on logeait était une maison du XIXᵉ restaurée… »

Miller leva la main. « Ça suffit. On va voir Frances Gray au siège de l'administration de la police. Voilà ce qu'on va faire.

— Mais je n'ai pas fini de te raconter… »

Miller sourit. « Si, si, tu as fini, mais tu ne t'en rends pas compte. Allez, viens, mets ton manteau. »

Sur ce, il boutonna sa veste, récupéra son pardessus qui traînait sur un coin de table, à l'avant de la salle. Avant même que Roth ait eu le temps de réfléchir, Miller l'attendait déjà dans le couloir.

« Putain, ce mec n'est pas normal, marmonnait Roth dans sa barbe. Vraiment pas normal. »

« Je ne comprends pas », dis-je.

Catherine se déplaça un peu sur sa droite et libéra sa jambe calée sous ses fesses. Elle était assise en face de moi, sur son canapé, chez elle ; moi, j'étais par terre, les jambes croisées, le dos au mur, la tête inclinée, de sorte que je fixais le plafond en parlant.

« Qu'est-ce que tu ne comprends pas ? »

Je ne voulais pas la regarder.

« Qu'est-ce qu'il t'a dit, John ?

— Dennis ? Il m'a expliqué qu'on devrait aller là-bas, toi et moi. Que j'avais intérêt à travailler avec quelqu'un, histoire d'apprendre le métier sur le tas... Comment est-ce qu'il peut utiliser ce terme pour une chose pareille ?

— Quel terme ?

— Apprendre le métier sur le tas, bordel... Alors qu'il est en train de me parler d'un truc qui s'apparente à un assassinat... à un meurtre. »

Le sourire de Catherine, je le perçus plus que je ne le vis vraiment. « Ça ne s'apparente pas à un assassinat ou à un meurtre. C'est un assassinat ; c'est un meurtre.

— Et tu trouves ça justifié ?

— Sans aucun doute. »

Il y avait de la certitude dans sa voix. Ça a toujours été le cas avec Catherine – même au pire moment, même à la toute fin : Catherine Sheridan était l'incarnation même de la certitude.

« Sans aucun doute ?

— Regarde-moi un peu. »

Je baissai les yeux et la regardai bien en face.

« Il t'a montré les films ? »

Je fis signe que non. « Il m'a dit qu'il m'en montrerait ce soir.

— Va les voir. Va voir un peu ce que ces gens font. Ces gens sont... » Elle parut soudain très en colère. « Putain, *je ne sais même pas comment les décrire. Regarde ces films, et vois ensuite si une action exécutive te semble ou non justifiée.*

— Une action exécutive. C'est comme ça qu'on dit maintenant ?

— Je crois que ça s'est toujours appelé comme ça. »

Je me tus un moment. Derrière ces murs, il y avait des gens qui ignoraient tout de ce qui se passait. Peut-être que l'immense majorité de la population préférait croire que ce genre de conversations n'avaient jamais lieu. Les gens ne discutaient pas d'assassinats ou de meurtres politiques. Ils ne prenaient pas de décisions concernant les vies d'autres gens – de gens qu'ils ne connaissaient pas, ne connaîtraient jamais, ne verraient qu'une fois, et, encore, uniquement à travers une lentille de téléscope, au centre d'un collimateur, au moment d'appuyer sur la détente.

« Eh bien ? demanda Catherine.

— Je réfléchis.

— Tu évalues le problème d'un point de vue éthique et moral ?

— Exact.

— Tu saisis la différence entre l'éthique et la morale ? »

Je haussai les épaules.

« La morale, ce sont les règles et les codes édictés par la société. Tu ne tueras point. Tu ne voleras point. D'accord ?

— Oui, bien sûr, je connais ça.

— Eh bien, l'éthique, c'est autre chose. L'éthique porte sur les décisions que l'on prend lorsqu'on est confronté à une situation ultraconcrète. Quelqu'un entre chez toi par effraction, armé d'un couteau. Il prend ton enfant en otage. Toi, tu as un revolver. La voie est libre, tout est

clair, juste devant toi, tu sais avec certitude que tu peux tirer une balle dans la tête de ce type et que tout sera terminé. Alors qu'est-ce que tu fais ?

— *Je l'abats.*

— *Tu es sûr ?*

— *Bien sûr que je suis sûr... La légitime défense, non ? »*

Catherine sourit et secoua la tête. « *Non, pas la légitime défense – l'éthique. La morale te dit que tu ne peux pas le tuer. L'éthique t'y autorise. Tu as signé un pacte pour obéir à la morale de la société, et la société affirme que tu ne dois pas tuer les gens. Mais là, mon coco, tu viens de tuer quelqu'un.*

— *C'est différent.*

— *Pourquoi ?*

— *Parce que le type était prêt à tuer mon gamin. Il fallait que je le tue pour protéger la vie de ceux que j'aime.*

— *Et si c'étaient des inconnus ? »*

J'éclatai de rire. « *Tu es forte, tu sais ? Tu parles exactement comme Matthews, comme Carvalho, comme Dennis Powers. Ils t'ont vraiment...*

— *Ouvert les yeux, John. Voilà ce qu'ils ont fait : ils m'ont ouvert les yeux et m'ont donné la chance de voir quelque chose que je n'avais jamais vu jusqu'ici. J'ai vu des saloperies qui me donnent honte d'appartenir à l'espèce humaine. Quand je vois tout ça, je me sens totalement inutile. Impuissante, tellement impuissante. J'ai envie d'agir.*

— *Donc maintenant tu as vu la lumière et Dennis Powers t'a montré comment tu peux rétablir l'équilibre...*

— *Ne sois pas aussi sarcastique. Merde, écoute-toi un peu parler. Tu as l'air tellement naïf, John. Et puis je n'ai même plus envie d'en parler. Fais ce que tu as à faire.*

J'ai pris ma décision. Ce n'est peut-être pas la bonne ni la meilleure, mais au moins j'ai assez de recul par rapport à cette connerie pour être en mesure de prendre une décision. »

Pendant quelques instants, je ne fus plus qu'un enfant, convié à s'asseoir avec les grandes personnes, uniquement pour dire des horreurs et gêner tout le monde.

« Et oui, j'ai en effet parlé avec Carvalho et Dennis Powers. Oui, j'ai vu les films, qui sont peut-être de la propagande bidon, mais ce n'est pas ce que je me suis dit en les voyant. » Elle agita la main d'un air méprisant. « Vas-y, me dit-elle. Va croire ce que tu veux et, quand tu auras pris ta décision, tiens-moi au courant, d'accord ? »

Je ne bougeai pas.

Catherine reposa les pieds par terre et se pencha en avant. « C'est ici chez moi, John. Je te demande de partir. Tu comprends ou il faut que je te fasse un dessin ? »

J'étais décontenancé, ça se voyait, et elle éclata de rire.

« On dirait un enfant de 12 ans ! Je te demande de partir. Ce n'est pas assez clair ? »

Je secouai la tête, résigné. « Je suis vraiment désolé si... »

Catherine leva la main, paume tournée vers moi : stop. « Ça suffit, dit-elle sur un ton péremptoire. Va voir ces films. Si tu as autre chose à me dire après, alors reviens me voir et dis-moi. » Son regard ne tremblait pas, son expression était dure. « La vérité ? Tu veux savoir la vérité ?

— Bien sûr que je veux savoir la vérité. Pourquoi est-ce que tu crois que je suis ici ? Tu penses que j'ai arrêté la fac et que j'ai fait tout le trajet jusqu'ici pour le plaisir ?

— La vérité, c'est que tout ça est plus grand que nous deux, plus grand que n'importe qui ici. C'est comme la vieille formule, pas vrai ? Le tout est plus que la somme

de ses parties. Tu as déjà lu du Truman Capote ? Figure-
toi qu'il a écrit un livre qui s'appelle Prières exaucées.
Le titre s'inspirait d'un vieux dicton, un truc comme quoi
les prières exaucées font couler plus de larmes que les
prières non exaucées. Tu piges ?

— *Bien sûr que je pige, dis-je en souriant.*

— *Encore un autre proverbe : "Si Dieu te hait vrai-*
ment, Il exaucera ton vœu le plus cher."

— *C'est très cynique.*

— *Peut-être bien, mais très vrai, aussi. Et tu sais quoi ?*
Je suis ici, John. Mon vœu le plus cher a été exaucé. Je
regardais autour de moi et je ne voyais qu'une partie de
ce qui se passait dans le monde, et je me disais qu'il n'y
avait que moi, dans mon coin. Je voulais faire quelque
chose, vraiment, mais, tu comprends, je n'étais qu'une
fille toute seule dans son coin. 23 ans, tout droit sortie de
sa petite ville américaine ordinaire, et quelqu'un vient me
voir pour me dire que je ne suis peut-être pas *toute seule,*
que je peux faire quelque chose, et que si des questions
morales se posent, ce n'est pas grave parce que l'éthique
y répond pleinement. Je ne te parle pas d'une seule exis-
tence, d'un seul individu... » Elle s'arrêta un instant. Ses
joues étaient un peu échauffées, ses yeux illuminés par
une lueur intérieure. « Je te parle d'un pays, bordel de
Dieu, d'une nation tout entière ! Enfin quoi, tu ne vois pas
ce qui est en train de se passer ? Je te parle d'une situa-
tion dans laquelle on peut faire quelque chose contre les
injustices qui règnent là-bas...

— *Mais les injustices qui règnent ici ? Il y a autant*
d'injustices en Amérique que dans n'importe quel autre
pays du monde.

— *C'est vrai, l'Amérique a ses problèmes aussi. On*
le sait bien. Mais ce sont des problèmes mille fois plus
sophistiqués, mille fois plus complexes : l'immigration

clandestine, la corruption au sein de la police, du cabinet du maire, du gouvernement. Tu veux parler de la justice arbitraire, ce genre de choses ?

— Exactement. Et ces problèmes-là me paraissent tout aussi importants que ceux d'ailleurs. »

Catherine me sourit. « Tu ne comprends pas, John. À un point qui me sidère. Pour que la justice soit arbitraire, il faut quand même qu'il y ait une justice. Avant qu'un policier se fasse corrompre, il faut qu'il y ait un policier. Moi, je te parle de communisme, de l'infiltration communiste à travers toute l'Amérique centrale, jusqu'au Mexique. Dans combien de temps est-ce qu'on aura des soulèvements communistes au Honduras ? Ensuite, ce sera au tour du Salvador et du Guatemala, puis, plus au sud, ce sera le Costa Rica, et, avant même que tu t'en rendes compte, le canal de Panamá sera aux mains des communistes…

— Qu'est-ce que tu me racontes, Catherine ? Que pour empêcher les communistes de contrôler la planète entière, il faut qu'on aille ensemble là-bas, toi et moi, et qu'on apprenne à manier les armes à feu, à faire tout ce qui s'impose pour…

— Il y a des gens qui doivent mourir, John. C'est comme ça. Il faut regarder les choses en face, bordel. Ouvrons les yeux et voyons ce qu'il y a devant nous. Il y a des gens, là-bas, qui tuent d'autres gens, et ils les tuent sans réfléchir ; ils n'en ont rien à foutre, des droits de l'homme ou de l'éthique, ou de quoi que ce soit qui s'approche des concepts moraux qui nous paraissent à nous évidents. Et, nous, on peut faire quelque chose contre ça, et je me disais que, toi et moi, on pourrait aller là-bas et apporter un petit quelque chose… »

Je levai mes deux mains, en un geste qui se voulait à la fois une invitation au calme et une volonté d'arrêter

290

là la conversation. Du moins dans l'immédiat. « J'y vais, fis-je en me levant. Je vais aller voir Dennis Powers et ces fameux films. On se reparle plus tard. »

Je me retournai pour m'avancer vers la porte de l'appartement. Je savais qu'elle allait me dire quelque chose, tenter sans grande conviction de s'excuser pour avoir été tellement sermonneuse et arrogante. En tout cas je le croyais. J'hésitai même une seconde devant la porte afin qu'elle puisse dire quelque chose ; mais elle ne me dit rien.

Je ne connaissais pas Catherine à ce moment-là. Je croyais la connaître mais je me fourrais le doigt dans l'œil. Après coup, je me suis dit que Powers avait préparé tout ce scénario avec elle. « Et s'il dit ceci ou cela, qu'est-ce que tu dois répondre ? » Or je me trompais. Personne n'avait jamais expliqué à Catherine Sheridan quoi dire ou quoi faire. Vingt ans avant, elle aurait traîné avec les hippies de Haight-Ashbury à San Francisco, juste assez longtemps pour se rendre compte qu'avec ces gens-là tout n'était que bavardage, jamais action. Ils voulaient la révolution mais ils étaient trop défoncés pour fabriquer des cocktails Molotov. Catherine, elle, voulait se battre pour quelque chose et contre autre chose. Elle voulait vivre une vie mémorable. Elle citait même Martin Luther King : « L'injustice où qu'elle soit menace partout la justice. »

Après avoir vu les films, le soir même, je savais, sans l'ombre d'une hésitation, que c'était elle.

21 ans, et la vraie vie allait bientôt me percuter de plein fouet.

22

Croisement de A Street NE et de la 6e Avenue. Le vent violent faillit faire trébucher Miller au moment où il sortit de la voiture côté passager et s'élança sur le trottoir, suivi presque aussitôt par Roth. Les deux hommes montèrent d'un pas pressé les marches du perron et franchirent la double porte d'entrée.

Miller s'approcha du guichet de la réception et sourit à l'homme impeccablement habillé qui était assis derrière ; il sortit son portefeuille, présenta son insigne et sourit encore lorsque l'homme, avec une petite moue arrogante, haussa les sourcils.

« Hier matin, annonça Miller. Une jeune femme du nom de Natasha Joyce est venue vous voir pour une recherche. Je crois savoir qu'elle a été reçue par une certaine Frances Gray. »

L'homme acquiesça.

« Je me demandais si on pouvait parler à cette dame. »

L'homme se pencha sur son clavier d'ordinateur. « Hier ? dit-il en notant. Gray, avec un A ou un E ?

— Avec un A. »

L'homme continua de tapoter. Il s'arrêta, examina l'écran, s'arrêta encore, sourit et secoua la tête. « Personne ici qui s'appelle comme ça. J'ai essayé Frances avec un E et un I, et Gray avec un A et un E. Mais, dans notre département, aucun élément qui réponde au nom de Frances Gray.

— Elle venait peut-être d'un autre bureau ? »

L'homme fit non de la tête. « Si c'était le cas, elle n'aurait rencontré personne ici. Je n'ai aucune trace de la présence d'une Natasha Joyce ici, et je puis vous assurer que, même s'il y a eu une erreur dans notre système et que cette femme est vraiment passée dans nos bureaux, elle n'a pas été reçue par une personne nommée Frances Gray. Elle a peut-être fait erreur sur le nom ?

— Vous avez la trace de tous les entretiens qui ont eu lieu ici dans la journée d'hier ? demanda Miller.

— Pour ce que ça vaut… » L'homme fit pivoter l'écran de son ordinateur afin que Miller puisse voir. « 12 h 45, un rendez-vous dans le bureau 13. Une réclamation contre une interruption du versement de la retraite d'une personne handicapée. 15 h 30, rendez-vous dans le bureau 8 : collecte de documents liés à un procès actuellement en cours. C'est tout ce qu'on a eu hier. » L'homme sourit. « Le mardi, en général, c'est plutôt calme chez nous.

— Vous êtes sûr qu'il n'y a rien eu d'autre ?

— Sûr et certain.

— Qui était à votre poste hier ? demanda Roth.

— Moi-même. »

Roth sortit son calepin. « Et vous vous appelez ?

— Lester Jackson. »

Il nota le nom.

Miller s'approcha un peu plus du guichet en s'efforçant d'avoir une attitude autoritaire mais respectueuse. « Monsieur Jackson… Je vais vous poser une petite question dont je pense connaître la réponse. À votre avis, y a-t-il la moindre possibilité pour que vous ayez oublié la visite de cette femme ici ? »

Lester Jackson esquissa un sourire étonné. Il ouvrit la bouche pour répondre, mais Miller le prit de court.

« Ça peut arriver, dit-il. Je sais ce que c'est, moi aussi… J'ai un entretien avec une personne un jour, et puis il arrive quelque chose, et je suis persuadé que notre entretien ne remonte pas à hier, mais à la veille, et puis… »

Jackson leva la main. « Toute personne qui franchit l'entrée de ce bâtiment est enregistrée à son arrivée et à sa sortie. Tous les entretiens qui ont lieu sont répertoriés dans le système informatique. Tous, sans exception. Je serais bien négligent si je ne m'assurais pas que… »

Miller le coupa. « Quant à moi, je peux vous assurer, monsieur Jackson, que je ne mets pas une seule seconde en doute le respect scrupuleux des règles de procédure par le personnel de l'administration. Simplement, il se trouve que nous avons interrogé cette femme hier et qu'elle nous a affirmé s'être rendue dans ce bâtiment, ici même, et avoir eu un rendez-vous avec une certaine Frances Gray, qui s'est présentée comme une employée de l'administration de la police. »

Jackson secoua la tête. « C'est tout bonnement impossible, dit-il sans s'énerver. Croyez-moi, inspecteur, si une jeune femme nommée Natasha Joyce était venue ici hier, je pourrais vous le confirmer sans problème. Et si un des membres de notre administration s'appelait Frances Gray, elle figurerait dans ma base de données. En l'occurrence, ni la visite de Natasha Joyce ni ce prétendu entretien n'ont été signalés. Je pense donc que la meilleure chose à faire consiste à retourner voir cette jeune femme et à lui demander si elle ne s'est pas trompée…

— Ça ne va pas être possible. »

Jackson fronça les sourcils.

« Voyez-vous, elle s'est fait assassiner. Ce qui explique d'ailleurs notre présence ici. Elle s'est fait assassiner et, autant que l'on sache, c'est ici un des derniers lieux où elle est allée. Si nos renseignements sont bons, et si elle est en effet venue ici, cela signifie également que vous êtes une des toutes dernières personnes qu'elle ait vues.

— Vous n'allez tout de même pas sous-entendre que… »

Miller eut un sourire serein. « Je ne sous-entends rien du tout, monsieur Jackson. C'est juste que j'ai beaucoup de mal à croire que cette jeune femme ait pu nous décrire avec un tel luxe de détails le lieu où elle s'est rendue, les personnes qu'elle a rencontrées, et qu'à présent on nous explique que tout cela ne s'est jamais produit.

— Écoutez, inspecteur, je ne sais pas quoi vous dire. J'aimerais vraiment pouvoir vous aider. »

Miller sourit de nouveau. « Mais vous nous avez beaucoup aidés, monsieur Jackson. Beaucoup aidés. »

Il se retourna, adressa un signe de menton à Roth, et les deux hommes se dirigèrent vers la sortie en silence.

Une fois dehors, toujours fouetté par le vent sur les quelques mètres qui le separaient de la voiture, Miller jeta un coup d'œil vers son collègue.

« Il ment, dit Roth.

— Sans aucun doute.

— Le tout, c'est de savoir pourquoi.

— On va au commissariat n° 4, maintenant ?

— Et on va voir si Natasha Joyce n'a jamais existé là-bas non plus. »

« Gerrity, dit le sergent Richard Atkins. Il était au guichet hier entre midi et 18 heures. » L'homme se pencha en avant, souleva le combiné, composa un numéro et attendit. Quelqu'un répondit à l'autre bout de la ligne. « Qui est à l'appareil ? Untermeyer ? Salut. Dis-moi, est-ce que Ron Gerrity est là-haut ? » Il hocha la tête. « Très bien.

Dis-lui de descendre… Il y a ici deux officiers du n° 2 qui voudraient lui parler. »

Il raccrocha et indiqua deux sièges à droite du vestibule. « Asseyez-vous, je vous en prie. Il arrive tout de suite. »

Ils s'installèrent et n'échangèrent aucun mot pendant une ou deux minutes, jusqu'à ce que Roth rompe le silence : « Il y a forcément un sens a tout ça.

— Non, pas forcément.

— D'accord. Alors pas forcément en tant que tel, mais il y a des éléments qu'on peut comprendre.

— J'ai quand même l'impression que tout a été mis en scène. Tu vois ce que je veux dire ? »

Miller s'interrompit, regarda de l'autre côté du vestibule et jeta des coups d'œil à droite et à gauche. Depuis la mort de Natasha Joyce, c'était plus fort que lui, il devenait un peu paranoïaque. Il avait l'impression d'être épié en permanence.

Un officier de police qui devait avoir entre 40 et 50 ans s'approcha du guichet de la réception, s'entretint un instant avec Atkins, puis se tourna vers Roth et Miller. Il alla à leur rencontre.

« Sergent Gerrity, se présenta-t-il en avisant Roth. Vous êtes Miller, c'est ça ? »

Roth lui serra la main. « Non, je suis Roth. Lui, c'est Miller. »

Gerrity s'empara d'un siège dans un coin du vestibule et s'assit. Il jaugea les deux hommes pendant quelques secondes puis montra des signes d'une anxiété désormais familière. Ils devaient être de la même trempe que la police des polices – peut-être plus intelligents que la moyenne, mais, n'empêche, leur présence sentait mauvais.

« Une fille est venue hier, commença Miller. Une Noire, une certaine Natasha Joyce.

— Eh bien ? »

Miller, surpris, hésita un instant. « Elle est venue ici ? »

Gerrity fit une grimace. « Vous venez de le dire. Une Noire, une certaine Natasha Joyce. » Il regarda Roth. « C'est bien son nom, c'est ça ?

— On arrive tout juste d'un endroit, expliqua Roth, où quelqu'un nous a expliqué n'avoir jamais entendu parler de cette jeune femme. »

Gerrity haussa les épaules. « Peu importe… Elle est venue hier, elle m'a posé deux ou trois questions et elle est repartie. Rien d'extraordinaire.

— Il était quelle heure ? » voulut savoir Miller.

Gerrity se leva. « Je vais aller voir. »

Miller observa Roth, dont le visage demeurait impassible.

Gerrity vérifia au guichet et revint vers eux. « Elle est arrivée un peu après 13 h 40. Elle est restée ici environ cinq minutes et elle est partie.

— Et que voulait-elle savoir ?

— Un truc à propos d'un officier de police à la retraite. Un type qui s'appelle McCullough.

— Et vous lui avez répondu quoi ?

— Uniquement ce que j'ai le droit de dire à n'importe qui. Si on demande après un officier en fonction, je peux donner le nom du commissariat, un numéro de téléphone et dire s'il est en poste ou non. En ce qui concerne les retraités, je peux indiquer quel a été le dernier commissariat où ils ont travaillé et quand ils ont quitté la police. Point barre. Pour des raisons évidentes, nous n'avons aucune information sur leurs adresses personnelles.

— On n'appartient à aucune unité d'inspection, le rassura Miller. On ne travaille pas pour la police des polices,

297

d'accord? On arrive juste du siège administratif de la police, où cette fameuse Natasha Joyce s'est rendue avant de venir ici. Or, là-bas, ils nient qu'elle soit passée les voir. Pour tout vous dire, on est soulagés de savoir qu'elle est vraiment venue ici.

— Il lui est arrivé quelque chose? » demanda Gerrity. Soudain il haussa les sourcils. « Oh! merde, ne me dites pas que…

— Hier. Peu de temps après son passage ici. Assassinée dans son appartement. »

Gerrity siffla entre ses dents. « Bordel… C'est dingue. Putain… Je ne sais pas quoi vous dire d'autre. Elle m'a demandé des renseignements sur ce McCullough, je lui ai répondu qu'il était parti à la retraite… Du n° 7, c'est bien ça?

— Du n° 7, oui, confirma Roth.

— C'est tout ce qu'elle voulait savoir. Elle m'a demandé si j'avais une adresse à lui indiquer, ce qui n'était pas le cas, et c'est tout.

— Mais si vous deviez absolument le retrouver? voulut savoir Miller.

— Je retournerais au siège administratif. Ce sont eux qui s'occupent des dossiers de retraite et de tous ces trucs. Combien de temps est-ce qu'il a servi?

— Seize ans.

— Pourquoi se barrer quatre ans avant de recevoir une retraite pleine?

— C'est ce qu'on s'est demandé aussi, acquiesça Roth.

— Et il a un rapport avec l'histoire du Tueur au ruban?

— On ne sait pas quel rôle il joue là-dedans, dit Miller. On ne sait pas quel rôle il joue tout court. On veut juste le voir.

— Comme la fille. »

Gerrity hésita un moment, peut-être parce qu'il attendait d'autres questions. Mais, lorsqu'il comprit qu'aucune ne suivrait, il se leva.

Miller l'imita, lui serra la main et le remercia pour son aide.

« Pas de quoi. Si vous avez d'autres questions, vous savez où me trouver.

— C'est gentil à vous. »

Une fois l'agent de police reparti, Roth demanda à Miller s'ils retournaient au siège de l'administration.

« Je veux d'abord discuter avec Marilyn Hemmings. Ensuite on ira revoir notre ami, celui qui n'a aucun souvenir de Natasha Joyce. »

Dennis Powers affichait un sourire entendu. Quelque chose, dans son expression, me disait qu'il connaissait tout ça par cœur.

Installé dans une petite salle du complexe de Langley décorée comme un cinéma, j'avais visionné les films ; et, sur l'écran devant moi, Dennis Powers avait demandé à ce qu'on me montre plusieurs bobines de 16 mm. Je les regardai sans rien dire. Powers, assis à mes côtés, fumait comme un pompier pendant que défilaient devant moi des décapitations, des pendaisons sommaires, des enterrés vivants, des éviscérations, des viols et des exécutions sur le bas-côté d'une route. Peut-être qu'il s'attendait à ce que j'aie la nausée. Peut-être qu'il croyait que je détournerais le regard, horrifié de voir ces gens massacrés – mais je ne le fis pas. Un jeune homme – 16, 17 ans au plus – était traîné loin d'une porte derrière laquelle il se cachait. On lui tranchait la gorge, et deux hommes s'appliquaient ensuite à faire passer la base de sa langue à travers la béance de son cou. Du sang giclait, coulait en gros filets et imbibait sa chemise. Puis le corps était jeté au sol et les deux hommes s'amusaient à lui donner des coups de pied à tour de rôle. Une petite fille de 7 ou 8 ans était ficelée dans un grand sac de toile, comme un paquet. Allongée par terre, incapable de se délivrer de ses liens, elle était piétinée sans répit. En quelques secondes, elle cessait de bouger, mais les coups continuaient de pleuvoir sur elle ; au bout d'un moment, le sac n'était plus qu'une constellation d'empreintes de chaussures ensanglantées.

Profitant d'un court répit entre la fin d'un film et le début d'un autre, Powers se pencha vers moi et me glissa à l'oreille : « Des collabos... Ils pensent que ces enfants collaborent avec les Américains. » Avant même que je puisse répondre, un autre film avait commencé, avec le même monochrome vacillant, le même compte à rebours de 5 à 1, puis des images qui se succédaient. Des images de torses sans tête, de pieds broyés jusqu'à n'être que de la bouillie sanglante, d'enfants énucléés... Et tout cela sans arrêt, me laissant pétrifié sur place, incapable de détourner les yeux.

Une fois que ce fut terminé, que les lumières revinrent et que le ronronnement du projecteur cessa, Dennis Powers fit pivoter son siège pour faire face au mien et me regarda pendant un long moment, sans dire un mot.

« Quand on voit ces images, finit-il par lâcher, on peut dire qu'il y a certains coins dans le monde où il ne fait pas vraiment bon voyager. » Il alluma une autre cigarette. « On a affaire à une situation extrêmement cruciale et dont personne ne sait rien. Il ne s'agit pas d'un pays important mais, d'une certaine manière, il est plus crucial que la Pologne en 1939.

— La Pologne ?

— Les Alliés et l'Axe en 1939. Hitler avait promis qu'il n'envahirait pas la Pologne, mais il l'a fait. Le monde voyait, le monde savait. Avant cela, il y avait eu d'autres tentatives pour prendre le contrôle d'autres territoires. Hitler était déjà à l'œuvre en 1937 et 1938. Churchill le connaissait déjà en 1931, et même avant, à l'époque où il était premier lord de l'Amirauté. Il savait ce dont ce fou furieux d'arriviste national-socialiste était capable, et pourtant, malgré ses protestations, malgré ses avertissements répétés, personne n'y a prêté attention. Jusqu'à ce qu'Hitler envahisse la Pologne en 1939.

— Et quel rapport avec ce que...

— Ce n'est pas la Pologne, dit Powers. L'équivalent de la Pologne, ce serait le Guatemala, juste à la frontière mexicaine. Si quelqu'un débarquait et envahissait le Guatemala, on n'hésiterait pas une seule seconde sur la marche à suivre ; mais ce pays-là ne pose pas de problème.

Il est séparé du Mexique par trois autres pays, et la distance est suffisante pour qu'on ne s'en inquiète pas trop.

— Mieux vaut prévenir que guérir. »

Powers secoua la tête. « La guérison, ça n'existe pas, mon cher. Il n'y a que la prévention. Quarante ans de guerre froide nous ont prouvé qu'il n'existait aucun remède. Soit on agit avant que le problème se manifeste, soit on le regarde proliférer comme un cancer. Une fois que le problème a pris racine dans une culture, on ne peut plus rien faire. C'est une maladie. Lente, sournoise... C'est fascinant. Comme un virus. Il prétend à l'égalité, à la puissance culturelle et sociale. En fait, ce n'est rien d'autre qu'une excuse brandie par quelques privilégiés pour éradiquer leurs ennemis et procéder comme tu as pu le voir dans ces films. Ce que tu as vu là est en train de se produire à un peu moins de trois mille kilomètres de cette pièce, et les victimes n'ont jamais donné leur accord. » Il tira une bouffée sur sa cigarette. La cendre tomba sur sa veste, mais il n'y prêta pas attention. *« Pour tout dire, il y a très peu de gens qui sont capables d'affronter ces choses-là. Très peu de gens assez forts pour les regarder et les comprendre pour ce qu'elles sont. Catherine les a vues. Elle était assise ici comme toi et elle a regardé ces images ; avant même la fin du premier film, elle a décidé d'y aller. »* Powers émit un rire sec. *« Autant que je sache, elle avait décidé de faire quelque chose bien avant son arrivée ici ; simplement, elle n'avait pas une idée claire de la direction à prendre. »*

Powers s'attendait à entendre mille questions, toutes plus importantes les unes que les autres, toutes très compliquées à poser. Mais je ne disais rien.

« Pourquoi toi ? me demanda-t-il.

— À toi de me le dire, répondis-je en haussant les épaules.

302

— *Pas de famille connue. Un QI très élevé. Pas de passé ou d'accointances communistes. Tu es un solitaire. Tu ne t'es jamais vraiment trouvé une femme qui comptait. Ton opinion politique est indéterminée. Tu es énergique, tu as envie de faire quelque chose d'utile et d'important dans ta vie, mais tu n'as pas la moindre idée quant à la manière de procéder... Et puis d'autres raisons qui ne sont pas importantes.*

— *Pas importantes ? Comment ça ? »*

Il balaya ma question d'un revers de main. Les films que nous venions de voir semblaient le laisser de marbre. Il avait l'air éternellement à l'aise, et sans aucune affectation. Sa confiance en lui et sa stabilité m'agaçaient prodigieusement.

« Qu'est-ce que tu en dis, alors ?

— *De quoi ?*

— *De ce que tu as vu ici, dit-il. Des discussions qu'on a pu avoir, de tes conversations avec Catherine. De cette idée d'agir sur les événements qui se déroulent là-bas.*

— *Tu me demandes ce que j'en pense en général ou ce que je devrais faire ?*

— *Les deux.*

— *En général ? Putain, je n'en sais rien. Il faut bien faire quelque chose. Comment tout cela est-il perçu ? Est-ce qu'ils y voient un éventuel nouveau Vietnam ? »*

Powers éclata de rire. « Quand tu dis "ils", tu parles de qui ?

— *Je ne sais pas... Le gouvernement.*

— *Un gouvernement par le peuple et pour le peuple. C'est bien ce que disent la Constitution et la Charte des droits, non ? Un truc comme ça, en tout cas.*

— *Je ne te parle pas de moi, mais du gouvernement, de la Maison-Blanche, du Président, de...*

— Ce que ces gens pensent n'a aucune importance. En tout cas pas plus que ce que toi ou moi pensons. Ils ne sont qu'au Congrès et au Sénat... Reagan n'est à la Maison-Blanche que parce qu'on l'y a installé. Il faut que tu commences à envisager ces questions comme si elles avaient un rapport avec toi. La raison pour laquelle cette société est tellement dingue, c'est que chacun estime que tout ça ne le concerne pas. Les gens vont au travail en croyant que leur boulot existera jusqu'à la fin des temps. Ils rentrent chez eux. La femme a préparé le dîner, les gamins jouent dans le jardin ou regardent la télé. Alors ils restent assis là pendant que le monde implose, et ils pensent que quelqu'un va réparer tout ça, que le gouvernement, la Maison-Blanche, le président des États-Unis ont tout compris à l'affaire. Eh bien, je vais te dire quelque chose, John Robey... Le Président n'a rien compris à l'affaire. Il ne voit que le tableau d'ensemble, lui. Il voit l'infiltration communiste comme une menace réelle…

— Tu ne vas pas me faire croire que le président des États-Unis considère que je peux faire quelque chose face à ce qui se passe ? »

Powers secoua la tête. « Le président des États-Unis ne sait même pas qui tu es – et il ne connaissait aucun des types qui sont allés au Vietnam, en Corée ou en Normandie. On est les petits soldats, John, on l'a toujours été et on le sera toujours. On ne sera jamais des généraux ou des amiraux, ou je ne sais quelle connerie. Mais tu sais quoi ? Ce ne sont ni les généraux ni les amiraux qui gagnent les guerres. Ce sont les petits soldats – par centaines de milliers – qui gagnent les guerres. Catherine le comprend très bien…

— Lâche-moi avec Catherine, tu veux ? Qu'est-ce que c'est que ce truc avec Catherine Sheridan ? Merde, je la connais à peine, cette fille…

— Eh bien, elle pense te connaître, et c'est toi qu'elle a demandé à avoir à ses côtés. Et je sais qu'elle t'a réclamé pour une raison particulière.

— Et cette raison, c'est ?

— Ta stabilité. »

Je fronçai les sourcils, secouai la tête et me mis à rire. « Ça, c'est toi qui l'as dit. Pas elle. »

Powers sourit. « Elle l'a dit en premier. C'est elle qui a proposé qu'on consacre un peu de temps et d'énergie à ton cas. Elle m'a dit que, de toutes les personnes qu'elle a rencontrées ici, tu étais celle qui avait le plus de stabilité.

— Et ça veut dire quoi, cette connerie ?

— Tu as la vue plus longue que la plupart des autres. Tu es plus mûr que ton âge l'indique. Selon elle, tu es capable de regarder une chose pour ce qu'elle est, et non pas pour ce que tu penses qu'elle pourrait être…

— C'est un peu du charabia, tu ne trouves pas ?

— Qu'est-ce que tu veux de moi, John ? Hein ? Tu es ici parce que tu l'as voulu. Lawrence Matthews a parlé avec toi, il t'a dit un peu ce qu'on faisait. C'est ici que tout se passe. C'est la CIA. Le cœur de l'Amérique, là où tout ce que tu lis dans la Constitution et la Charte des droits doit être préservé, là où tous ceux qui ne peuvent rien faire à propos de leur vie obtiennent *que quelque chose soit fait. Tu comprends ce que je veux dire ? Et si tu ne veux rien avoir à faire avec tout ça, si tu penses vraiment que tu as fait une grosse erreur en acceptant de venir ici discuter de ces choses…*

— Mais non. »

J'étais déterminé. Powers ne comprendrait ce qui s'était passé que bien, bien plus tard, comme Catherine. Mais alors les quelques mois passés à Langley seraient loin derrière nous, et les discussions avec Dennis Powers et Lawrence Matthews, tellement insignifiantes que personne ne s'en souviendrait.

« Je suis venu ici parce que ça m'intéressait, dis-je. Je suis venu ici parce que Lawrence m'a expliqué que nos discussions étaient plus que de simples discussions, que je pouvais peut-être faire quelque chose de ma vie, quelque chose d'important. C'est pour ça que je suis venu, Dennis, et c'est pour ça que je suis resté. Le fait que je sois toujours là, malgré toutes ces histoires de meurtres et d'assassinats, malgré les films sur les horreurs perpétrées à trois mille kilomètres d'ici… » Je souris. « Eh bien, ça te dit tout ce que tu as besoin de savoir. »

Pendant quelques instants, ce fut le silence entre nous.

« Et toi ? finis-je par demander.

— Moi ? rigola-t-il. Pourquoi tu me demandes ça ?

— Ça m'intéresse, Dennis. Les raisons qui t'ont motivé.

— J'ai l'impression d'être arrivé ici en état d'hypnose. Comme si j'étais protégé par une bulle d'ignorance. On a remis en cause certains de mes idéaux. Des personnes m'ont obligé à regarder des choses que d'ordinaire les gens ne regardent pas, et j'avais le sentiment qu'on m'offrait une perception de la vérité qui est très rare… » Power s'éclaircit la gorge et parut songeur, quelques secondes. « Mais jamais ça ne m'a paru être une chose que j'avais demandée. Je ne voulais pas que ma vision du monde soit complètement chamboulée. Je ne l'avais pas demandé mais je l'ai eu quand même, et il semblerait qu'une fois que tu as entrevu la vérité… » Il leva les yeux vers moi. « C'est ce que disait Einstein : quand un esprit est déformé par une idée, il ne peut jamais retrouver ses dimensions initiales. »

Il se rejeta sur son siège et ferma les yeux. « Je savais qu'il se passait certaines choses que je ne comprenais pas *complètement. Et en même temps je ressentais le besoin de les comprendre. Je n'avais personne vers qui me tourner et à qui dire : "Eh, qu'est-ce que tu penses de tout ça ? C'est vrai ou ce n'est pas vrai ? C'est donc ça, la vie, ou est-ce qu'on a affaire à une gigantesque et interminable farce ?" Je voulais absolument connaître la réponse à ces questions. Une fois que je l'ai obtenue, je me suis dit que je savais ce que je voulais faire. »*

Il rouvrit les yeux pour me regarder bien en face.

« Malheureusement, dans ce petit jeu, ça marche dans l'autre sens. Malheureusement pour nous, on procède à l'envers. On va sur place. On observe. On voit. D'abord on décide, ensuite on agit. Notre expérience, on l'accumule après coup.

— Qu'est-ce que ça veut dire ? Tu veux que je prenne une décision fondée uniquement sur ce dont je dispose aujourd'hui ?

— Oui. C'est à peu près ça.

— Et je suis censé aller là-bas et tuer des gens ?

— On ne veut pas que tu ailles là-bas et que tu tues des gens. Pas dans l'immédiat, en tout cas. Il y a un entraînement, tu sais ? On entraîne les gens à faire ce genre de choses.

— Bon, et en attendant, qu'est-ce que vous voulez que je fasse ?

— On veut que tu accompagnes Catherine Sheridan. On a déjà des gens là-bas, qui travaillent à l'arrière, pour ainsi dire. Mais on a besoin de gens capables d'obtenir des renseignements sur ce qui se passe au sein du gouvernement. De gens qui...

— Qui peuvent vous dire qui doit mourir. C'est ça, non ? C'est ça que vous attendez de Catherine Sheridan et de moi ? »

Powers inspira longuement. « *Tu peux t'en aller si tu veux, John. Tu peux prendre tes affaires et retourner à la fac, et faire de ta vie tout ce que tu avais prévu d'en faire.* » Il se leva. « *Envoie-moi quand même une carte postale... Je ne peux pas t'obliger à faire quoi que ce soit, et je ne vais certainement pas essayer. C'est comme ça que ça fonctionne. Point barre. On a besoin de gens ; on a toujours besoin de gens. Où est-ce qu'on va les chercher, ces gens ? On les recrute. On a des vigies dans tout le pays ; ils ont toujours l'œil et l'oreille grands ouverts. Ils regardent. Ils repèrent les personnes qui auraient envie de faire un peu mieux que de travailler de 9 à 5, de changer de bagnole tous les trois ans, de passer leurs vacances dans les Rocheuses et toutes ces conneries. Ils sont à l'affût de gens qui n'ont pas peur de se salir un peu les mains parce qu'ils pensent pouvoir jouer un rôle important dans le grand agencement du monde. Pour ce qu'on fait, on ne reçoit aucune médaille. On peut travailler toute notre vie au service de l'intérêt général et on n'a même pas le droit d'expliquer à notre voisin quel con de héros on est. Et de toute façon, John, si on le lui disait, il ne nous croirait pas. On ne peut pas avoir d'enfants. On évite de se marier, sauf au sein de l'Agence, et encore... Car l'un peut être envoyé en Colombie pendant que l'autre part à Londres. C'est une vie de dingue, John. Vraiment une vie de dingue. Mais enfin c'est une vie. Ça, je peux te le dire. C'est vraiment une vie, et plus tard certaines personnes se souviendront de ce qu'on fait comme de* LA *chose qui aura vraiment fait la différence. Soit tu veux aider, soit tu ne veux pas. Pas très compliqué, John. Vraiment pas très compliqué.*

— Et maintenant ?

— Maintenant ? Eh bien... Soit tu as déjà pris ta décision et tu restes avec nous pour apprendre les rudiments de

ce métier, soit tu vas faire un tour pour mettre à profit cette
stabilité et cette longueur de vue dont Catherine Sheridan
pense que tu es doué, peser le pour et le contre, prendre ta
décision. Dans ce cas, demain ou après-demain, tu viens
me trouver et tu me fais savoir si tu veux un ticket de bus
ou un emploi fixe. »

Sur ce, il marcha jusqu'à la porte et posa la main sur
la poignée.

« Et si...

— On arrête les questions, John. Désormais, il n'y a
que toi qui puisses répondre à tes propres questions. »

Dennis Powers ouvrit la porte. Il leva les yeux vers la
lumière au plafond et sourit. « N'oublie pas d'éteindre
quand tu t'en vas. »

23

Marilyn Hemmings s'assit. Miller était adossé contre le mur à gauche de la porte, Roth juché sur le rebord d'un petit meuble de classement. Hemmings ne s'excusa pas pour le manque d'espace. Comme tous les visiteurs qui venaient la voir, Miller et Roth n'étaient qu'une parenthèse dans sa journée.

« J'aurais du mal à vous dire, commença-t-elle. Je vous répète : c'était mon point de vue. » Elle eut un sourire pincé. « Je regarde *Les Experts* et c'est le bonheur, vous comprenez ?

— Je sais bien que c'était juste votre point de vue, dit Miller. Personne n'a jamais dit le contraire.

— Pour les trois premières victimes, il n'y a pas à chercher loin. » Hemmings regarda d'abord Miller, puis Roth, puis de nouveau Miller. « Elles ont été tuées par le même type. À mon avis, il n'y a aucun doute là-dessus. La quatrième, Catherine Sheridan… » Elle s'arrêta pour prendre une longue inspiration. « Je n'en sais foutrement rien… Il y avait suffisamment de similitudes, mais autant de différences. Vous me demandez de prendre une décision qu'il m'est difficile de prendre.

— Et Natasha Joyce ?

— Si la petite Joyce avait été la quatrième, à la place de Sheridan, alors je n'aurais pas hésité une seule seconde. Le type l'a massacrée et l'a étranglée. Certes, il n'y a ni ruban ni lavande. Et alors ? On ne sait pas ce qui s'est passé. Peut-être qu'il a été dérangé dans son travail. Qu'est-ce que je peux vous dire ? La petite Joyce *a l'air* d'avoir été tuée par le même bonhomme. J'ai vraiment l'impression qu'il ne s'agit que d'un même type... » Hemmings ne termina pas sa phrase. Elle jeta à Miller un regard plein de résignation. « Et vous, vous en pensez quoi ?

— Ce que j'en pense ? Ce n'est pas moi l'expert en médecine légale.

— Et, moi, je ne suis pas inspecteur de police.

— Je crois que le meurtre de Sheridan est l'œuvre d'un plagiaire. Je *crois*. Il a ensuite lu les journaux, il a regardé la télé, il a découvert qui nous étions, il nous a suivis, il a vu à qui nous parlions, et il a tué Natasha Joyce.

— C'est également la théorie de Tom Alexander, mais il manque quelque chose. *La* chose. La signature de ce type. C'est ça qui manque.

— Je peux toujours rêver, non ?

— Oh ! vous pouvez rêver, oui. On est en démocratie, inspecteur. Vous pouvez faire à peu près tout ce qui vous chante.

— Comme notre ami, intervint Roth.

— Il n'a pas fait ce qui lui chantait. Il a fait ce qu'il se sentait *obligé* de faire. Avec ces types-là, dans ce genre d'affaires, on est aux antipodes du plaisir. Vous avez déjà lu de la littérature sur la question ?

— Uniquement les ouvrages obligatoires...

— Là », dit Hemmings en montrant une étagère au-dessus du meuble de classement.

De là où il se trouvait, Miller put lire les titres de plusieurs livres : *L'Enquête pour crime : stratégies, procédures et techniques scientifiques*, par Geberth ; *Ceux qui combattent les monstres*, par Ressler et Shachtman ; *Le*

Profiling criminel : introduction à l'analyse de la preuve comportementale, par Turvey ; *Les Crimes sexuels : schémas et mobiles*, par Burgess et Douglas, et enfin *Le Tueur est parmi nous : une analyse du meurtre en série et de son enquête*, par Egger.

« C'est un de mes petits hobbies, expliqua Hemmings. Une passion personnelle, si vous préférez.

— Donc ce qui se passe avec ces gens-là… commença Roth.

— Ce qui se passe, c'est qu'ils sont *obligés* de faire ça. Ce n'est pas une question de prédilection ou je ne sais quoi. Ils ne se réveillent pas un beau matin en se disant : "Ah oui ! bien sûr, je vais devenir un tueur en série. Mon Dieu, comment n'y avais-je pas pensé plus tôt ?" Il n'entre aucun choix là-dedans. Il y a une force, un instinct fondamental, basique, une *compulsion* qui les pousse à agir, et la grande majorité d'entre eux passent le plus clair de leur temps à essayer de garder cette saloperie au plus profond d'eux. Ils *ne veulent pas* sortir dans la rue et tailler des gens en morceaux. Pour eux, c'est à peu près comme sortir les poubelles pendant qu'on regarde un bon match à la télé avec des bières. On n'a pas envie, mais il faut bien le faire.

— Belle comparaison, dit Miller. Et en quoi est-ce que ça peut nous aider aujourd'hui ?

— En rien, sinon vous inciter à chercher quelqu'un qui a besoin de faire ces choses plus qu'il n'en a envie. Ce qui change l'angle d'attaque et la perspective d'ensemble. À part ça, je ne sais pas quoi vous dire. Je ne suis pas une psychologue clinicienne. Personnellement, je n'accorde pas beaucoup de crédit à tout ce qui cherche à se faire passer pour de la psychiatrie, qui n'est pas une science au même titre que la médecine ou la médecine légale. Si vous voulez obtenir des résultats dans cette affaire, ne vous adressez pas à des psys. Ils vont vous obliger à regarder votre nombril et à vous demander si ce n'est pas vous qui avez commis ces crimes. »

La phrase fit sourire Miller. « Vous y allez un peu fort, non ?

— Vous ne vous rendez pas compte des dégâts causés par les médicaments sur les gens.

— En effet », concéda Miller.

Il se leva et reboutonna sa veste.

« Et maintenant ? voulut savoir Hemmings.

— Direction le siège administratif de la police… On doit retrouver un policier fantôme. »

Hemmings sourit et suivit Miller jusqu'à la porte. Roth les précédait dans le couloir. Au moment où Miller lui emboîta le pas, Hemmings posa la main sur la manche de sa veste.

« Vous vous en sortez ? »

Miller fronça les sourcils et lui adressa un sourire surpris. « Me sortir de quoi, exactement ?

— De ce qui est en train de se passer… La fille, celle que vous interrogiez, le fait que ce type sache qui vous êtes, à qui vous avez parlé…

— Vous me demandez si je deviens parano ? »

Elle fit non de la tête. « Entre nous, on devient tous paranos de temps en temps. Non, je pensais plus en termes de danger. Vous vous sentez menacé ? »

Miller s'efforça de ne rien laisser paraître sur son visage. « Il en a après les femmes. Il tue des femmes. Pas des flics.

— Et Natasha Joyce… Elle avait une petite fille, n'est-ce pas ?

— Oui. Chloe… 9 ans.

— Elle a été recueillie par la famille ?

— Par les services d'aide à l'enfance. »

Hemmings regarda ailleurs pendant un moment, peut-être songeuse.

« Qu'est-ce qu'il y a ? fit Miller.

— Rien. »

Entre eux, quelque chose passa. Miller le sentit bien et s'en trouva gêné.

« Qu'est-ce que vous vouliez me dire ? » demanda Hemmings.

Miller jeta un coup d'œil vers Roth, qui commençait à revenir sur ses pas, et leva la main pour lui demander de les laisser seuls un instant.

« Est-ce qu'un jour... commença-t-il.

— Est-ce qu'un jour on pourrait boire un verre, par exemple ? C'est ça ?

— Par exemple, oui. Ou peut-être dîner ensemble.

— Vous êtes toujours sûr de vous comme ça ?

— On n'est pas dans un film. Je suis quelqu'un de normal. Je n'ai pas toute une série de belles répliques à balancer. Je ne suis pas une personne charmante. Je suis un inspecteur de police usé jusqu'à la corde.

— Ça donne très envie de passer une soirée avec vous.

— Vous vous foutez de moi. Faites comme si je ne vous avais rien demandé.

— Mais vous ne m'avez rien demandé. C'est moi qui l'ai fait à votre place.

— C'est vous qui m'avez retenu par la manche. Je n'étais pas venu avec l'idée de vous inviter à passer une soirée avec moi.

— J'en suis persuadée. Vous voulez que je vous dise ? »

Miller haussa le sourcil.

« Je suis sortie une ou deux fois avec des policiers... Et vous voulez savoir ce que je pense d'eux ?

— Ne vous gênez surtout pas. »

Le ton caustique de Miller la fit sourire. « Ils passent leur vie entière à gérer toutes les situations dans lesquelles la police doit intervenir. Vous comprenez ce que je veux dire ? »

Miller, manifestement, ne voyait pas.

« Ils finissent par envisager la moindre situation uniquement en termes d'infractions pénales, de violences conjugales, de morts, de suicides, d'overdoses…

— Qu'est-ce que vous voulez dire par là ? Que je devrais arrêter de ramener du travail à la maison ? C'est bon, Roth et sa femme me serinent déjà suffisamment comme ça.

— Moi, je m'occupe des cadavres ici même, au siège de la médecine légale. Je passe ma journée à découper des gens et à jeter un coup d'œil à l'intérieur. Imaginez un peu si je ramenais du boulot à la maison.

— C'est un petit peu différent, vous ne croyez pas ?

— Physiquement, oui. Mentalement et psychologiquement, non. Si vous vous trimballez partout avec ces conneries dans la tête, vous finissez par…

— Bon, ça suffit comme ça. Je peux vous appeler un de ces quatre ? Je ne sais pas quand on va commencer à sortir la tête de l'eau avec cette affaire. J'ai sur le dos mon commissaire, qui a sur le dos son patron, qui lui-même a le maire sur le dos…

— Je comprends, inspecteur Miller. Vous savez où me trouver. Appelez-moi quand vous avez deux minutes pour souffler et on en reparlera à ce moment-là. D'accord ? »

Miller ne se sentait pas moins gêné aux entournures.

« Une dernière chose, reprit Marilyn Hemmings. Pensez bien que vous cherchez quelqu'un qui est *obligé* de faire ces choses, et pas quelqu'un qui en a envie. Compris ?

— Pigé. »

Dehors, descendant les marches pour retrouver leur véhicule, ce fut Roth qui parla en premier. « Qu'est-ce qui s'est passé ? J'ai l'impression qu'elle te draguait.

— C'était le cas.

— Ah ! tiens, tiens… Il se passe enfin quelque chose.

— Tu me lâches, oui ? Je lui ai parlé, je vais peut-être l'appeler. C'est quoi le problème, bordel ?

— J'ai une idée. On pourrait peut-être aller voir un match tous ensemble, non ? Amanda et moi, Marilyn Hemmings et toi. Franchement, c'est une bonne idée. Je vais appeler Amanda et lui dire.

— Que dalle. Tu ne vas pas appeler Amanda et tu ne vas rien lui dire. Il ne se passe strictement rien. Ce n'est pas comme ça que je fonctionne. Pour l'instant, la seule chose qui se passe dans ma vie, c'est un petit tour au siège administratif de la police. On va parler avec quelqu'un du bureau des retraites qui va nous expliquer comment retrouver Michael McCullough. Voilà. En ce moment, ma vie, c'est ça, Al. Et je n'ai vraiment pas le temps pour le reste, d'accord ? »

Roth ne réagit pas.

« D'accord ? insista Miller.

— D'accord, d'accord… Putain, mais c'est quoi, cette connerie ? Qu'est-ce que…

— Rien du tout, Al. Monte dans cette putain de bagnole. »

Je restai un long moment devant la porte de Catherine Sheridan avant de frapper. Il était tard – 22 heures passées. Dimanche 5 avril 1981, un jour dont je me souviendrai jusqu'à mon dernier souffle. Certains jours ne prennent leur importance qu'après coup. Celui-là fut différent : dès mon réveil, je savais qu'il serait crucial.

Je levai une main, puis la laissai retomber. Je fis les cent pas dans le couloir, je retournai vers la porte et je levai de nouveau la main.

Elle ouvrit la porte brusquement, sans que je m'y attende.

« Qu'est-ce que tu fous ? dit-elle avant d'éclater de rire. Ça fait un quart d'heure que tu traînes dans le couloir... Soit tu frappes à ma porte, soit tu t'en vas. »

Je restai interdit pendant quelques secondes, les yeux grands ouverts, le cœur pantelant.

« Alors ?

— Je frappe à ta porte.

— Bon, d'accord... Donc frappe à ma porte, tu veux bien ? »

Catherine s'interrompit un instant. J'avançai d'un pas. Elle me claqua aussitôt la porte au nez. Je l'entendis s'esclaffer de l'autre côté.

Je frappai à la porte.

« Qui est-ce ?

— Merde, Catherine, à ton avis, qui c'est ? Laisse-moi entrer, bordel. »

Elle riait encore quand elle m'ouvrit. Je la suivis, refermai la porte derrière moi ; une fois dans le salon, je fus pris d'une certaine compassion face à ce que Don Carvalho et moi lui faisions subir.

« J'ai vu les films », dis-je.

Son sourire se dissipa immédiatement. « Donc tu comprends pourquoi j'ai envie d'agir ?

— Oui, je comprends. »

Elle ne bougeait pas ; elle attendait que je lui annonce ma décision.

Mais je ne dis rien.

« Je ne comprends pas ce qui se passe dans ta tête, John Robey.

— Peut-être qu'il n'y a rien à comprendre. »

Elle secoua la tête, comme une mère fâchée contre son enfant. « Il y a toujours quelque chose à comprendre. Tu sais qui sont Lawrence Matthews et Don Carvalho, n'est-ce pas ? Tu sais pour qui travaille Dennis Powers…

— Je les connais. Je connais Langley, je connais la CIA, leur programme de recrutement sur les campus… Je sais ce qu'ils veulent, Catherine… Mais je ne sais pas si j'en suis capable.

— Si tu en es capable ou si tu en as envie ? Ce n'est pas la même chose.

— Je sais.

— C'est quoi, alors ?

— J'ai vu les films. Quelle personne sensée ne voudrait pas faire quelque chose pour lutter contre ce qui se passe là-bas ? Une personne qui n'est pas sensée – voilà qui. »

J'avançai jusqu'au centre de la pièce et m'assis « Crois-moi, Catherine, ce n'est pas une question d'envie, mais une question de capacité.

— Tu l'as, cette capacité.

— Tu m'as l'air bien sûre de toi.

— Fais-moi confiance : si tu n'avais pas la capacité de faire ça, tu ne serais pas ici en ce moment. Tu es arrivé avec au moins vingt-cinq ou trente autres personnes. Combien est-ce qu'il en reste aujourd'hui ? Tout ce truc… c'est la communauté du renseignement. Ces gens sont très forts dans leur domaine. C'est un terrain d'entraînement, ici. Comme une université de la CIA. Les gens comme

Carvalho ou Powers en savent sur toi plus long que toi-même.

— Tu crois que je ne m'en rends pas compte ?

— Soupçonner et savoir, John, ce n'est pas la même chose. Ces gens ont vu en toi quelque chose qui leur donne la certitude que tu feras exactement ce qu'ils veulent…

— C'est-à-dire ?

— Je n'en sais rien, John. Ils veulent que tu collectes des renseignements. Que tu écoutes ce que les gens disent. Que tu les observes. Ils veulent que tu évalues les possibilités et que tu transmettes tout ça à Langley. » Catherine détourna le regard pendant un petit moment ; quand elle revint vers moi, il y avait quelque chose d'intense et de troublant dans son expression. « Ici, on est tous tout seuls, continua-t-elle à voix basse. Aucun de nous n'a de famille. Aucun de nous n'a de liens importants avec le reste du monde. Nous sommes les invisibles, ceux qui peuvent disparaître en une fraction de seconde. On apparaît, on disparaît. On peut aller partout où ils veulent nous envoyer. On peut être les yeux et les oreilles de la communauté du renseignement, n'importe où dans le monde, et si on disparaît du jour au lendemain, aucune importance. Personne ne sera là pour poser des questions ou déposer plainte à la police au sujet de notre disparition. Les gens comme nous ne se préoccupent absolument pas des petits détails de la vie. Mais, dans le grand agencement du monde, on peut jouer un rôle.

— C'est pour ça que tu es là ? Parce que tu veux jouer un rôle ?

— Comme tout le monde, non ? Sentir que ma vie a un sens… »

Je ne répondis pas à sa question.

« Merde, John… Parfois tu es tellement définitif, tranchant, passionné même… C'est ça qu'ils ont vu en toi, et *c'est grâce à ça que tu es allé aussi loin. Ils savent que ce sont des gens comme nous qui peuvent influer sur le cours des choses.*

— Et tu ne remets jamais en cause la manière *dont ça se passe ?*

— Bien sûr que si. Mais, l'un dans l'autre, j'y trouve plus de positif que de négatif. C'est exactement comme le Vietnam, la Corée, l'Afghanistan... comme mille autres endroits dans le monde où des injustices sont commises tous les jours. Ces peuples n'ont pas l'organisation requise pour se prendre eux-mêmes en main. Ils ont été écrabouillés tellement de fois qu'ils n'ont plus la force de relever la tête. C'est l'histoire qui est en marche, là-bas, John, et tu peux soit la regarder, soit la faire.

— Et la vraie raison de notre intervention là-bas ? »

Elle regarda vers la fenêtre – pensive, concentrée.

« Le fait que des gens doivent mourir ? insistai-je.

— On doit tous mourir, John.

— Bien sûr, mais d'un cancer, d'un accident de voiture ou d'une attaque, ou n'importe quelle connerie de ce genre. C'est rare que le pékin de base sorte dans la rue et se prenne une balle dans la tête par un tireur isolé.

— Le bien commun, dit-elle.

— Le bien commun.

— Ce n'est pas une chose que des gens comme nous doivent remettre en cause. On agit au nom du bien commun.

— Hitler dans un bar en 1929.

— Précisément.

— Donc je suis d'accord avec toi. »

Catherine fronça les sourcils. « Quoi ?

— Je suis d'accord avec tout ce que tu dis. J'étais venu ici pour te dire exactement ce que tu viens de me dire...

— Qu'est-ce que tu racontes ?

— J'adore t'écouter faire ton petit sermon. J'adore quand tu es indignée et que tu te mets dans tous tes états.

— Oh ! et puis va te faire foutre, d'accord ?

— Mais je suis sérieux ! Ça fait vraiment du bien d'entendre quelqu'un prendre position sur un sujet. Là-bas... » J'agitai ma main vers la fenêtre, vers la rue, vers le monde extérieur. « Là-bas, les gens sont tellement partagés. Ils ne savent ni ce qu'ils veulent ni ce dont ils ont besoin. Quand je vois ce qui se passe, très honnêtement, je m'en tape. Du moins de ce qui se passe en particulier.

— Quoi ? Mais tu viens de dire que...

— Assieds-toi, lui dis-je.

— Je n'ai pas envie de m'asseoir.

— Assieds-toi. Il va falloir que tu t'assoies, maintenant.

— Je n'ai pas besoin...

— Catherine, est-ce qu'une fois dans ta vie tu peux fermer ta gueule et t'asseoir ? »

Les yeux écarquillés, bouche bée, elle fit un pas sur sa gauche et s'assit sur le canapé.

« Je ne suis pas arrivé ici en même temps que toi, repris-je. Tu pensais être là avant moi. Tu étais là quand je suis arrivé, n'est-ce pas ?

— Oui, tu es arrivé après moi.

— Avant même que tu poses le pied ici, ça faisait trois mois que j'y étais. J'ai suivi toutes les étapes avec Don Carvalho. De A à Z. Dennis Powers est arrivé plus tard. Il était parti quelque part. On lui a dit que je ne savais rien, que je devrais être endoctriné comme tous les autres, et il devait te raconter comment je réagissais, ce que je pensais, tout ce que je disais.

— Vous m'avez piégée ? Putain de...

— Personne ne t'a piégée, Catherine. Il fallait que je sache dans quelle mesure tu te rendais bien compte de la

321

situation. Moi, ça fait longtemps que j'ai décidé d'y aller.
On avait besoin que quelqu'un m'accompagne, de préfé-
rence une femme. Ils se sont dit que tu étais la meilleure
mais ils avaient besoin d'être sûrs que tu irais, quelle que
soit l'opinion que tu te fais de moi.

— Et Dennis Powers ignorait aussi que tu travaillais
déjà ?

— La seule personne au courant, c'était Don Carvalho.
C'est un peu mon tuteur, si tu veux. Il pensait que tu étais
la bonne personne, mais il voulait en avoir le cœur net.

— Donc vous aviez déjà tout préparé ?

— Depuis plusieurs semaines.

— Mais tu viens de me dire que tu te foutais de ce qui
se passait là-bas.

— En particulier. J'ai dit que je me foutais de ce qui se
passait là-bas en particulier. »

Catherine paraissait à la fois très concentrée et complè-
tement perdue. Je repensai à la première fois où je l'avais
vue, avec son foutu béret turquoise, et à quel point j'avais
espéré que ce serait elle.

« Comment ça ? » demanda-t-elle. Je voyais toutes ses
certitudes s'écrouler. Elle m'avait pris pour un type inca-
pable de se décider, peu sûr de lui. Elle avait cru qu'il lui
revenait de me convaincre ; elle se rendait compte main-
tenant que tout cela n'avait été que son propre terrain
d'essai.

« Je veux dire par là qu'il y a trop d'endroits dans le
monde où on pourrait aller. L'Éthiopie, l'Ouganda, la
Palestine, Israël. Il y a aussi le coup d'État au Portugal,
la guerre civile au Liban, l'invasion de l'Angola par les
Cubains. Et encore un tas d'autres saloperies qui se sont
déroulées au cours des années récentes. Ce n'est que la
partie émergée de l'iceberg, le truc qu'on lit dans les jour-
naux ; mais c'est loin de nous, et ça ne s'arrête jamais.

Donc non, je ne m'intéresse pas plus à cet endroit qu'à tel ou tel autre, mais c'est là qu'ils veulent m'envoyer, avec quelqu'un, et il semblerait que ce quelqu'un, ce soit toi.

— *Tu es un assassin ? C'est ça que tu es ?*

— *Mais non, bordel, je n'ai rien d'un assassin. Qui t'a raconté ça ?*

— *La conversation qu'on a eue avant…*

— *Les conversations qu'on a eues n'étaient pas pour moi, Catherine, mais pour toi. Ce dont on a parlé, les conclusions que tu as tirées, ce que tu as raconté à Dennis… Tout ça servait à évaluer ton degré de motivation et de préparation.*

— *Et vous le connaissez, maintenant, mon degré de préparation ?*

— *On en sait suffisamment.*

— *Donc tout était arrangé à l'avance ? Tout ce qui s'est passé entre nous relevait de mon endoctrinement au sein de cette… de cette…*

— *Meute de loups ? proposai-je.*

— *Bon, et maintenant ? Il faut qu'on baise ou quoi ?*

— *Tu plaisantes, j'espère ? »*

Elle haussa les épaules. « Non, je ne plaisante pas. C'est comme ça que tu m'as perçue ? Comme une fille que tu pouvais manipuler jour après jour ? Comme si tu pouvais juste…

— *Juste quoi ? Te tester ? Tester ta fermeté sur ces questions-là ? Merde, Catherine, tu crois que c'est un jeu ? Qu'est-ce que tu crois ? Il y a une guerre là-bas… Et encore, le mot est faible. Les films que tu as vus, ce n'étaient que les versions expurgées. Notre boulot consiste à collecter des renseignements. On nous balance au milieu de nulle part pour essayer de voir à quoi le milieu de nulle part ressemble vraiment. On dépense des millions de dollars pour protéger ce minuscule trou du cul du monde contre une invasion communiste, et la CIA... Putain, je ne sais même plus si c'est la CIA. Ça pourrait être la NSA, les services de renseignement de la Marine ou une branche spéciale qui ne répond que devant le Président en personne. Quoi qu'il en soit, moi, j'ai envie d'agir, et, oui, je suis exactement comme toi. Si je ne reviens pas à la maison à l'heure dite, personne ne va s'inquiéter pour moi, ni famille ni amis. Ce n'est pas la vie dont je... D'ailleurs je ne sais même pas de quelle vie je rêvais... Je sais seulement que ça m'a l'air d'avoir mille fois plus de sens que tout ce à quoi j'ai pu penser.*

— *Et moi dans tout ça ?*

— *Comment ça, toi ?*

— *Tu veux que j'y aille avec toi ?*

— *Oui.*

— *Et j'ai passé tes tests avec succès ?*

— *Ce n'étaient pas mes tests, Catherine.*

— *Je ne te parle pas de Dennis ni des longues discussions nocturnes avec Don Carvalho. Je te parle des tests que tu as imaginés pour moi : ce que je t'ai dit, la manière dont j'ai abordé les problèmes... Tu as bien dû te faire une idée de ce que tu voulais ?*

— *J'ai toujours su ce que je voulais.*

— *Donc tu veux que je parte avec toi ?*

— *Oui... Je veux que tu partes avec moi.*

— *Et tu penses pouvoir me faire confiance ?*

— *Oui, je pense pouvoir te faire confiance.*

— *Et pour une collaboration, tu penses que la confiance doit être mutuelle ?*

— *Bien sûr.*

— *Alors parle-moi de toi.*

— *Pardon ?*

— *Pendant tout ce temps, tu t'es fait passer pour un autre, pour un bleu, pour le type pétri de doutes et* d'interrogations. Maintenant tu m'expliques que tu étais là avant moi, que tu avais déjà pris ta décision et que tu avais simplement besoin de clarifier les choses pour que je parte avec toi…

— Je n'ai jamais dit ça.

— Mais c'est bien ce qui s'est passé, John. Je suis quand même capable de le voir. »

Je ne répondis pas.

« Donc la confiance devrait être mutuelle, et, moi, je ne peux faire confiance qu'à une personne dont je connais certaines choses, des choses qui me permettent d'ouvrir sur d'autres choses. Pour finir, je connais tout d'elle et elle n'a plus rien à cacher. C'est ça, la confiance – l'idée qu'on n'a plus rien à me cacher.

— Je ne t'ai rien caché de moi.

— Tu ne m'as rien dit sur toi.

— Ne rien dire et cacher, ce n'est pas la même chose.

— C'est spécieux.

— Ce n'est pas spécieux, c'est la vérité.

— Tu es quand même d'accord pour admettre que si on doit travailler ensemble, mieux vaut qu'on soit sur la même longueur d'onde ?

— Oui.

— Tu peux me dire quelque chose, donc. Ça ne va pas t'arracher la gueule.

— Je n'ai rien à te dire, Catherine.

— Tes parents. »

Mes pensées se figèrent surplace. « Mes parents ?

— Oui… Dis-moi ce qui leur est arrivé. Dis-moi pourquoi tu te retrouves seul au milieu de ce monde impitoyable, sans personne pour appeler la police le jour où tu ne te présentes pas à ton travail.

— Je ne vais pas te parler de mes parents.

— Alors tu peux aller te faire mettre. »

J'éclatai de rire. « Qu'est-ce que tu peux être casse-bonbons.. Tu racontes n'importe quoi. Je suis sûr que tu ne vas pas lâcher le morceau.

— Essaie toujours. »

Et voilà qu'elle revenait, cette intensité incroyable dans son regard – cette dureté. Cela même qui avait convaincu Don Carvalho de miser sur Catherine Sheridan.

« Sérieusement ?

— On ne peut plus sérieusement. Tu veux que je te fasse confiance ? Alors fais-moi confiance aussi. Tu veux que j'aille au milieu de nulle part, à trois mille bornes d'ici, avec toi ? Alors il faut que ce soit donnant-donnant…

— Je vais te dire autre chose.

— Rien du tout. Je veux savoir la vérité sur tes parents, et pas les conneries que tu m'as déjà sorties.

— Pourquoi est-ce que tu veux que je te parle de mes parents, nom de Dieu ?

— Parce que c'est la seule chose dont tu ne m'as jamais parlé, et quand, moi, j'ai abordé le sujet, tu t'es refermé comme une huître. Il suffit qu'on parle de tes parents et tu deviens quelqu'un d'autre. Inexpugnable. Si tu étais mon formateur, mon tuteur, ma vigie, ce ne serait pas la même chose. Pas la même chose du tout. Je m'en foutrais. Mais voilà, John, tu n'es pas tout ça. Tu es le type à qui je suis censée confier ma vie. Tu es plus jeune que moi, bordel ! Tu n'as sans doute jamais connu d'histoire d'amour sérieuse. Parfois on dirait même que tu es puceau. Et je veux savoir si le roi du campus est vraiment le champion de la CIA, le golden boy, le petit prodige que tu es sans doute, ou alors si tu n'es qu'un pauvre blanc-bec de cul-terreux sorti du trou du cul du monde et que la CIA envisage d'envoyer là-bas comme chair à canon.

— C'est bon ? Tu as fini ? »

Elle eut un rire mauvais. « Puisque tu me poses la question : non, je n'ai pas fini. Ce que je te dis a du sens.

— Je sais... On sait à quel point tu t'enflammes rapidement et...

— Est-ce que tu peux fermer ta gueule et cesser de m'interrompre ? »

Je fermai ma gueule. Cela relevait de l'exploit.

« Voilà le deal : c'est à prendre ou à laisser. Si tu me dis ce que je veux entendre, je te suis jusqu'au bout. Si tu t'écrases, je vais boire des bières et me choper un mec qui me baisera, juste pour qu'il me fasse oublier la tête de con que j'ai actuellement en face de moi.

— Tu veux savoir qui sont mes parents. C'est ça, le deal ?

— Oui.

— Je pourrais te raconter n'importe quoi. Rien ne m'oblige à te dire la vérité.

— En effet.

— Tu ne saurais pas si je t'ai dit la vérité ou non.

— Mais toi, tu saurais.

— Et ?

— Tu le saurais, et tu te sentirais minable. Tu commencerais à te demander si je t'ai grillé ou non. Tu verrais des allusions dans les remarques anodines que je pourrais faire. Tu serais obligé d'apprendre ta version par cœur au cas où je te reposerais des questions sur ta famille. On n'a pas de temps à perdre avec ces conneries, et encore moins la patience pour jouer à ces petits jeux...

— Alors je te raconte.

— La vérité ?

— Oui, la vérité. »

Catherine me regarda avec une telle impatience qu'il m'était difficile de ne pas me lancer immédiatement. Je m'éclaircis la gorge, tournai la tête vers la fenêtre et jetai un rapide coup d'œil à ma montre.

« Parle, John Robey, sinon tu vas me retrouver dans un bar de Richmond en train de ramasser le premier venu.

— Mon père », commençai-je, en regardant mes pieds. Je sentais déjà une légère tension me vriller la poitrine. Au fond de mes tripes, le nerf vague faisait des siennes. Des larmes dans mes yeux ? Je les fermai aussitôt et m'obligeai à me concentrer uniquement sur ce que je disais. Je ne voulais plus rien sentir. Rien du tout,

Je regardai Catherine Sheridan.

« Mon père a tué ma mère, dis-je calmement. Et moi... je l'ai aidé à la tuer. »

24

Tandis que Roth conduisait, Miller repensa à Marilyn Hemmings. Leur rencontre remontait à trois ou quatre ans. Il l'avait connue assistante légiste. Aujourd'hui, elle possédait son propre laboratoire, était confrontée à la surcharge de travail, à l'administration, au coroner en personne, à toutes les règles et contraintes qui entouraient ce genre d'activités. Malgré tout, elle tenait bon la barre, arborait comme une médaille militaire un sens de l'humour tranchant et semblait presque toujours en pleine forme. Miller avait plusieurs fois pensé l'inviter quelque part, un soir, mais il avait toujours flanché au dernier moment.

« Je réfléchis tout haut, lança soudain Roth. Juste une idée en l'air. Je repense au coup des deux assassins… L'un qui tue les trois premières femmes, et l'autre qui tue Sheridan. On y pense depuis l'autopsie de Sheridan. Peut-être que McCullough est l'un des deux, et dans ce cas le type sur la photo…

— Le type sur la photo peut très bien n'être personne.

— Il a connu Catherine Sheridan. Elle était liée à Darryl King…

— Là », fit Miller en montrant du doigt le siège administratif de la police, sur le trottoir d'en face.

Roth ralentit et s'arrêta.

Lester Jackson mit quelques fractions de seconde avant de les reconnaître et d'afficher un air de responsabilité involontaire.

« Monsieur Jackson... lança Miller. Content de vous revoir. »

Jackson força un sourire. « Moi aussi, inspecteur. En quoi puis-je vous aider cette fois-ci ?

— Le service des retraites.

— Des retraites ? demanda Jackson avec un soulagement notable. Il faut que vous ressortiez, que vous tourniez à gauche et que vous marchiez un peu plus loin. C'est dans un autre bâtiment. Je vous répète : dehors à gauche et un peu plus loin. Vous ne pouvez pas le rater.

— Merci infiniment, monsieur Jackson.

— Mais de rien, inspecteur. »

Devant la sortie, Roth dit : « Il avait l'air très content de nous voir repartir.

— On reviendra bientôt passer le bonjour à ce cher Lester Jackson. »

Le service des retraites de la police se trouvait dans un petit immeuble de bureaux à la façade étroite, sis à moins de cent cinquante mètres du siège administratif. La réceptionniste indiqua aux deux inspecteurs une rangée de sièges devant la verrière et les pria de patienter en attendant que quelqu'un vienne les chercher. Ce quelqu'un, lorsqu'elle arriva enfin, était une femme toute maigre qui répondait au nom de Rosalind Harper. Elle les accompagna tout en haut, jusqu'à un bureau qui donnait sur la 6e Rue.

Elle s'assit devant son ordinateur et leur demanda en quoi elle pouvait les aider.

« On cherche l'adresse d'un officier de police à la retraite, expliqua Miller.

— Quel nom ?

— McCullough. Michael McCullough.

— Quel commissariat ?

— Le n° 7.

— Et savez-vous quand il a pris sa retraite ?

— En mars 2003. »

Rosalind tapota sur son clavier, fit défiler l'écran, lut, fronça les sourcils, tapota de nouveau. Pour finir, elle fit une moue dubitative. « Je vois ici qu'il a servi dans la police entre mai 1987 et mars 2003. Ce qui nous fait donc… quinze ans et dix mois. Il semblerait qu'on n'ait versé aucune retraite à ce M. McCullough. »

Miller se pencha vers elle. « Pardon ? »

Rosalind fit pivoter l'écran de l'ordinateur et montra les colonnes qui s'affichaient. « Vous voyez, là… On a la date de son engagement et celle de son départ. Cette colonne indique le nombre de mensualités qu'il a effectuées et le salaire qu'il touchait au moment de sa retraite. Et celle-là, qui est vide, devrait normalement indiquer les versements mensuels qu'il touchera jusqu'à sa mort.

— Mais il n'y a rien du tout, intervint Roth.

— C'est ce que je vous ai dit, confirma Rosalind. Il semble qu'on n'ait versé aucune retraite à ce M. McCullough.

— Et son adresse ? »

Rosalind secoua la tête. « Pas de versements, pas d'adresse.

— Ce qui signifie que vous n'avez aucun moyen de le localiser ? demanda Roth.

— En effet. Pour avoir son adresse, il faudrait qu'on y envoie quelque chose.

— Sa retraite, par exemple.

— Non, pas sa retraite. Les versements se font directement sur le compte en banque personnel de l'intéressé. On envoie des relevés trimestriels à l'adresse dont on dispose, et si la personne déménage, elle nous en informe et on lui envoie les relevés à sa nouvelle adresse. » Elle s'arrêta un instant et inclina la tête de côté. « Mais je pense à quelque chose », dit-elle avant de tendre le bras pour remettre l'écran en face d'elle. Elle tapa sur son clavier et sourit. « Vous avez de quoi noter ? »

Miller hocha la tête ; il sortit un stylo et son calepin.

« J'ai quelques informations bancaires… Le compte inscrit comme étant celui où devait être versée la retraite de Michael McCullough en avril 2003. Vous êtes prêt ?

— Je vous écoute.

— La Washington American Trust Bank, sur Vermont Avenue. Vous voyez où c'est ?

— C'est à quatre ou cinq rues de chez moi, dit Miller.

— Encore une fois, aucune somme n'a été versée sur ce compte, mais ce sont ces informations-là qui ont été indiquées au moment du départ à la retraite.

— C'est tout ce que vous avez ? demanda Roth.

— C'est tout ce que j'ai. Naturellement, si vous voulez aller faire un tour là-bas pour jeter un œil sur son compte en banque, vous aurez besoin d'un mandat.

— Ce ne sera pas un problème.

— Très bien. Dans ce cas, je crois que je vous ai tout dit. »

Rosalind les raccompagna jusqu'à la sortie de l'immeuble.

« Merci pour votre aide, dit Miller.

— Si peu, si peu, répondit-elle avec un sourire. Vous savez, un petit peu de nouveauté, ici, ça fait toujours plaisir. »

Difficile de croire que tout cela remonte à plus de vingt-cinq ans. J'ai l'impression qu'on était des enfants – même si on ne se voyait pas ainsi à l'époque. On croyait être rien moins que les rois du monde. On croyait qu'on pourrait aller n'importe où et faire la différence. Des gens mouraient. On croyait à la propagande. On faisait confiance à Lawrence Matthews, à Don Carvalho, à Dennis Powers. Peut-être étaient-ils aussi aveugles que nous. Peut-être qu'à leur tour ils faisaient confiance à leurs supérieurs, ceux qui leur expliquaient la marche du monde. On était les États-Unis d'Amérique. On était les plus importants, les plus puissants, les plus responsables, les plus efficaces. S'il y avait bien des gens capables de gérer cette planète, c'était nous. S'il fallait que quelqu'un se lance au milieu de toute cette folie pour ramener le calme, l'ordre et la paix, ce serait nous. Il n'y avait personne d'autre.

Et c'était justement là où on se trompait.

On ne voyait pas la véritable raison derrière tout ça.

On était aveuglés.

Mais ce soir-là – assis dans l'appartement de Catherine Sheridan, à quelques encablures de Langley, Virginie, le saint des saints de la plus grande agence de renseignement du monde –, le cœur sur la main et peut-être profondément honnête pour la première fois de ma vie, je m'imaginais que tout ce que j'étais, tout ce que je souhaitais devenir, était d'une certaine façon lié à cette femme. Je ne pouvais pas lui dire que je l'aimais. J'ignorais ce qu'était l'amour.

Mon père, lui, savait : sinon comment aurait-il pu faire ce qu'il avait fait ?

« Un menuisier ? demanda Catherine.

— Oui, un menuisier. Un ébéniste, pour être exact.

— Et ta mère était malade ?

— *Elle avait un cancer. Elle allait très mal. Elle ne pouvait plus se nourrir, elle ne pouvait plus aller aux chiottes, elle n'arrivait presque plus à parler…*

— *Elle ne se soignait pas ?*

— *Mes parents ne faisaient pas trop confiance aux autres. Je ne sais pas si cette méfiance leur était venue avec le temps ou s'ils étaient comme ça dès le départ. Toujours est-il que mon père pensait que les médecins lui pomperaient tout son fric sans guérir ma mère ; alors il a lu tout ce qu'il pouvait sur la question. Je crois qu'au final il en savait plus long que la plupart des spécialistes qu'il voyait.*

— *Mais quand ta mère ne pouvait plus parler, pourquoi ton père n'a pas demandé de l'aide ?*

— *Visiblement, ils avaient passé une sorte d'accord. Ma mère, je crois, ne voulait pas finir dans un hôpital. Elle voulait mourir chez elle, entourée de son mari et de son fils.*

— *Et il l'a tuée…*

— *Elle agonisait, Catherine. À la fin, c'est allé très vite, on ne savait pas si elle tiendrait jusqu'au soir, au lendemain ou au surlendemain. Mon père était brisé. Ils avaient vécu plus de vingt ans ensemble côte à côte, chacun terminant les phrases de l'autre. C'était exactement ce qu'ils avaient voulu. Parfois, même, je me suis demandé si je n'étais pas une erreur.*

— *Comment ça ?*

— *Je ne sais pas. C'était peut-être un délire de ma part, mais je me suis souvent dit que, tout le temps qu'ils passaient avec moi, ils auraient préféré le passer ensemble, seuls. Je me souviens, une fois, alors que j'étais à la fac depuis six mois, mon père m'a appelé à l'aide. Il n'arrivait plus à affronter le problème tout seul. Je me rappelle à quel point j'ai été effrayé par ma mère. Ce n'était plus elle. Elle était devenue une femme que je ne reconnaissais même plus.*

— C'était quand, ça ? À l'automne 1979 ? »

Je regardai Catherine avec étonnement. « Merde... Il y a un an et demi seulement ? J'ai l'impression que ça remonte à des siècles. » Je m'interrompis un petit moment. J'étais ailleurs, je méditais sur le peu de temps qui s'était écoulé depuis la mort de mes parents. « Je suis retourné là-bas au début du mois d'août. Six semaines plus tard, elle était morte.

— Mais que s'est-il passé quand tu es revenu de la fac ? »

Je la regardai encore, mais très brièvement, et je vis en elle quelque chose qui me ressemblait beaucoup. Peut-être un vague reflet de moi, un souvenir à elle, similaire.

« Pourquoi tu veux savoir tout ça ? lui demandai-je.

*— Je ne m'y intéresse ni plus ni moins qu'au reste. Simplement, c'est la seule chose dont tu n'as jamais parlé. »
Elle s'efforçait de sourire. « Enfin, je ne peux pas dire que ce soit la seule chose dont tu n'as jamais parlé, mais plutôt que c'est le sujet dont les gens parlent en général mais auquel tu n'as jamais fait référence. Les gens parlent de leurs parents, au même titre que de leur enfance, de leur scolarité... Mais toi, non. » Elle détourna les yeux et, l'espace d'une seconde, parut hésiter. « Dis-moi donc ce qui s'est passé quand tu es revenu de la fac.*

— Il m'a demandé de descendre l'aider à la cave... Dans son atelier à bois.

— Qu'est-ce que tu as fait, au juste ?

— J'ai poncé et poli des petits bouts de bois.

— Il...

— Il m'a demandé de poncer et de polir des bouts de bois, oui. De l'acajou, du teck, du noyer noir. Des bois

différents, des formes différentes. Tous les jours, pendant
plusieurs heures, on s'asseyait là et on faisait ça.

— Mais pour quoi faire ?

— Tu connais un peu les orchidées ? »

Catherine fit non de la tête.

« Ma mère adorait les orchidées. Elle avait toujours
rêvé de construire une serre pour y faire pousser des orchi-
dées... Il y avait une espèce, notamment, qui la fascinait.
Je ne me souviens plus du nom, mais cette fleur ressem-
blait à un visage d'enfant. Alors mon père a fabriqué une
image de cette fleur, bout par bout, et c'est devenu la par-
tie centrale du couvercle de son cercueil. »

Je levai les yeux vers Catherine.

Son sourire mourut paisiblement, tout seul. « Il t'a
demandé de l'aider à fabriquer le cercueil de ta mère ?

— Oui. Il était menuisier, il n'allait pas demander à
quelqu'un d'autre de le faire à sa place, non ?

— Et tu ne t'en es pas rendu compte ?

— Pas au début... Je croyais qu'il faisait une porte
d'armoire ou quelque chose comme ça. Mais lorsque
l'orchidée a été terminée et qu'il l'a placée au milieu...
Je te jure, Catherine, tu n'as encore rien entendu. Il me
donnait des instructions. Pendant qu'il se trouvait à
l'étage avec ma mère, je m'activais à la cave, et ce qui
m'intriguait le plus, c'était la taille de l'objet. Tellement
énorme... Je n'arrivais pas à comprendre de quoi il pou-
vait s'agir au départ... » Je sentis la tension monter dans
ma poitrine, un affolement général s'était emparé de moi,
il fallait que je me calme, que je m'arrête une seconde
pour recouvrer mon sang-froid et garder un semblant
d'objectivité par rapport à cette histoire.

« Il... Il était en train de fabriquer un cercueil à deux
places, dis-je calmement.

— Quoi ?

— À deux places... Et le soir du jeudi 13 septembre, tard, il est allé dans la chambre de ma mère. Il a pris une seringue hypodermique, il l'a remplie de morphine et il l'a injectée dans son corps, puis il s'est allongé à ses côtés jusqu'à ce qu'elle meure. Il l'a habillée de sa robe de mariée, l'a descendue à la cave et l'a déposée dans le cercueil. Il est resté là deux bonnes heures, puis il a enfilé son costume de mariage, à son tour, et s'est installé dans le cercueil à côté d'elle. Il a pris une surdose de morphine, a rabattu le couvercle au-dessus de lui, il est resté comme ça et il est mort... »

Catherine – les yeux grands ouverts, bouche bée – me fixa du regard pendant un long moment ; lorsqu'elle finit par reparler, je savais exactement ce qu'elle allait me demander.

« Non, dis-je. Je ne me suis rendu compte de rien pendant cinq ou six heures. Je pensais qu'il l'avait peut-être emmenée quelque part... Qu'il s'était enfin avoué battu et qu'il l'avait conduite à l'hôpital. Mais son pick-up était garé dehors, et son manteau, ses chaussures, tous ses vêtements se trouvaient là où il les avait laissés la veille au soir. Ensuite je suis descendu à la cave, et ce n'est qu'au bout d'un moment que j'ai vu le couvercle du cercueil fermé. J'ai commencé à me dire que j'avais travaillé là-dessus pendant toutes ces journées, et, chaque fois que j'avais posé des questions, mon père me répondait simplement que je devais l'aider, pour ma mère. »

Je fermai les yeux et me redressai sur mon siège.

« Mon Dieu ! s'écria Catherine Sheridan. C'est le pire... Enfin, non, je veux dire... Merde, John, je ne sais plus ce que je veux dire. »

Sans bouger d'un pouce – tête rejetée en arrière, yeux clos –, je me demandais si je serais un jour capable de conjurer cette image, celle de mes deux parents allongés

337

côte à côte, mon père tenant ma mère par la main, la tête tournée vers elle, les lèvres traversées de ce curieux sourire, presque béat ; ça et l'odeur de camphre qui se dégageait de son costume, l'odeur de bois et de vernis mêlés, de couleur et de cire... Je me demandais si j'arriverais un jour à voir mes parents autrement qu'avec ce sourire figé dans la mort qu'ils arboraient tous deux, enfin réunis – sans être embêtés, sans que personne vienne déranger leur intimité et les bousculer...

« Et qu'est-ce que tu as fait ? »

La voix de Catherine me fit tressaillir. Je sentais mes yeux secs d'avoir résisté aux larmes. Je n'avais pas pleuré – ni à l'époque ni depuis – et je ne voulais pas pleurer maintenant non plus. Je voulais rester dans le concret et envisager cet événement pour ce qu'il était. Une femme à l'agonie. Un mari bouleversé. Une décision. Point final. Je ne pouvais qu'imaginer ce qu'avait enduré mon père mais, avec le recul, je me demandais si dans son esprit le problème n'était plus de savoir s'ils feraient ensemble le voyage vers la mort, mais quand ils le feraient. Il avait maintenu ma mère en vie jusqu'à ce que tout soit prêt. Et je l'y avais aidé. J'avais essayé de m'en souvenir autrement, non pas avec tristesse ou incrédulité, mais avec gratitude. Pendant toutes ces semaines, à force de travailler ensemble dans la cave, nous nous étions rapprochés l'un de l'autre comme jamais auparavant, et j'avais appris à le connaître, à voir qu'il était un homme bon, un homme de principes et de valeurs, un homme déterminé face aux aléas de la vie. J'aimais à penser que j'avais hérité de lui certaines de ces qualités. Je voulais qu'il reste quelque chose de mon père.

« Qu'est-ce que tu as fait ensuite, John ?

— J'ai attendu un peu, en essayant de remettre cette histoire dans un contexte, de comprendre la décision que mon père avait prise. Ensuite, je suis monté à l'étage et *j'ai appelé le médecin du coin. Il est arrivé avec un flic et le coroner, qui sont repartis avec eux. »*

J'arrêtai de parler quelques instants. Je me revis dans le couloir, en train d'attendre quelques instants avant de redescendre dans la cave. Entre le médecin, le flic, le coroner et moi, il n'y avait pas beaucoup de place.

« Ils ont dû soulever mon père du cercueil pour le monter en haut. Je me rappelle la main de ma mère qui s'est levée aussi pendant qu'ils sortaient mon père. Tu comprends, il lui tenait la main. Très fort, et en plus la rigidité cadavérique faisait son œuvre... Et quand ils ont compris qu'ils allaient devoir l'arracher de force, ils m'ont demandé de remonter. »

Je vis l'expression de Catherine changer.

« Ils pensaient que la vue d'un policier et d'un médecin en train de décrocher les mains enlacées de mes parents risquait de me choquer. Mais, moi, je voulais rester là pour voir ça. Je savais que ce serait la dernière fois et je ne voulais pas tourner le dos. Ils ont desserré la main de ma mère, et je suis resté tranquille pendant qu'ils hissaient le corps de mon père hors du cercueil. L'escalier était très étroit. La veste de mon père s'est prise dans un clou et ils ont bien failli le faire tomber... »

Catherine se pencha en avant, en un geste presque insaisissable qui exprimait une volonté de m'approcher, d'aller vers moi.

« Ils n'ont pas flanché. Ils l'ont remonté, posé sur une civière dans le couloir de l'étage et amené jusqu'à leur voiture. Ensuite ils sont revenus chercher ma mère. Comme elle était plus petite et moins lourde, ça a été beaucoup plus facile. J'ai attendu en bas, jusqu'à ce que le coroner s'en aille. Le médecin est descendu et m'a conseillé de remonter, mais je ne voulais pas. Je voulais rester là, au milieu des copeaux de bois, des pots de vernis, des

boîtes à café remplies de clous et de vis, dans l'odeur et le bruit de cette cave, le dernier endroit où j'avais vu mon père vivant, le dernier endroit où je me rappelais lui avoir parlé. »

Je repris mon souffle. Toute l'émotion et la tension du souvenir me submergeaient.

« Le médecin essayait d'être gentil mais il ne pouvait pas comprendre ce que je ressentais. Je crois même qu'il n'a pas cherché à le faire. Il m'a souhaité bon courage et m'a dit de l'appeler si j'avais besoin de quoi que ce soit. Il y avait quelque chose dans sa voix, tu sais, comme quand quelqu'un te dit de l'appeler s'il y a un problème tout en espérant que tu ne le feras jamais. Qu'est-ce qu'il pouvait me dire d'autre ? Après tout, il n'était que médecin. Il réparait des os cassés, il accouchait des bébés et signait des certificats de décès. Donc il m'a dit de l'appeler, en espérant que non, puis je lui ai serré la main en lui disant que tout irait bien et qu'il n'avait pas à s'inquiéter.

— Or ce n'était pas le cas.

— Je ne sais pas... Oui et non. J'essaie de ne pas y repenser.

— Et après ?

— L'enterrement. Ils ont été enterrés ensemble dans le cercueil que j'avais aidé à fabriquer. Ensuite, j'ai mis la maison en vente. Quelqu'un l'a achetée. J'ai remboursé le crédit. J'ai réglé les frais de l'enterrement et j'ai payé les factures en retard, les prêts des banques, tout ce que mon père avait réussi à maintenir à bonne distance. Une fois cela fait, j'ai déposé 7 500 dollars sur un compte en banque à Salem Hill et je suis retourné à la fac.

— C'était en quelle année, tout ça ?

— En mars 1980.

— Et tu as rencontré Lawrence Matthews en août ?

— *Septembre.* »

Catherine ne dit rien.

« *Bon, c'est ce que tu voulais savoir, non ? Tu voulais connaître l'histoire de mes parents.*

— *Tu regrettes de me l'avoir racontée ?*

— *Pourquoi est-ce que j'aurais des regrets ?*

— *Je ne sais pas… Tu avais l'air tellement peu disposé à me parler d'eux. On aurait dit…*

— *Ça n'a plus d'importance.* »

En disant cela, je me rendis compte que quelque chose avait disparu. Un fardeau sombre – petit, mais sombre – avait disparu. J'étais soulagé.

« *Ça va ?* demanda-t-elle.

— *Oui, oui, ça va… Bon, et si on allait manger un morceau ?*

— *Avec plaisir, John.* »

Je me levai de ma chaise et me mis en quête de mon pardessus, de ma veste et de mon écharpe.

Au moment où nous quittions l'appartement, elle me prit la main, d'abord sans que je m'en rende compte. La sensation était agréable – une sensation que je n'avais encore jamais connue.

« *Merci de m'avoir raconté,* me dit Catherine alors que nous sortions dans la rue.

— *Merci de m'avoir écouté.* »

Après coup, je suis resté sans rien dire dans le couloir de mon appartement. Les choses se sont passées simplement. Elle a balayé toutes les réserves que je pouvais nourrir à son encontre. Elle a tendu la main vers moi ; j'étais contraint, attiré, magnétisé presque. Elle semblait se replier vers moi, comme si elle ne possédait ni muscles, ni os, ni force. Je l'ai serrée fort, mes bras autour de ses épaules, sa tête contre mon cou, et je l'entendais respirer, je sentais le petit goût citronné de son parfum et, derrière, celui de sa peau.

On est restés là peut-être une minute, puis elle a traversé le salon et s'est assise. Elle soutenait mon regard sans faillir, et c'était la chose la plus stupéfiante et la plus agréable du monde.

Je voulais qu'elle revienne pour que je la serre encore dans mes bras.

« Je ne veux pas que tu cr... » a-t-elle commencé.

J'ai levé la main, elle s'est tue.

« Parfois, il vaut mieux être accompagné que seul.

— Tu es un type bien, John Robey. »

Sa voix avait beau se réduire à un mince filet, je distinguais chacun de ses mots. Ses yeux étaient perlés de larmes, de larmes qu'elle a essuyées du bout des doigts.

« Il faut que j'y aille, a-t-elle repris avant de se lever.

— J'aimerais que tu restes...

— Je sais, mais je ne peux... Je ne devrais pas.

— Tu ne devrais pas ?

— Tu ne peux pas vraiment comprendre le problème si je reste ici, et je ne voudrais pas...

— Tu ne voudrais pas quoi ?

— Si on... Si on sort ensemble, ça fait une autre bonne raison d'aller tous les deux là-bas, et, ça, je ne peux pas te l'infliger.

— C'est peut-être à moi d'en décider, non ?

— Quoi que tu en penses, John, nos vies vont être compliquées. Le secret n'engendre pas le bonheur, mais la peur, la jalousie, la possessivité. J'en suis arrivée au point où si je m'attache à quelqu'un, ou même si je pense que je vais m'attachez à lui, eh bien, j'ai assez de compassion pour ne pas l'embringuer dans ma vie.

— J'ai l'impression d'être déjà bien embringué dedans.

— Tu es dans l'eau jusqu'aux genoux, John : un pas de plus et tu risques de te noyer. »

Elle a emprunté le couloir jusqu'à la porte d'entrée.

Je lui ai emboîté le pas.

Catherine a ouvert la porte, s'est arrêtée une seconde ; quand elle s'est retournée, j'étais juste en face d'elle.

Elle a levé sa main pour me toucher la joue.

Je me suis penché pour l'embrasser.

Elle a reculé, en silence, avec grâce, et, lorsqu'elle a compris que je n'insisterais pas, du bout des doigts elle a frôlé mes lèvres.

« Non, a-t-elle susurré. Je ne peux pas. »

J'ai tressailli. Un moment d'appréhension. J'ai senti la peau de ma nuque se tendre.

« Ça t'arrive de te sentir seul, John ? Vraiment seul, j'entends, comme s'il n'y avait personne d'autre au monde ?

— Bien sûr que ça m'arrive. Comme tout un chacun, non ?

— Et comment est-ce que tu fais pour affronter ça ? »

J'ai regardé son profil, la manière dont elle avait coincé ses cheveux derrière son oreille, dont celle-ci se transformait délicatement en ligne du cou, et dont cette même ligne du cou se prolongeait jusqu'aux épaules. Michel-Ange en aurait été fier.

« Parfois, je n'arrive pas à croire ce qui est arrivé, m'a-t-elle dit. Certains jours, j'ai le sentiment que je l'ai peut-être bien cherché. D'autres fois, je sais que ça ne peut pas être la vérité, mais je ne peux rien y faire. Comme si certains d'entre nous étaient là pour rendre service à d'autres, mais sans jamais pouvoir vivre leurs propres vies. » Elle a posé son regard sur la fenêtre. *« Mon père... »* a-t-elle commencé, mais sa voix a sombré dans le silence.

Elle a fermé les yeux puis, sans un mot de plus, a fait un pas vers moi.

Je respirais lentement. Je sentais le truc venir comme une tempête, avec toute cette tension qui s'accumulait en moi, et, même quand je me suis avancé à mon tour pour sentir la chaleur de son corps contre le mien, je savais que c'était la plus grande, et peut-être la plus totale, erreur de ma vie.

Je sentais ses doigts sur les miens ; j'ai refermé ma main autour de son poignet. Il y avait une tension folle en elle, son pouls explosait, ses défenses cédaient…

Je sentais sa tristesse, sa mélancolie, son malheur, sa solitude – ramassés en un ensemble bien compact. Moi, je voulais défaire tout ça, l'étaler au grand jour et voir ce qui restait pour décider ce qu'il fallait garder ou jeter.

Elle a appuyé sa main contre mon torse, comme si elle résistait, comme si elle se disait que ce n'était pas une solution ; mais dans ses yeux je voyais exactement ce qu'elle éprouvait, c'est-à-dire le reflet de mes propres sentiments. Lorsque mes lèvres ont effleuré sa joue, que ma main a caressé son visage, que mes doigts se sont refermés sur sa nuque avant de la serrer fort, j'ai eu l'impression d'être consumé par quelque chose de cent fois plus puissant que nos deux corps réunis.

J'entendais son souffle haletant, son cœur qui battait comme celui d'un petit oiseau apeuré, et mes bras semblaient assez forts pour pouvoir la briser en mille morceaux.

« John », a-t-elle dit, comme une supplique demandant le pardon, un répit, un sanctuaire.

J'ai levé le bras et fermé la porte. J'ai reculé, elle m'a accompagné, m'a même dépassé en me tirant presque par la manche dans le couloir qui menait à ma chambre.

Catherine a trébuché et failli tomber. De son bras libre, elle a ôté son manteau, puis a tiré son tee-shirt pour le libérer du pantalon.

S'adossant contre le rebord de la commode, elle a balancé ses chaussures.

J'ai soulevé mon tee-shirt par-dessus tête, j'ai suivi Catherine à travers la chambre ; à peine avait-elle atteint le bord du lit qu'elle déboutonnait son jean.

Elle est restée comme ça un moment, ne portant rien d'autre que ses sous-vêtements, avec sa peau blanche et douce. Elle a tendu les bras, m'a accueilli et a pressé fiévreusement son corps contre le mien.

Je sentais ses ongles dans la peau de mon dos, ses mains qui manipulaient mon jean. Elle m'a ensuite poussé sur le lit et m'a débarrassé de mon pantalon, avant de dégrafer son soutien-gorge. Pendant un quart de seconde, j'aurais cru qu'elle flottait au bord du lit.

Et, là, elle a semblé exploser au-dessus de moi, ses mains étaient partout, incontrôlables, ses mouvements brusques, presque violents, colériques et affamés. Elle cognait, déchirait, empoignait et menaçait – et je me battais comme un possédé.

Quand elle a joui, elle a hurlé, et moi aussi, et c'était comme si les vitres allaient éclater et révéler au monde entier où on se cachait.

Après, tout n'était que souffles courts, corps incandescents comme des moteurs, muscles bandés, nerfs lacérés, halètements fougueux, pouls battant à trois cents à l'heure, impression de couler, de mourir et de naître. Tout était absurde et néanmoins profond, comme un poème sur un champ de bataille…

Et puis ça a été le silence.

Un grand silence. Nos cœurs allaient éclater, mais nous nous sommes contenus, elle et moi, jusqu'à trouver suffi-

samment de calme pour nous enrouler l'un contre l'autre,
comme les volutes d'une empreinte digitale.

Sentir son souffle chaud sur ma nuque, ses doigts décri-
vant de petits cercles concentriques dans les poils de mon
torse, ses seins sur mon dos, sa jambe entre mes jambes,
sa peau se tendre à mesure que la sueur séchait et refroi-
dissait, et l'odeur du sexe et des corps recrus de fatigue.

25

Lassiter secoua la tête. « Pas grand-chose, dit-il. Beaucoup moins que ce que je pensais. Et pour l'instant ça n'a rien donné. On a envoyé par mail les images à Annapolis, à Baltimore, à Fredericksburg, à Chesapeake Bay… Metz et les autres ont reçu environ trois cents appels mais la plupart étaient bidons.

— Et combien de temps faudra-t-il pour avoir l'autorisation d'éplucher ce compte en banque ? » demanda Miller.

Lassiter jeta un coup d'œil à sa montre. « Elle devrait arriver bientôt. » Il avança jusqu'à la fenêtre. « Hormis cette photo, on n'a vraiment pas grand-chose, n'est-ce pas ? »

Miller regarda Roth, comme pour lui intimer : « Ne dis rien. »

« Cette histoire de compte en banque, ce flic… Comment s'appelait-il ?

— McCullough.

— Comme je vous l'ai dit, Bill Young était capitaine au n° 7 à l'époque où votre bonhomme s'y trouvait. J'ai essayé de le joindre mais cet enfoiré a eu une attaque en mai dernier. Et une sévère, manifestement. Une très sévère. Donc on ne peut pas compter sur lui… Mais, de toute façon, en quoi ce McCullough peut nous aider ? Qu'est-ce qu'il vient faire dans cette histoire, selon vous ?

— On ne sait pas, répondit Miller. Il a un lien avec Darryl King, King a un lien avec Sheridan, et Sheridan a un lien avec notre mystérieux type sur les photos. Pour le moment, on n'a que McCullough et la photo. »

Quelqu'un frappa à la porte.

« Oui ! » hurla Lassiter.

Un coursier de la police entra ; il tenait une enveloppe en papier kraft.

Lassiter s'en empara, sortit le mandat, le signa et rendit l'enveloppe au coursier. « Foutez-moi le camp, dit-il en passant le mandat à Roth. Allez voir si le compte en banque de McCullough explique un peu le merdier auquel on a affaire. »

Ils roulèrent vers l'ouest, à neuf rues de là, en passant devant la bibliothèque Carnegie et le Convention Center, après avoir traversé Massachusetts Avenue au niveau de la 11e Rue. Roth parlait de la pluie et du beau temps, Miller conduisait, les yeux rivés sur la route, en train de se demander, parmi mille et une réflexions, ce qui pourrait bien ressortir de tout cela. Il repensa aussi à Marilyn Hemmings, à une éventuelle sortie au restaurant ou au cinéma avec elle, à la dernière fois qu'il avait fait une chose pareille, mais il n'arriva pas à convoquer une image nette de Marie McArthur, la dernière fille avec qui il avait eu une histoire. Comment s'étaient-ils rencontrés ? Quelqu'un les avait-il présentés ? Il ne se souvenait plus. Il se sentait bête. Il était pourtant censé se souvenir des détails – il n'était pas inspecteur de police pour rien. Puis ses pensées le ramenèrent encore vers Marilyn Hemmings. Une belle femme. Une femme qui faisait partie des gens bien, comme disait sa mère. « Tu l'apprécieras beaucoup », lui disait-elle toujours en parlant d'une personne qu'elle avait croisée, un voisin, un ami d'ami.

« C'est quelqu'un de bien. » Voilà ce qu'elle aurait dit à propos de Marilyn Hemmings. « Tu devrais l'emmener quelque part, Robert… Cette fille, c'est une fille bien. » Le souvenir lui arracha un sourire. Il se demandait s'il avait intérêt à la rappeler. Mais quand trouverait-il le temps pour l'emmener quelque part ?

Il valait peut-être mieux qu'il lui téléphone pour lui dire : « Je vais vous appeler, d'accord ? J'ai bien compris ce que vous m'avez dit et j'aimerais beaucoup vous inviter quelque part mais, pour le moment, on est sur cette affaire. » Il pourrait employer ce « on » car elle comprendrait. Elle comprendrait qu'il n'essayait pas de la faire mariner. Il pourrait dire : « Pour le moment, on est sur cette affaire. Et c'est chaud bouillant. Depuis Lassiter – vous savez, mon chef ? – jusqu'au maire, en passant par le directeur de la police, tout le monde est sur les dents, et je n'ai même pas le temps de pisser droit… » Non, pas ça. Pas ce genre de vocabulaire. « Pour le moment, je n'ai même pas le temps d'ouvrir mon courrier, alors, je vous en supplie, n'allez pas croire que je ne suis pas intéressé, mais vous êtes au courant et vous comprenez ma situation, pas vrai ? »

« Robert ? »

Miller revint à la réalité et se tourna vers Roth.

« Tu as dépassé la banque. »

Miller gara la voiture quelques immeubles plus loin. Ils remontèrent la rue à pied. Dans le hall d'entrée, ils patientèrent pendant qu'Untel interrogeait Untel qui interrogeait Untel. Finalement, au bout de quinze ou vingt minutes, le directeur adjoint à la sécurité vint à leur rencontre. Le genre agréable, peut-être une petite quarantaine d'années. Très beau costard, remarqua Miller. Pas de ceux qu'on trouve dans la première boutique au coin de la rue.

« Douglas Lorentzen, directeur adjoint à la sécurité, se présenta l'homme. Désolé de vous avoir fait attendre… Je vous en prie, suivez-moi. »

Ils quittèrent le hall et empruntèrent un couloir qui traversait le bâtiment sur toute sa longueur. Au bout, à côté d'une porte, Lorentzen composa un code sur un pavé numérique. Une fois cette porte franchie, les trois hommes prirent à gauche. Miller regardait de temps en temps dans son dos, comme s'il s'attendait à entendre une remarque de la part de Roth.

Ils franchirent une autre porte au fond du deuxième couloir et pénétrèrent dans une antichambre qui communiquait avec une pièce cossue – vaste, sans fenêtres, au mur de droite tapissé de moniteurs de contrôle. Des plantes vertes, un énorme bureau en acajou, plusieurs fauteuils disposés autour d'une petite table ovale dont la surface avait été polie jusqu'à ressembler à un miroir.

« Asseyez-vous, je vous en prie, dit Lorentzen. Est-ce que je peux vous servir quelque chose… Un café, de l'eau minérale ? »

Miller s'installa. « Non merci. On a juste besoin de votre aide à propos d'un petit problème. Ensuite, on vous laisse tranquille. »

Lorentzen paraissait serein, comme si tout cela était parfaitement banal – deux inspecteurs de police déboulant avec un mandat, une réunion dans un bureau au sous-sol, des questions à poser, des réponses à fournir.

« J'ai cru comprendre que vous aviez un mandat », dit-il, court-circuitant Miller.

Ce dernier tira le document de sa poche et le fit glisser sur la table.

Lorentzen lut le mandat puis leva les yeux. « Aucun problème. Accordez-moi un petit instant. »

Sur ce, il décrocha son téléphone et appela le service des archives. Il échangea deux ou trois mots avec son interlocuteur, lui indiqua le nom de McCullough et la date approximative de l'éventuelle ouverture du compte, demanda enfin à ce que tous les dossiers ou documents relatifs au compte de McCullough lui soient envoyés au bureau de la sécurité.

Il raccrocha. « Bien. Qu'est-ce que vous pouvez me dire sur cette affaire ?

— Rien, malheureusement, répondit Roth. L'enquête est en cours.

— Une histoire de fraude, peut-être ?

— Je ne pense pas, monsieur Lorentzen, fit Miller. Nous cherchons simplement à obtenir des renseignements concernant les faits et gestes d'une personne.

— Et cette personne, ce fameux Michael McCullough, aurait, semble-t-il, ouvert un compte chez nous il y a quelques années ?

— Semble-t-il, oui. »

Le téléphone sonna.

« Excusez-moi. »

Lorentzen décrocha, écouta pendant quelques secondes et demanda à la personne au bout du fil de passer le voir. Quelques instants et trois coups à la porte plus tard, il ouvrit, récupéra un dossier et referma.

En revenant vers Roth et Miller, il arborait un grand sourire. C'était un homme efficace. Il était directeur adjoint à la sécurité ; en l'espace de quelques minutes, il avait démontré toute son aptitude à administrer le système, à aider les deux policiers, à retrouver ce qu'ils cherchaient. La Washington American Trust tenait ses promesses.

Lorentzen s'assit et ouvrit la chemise en papier kraft. Il parcourut rapidement quelques pages avant de lever les yeux. « Le compte a été ouvert au nom de Michael

Richard McCullough le vendredi 11 avril 2003. Ce matin-là, M. McCullough s'est présenté chez nous en tant que nouveau client, puis il a rencontré le responsable des ouvertures de comptes, Keith Beck. Malheureusement, Keith ne travaille plus dans notre établissement. »

Roth sortit un calepin de sa poche intérieure de veste. Il nota : « 11 avril 2003 » et « Keith Beck responsable ouverture comptes, Wash Am Trust ».

« M. McCullough a effectué un premier versement de 50 dollars, soit le montant minimal pour ouvrir un compte…

— En liquide ou par chèque ? demanda Roth.

— En liquide, malheureusement.

— Et quel document d'identité a-t-il fourni ? voulut savoir Miller.

— Sa carte de policier, sa carte de Sécurité sociale et une facture de téléphone pour attester son adresse à Corcoran Street. »

Miller jeta un coup d'œil vers son collègue. « À trois rues de chez moi, dit-il avant de revenir à Lorentzen. On va avoir besoin des photocopies de tous ces documents.

— Ça va prendre un peu de temps, je le crains. Une fois qu'un compte est ouvert, nous rendons les originaux au détenteur du compte. Nous avons des copies, mais elles sont scannées et conservées dans notre unité de sécurité centrale.

— Qui se trouve où ?

— Ici, à Washington. Mais…

— On a un mandat, dit Miller. Vous devez vraiment nous aider au maximum. »

Roth se pencha en avant. « Cela pourrait nous permettre de boucler une enquête extrêmement importante, monsieur Lorentzen. Il nous faut des copies de ces documents dans les plus brefs délais. »

Lorentzen comprit le message. Il n'était pas homme à se compliquer la vie, un des rares responsables qui estimaient de son devoir d'aider et non pas d'entraver le travail des autres à coups de règlements administratifs et de procédures bureaucratiques.

« Ça ne vous embête pas d'attendre ici ? dit-il.

— Aucun problème.

— Je vais voir ce que je peux faire, d'accord ?

— C'est tout ce qu'on vous demande. »

Lorentzen quitta la pièce en refermant délicatement la porte derrière lui.

Miller consulta sa montre. Il était 15 h 10.

Nous sommes arrivés à Managua le 20 juillet 1981. Nous n'en sommes repartis qu'en décembre 1984. Les électeurs nicaraguayens souhaitaient voir les sandinistes revenir au pouvoir. Ils voulaient reléguer les Contras, de même que leurs soutiens et financements yankees, au rang de simple souvenir d'un passé douloureux et agité.

Anastasio Somoza Sr lança la machine en 1936. Il devint président du Nicaragua. Les États-Unis firent tout leur possible pour l'aider. Avec la garde nationale en guise de bras armé, Somoza brutalisa son peuple. Il approuva et préconisa le viol, la torture et le meurtre. Il massacra des milliers de paysans ; il se livrait au vol, à l'expropriation et au trafic de drogue, et terrorisait tous ceux qui osaient lui faire face. Ses clans accaparaient les terres et les commerces. Le Nicaragua fut son royaume jusqu'à ce que le parti sandiniste révolutionnaire renverse la garde nationale et les clans somozistes.

Les sandinistes tentèrent d'enrayer le déclin du pays. Ils établirent un gouvernement pour le peuple. Réforme agraire, justice sociale, redistribution des richesses. Mais nous, nous les puissants Américains, n'avons pas voulu que le peuple nicaraguayen dispose de son propre pays comme il l'entendait, exactement comme nous avions contrecarré et combattu les mêmes aspirations des Chiliens. Ça a commencé avec Carter – lorsqu'il donna l'autorisation de financer l'opposition aux sandinistes. La CIA attisait la propagande antigouvernementale par le truchement du journal La Prensa. *Des radios pirates, basées au Honduras et au Costa Rica, expliquaient aux Nicaraguayens que le nouveau gouvernement n'était rien de plus qu'un ramassis de fantoches athées, à la botte de leurs maîtres russes marxistes, ayant juré la destruction de l'Église catholique et de tout ce à quoi le peuple tenait chèrement. Nous avons installé là-bas une organisation de vitrine – l'Institut américain pour le développement du travail libre. C'est là que je me suis retrouvé. Et qu'est-ce que nous avons fait ? Nous avons identifié des individus qui jouaient un rôle important au sein des programmes de santé et d'éducation lancés par le gouvernement sandiniste et nous les avons assassinés.*

Quand Reagan prit les manettes en janvier 1981, il déclara sans ambages que la situation au Nicaragua s'apparentait à une prise de pouvoir par les sandinistes marxistes et qu'il déplorait cette situation. Il la déplorait tellement qu'il accrut massivement les campagnes de sabotage et de guérilla chapeautées par la CIA. En novembre de cette même année, soit dix mois après son arrivée au pouvoir, il laissa les contribuables américains offrir 19 millions de dollars aux Argentins afin qu'ils entraînent une guérilla au Honduras. Et qui formait l'épine dorsale de cette guérilla ? D'anciens membres de la garde nationale d'Anastasio Somoza, ainsi que des criminels de guerre patentés et des mercenaires américains. La rumeur prétendait même que certains agents des forces spéciales ou de la Delta Force, pourtant jugés en cour martiale et révoqués, figuraient parmi ces hommes stationnés au Honduras, prêts à lancer l'assaut contre les sandinistes.

À l'automne 1983, il y avait entre mille deux cents et mille six cents hommes, rassemblés sous le nom de Forces démocratiques du Nicaragua et mieux connus sous celui de Contras ; ils se cachaient le long des frontières du Honduras et du Costa Rica, lançant régulièrement des raids sur de petites villes de campagne et sur des avant-postes sandinistes. Les agents de la CIA ne se faisaient aucune illusion. Ils savaient que les Contras ne renverseraient jamais les sandinistes. Là n'était pas leur objectif.

Ils avaient pour seul but de ralentir la machine, d'entraver la réalisation de tous les projets de développement sandinistes – économiques, sanitaires, éducatifs, politiques. Ils faisaient sauter des ponts, des centrales électriques, des écoles. Ils brûlaient le bétail, assiégeaient les hôpitaux. Ils rasaient des fermes entières, des dispensaires, des silos à grains, détruisaient des complexes industriels, des systèmes d'irrigation. Des Américains sensibilisés par la situation, réunis au sein de l'organisation Witness for Peace, recueillirent des informations sur les atrocités commises par les Contras en l'espace d'une seule année : viols de jeunes filles, tortures d'hommes et de femmes, mutilations d'enfants, décapitations, écartèlements, ablations de langues et d'yeux, castrations, coups de baïonnette sur des femmes enceintes, mutilations génitales, doigts et orteils brisés, visages trempés d'acide, corps écorchés vifs, exécutions sommaires, crucifixions, enterrés vivants, torches humaines.

Reagan appelait ces gens-là des « combattants de la liberté ». Il faisait d'eux « les équivalents moraux de nos pères fondateurs ».

La commission du Sénat, par l'amendement Boland, « interdisait le recours à des programmes ayant pour but de renverser le gouvernement du Nicaragua ».

La CIA versa 23 millions de dollars supplémentaires aux Contras et nos activités passèrent à la vitesse supérieure.

Les ports du pays furent truffés d'engins explosifs C4, pesant chacun 130 kilos. Des navires furent arbitrairement coulés, dont certains battant pavillon français ou britannique. Des marins furent blessés, tués. L'industrie de la pêche nicaraguayenne perdit plusieurs millions de dollars à cause des exportations de crevettes retardées ou sabotées.

356

En avril 1984, la Cour internationale de justice déclara illégales les actions américaines.

Le gouvernement saoudien s'arrangea secrètement avec la CIA pour financer les Contras à hauteur d'un million de dollars par mois. L'argent était blanchi via un compte en banque aux îles Caïmans, puis via un compte en Suisse, et enfin versé aux Contras. Ces comptes bancaires étaient détenus par le lieutenant-colonel Oliver North, adjoint de l'amiral John Poindexter, c'est-à-dire le conseiller de Reagan pour la sécurité nationale. Il fallut attendre trois bonnes années pour que le monde entier apprenne ce qui s'était passé, à la suite de quoi il ne lui resta plus que quelques os à ronger.

L'argent venait également d'Israël, de Corée du Sud et de Taïwan. La guerre de Reagan au Nicaragua aura fait quatorze mille blessés, laissé trois mille enfants morts et six mille autres orphelins. En novembre 1984, le gouvernement du Nicaragua déclara officiellement que les Contras avaient assassiné neuf cent dix fonctionnaires. Des mercenaires appuyés par la CIA avaient attaqué plus de cent villages et déplacé cent cinquante mille civils innocents.

En octobre de la même année, soit deux mois avant que je reparte, l'Associated Press révéla l'existence d'un manuel d'entraînement, long de quatre-vingt-dix pages, intitulé Opérations psychologiques dans le cadre de la guérilla. Ce manuel fut authentifié par la commission du renseignement au Congrès comme étant un texte pondu par la CIA à destination des Contras. Je puis vous garantir que ce manuel était, en effet, tout à fait authentique. Les chapitres concernant l'assassinat déguisé et le travail du franc-tireur, c'est moi qui les ai écrits.

Au Congrès, on demanda à Reagan : « Ne s'agit-il pas en réalité de notre terrorisme d'État à nous ? »

Le Congrès suspendit tous les financements. Les Saoudiens élevèrent leur engagement à deux millions de dollars par mois.

Le pacte fut dévoilé. Reagan s'exprima à la télévision. C'était un acteur aguerri. Il savait mentir comme un pro.

Il contourna l'interdiction de financement militaire en donnant aux Contras 13 millions de dollars sous forme de conseils en renseignement et 27 autres sous forme d'aide humanitaire. Deux ans après mon départ du Nicaragua, deux petites années seulement, le Congrès céda et autorisa une rallonge de 100 millions pour les Contras.

Au bout du compte, ce fut la ruine économique du Nicaragua qui causa la défaite des sandinistes aux élections. Dans un pays où le revenu annuel moyen était tombé à 200 dollars, les États-Unis allouèrent fièrement 40 dollars à toute personne qui voterait pour la candidate proaméricaine, Violeta Chamorro. Le tout nouveau président américain, George Bush, qualifia le résultat de « victoire pour la démocratie ».

Encore aujourd'hui, nous sommes sous le coup d'une condamnation par la Cour internationale de justice, basée à La Haye, pour « l'emploi illégitime de la force » au Nicaragua.

J'ai lu, il y a quelque temps, un rapport rédigé par un analyste du Pentagone. Il affirmait de manière catégorique, sans la moindre réserve, que la politique américaine au Nicaragua constituait un modèle d'intervention réussie dans le tiers-monde. Il disait : « Elle figurera dans les manuels scolaires. »

Je sais ce qu'on a fait là-bas. Je sais exactement ce qu'on a fait. Je l'ai vu de mes propres yeux. Je l'ai vécu. Ç'a été ma vie pendant trois ans et demi. Catherine était mon superviseur. Elle transmettait les ordres. Elle donnait les instructions et le feu vert. Pas simplement à moi : à tous les autres. Et combien étions-nous ? À la fin, je ne savais même plus. Des dizaines, des centaines peut-être. On apparaissait seul, deux par deux, trois par trois. On se multipliait comme des bactéries, comme un virus invisible, toujours plus violents, plus destructeurs. Ce que l'on faisait devenait une drogue pour nous, quelque chose qui allait au-delà du strict nécessaire. Au bout d'un moment, ce n'était plus un travail, mais une vocation, une raison de vivre.

On est allés au Nicaragua, en Afghanistan, à Tanger, en Colombie... On y allait le cœur et la tête pleins de bonnes intentions, et pour devenir quelque chose que l'on n'aurait jamais cru possible.

Encore une fois, le voyage là-bas aura été bref, presque inaperçu, mais le retour semble ne jamais s'arrêter.

Peut-être que, sous cet aspect-là, je ressemblais beaucoup à mon père.

26

À 15 h 52, Lorentzen revint. Il tenait une liasse de papiers. Son visage affichait une détermination tranquille.

« J'ai dû déplacer des montagnes », dit-il en se rasseyant. Il posa les documents sur la table devant lui et les transmit l'un après l'autre à Miller. « Des copies de la carte de police de M. McCullough, de sa carte de Sécurité sociale et de la facture de téléphone qu'il nous avait donnée en guise de justificatif de domicile. J'ai également une copie de son formulaire d'ouverture de compte. »

Miller jeta un coup d'œil sur les documents et les passa à son tour à Roth.

« Monsieur Lorentzen, je vous dois une fière chandelle, dit-il. Vous avez fait un boulot remarquable. Sachez que la police vous en est reconnaissante. Très reconnaissante. »

Lorentzen était heureux d'avoir réglé ce problème.

Quelques minutes plus tard, devant une des fenêtres de la façade, il souhaitait aux deux policiers tout le meilleur pour leur enquête, puis les regardait disparaître au coin de la rue. Il resta encore un peu, tourna les talons et retourna vaquer à ses affaires.

Vingt-cinq minutes après, une fois surmonté le pire des bouchons à l'heure de pointe, Al Roth et Robert

Miller se trouvaient devant un vieil immeuble décati de Corcoran Street. Ils avaient arpenté les deux côtés de la chaussée pendant dix bonnes minutes. Roth avait vérifié les numéros des immeubles deux fois. Mais il fallait bien s'y résoudre : l'adresse indiquée par McCullough à la Washington American Trust, confirmée par une facture de téléphone, cette adresse n'était rien de plus qu'un bâtiment décrépit, manifestement inhabité depuis des lustres.

Les mains dans les poches, à la fois incrédule et résigné, Miller demeura immobile pendant un long moment. Tout, dans cette affaire, semblait désormais marqué du sceau de l'inéluctabilité. Des noms qui ne correspondaient pas aux numéros de Sécurité sociale. Des retraites impayées à des sergents de police volatilisés et habitant des adresses fictives. Des photos sous des tapis, des coupures de journaux sous des matelas… Rien de tout cela n'était vraiment lié, et pourtant c'était toujours la même impression qui revenait.

« On retourne au commissariat, conclut Roth. Il faut qu'on vérifie le numéro de Sécurité sociale et qu'on voie si les télécoms ont vraiment eu un client nommé Michael McCullough. »

Miller ne dit rien.

Il leur fallut encore une demi-heure pour regagner le commissariat n° 2, sur le coup de 17 h 15. Tandis que Roth se rendait directement à la salle des ordinateurs au sous-sol, Miller montait vers le bureau de Lassiter. Celui-ci n'était pas là – parti à une réunion au n° 8. Il avait néanmoins laissé un message disant qu'on pouvait le joindre sur son portable. Miller estima que ça pouvait attendre, le temps de trouver quelque chose d'intéressant à lui raconter.

Il s'enquit des progrès de l'avis de recherche. Il discuta brièvement avec Metz, l'écouta pester contre le nombre d'emmerdeurs qui appelaient toujours dans ce genre de situations. C'était démoralisant. « Comme d'hab, dit-il à Miller. La piste qui paraît la plus prometteuse est une perte de temps, et ce qui ressemble à une perte de temps absolue se révèle être la bonne piste. Putain, je te jure… C'est frustrant. »

Miller le quitta dans le couloir du rez-de-chaussée et retourna à son bureau.

Roth, entre-temps, était revenu. « Devine quoi ? »

Miller sourit en haussant les sourcils. « Le numéro de Sécurité sociale est bidon ?

— Non, monsieur, le numéro de Sécurité sociale n'est pas bidon. Il correspond vraiment à Michael McCullough. Mais ce Michael McCullough est mort en 1981.

— Quoi ?

— Oui. En 1981. Notre cher sergent McCullough, seize ans de bons et loyaux services avant de quitter la police de Washington en 2003, est en réalité mort depuis bientôt vingt-cinq ans.

— Non… C'est impossible… » Miller se laissa lourdement tomber sur son siège. « Mais qu'est-ce que c'est que ce bordel ? On ne va jamais retrouver une vraie personne ou quoi ? »

Roth secoua la tête. « J'ai également appelé les télécoms. Ils m'ont dit qu'ils n'avaient pas cette adresse dans leur réseau. Pour ce qui est d'un client nommé Michael McCullough, ils en avaient un, mais son abonnement a été résilié en 1981.

— Laisse-moi deviner. Parce qu'il est mort, non ?

— Je ne peux que partir du principe qu'il s'agit du même homme.

— Bon sang !… Mais qu'est-ce qui nous reste ?

— Rien, dit calmement Roth. En gros, on n'a rien, Robert. Il faut admettre que toutes nos pistes sont des impasses. Cette personne n'existe pas. Son adresse est bidon. La facture de téléphone a été fabriquée pour obtenir un compte supposé recevoir une retraite qui n'est jamais arrivée. Tout ça n'a aucun sens parce que ce n'est pas suppose en avoir un. Ce qui veut bien dire que quelqu'un *a tout fait* pour que ça n'ait aucun sens. Tu comprends ? »

Miller acquiesça. Il prit une grande bouffée d'air, ferma les yeux et se massa les tempes. « Donc retour à la case départ, lâcha-t-il. On redémarre de zéro.

— Sauf si quelque chose sort de la photo… Sauf si quelqu'un identifie ce type et qu'il s'avère avoir en effet un rapport avec Catherine Sheridan… Ou bien s'il nous dit quelque chose qui nous permettra d'ouvrir une nouvelle piste.

— C'est bon… J'en ai ma claque. Je vais rentrer et me reposer un peu. Tu pourras dire à Metz et aux autres que s'il se passe quoi que ce soit, ils appellent un de nous deux ?

— Bien sûr. Tu penses que je devrais rester ici ?

— Rentre chez toi. Vu comment les choses se présentent, je crois que ni toi ni moi n'allons rester longtemps à la maison. Dès que Lassiter apprendra qu'on est repartis, il va nous appeler dans la minute qui suit.

— Je passerai voir Metz avant de partir. »

Miller resta encore une bonne demi-heure, la tête entre les mains, puis il se leva, recru de fatigue, pour quitter le commissariat et se diriger vers sa voiture. Il ne savait pas ce qu'il allait faire. Il ne voulait même pas y penser. Pour le moment, la coupe était pleine.

Lorsqu'il regagna Church Street, il avait du mal à garder les yeux ouverts.

Harriet le héla alors qu'il montait dans l'escalier.

« Je n'ai pas dormi de la nuit, lui dit-il. Je suis dans un état de fatigue…

— Va te coucher, alors. Va te coucher et, une fois que tu auras dormi, descends manger un morceau et raconte-nous ce qui se passe dans ta vie, d'accord ? »

Miller sourit et lui prit la main.

« Vas-y, répéta Harriet. Je vais te faire à manger. »

Chez lui, il ôta son pardessus et s'affala sur un fauteuil du salon. Il ne se posa pas de questions sur la direction que prenait l'enquête. Le mauvais présage qui rôdait dans son esprit, il essaya de ne pas y penser. Il ne s'interrogea pas sur sa responsabilité dans la mort de Natasha Joyce, ni sur les menaces qui planaient sur sa vie. Il ne chercha pas à se remémorer le visage de Marilyn Hemmings, ni la petite discussion intime qu'ils avaient eue. Il ne repensa pas à Jennifer Ann Irving, à l'expression sur son visage quand on avait retrouvé son cadavre, identique à celle de Natasha Joyce : comme si elles avaient été battues à mort. L'enquête de la police des polices, les questions interminables, les réponses balayées d'un revers de main, les nuits sans sommeil, les reportages dans les journaux, les hypothèses, les accusations…

Le sentiment que la vie s'était refermée, puis qu'elle s'était rouverte et lui avait montré quelque chose d'assez puissant pour le tuer.

Il s'était raconté des histoires. L'affaire Irving, la mort de Brandon Thomas… Tout ça n'était rien comparé à ce qui lui tombait dessus en ce moment.

Il était 18 h 19, mercredi 15 novembre. La mort de Catherine Sheridan remontait à quatre jours, celle de Natasha Joyce à un peu plus de vingt-six heures.

Son portable le réveillerait à 20 h 15. Al Roth serait à l'autre bout du fil, pour lui annoncer une nouvelle qui lui figerait le cœur l'espace d'une brève seconde, pas davantage – mais son cœur s'arrêterait de battre.

Deux heures de calme avant la tempête. Un intermède au cours duquel le monde ralentit un peu pour Robert Miller, un intermède qu'il savoura à sa pleine mesure.

Mon premier assassinat ne fut pas une grande affaire. Beaucoup moins que ce que je m'étais imaginé.

Mon premier assassinat fut celui d'un petit homme en complet beige. C'est arrivé le 29 septembre – une journée très chaude, autour de 35 degrés – et le petit homme en complet beige avait de grosses auréoles sous les aisselles. Il transpirait tellement que la sueur traversait sa chemise, sa veste, et que son odeur emplissait l'étroit bureau où il travaillait. Tout ce que je savais, c'est qu'il jouait un rôle dans la Alianza, « l'Alliance », et qu'il possédait quelque chose qu'il n'aurait pas dû posséder, qu'il savait des choses qu'il n'aurait pas dû savoir, ou qu'il comptait dire à quelqu'un des choses qu'il ne devait pas dire. Ça n'avait pas beaucoup d'importance.

Managua était un cauchemar unique en son genre. Il y avait des tas de planques et de chambres d'hôtel disséminées à travers la ville, dont nous changions régulièrement, utilisées une ou deux fois peut-être, toujours réglées en liquide. Je ne parlais pas l'espagnol, mais Catherine, oui. Les noms de lieux étaient transformés en une sorte de sabir américain. Batahola Norte et Batahola Sur devenaient respectivement North et South Butthole ; Reparto Jardines de Managua, simplement les Jardins ; Barrio el Cortijo, la Ferme ; Barrio Loma Verde était connu sous le nom de la Colline verte. Idem pour les noms des rues – Pista las Brisas, Pista Héroes y Mártires, Paseo Salvador Allende devenaient les Brises, Martyrs et Salvador. C'était plus facile à mémoriser et ça permettait de semer le doute chez ceux qui ne parlaient pas l'anglais.

En plus de Catherine, mon superviseur, j'avais un directeur de section. Il s'appelait Lewis Cotten. Il avait dans les 35 ans, issu de deux ou trois générations de serviteurs de l'OSS – l'ancêtre de la CIA –, et il connaissait toute la généalogie de l'affaire mieux que quiconque.

« Bill Casey a l'intention de contenir l'empire communiste à lui tout seul, me dit-il un jour avec un grand rire rauque. Tu sais qu'il était de l'OSS, n'est-ce pas ? Et président du SEC ? Un vrai enjoué de casse-couilles à tête dure. Mon père jouait au golf avec lui, dans le temps. Il me disait qu'il n'avait jamais rencontré quelqu'un d'aussi buté que lui. »

Lewis Cotten et moi avions des rapports compliqués. Il savait pourquoi j'étais là. J'étais la massue de service. J'ai appris plus tard que Cotten n'était pas étranger à cette partie du jeu. Tout en supervisant et en dirigeant l'assassinat du ministre des Affaires étrangères nicaraguayen, Miguel d'Escoto, en 1983, et celui, en 1984, des neuf leaders du Bureau national sandiniste, Lewis Cotten avait été directement impliqué dans des tentatives de meurtre, plus ou moins couronnées de succès, contre : le directeur des renseignements du Nicaragua, le général Manuel Noriega, Mobutu Sese Seko, le président zaïrois, Michael Manley, le Premier ministre jamaïcain, Kadhafi, Khomeiny et le général Ahmed Dlimi, commandant en chef des forces aériennes marocaines. En 1985, après mon départ définitif du Nicaragua, il fut impliqué dans la mort de quatre-vingts autres personnes, lors d'une tentative d'assassinat contre le chef chiite libanais, le cheikh Mohamed Hussein Fadlallah.

Cotten semblait ne vivre que pour voir les autres mourir. C'était son objectif, sa motivation. Parfois, quand on se rencontrait pour une mission, il me prenait par l'épaule, avec un grand sourire, et me disait : « Tu veux savoir quel est le connard qui ne sait pas encore qu'il va avoir la corde au cou aujourd'hui ? » C'était sa grande expression – avoir la corde au cou – et bien que nous n'ayons jamais pendu personne, que nous liquidions toujours de la même manière, c'est-à-dire à bout portant avec une arme de poing ou de loin en rafales, l'expression est restée. Entre septembre 1981 et décembre 1984 – ces trois années pendant lesquelles Catherine Sheridan et moi avons vécu sans nous lâcher d'une semelle, au jour le jour, sans jamais vraiment savoir si nous avions survécu ou si nous vivions notre dernière journée, trois années au cours desquelles on buvait, fumait et baisait comme si c'était la dernière fois –, nous avons été responsables de la mort de quatre-vingt-treize personnes. Lewis Cotten recevait l'ordre, Catherine organisait l'agenda, moi j'assistais aux réunions. C'était un bon système. On m'a tiré dessus une fois. Dans la cuisse. Il y avait des chirurgiens et des médecins sur place. Ma convalescence a duré à peine trois semaines. Une fois ma jambe rétablie, je me suis remis à l'ouvrage. « Merde », m'a dit Cotten le jour où je réintégrai la chambre qui lui servait de bureau, dans un hôtel à la lisière du quartier résidentiel de Linda Vista, au nord de la Laguna de Asososca. « Combien de temps on met pour se remettre d'une blessure superficielle à la con par balle ? Tu te rends compte des conneries que j'ai dû gérer pendant ces trois semaines de merde, pendant que tu reposais ta pauvre petite personne ? On se croirait à l'armée, bordel. Tu veux peut-être prendre une permission ? Il va falloir que tu te ressaisisses, Robey. Amène ta copine ici, histoire qu'on discute un peu de tout ce qui s'est passé pendant que tu prenais des vacances. »

Mais cette conversation avait lieu en 1983, et je suis passé un peu vite sur la toute première. Un assassinat qui aurait dû changer plein de choses, changer ma vie. Or rien n'a changé. Du moins pour moi. Ce n'est qu'après coup, tard dans la nuit, alors que j'étais assis devant la fenêtre d'une chambre d'hôtel sur l'Avenida 28 A, à l'est du quartier d'El Cortijo, dit la Ferme, que je saisis toute l'importance de ce qui était arrivé. Ce n'était pas le fait que j'aie tué quelqu'un qui comptait ; ce qui comptait, c'était que j'avais tué quelqu'un et que je n'avais quasiment rien ressenti.

À Langley, pendant les semaines de formation, on avait discuté à n'en plus finir des effets psychologiques et mentaux, de l'impact qu'un meurtre pouvait avoir sur quelqu'un. Mais c'était du bavardage. J'avais l'impression qu'on passait notre temps à bavarder. On nous expliquait que certaines personnes, malgré l'entraînement et le bourrage de crâne, malgré la conviction d'agir pour le bien, certaines personnes n'y arriveraient pas. Et d'autres y arriveraient : ils viseraient leur cible, appuieraient sur la détente, verraient une petite tache rouge fleurir au front de quelqu'un, associeraient la cause à l'effet et comprendraient que c'étaient eux qui avaient fait ça – mis fin à l'existence d'un autre être humain. Plus tard seulement, ils se prendraient le réel en pleine tête, et ça les ferait vomir, peut-être qu'ils se soûleraient ou s'assoiraient pour chialer en se demandant ce que leur mère aurait pensé si elle avait su ça.

Un type qui avait tué un connard d'une balle dans la tête, en plein dans l'œil, a ensuite regardé le cadavre par terre, compris les conséquences et les ramifications de son geste, retourné son arme et s'est fait sauter la cervelle.

Moi, je n'ai pas sombré dans le pathos et le mélo.

J'ai attendu, assis, dans un couloir de bureau. J'ai attendu tranquillement jusqu'à ce que le petit homme au complet beige arrive dans le couloir ; quand il est passé devant moi, je me suis relevé, j'ai braqué un pistolet sur sa tête et je lui ai tiré une balle dans la tempe. L'autre côté de sa tête a explosé contre le mur d'en face. La couleur et la soudaineté m'ont surpris. Je ne sais pas à quoi je m'attendais. Je suis resté sur place quelques secondes et j'ai regardé le cadavre qui gisait au sol. Comme j'avais mis un silencieux à mon arme, personne n'est accouru pour voir ce qui s'était passé. Mon cœur battait normalement, mon pouls était régulier, et je me suis rappelé l'expression de Lewis Cotten quand il m'avait tendu une photo en noir et blanc de l'homme ; « Il est proche de l'Alliance. C'est tout ce qu'on m'a dit, c'est tout ce que je peux te dire, et c'est tout ce qu'on a besoin de savoir – ta petite amie sait où il se trouvera demain, et, toi, tu l'attendras pour lui coller une balle dans sa tête de con, OK ? » Cotten, tout sourire, avait alors prononcé les mots qu'il prononcerait avant chaque mission. Un sourire, un clignement d'œil, un regard entendu et : « Ah ! une dernière chose, Robey... » Il attendait toujours une fraction de seconde – mise en scène parfaite, talent d'acteur naturel. « Tu foires pas, hein ? »

Donc je suis resté comme ça une minute ou deux, avec devant moi un macchabée dont la cervelle ornait en grande partie le mur en face, et je me suis demandé si c'était là ma nouvelle vie, si c'était ce que j'allais faire, si c'était pour ça qu'on se souviendrait de moi. Bonjour, je m'appelle John Robey. Ce que je fais dans la vie ? Oh ! pas grand-chose... Je tue des gens pour le gouvernement, vous savez, ce genre de trucs.

Et on était tellement persuadés d'avoir raison. Catherine et moi. On vivait comme si on n'existait même pas, on passait d'une chambre d'hôtel à l'autre, d'un appartement abandonné dans la partie nord du Reparto Los Arcos à une villa à moitié en ruine du Barrio Dinamarca. On mangeait au restaurant, on regardait les gens aller et venir – des gens de la Compagnie –, on comprenait qui était qui grâce à la tenue qu'Untel portait, aux mots qu'il employait : les vieux de la vieille et les vétérans, la bieusaille et la chair à canon.

« On saute du bateau, on court sur les plages et on monte au feu », disait tout le temps Cotten, avant de sortir son grand sourire bête, et je m'émerveillais de la folie du monde, puis je regardais les photos du prochain sur la liste.

Il m'a fallu un an avant de comprendre ce qui se passait là-bas. Un an pour entrevoir ce qu'était la Alianza. À ce moment-là, j'ai commencé à comprendre que le Nicaragua n'avait rien à voir avec le communisme. C'était tout à fait autre chose. Mais, quand on a compris de quoi il s'agissait, il était déjà trop tard pour rentrer au pays. On était devenus ce que Lawrence Matthews, Don Carvalho et Dennis Powers avaient voulu que nous soyons dès le départ. Comme aimait tant à dire Matthews, on était le monstre. Catherine était la tête, j'étais la massue. Peut-être la massue la plus contondante qu'ils aient jamais eue sous la main. Mais je possédais aussi un côté tranchant. Je m'en suis rendu compte au bout d'un certain temps ; j'avais l'impression que tout ce que je faisais, chaque mission que j'accomplissais, affûtait ce tranchant. De même qu'ils ne s'étaient jamais vraiment souciés de savoir qui j'étais avant eux, ils ne se sont jamais demandé qui j'étais devenu.

C'est avec la mort d'un avocat, un certain Francisco Sotelo, à l'automne 1984, que les coutures ont commencé à craquer. Si prophétique qu'ait été ma rencontre avec cet homme – les choses qu'il m'a dites, la vérité que j'ai entrevue, les ingrédients de sa propre histoire –, elle ne m'a pas empêché de le tuer. Mais le soir même, tard dans la nuit, et les nuits suivantes, en commençant à saisir le sens véritable de ce que j'avais fait, j'ai discuté avec Catherine de ce qui allait peut-être se passer, et nous avons tous deux senti à quel point nous avions été superbement roulés dans la farine.

C'est à partir de là que tout est devenu personnel : alors qu'avant je pouvais laisser les morts là où ils étaient tombés, après cette nuit-là ils ont commencé à me suivre partout.

27

La nouvelle lui arriva comme une balle en plein cœur. La sonnerie du téléphone réveilla brutalement Miller. Il marmonna son nom puis entendit Roth lui dire quelque chose qu'il ne comprit pas. Encore tout habillé, il se redressa, prit une longue inspiration et essaya de se concentrer sur un point précis à l'autre bout de la pièce.

« Quoi ? fit-il. Qu'est-ce que tu dis ?

— J'ai une identité. Une identité tout à fait sûre, tout à fait vraie. Quelqu'un a mis un nom sur notre cher petit.

— Hein ?

— On cherche juste à obtenir quelques précisions, pour l'instant. Metz m'a appelé. Je suis au commissariat. Lassiter est en route. Ramène-toi, bordel.

— Quelle heure il est ?

— 8 h 15.

— J'arrive. »

Avant même que Miller eût prononcé le dernier mot, la ligne avait coupé. Il tenta de se lever. Le sang lui monta aussitôt à la tête. Il prit plusieurs bouffées d'air, se sentit faible, essaya de nouveau de se lever et, pendant quelques secondes, tenta de retrouver son équilibre. Ça ressemblait à une gueule de bois. Ou peut-être que non. Sa dernière gueule de bois remontait à si longtemps qu'il ne savait même plus quel effet ça faisait. Il se sentait comme à l'enterrement de sa mère. Tout était vague, irréel, les objets se déplaçaient bizarrement dans son champ de vision. Il attrapa le rebord de la table, traversa la pièce jusqu'à la salle de bains, s'aspergea le visage d'eau froide, pissa, se lava les mains, plaqua ses cheveux, récupéra sa veste posée sur la chaise près de la porte d'entrée et fonça dans l'escalier, jusqu'à la cafétéria. À Harriet, il expliqua qu'il était désolé, qu'il devait y aller tout de suite, pas le choix, une urgence…

Harriet fit la moue, fronça le sourcil. Sans un mot, elle le salua de la main.

Miller fouilla dans toutes ses poches pour retrouver ses clés de voiture et dut remonter chez lui. Il finit par sortir de l'allée et fonça jusqu'au n° 2, aidé par une série ininterrompue de feux verts. Comme si le destin voulait qu'il arrive là-bas le plus vite possible. Comme si, pour une fois, quelqu'un lui donnait un coup de main.

Il parvint au commissariat à 8 h 48. Il demanda au sergent de garde si Lassiter s'était pointé, fut soulagé d'apprendre que non. Il se précipita dans l'escalier pour trouver Roth, Metz, Riehl et Feshbach réunis dans le bureau.

« Un café, annonça Metz. Au coin de L Street et de Massachusetts Avenue. Un des agents de la patrouille est entré dedans pour discuter avec la serveuse. Il lui montre la photo. Elle dit qu'elle reconnaît le mec. Qu'il vient régulièrement, deux ou trois fois par semaine. Parfois, il prend juste un café à emporter, d'autres fois il reste et mange un sandwich. Au déjeuner, en général, souvent assez tôt, comme s'il était sur le chemin de son boulot. Elle ne connaît pas vraiment son nom. Pas le nom de famille en tout cas, mais elle dit qu'il se fait appeler John. Elle en est sûre et certaine…

— Et certaine d'avoir reconnu sa tête », ajouta Roth, qui semblait surexcité. Il se leva de son fauteuil. « Elle était sûre qu'il s'agissait bien de notre homme, Robert. Elle a regardé toutes les photos. Elle a expliqué qu'il avait maintenant les cheveux plus longs derrière, gris sur les tempes et un peu tirés en arrière, et que ses yeux étaient reconnaissables entre tous. Elle était absolument convaincue…

— Et on a envoyé quelqu'un là-bas ?

— Deux voitures banalisées, répondit Metz. Une devant le café, une autre à l'arrière. Tout est surveillé. »

Miller s'avança jusqu'à la fenêtre et resta là quelques instants, les mains posées sur les hanches. « Est-ce que la serveuse a dit quelle photo lui ressemblait le plus ? demanda-t-il à Roth.

— Oui, la quatrième de la série. Plein de cheveux sur le crâne et rasé de près, tu vois ?

— Bien sûr. »

Miller regardait par la fenêtre.

« Robert ? »

Miller se retourna. Son cœur battait à cent à l'heure. Il était excité, presque effrayé, comme s'ils tenaient la clé de l'affaire ou au contraire rien du tout. Jusqu'à présent, ils n'avaient pas eu de piste aussi sérieuse.

« Qu'est-ce qu'il y a ? demanda Roth.

— Je veux aller là-bas. Je veux voir cette serveuse. »

Les rues étaient presque désertes. Le trajet se déroula sans encombre entre le croisement de New York Avenue avec la 5e Rue et L Street, en passant par la bibliothèque Carnegie et Massachusetts Avenue. Roth conduisait. Miller jeta un coup d'œil en arrière vers la bibliothèque et repensa aux dernières heures de Catherine Sheridan, à cet emploi du temps mystérieux. Il avait du mal à croire que tout cela remontait seulement à quatre jours. Il se demandait aussi ce qu'il était advenu de Chloe Joyce. Une gamine de 9 ans passée directement de pas grand-chose à rien du tout. Les services d'aide à l'enfance s'occuperaient d'elle, ils la placeraient dans un endroit peuplé d'autres enfants à l'existence brisée.

« C'est là-bas », dit alors Roth, l'interrompant dans ses réflexions.

Une enseigne au néon sur la vitrine : « Lavazza ». À l'intérieur, un éclairage jaune et chaud rendait le lieu accueillant, sympathique. Au-dessus de l'auvent, on pouvait lire : « Donovan's ».

« Où est la voiture banalisée ? demanda Miller.

— Sur le trottoir d'en face… Tu vois le magasin de sport ? »

Miller avisa la berline garée un peu après le magasin.

« J'y vais, fit Miller. Je vais prendre un café et discuter avec la serveuse. »

L'établissement était aussi agréable qu'il le laissait penser de l'extérieur. Au bout du comptoir se trouvait un petit groupe d'habitués : quatre hommes, tous proches de la soixantaine, qui ne levèrent pas les yeux au moment où Miller et Roth franchirent le seuil de l'entrée. Mais lorsque Miller s'assit et commanda un café, que la serveuse s'approcha avec sa cafetière – elle leur sourit et leur demanda s'ils voulaient manger quelque chose –, un des vieux bonshommes hocha le menton vers lui. « Vous cherchez la même chose que les autres, c'est ça ? »

Miller lui sourit. C'était la deuxième fois en quelques jours que quelqu'un le démasquait.

« On ferait mieux de porter une pancarte autour du cou, répondit Miller. Ça se voit tant que ça ?

— Vu votre façon de bouger, vous pourriez aussi bien sortir en uniforme. »

Sur ce, le vieux éclata de rire, bientôt suivi par les autres.

La serveuse – que son badge désignait sous le nom d'Audrey – leur versa du café. Elle reposa la cafetière sur le support et revint vers eux. D'après Miller, elle devait avoir un peu plus de 40 ans. Elle paraissait fatiguée, mais toujours vaillante. Peut-être était-elle la propriétaire des lieux. Peut-être fallait-il y voir un peu plus qu'un boulot mal payé.

« Ne vous en faites pas, dit-elle. Ces petits vieux viennent ici parce que leurs femmes ne supportent plus de les avoir à la maison.

— Ce genre de types, je sais faire avec. » Miller jeta un dernier coup d'œil à l'autre bout du comptoir ; les vieux discutaient de nouveau entre eux. « Donc vous êtes Audrey.

— Je l'ai noté sur mon badge, au cas où j'oublierais.

— Je suis l'inspecteur Miller… Robert Miller.

— Vous ne vous faites pas appeler Bob, si ?

— Non. Pourquoi ? Vous avez un faible pour les prénoms ?

— Les gens. J'ai un faible pour les gens, mais c'est étonnant de voir à quel point le prénom d'une personne peut l'influencer. Comme votre type, par exemple. C'est impossible qu'il s'appelle John. »

Miller secoua la tête. « Je ne comprends pas.

— C'est pourtant simple, répliqua-t-elle en haussant les épaules. Il dit s'appeler John, mais il n'a jamais reçu le nom de John.

— Vous en êtes sûre ?

— Non, mais, avec certaines personnes, je sens les choses. John est un prénom masculin banal. Le genre qui travaille dur, vous voyez. Mais lui ? Celui que l'autre inspecteur m'a montré en photo ? » Audrey secoua la tête d'un air songeur. « Il n'est pas banal… Peut-être que la plupart des gens le trouvent banal, mais, moi, je vous dis qu'il a vu et fait certaines choses, si vous voyez ce que je veux dire. »

Roth se pencha au-dessus du comptoir. « Vous êtes en train de nous dire que vous arrivez à sentir tout ça chez lui ? »

Audrey éclata d'un rire soudain et sec. Son visage se plissa comme un sachet en papier. Les rides autour des yeux, les dents jaunies par le tabac, les cils collés par le mascara en petits paquets de deux ou trois – tous ces signes trahissaient son âge. « Comme une voyante ? Holà ! non. » Elle regarda les vieux à l'autre bout du comptoir. « Attendez, vous allez me faire passer pour une sorcière devant ces vieux schnoques. Non, je ne sens rien de spécial. Je me contente de regarder, et je vois des choses. Ça fait plus de quinze ans que je travaille ici. » Elle pencha la tête en direction de la vitrine. « Donovan… C'était mon mari. Il est mort il y a treize ans de ça et il m'a laissé l'endroit. Je vois passer un monde fou. J'ai l'habitude de parler aux gens, vous comprenez ? » Puis, s'adressant à Miller : « Vous êtes un flic. Les flics font la même chose. Ils discutent, ils regardent, ils écoutent, ils voient des choses et devinent tout le reste. Ce n'est pas si compliqué que ça de déchiffrer les gens. »

Miller comprenait ce qu'elle voulait dire.

« Tout ça pour dire qu'on arrive à sentir certaines personnes. On voit celles qui recherchent de la compagnie ou celles qui viennent ici pour montrer leurs plaies ouvertes à la face du monde. Et puis il y a les autres. Vous avez beau les cuisiner pendant des heures, vous ne leur arrachez qu'une dizaine de mots. John ? Il dit ce qu'on s'attendrait à l'entendre dire, point final. Peut-être que je me goure sur toute la ligne, mais je ne pense pas. Pour moi, il a tout l'air d'un homme qui traîne son fardeau. C'est tout ce que je peux vous dire.

— Et dans votre esprit il n'y a aucun doute possible sur le fait qu'on parle bien de l'homme qui était sur les photos qu'on vous a montrées ?

— Il y avait à boire et à manger, dit Audrey. C'était la même photo avec plein de coiffures différentes. J'en ai vu une qui était très proche de son apparence actuelle. Voilà à quoi il ressemble : c'est le genre de type qui ressemble à des millions d'autres types. Mais, quand il vous parle, vous le regardez droit dans les yeux et, là, vous ne le prenez plus jamais pour un autre.

— Vous avez eu peur de lui ?

— Peur ? Oh ! non. Il m'en faut beaucoup plus pour que j'aie peur d'un client. »

Miller sourit lorsqu'elle éclata de rire de nouveau.

« Il vient et il commande simplement un café à emporter. Quelquefois, rarement, il prend un sandwich, s'assoit au comptoir pour lire un peu le journal ou échanger deux mots, et puis il repart.

— Dans quelle direction ? voulut savoir Roth.

— Vers la gauche. Vers la bibliothèque et l'université.

— L'université ?

— Le Mount Vernon College, de l'autre côté de la place.

— Et c'est de là qu'il arrive ? demanda Miller.

— Parfois. Il arrive des deux côtés, un jour de la bibliothèque, le lendemain de Thomas Circle. »

Miller se tut quelques secondes ; il avala plusieurs gorgées de café d'un air songeur. « Je vais demander à quelqu'un de venir ici pour installer un bouton sous le comptoir.

— Un bouton ?

378

— Oui, un bouton. Comme dans les banques, par exemple. En appuyant dessus, vous déclenchez une alarme silencieuse. »

Audrey ouvrit la bouche pour dire quelque chose puis hésita. « Votre type, là, il n'a pas simplement oublié de renvoyer sa déclaration de revenus, si ? Il boxe dans une catégorie un peu plus lourde, j'imagine ?

— Il peut nous aider.

— Ça veut tout dire. Et je sais ce que ça veut dire. Il a… »

Miller lui lança un sourire, tendit le bras et posa sa main sur la sienne. « Audrey, dit-il. Tant qu'on ne lui aura pas parlé, ce qu'il a fait ou n'a pas fait ne rime pas à grand-chose. Pour l'instant, vous êtes la seule personne dans tout Washington à nous avoir donné une information intéressante sur ce type. On le recherche depuis un bout de temps, et il se pourrait que d'ici à deux ou trois jours on mette la main sur lui. Grâce à vous. Or je ne veux pas qu'il vous arrive quoi que ce soit, ou que ce type découvre quelque chose et décampe. Peut-être qu'il a des choses à nous dire, peut-être rien du tout. Mais, en attendant, on n'a que lui à se mettre sous la dent. Je vais donc demander à quelqu'un de venir installer un bouton derrière le comptoir. Aux frais de la commune. On ne vous dérangera pas…

— Je m'en fous d'être dérangée. » Elle jeta un coup d'œil à la pendule derrière le comptoir. Bientôt 20 h 45. « Je ferme à 22 heures. Si vous voulez que quelqu'un passe ici faire des travaux, vous feriez mieux de l'appeler tout de suite. »

Roth sortit son téléphone portable et composa un numéro. Il se laissa glisser du tabouret et marcha jusqu'à la sortie de la cafétéria.

Audrey le regarda s'éloigner, puis se retourna vers Miller. « Bon, qu'est-ce qui se passe avec ce mec ?

— Encore une fois, tant qu'on n'aura pas discuté avec lui, on ne sait pas ce qui se passe. »

Audrey lui adressa un sourire entendu. « Mais c'est du sérieux, non ? » Elle prit une tasse de sous le comptoir et se servit un café. « Vous envoyez rarement trois ou quatre inspecteurs pour un piéton qui aurait traversé en dehors des clous.

— Désolé, Audrey, mais je ne peux pas vous en dire plus.

— Je sais, mon cher. J'essaie juste de deviner. Si on commence à raconter qu'un gros bonnet venait ici, je vais être débordée avant même d'avoir servi mon premier café du matin. »

Roth revint vers eux. « Quelqu'un va passer d'ici une demi-heure. » Il hocha la tête en direction de la porte : il souhaitait avoir une discussion tranquille avec Miller.

« Lassiter veut qu'on rapplique au n° 2. »

Miller alla remercier Audrey et lui expliqua que l'intervention technique ne prendrait pas plus d'une heure.

« L'alarme que vous allez m'installer, elle sera reliée à quoi ?

— À nous, au commissariat n° 2.

— Donc le type entre, il commande son café, j'appuie sur le bouton, il prend son café et s'en va. Je ne vois pas comment vous allez avoir le temps d'arriver ici avant qu'il ait disparu.

— On aura des agents postés dehors. Il y en a déjà quelques-uns. Vous appuyez sur le bouton, on reçoit le signal au commissariat, on envoie un message radio à nos types et ils sont sur lui en un clin d'œil. Vous n'avez rien à craindre. Entendu ?

— Je ne crains rien. Simplement, je me dis que ce type est tellement important que ce serait bête de le rater à deux minutes près.

— On ne va pas le rater, Audrey. »

En disant cela, Miller se rendit compte qu'ils l'avaient raté pendant huit mois, qu'ils avaient même réussi à lui faire croiser la route de Natasha Joyce et la tuer. Ils l'avaient tellement raté qu'il était parvenu à transformer Chloe Joyce en petite orpheline.

« Il faut qu'on y aille, dit-il. J'ai été content de vous rencontrer… Je passerai peut-être prendre un petit déjeuner ici une fois que tout ça sera terminé, d'accord ? »

Audrey sourit et le salua. « Ce sera pour la maison, beau gosse. Pour la maison. »

Juste avant d'atteindre la sortie, Miller s'arrêta et se retourna. « À quelle heure vous ouvrez, le matin ?

— À 6 h 30. J'arrive à 6 heures, j'ouvre à 6 h 30. »

Miller et Roth marchèrent jusqu'à leur voiture. La rue était calme. Un des lampadaires était cassé, au carrefour. Des ombres envahissantes – presque menaçantes, presque un mauvais présage.

Roth s'arrêta devant la voiture et jeta un coup d'œil en arrière, vers la cafétéria. « Tu penses qu'on a une chance ? »

Miller regarda à son tour l'établissement éclairé. « Peut-être une petite chance », répondit-il avant d'ouvrir la portière.

J'ai attendu tranquillement dans le petit bureau de Francisco Sotelo, sur le *Paseo Salvador Allende*, entre les quartiers de Dinamarca et de San Martín. J'avais déjà enlevé toutes les armes qui se trouvaient dans la pièce; je savais qu'il ne portait pas de pistolet sur lui. Peut-être Francisco Sotelo pensait-il ne jamais se retrouver dans une situation où une arme pourrait lui servir.

Je ne l'ai pas tué dès son arrivée dans le bureau. J'avais brandi mon pistolet, le doigt sur la détente, et quand il s'est tourné vers moi, quand il m'a regardé droit dans les yeux comme s'il s'attendait à me voir, il m'a lancé un sourire tellement sincère et amical que ça m'a fait hésiter.

« J'aimerais boire quelque chose, a-t-il dit en s'asseyant à son bureau. Je sors d'une réunion qui a duré très longtemps. Je suis fatigué. Je pense qu'au vu de tout ce que j'ai fait pour aider votre peuple, c'est bien la moindre des politesses que vous pourriez m'accorder avant qu'on passe à autre chose. »

Il s'exprimait avec une telle simplicité, il paraissait si peu perturbé par la présence de cet inconnu armé dans son bureau, que ma curiosité s'en est trouvée éveillée.

« Vous vous joindrez à moi ? » a-t-il demandé.

J'ai fait signe que oui.

« Comment vous appelez-vous ? »

J'ai secoué la tête.

Il a souri. « Je trouve ça injuste. Vous connaissez mon nom. Il se peut même que vous me connaissiez mieux que la plupart de mes amis me connaissent. Vous savez où j'habite, j'en suis sûr, le nom de ma femme, de mon enfant. Selon toute vraisemblance, vous avez longuement étudié ma photo. J'imagine que vous avez même observé mes allées et venues au travail, afin d'être bien certain de ne pas vous tromper le moment venu. C'est la vérité, n'est-ce pas ? »

De nouveau, j'ai fait signe que oui.

« Dans ce cas, la moindre des choses serait que vous me donniez votre nom. Pour tout dire, je pense que cette rencontre va se conclure par ma mort. » Il m'a lancé un sourire narquois. *« Par conséquent, que je connaisse votre nom n'aura plus aucune importance.*

— *Je m'appelle John.*

— *Original, fit-il avec un petit sourire.*

— *C'est mon vrai nom.*

— *Ou disons le nom qu'on vous a donné.*

— *Vous savez qui je suis ? »*

Il a acquiescé. « Bien sûr que je sais qui vous êtes. Vous appartenez à la CIA. Vous êtes le roi-dollar, le représentant des tout-puissants États-Unis d'Amérique. En réalité, je connais mille fois mieux la raison de votre présence ici que vous-même.

— *Pourquoi pensez-vous que je sois ici ?*

— *Buvons d'abord un verre, en personnes civilisées que nous sommes. Asseyez-vous et devisons un peu, voulez-vous ? »*

J'ai haussé les épaules.

« Je suis sûr que vous n'avez pas d'engagement plus pressant... John ?

— *En effet. »*

J'aimais bien cet homme. Son calme apparent, ses manières nonchalantes, et même son allure – la mise élégante, le costume sur mesure, la belle chemise blanche.

« Il y a une bouteille de scotch dans le tiroir de mon bureau. Vous voulez la sortir vous-même ? »

J'ai fait non de la tête. Je savais où était la bouteille. Je l'avais repérée un peu avant, pendant que je fouillais la pièce. Je savais aussi qu'il y avait des verres dans le tiroir, au-dessous.

Francisco a sorti la bouteille et les verres puis posé le tout sur le bureau. Je l'ai bien observé pendant qu'il nous servait à boire. Il a fait glisser un verre vers moi. Je me suis assis sur un des fauteuils à haut dossier, en treillage de fer forgé. Celui de Francisco était identique. Pendant un moment, nous n'avons échangé aucun mot, comme si nous attendions tous les deux quelque chose. J'ai croisé les jambes en gardant mon pistolet sur les cuisses, le canon braqué directement sur son torse. Je sentais le parfum du whisky remonter du verre dans ma main gauche.

« Vous comprenez la Alianza? a-t-il fini par me demander.

— Je comprends ce que j'ai besoin de comprendre. »

Francisco a souri. « Vous savez ce que disent les Chinois à propos d'un homme taciturne? »

J'ai fait signe que non.

« Ils disent qu'un homme taciturne est soit un homme qui ne sait rien, soit un homme qui en sait tellement long qu'il n'a pas besoin de dire quoi que ce soit.

— Vraiment? »

Sans un mot, il s'est penché vers moi avec un geste brusque. « Je peux vous demander ce qu'ils vous ont raconté sur mon compte? »

J'ai soulevé mon verre et siroté le scotch. « Non.

— Je suis avocat. Ça, vous le savez, n'est-ce pas? »

Je n'ai rien répondu. Francisco essayait de prolonger son existence autant qu'il le pouvait. Il avait raison. Je n'avais aucun engagement pressant. L'après-midi touchait à sa fin. Son bureau était officiellement fermé et, d'après les rapports de surveillance, on savait qu'il passait souvent les fins d'après-midi et les soirées à travailler seul. Personne ne venait lui rendre visite.

« *Je suis avocat et je défends toute personne que votre gouvernement souhaite me voir défendre. Je dispose de renseignements sur bon nombre des opérations que vous autres avez menées depuis l'invasion du Nicaragua. Je connais la Rowan International et la Zapata Corporation. Je connais les plates-formes de forage offshore qui font office de pistes d'atterrissage pour les hélicoptères qui ramènent de la cocaïne aux États-Unis...* »

J'ai alors reposé mon verre sur la table. « *Pourquoi est-ce que vous me racontez tout ça, Francisco ?* »

Il a promené son regard autour de lui ; quelque chose, dans son expression, disait un homme perdu, peut-être attristé par l'évidence que sa vie s'arrêterait là.

« *J'ai des témoignages dans ce bureau, a-t-il répondu calmement. Des témoignages écrits par d'anciens agents de la lutte antidrogue américains, selon lesquels les cartels de Quintero et de Gallardo font entrer quatre tonnes de coke par mois sur le sol américain. Vous savez qui sont ces gens ?*

— Non.

— Ils soutiennent les Contras à Guadalajara, au Mexique. Voilà qui ils sont, John, et ils ramènent quatre tonnes par mois dans votre pays, et l'argent qu'ils gagnent est réinjecté dans la guerre que vous êtes censés mener contre les communistes. » *Il a soudain éclaté d'un rire amer.* « *Le communisme n'a rien à voir là-dedans, mon cher. Cette guerre a toujours eu d'autres objectifs. Je vais vous dire quelque chose... Avec Noriega au Panamá, John Hull au Costa Rica, Felix Rodriguez au Salvador et Juan Ballesteros au Honduras – tous notoirement employés par la CIA et soutiens des Contras –, votre magnifique et toute-puissante Amérique reçoit 70 % de la cocaïne qu'elle consomme. Votre CIA est obligée de pactiser avec les éléments criminels partout où elle va. Pour avoir un*

minimum d'influence dans n'importe quelle zone, elle doit composer avec les caïds locaux. Ce genre d'arrangement est au cœur de toutes les opérations clandestines conduites par votre merveilleux gouvernement. La CIA est partout, la demande de drogue est partout... Vous n'allez pas me faire croire que ces deux-là ne se croisent pas de temps en temps, John. Bien sûr que si.

— Je ne sais rien de tout cela.

— Vous ne savez rien ou vous savez tout mais préférez ne rien dire ? »

J'ai remonté légèrement le pistolet, de sorte que le canon du silencieux visait maintenant la gorge de Francisco. « Je ne sais rien de tout cela.

— Ce qui nous amène à la question : est-ce parce que vous préférez ne pas poser la question ? »

J'ai avalé une autre gorgée de scotch. C'était du bon scotch, avec un goût brut, et la sensation dans le fond de ma gorge était familière, rassurante.

« Saviez-vous que l'aéroport international de Miami sert de base aux avions de la CIA et du NSC qui convoient du matériel aux Contras du Nicaragua ?

— Non, je ne le savais pas.

— Ils arrivent avec du matériel à Managua et repartent chargés de cocaïne. Les pilotes sont des criminels avérés, avec des casiers fédéraux dans votre pays longs comme le bras. Ils se rachètent une conduite en faisant ça. Leurs visas sont délivrés par la Défense américaine. Ils ont des blancs-seings de la CIA, grâce auxquels ils écartent tous les fonctionnaires des douanes. Les armes et le matériel arrivent ainsi au Nicaragua, la coke repart dans les mêmes avions, les pilotes livrent la coke, ramènent l'argent au Nicaragua, et cet argent est blanchi sur des comptes en banque ouverts par Manuel Noriega. »

Je n'ai rien répondu.

« *Vous savez qui est Manuel Noriega, n'est-ce pas ?*

— *Oui, ai-je dit. Je sais qui c'est.*

— *Eh bien, figurez-vous qu'il a ouvert des comptes en banque au nom de votre gouvernement et que l'argent de la cocaïne transite par ces comptes jusqu'au Costa Rica. Et ces comptes au Costa Rica... sont détenus par des membres importants des Contras. Tout cela est chapeauté par une entité qui s'appelle Enterprise, créée par un certain Oliver North. C'est-à-dire l'adjoint du conseiller de votre président actuel pour les questions de sécurité. Et Enterprise travaille avec le Pentagone, la CIA, le NSC...* » Francisco Sotelo a eu un rire paisible. « *Le lieutenant-colonel Oliver North, adjoint du conseiller du Président pour les questions de sécurité – l'amiral John Poindexter –, connaît par cœur cette organisation... Une organisation créée pour soutenir et protéger les plus gros trafiquants de drogue sur cette planète.* »

Il s'est alors tu quelques instants pour regarder vers la fenêtre, à sa droite. « *J'ai lu un rapport, il y a quelque temps, écrit par un certain Dennis Dayle, ancien patron d'une unité d'élite au sein de la DEA, l'agence de lutte contre le trafic de drogue. Et vous savez ce qu'il dit dans ce rapport ?*

— *Je ne pense pas que ça m'intéresse, Francisco.* »

Il a rigolé. « *Mais bien sûr que si, John – ces gens-là sont vos patrons, vos collègues, vos amis. C'est avec eux que vous jouerez au golf dans un club ultrasélect en Floride, quand vous aurez quitté ce métier sinistre.* » *Il a levé la main.* « *Vous ne voulez pas le savoir, mais je vais vous le dire quand même. Dayle expliquait que, en trente ans de carrière dans la répression du trafic de drogue et dans les agences apparentées, les cibles importantes de ses enquêtes se sont quasiment toutes révélées travailler pour la CIA. Voilà ce qu'il disait. Ça ne vous impressionne* pas ? Ça ne vous surprend pas d'entendre un tel propos de la part d'un des vôtres ?

— Non, monsieur Sotelo. Ça ne m'intéresse même pas. Je ne sais que ce que j'ai besoin de savoir. Pour une raison ou pour une autre, vous avez déplu à mes employeurs et, afin de dissuader vos amis de leur déplaire davantage, j'ai été envoyé ici pour faire passer un message. Le messager n'a pas besoin de savoir ce qui se trouve dans l'enveloppe qu'il remet, ni qui l'a envoyée ni pourquoi. On lui demande simplement de la remettre. C'est sa mission. Un bon messager ne pose pas ces questions – il se contente de transmettre le message. »

Francisco Sotelo remuait péniblement sur son siège. Il a vidé son verre et tendu le bras vers la bouteille pour se resservir.

« Vous avez déjà assez bu comme ça », lui ai-je dit.

Il a ouvert grand les yeux. « Un dernier... S'il vous plaît. »

Je l'ai laissé remplir son verre à moitié.

« Saviez-vous que la CIA couvre des opérations clandestines de trafic de drogue en Birmanie, au Venezuela, au Laos, au Mexique ? Saviez-vous que la plus grande antenne de la CIA hors du territoire américain se trouve à Mexico City ? Idem pour le FBI et la DEA. Saviez-vous que plus de 90 % de toutes les drogues illicites passent du Mexique aux États-Unis. Vous savez à quel point il est facile d'aller du Nicaragua jusqu'au Mexique en passant par le Honduras et le Guatemala ? Pourquoi laissent-ils faire cela ? me demanderez-vous. Le Mexique a une dette extérieure de 150 milliards de dollars, en grande partie contractée auprès de Citibank, la grande banque américaine. Les seuls intérêts de cette dette s'élèvent chaque année à 14 milliards. Et d'où vient cet argent ? Mais des mêmes personnes auprès desquelles le Mexique s'est endetté ! Citibank blanchit des millions de dollars pour les frères Salinas et les cartels mexicains. L'argent sert à payer les intérêts, et tout le monde est content.

— Ça suffit.

— C'est la vérité, John. Aucun doute là-dessus : c'est la vérité. Le jour où il est devenu évident que la drogue était convoyée clandestinement jusqu'en Amérique à travers le Honduras, votre administration a fermé le bureau de la DEA là-bas et a transféré ses agents au Guatemala. La drogue ne transitait pas par le Guatemala, mais par le Honduras, et le gouvernement américain le savait pertinemment. Dès que quelqu'un s'intéressera d'un peu trop près au Guatemala, le bureau sera de nouveau transféré ailleurs, sans doute au Costa Rica. La chronologie est indiscutable, John... Dès l'instant où les États-Unis sont intervenus au Nicaragua, la cocaïne a inondé votre pays par l'intermédiaire du Mexique... »

Le bruit du verre se brisant sur le parquet a été plus fort que l'écho du coup de feu étouffé par le silencieux. Une petite fleur rouge est apparue juste au-dessus de l'arête du nez de Francisco Sotelo, et il m'a regardé droit dans les yeux pendant ce qui m'a semblé durer une éternité. Une grande partie de sa cervelle a giclé sur le treillage en fer forgé de son dossier de fauteuil, laissant une trace symétrique contre le mur derrière lui.

Je suis resté assis là pendant un long moment. J'ai rempli mon verre deux fois et j'ai dégusté le whisky. Repensant à ce que Francisco Sotelo venait de me raconter, et qui pourtant ne m'apprenait rien de neuf, les détails m'ont surpris. J'avais choisi de ne pas faire attention aux choses que j'avais entendues. Une guerre exige de l'argent. Il faut bien acheter des armes. Des vies sont sacrifiées inutilement pour lancer ou arrêter une invasion. Mais une *fois la guerre terminée, que se passe-t-il ? Étais-je prêt à croire que tout ce que nous faisions en Amérique latine était financé par la drogue ? Mon Dieu ! non. Étais-je prêt à croire que la lutte contre l'infiltration communiste avait pour but, tout simplement, d'assurer une plus grande mainmise sur les grands centres de production de drogue ? Non, je refusais d'y croire.*

J'ai fouillé la pièce pour y chercher des documents, le témoignage des agents de la DEA dont m'avait parlé Sotelo. Mais je n'ai rien trouvé.

J'ai tué Francisco Sotelo parce que j'en avais reçu l'ordre. Je l'ai tué parce qu'il détenait des informations qu'il transmettait aux sandinistes, du moins selon les dires de Lewis Cotten.

« Ce type est un connard, m'avait-il expliqué. Francisco Sotelo est avocat... Entre nous, John, c'est déjà une bonne raison de le flinguer. Un enculé d'avocat, bordel ! Quoi qu'il en soit, on ne peut pas lui faire confiance. Il possède des informations qui tombent aux mains des sandinistes, ce qui leur permet d'entraver certaines opérations absolument cruciales dans le nord du pays. Et on a la preuve irréfutable que c'est de lui que vient le problème. Donc tu vas là-bas, tu règles le problème et tout le monde va pouvoir dormir sur ses deux oreilles. »

J'ai réglé le problème.

Que tout le monde ait ensuite dormi sur ses deux oreilles ou non, je ne pouvais pas le savoir.

Moi, en revanche, je n'en ai pas mieux dormi, et c'était la seule chose dont je me souciais.

Je suis reparti du bureau incognito et j'ai traversé toute la ville jusqu'au domicile de Sotelo. J'y suis allé pour retrouver ces documents que l'on pensait qu'il détenait. Je ne devais rien chercher d'autre.

Les événements qui se sont déroulés ce fameux soir, les conséquences de mes découvertes dans cette maison ont été plus importants que tout le reste jusqu'alors. C'est à ce moment-là que je me suis rendu compte que la vérité était toujours plus puissante et convaincante que la propagande. C'était le début de la fin, et je savais – comme Catherine – que nous avions fait quelque chose de très, très grave.

28

« Ça, dit Frank Lassiter en montrant une demi-douzaine de dossiers empilés sur son bureau, ce sont les conclusions des experts scientifiques sur chacune des affaires qui nous concernent. Ils ont réexaminé les constatations initiales et les ont comparées les unes aux autres. » Il eut un sourire résigné. « Je dis ça, mais enfin si vous lisez ces documents très attentivement, vous verrez qu'on n'a rien du tout à se mettre sous la dent. »

Il fit le tour de son bureau et s'affala sur son fauteuil. Il avait l'air aussi épuisé que Miller.

Un silence épais, manifestement parti pour durer, s'installa entre les trois hommes.

Miller le rompit en disant : « Vous êtes au courant pour la cafétéria ?

— Oui, acquiesça Lassiter, je suis au courant pour la cafétéria et pour la maison pourrie dans laquelle McCullough est censé avoir vécu. J'ai cru comprendre, également, qu'une serveuse pense avoir reconnu notre homme. »

Miller se pencha, posa les coudes sur les genoux et se prit la tête entre les mains. Une grosse boule opaque lui emplissait l'esprit. Comme une punition. Une sanction. Il se rappela le visage de Brandon Thomas au moment où il avait basculé en arrière et chuté dans l'escalier, cette expression qui accusait Miller de l'avoir intentionnellement poussé. Il leva enfin les yeux vers Lassiter. « On fait vraiment tout notre…

— Vous faites tout votre possible. Je sais bien, mais tout votre possible ne suffit pas.

— On a besoin de renforts… commença Roth.

— Vous savez pertinemment que je n'ai plus personne. Vous connaissez le nombre de meurtres commis chaque année à Washington ? » Il sourit et secoua la tête. « Pas besoin de vous donner le chiffre, si ? Ces cinq crimes ne sont qu'une infime partie de la masse qu'on doit gérer, sans parler de ce qui se passe ailleurs en ville. Trente-huit commissariats, et rajoutez à cela toutes les affaires qu'on partage avec Annapolis, Arlington et tous ceux qui estiment qu'on a plus de ressources qu'eux… » Lassiter ne termina pas sa phrase. Il fit pivoter son fauteuil et regarda par la fenêtre derrière son bureau. « Vous savez ce que ma femme m'a dit ce soir ? »

Miller ouvrit la bouche pour répondre mais l'autre ne lui laissa aucune chance.

« Elle m'a dit qu'on regardait trop loin pour voir quoi que ce soit. »

Sur ce, il fit une soudaine volte-face. Le sourire qu'il arborait trahissait de la perplexité plus qu'autre chose. « Est-ce que ma femme serait donc devenue bouddhiste du jour au lendemain ? Qu'est-ce que vous dites de ça, hein ? On regarde trop loin pour voir quoi que ce soit… Vous y comprenez quelque chose, vous ? Je ne sais même pas ce que ça veut dire, mais quand ma femme commence à m'expliquer ce que je dois faire… » Lassiter se retourna vers la fenêtre.

Miller s'éclaircit la voix. « Je crois…

— Je me fous de savoir ce que vous croyez, Robert. Pour l'instant, je veux des faits. Des indices. Il me faut quelque chose que je puisse brandir en disant : "Voici, messieurs… Nous avons là de quoi rendre le contribuable fier de payer ses impôts", et qu'eux puissent *voir* ce que je leur montre et répondre : "Mais oui, nom de Dieu, regardez-moi ça, c'est intéressant ! Enfin quelque chose à quoi nous raccrocher et qui nous permettra de rentrer chez nous en disant à nos épouses et à nos filles de dormir tranquillement parce que les tout-puissants agents du commissariat nº 2 contrôlent parfaitement cette saloperie." Voilà ce qu'il me faut, Robert, et *rien d'autre*.

— Et ça, répondit Miller sur un ton détaché, je ne peux pas encore vous le donner.

— Je *sais*, Robert, mais ce n'est pas ça que j'ai envie d'entendre. Vous comprenez ce que je veux dire ? Ce que j'ai envie d'entendre, c'est que vous contrôlez la situation, que vous avancez, que demain ce type se retrouvera dans une cellule et vous dira tout ce que vous vouliez savoir sur ce qui est arrivé à Mosley et à Barbara Lee et à… » Il s'interrompit soudain et commença à rire, d'un rire forcé et nerveux. « Ah merde ! j'ai oublié de vous dire. Comment est-ce que j'ai pu oublier ça, putain ? Attention, chef-d'œuvre ! Un chef-d'œuvre comme on n'aurait jamais pu l'imaginer si on avait voulu. Cette Rayner, Ann Rayner… La secrétaire juridique, vous savez ? Eh bien, vous ne devinerez jamais pour qui elle tapait des dépositions de témoins et des comptes-rendus de jugements. »

Miller secoua la tête.

« Un juge à la retraite. Deux mandats au Congrès de Washington ? »

Les yeux de Miller s'écarquillèrent. « Bill Walford ? »

— Tout juste ! Elle a été secrétaire juridique du juge Walford entre juin 1986 et août 1993. Pendant sept ans, bordel de Dieu ! Sept ans. Je connais des types qui se sont remariés deux fois en moins de temps. »

Roth secouait la tête. « Walford ? »

Miller lui jeta un coup d'œil. « Je t'expliquerai plus tard. »

Lassiter rit de nouveau. « Vous n'avez jamais eu le bonheur d'avoir affaire au juge Walford, cher ami. Parmi toutes les personnes pour qui cette femme aurait pu travailler, il fallait que ça tombe sur lui !

— Il est intervenu ? demanda Miller.

— Heureusement pas. Il doit avoir à peu près 150 ans aujourd'hui, mais ça nous donne une excellente raison supplémentaire de tenir la presse à bonne distance. Je sais que le juge Thorne s'y intéresse beaucoup. Or il se trouve que le juge Thorne joue au golf avec le maire et qu'il connaît Walford… » Il laissa passer un silence. « Pour l'instant, on s'en sort plutôt pas trop mal, je peux vous le garantir. Le peu de bruit que ça a fait dans la presse me surprend ; ça aurait pu être mille fois pire, et quand Natasha Joyce a été assassinée… Eh bien, vous avez eu une chance de cocu que les journaux n'en aient rien dit. S'ils avaient découvert que vous lui aviez parlé.. Je n'ose même pas imaginer le bordel. »

Lassiter se leva, souleva son pardessus du dossier de son fauteuil et le posa sur son avant-bras. « En attendant, j'ai besoin qu'on agisse et qu'on montre qu'on n'est pas payés à rien foutre. À quelle heure ouvre la cafétéria ?

— Officiellement à 6 h 30, répondit Miller.

— Officiellement ?

— La serveuse – en réalité la patronne – arrive là-bas à 6 heures.

— Je veux vous voir ici à 5 h 45. Tous les deux. Dès qu'elle appuie sur le bouton, il faut que vous soyez devant la cafétéria en quelques minutes. Je laisse Metz et Feshbach de permanence cette nuit. Riehl et Littman prendront le relais à 4 heures. » Il hésita un instant, dévisagea

Roth, puis Miller, comme s'il les défiait de dire quelque chose. « Je vous donne tout ce que j'ai sur ce coup-là, compris ?

— Je sais, capitaine. Je sais… »

Lassiter arrêta Miller sur-le-champ. « À partir de maintenant, je ne veux plus rien entendre, sauf que vous avez attrapé ce type. Compris ? Je ne veux plus aucune femme morte, OK ? »

Lassiter n'attendit même pas une réponse. Il sortit dans le couloir et referma bruyamment la porte dans son dos.

« Je vais faire un tour à la cafétéria », dit Miller.

Roth ne chercha ni à le contredire ni à le contrarier. Il n'avait presque pas vu sa famille depuis la première semaine du mois. La vie était ainsi faite. Amanda avait beau le savoir, les enfants aussi, ça ne changeait rien au ton de leurs voix quand ils lui demandaient : « Dans combien de temps, papa ? Quand est-ce que tu vas rentrer ? Est-ce qu'on te verra ce week-end ? »

Il enfila son manteau. En passant devant Miller, il lui posa la main sur l'épaule. « Tout va bien ? »

Miller eut un sourire las. « Tout va bien. Tu débarrasses le plancher, oui ou non ? »

Roth leva la main. « C'est comme si c'était fait. »

Miller attendit que les pas de Roth s'estompent dans le silence pour se poster devant la fenêtre et observer la rue, les deux mains contre la vitre froide. Entre ses doigts, il regarda les phares scintiller sur la route à mesure que les voitures défilaient, formant comme un flux ininterrompu de lumière. Il voulut se concentrer sur les parties sombres entre chacune d'elles, mais ses yeux étaient sans cesse attirés par les néons colorés, les lampadaires, les ampoules à sodium ou fluorescentes… Il se demanda si la femme de Lassiter n'avait pas raison, après tout. Regarder trop loin pour voir quoi que ce soit…

Un quart d'heure plus tard, il téléphona à la cafétéria et discuta brièvement avec Audrey. Oui, le technicien était venu. Oui, le bouton avait été installé. Oui, ils l'avaient testé et tout fonctionnait parfaitement. Elle s'apprêtait à rentrer chez elle et reviendrait fraîche et pimpante à 6 heures du matin. Voulait-il qu'elle lui prépare un café ?

Miller lui répondit que non, mais la remercia quand même. Une autre fois, peut-être.

Il raccrocha. Il quitta le bureau, descendit dans la rue et héla un taxi qui l'emmena vers le nord, sur la 5e Avenue, puis à gauche, dans P Street, jusqu'au rond-point Logan. Sur le chemin, ils croisèrent Columbia Street NW, et Miller se retourna un instant devant la maison de Catherine Sheridan, qui trônait comme un monstre calme et malveillant, trou noir parmi toutes ces lumières vives. Il se rendit compte qu'il ne comprenait toujours pas davantage ce qui avait pu se passer dans cette maison le 11 novembre.

Il ferma les yeux et ne les rouvrit qu'au moment où le taxi s'arrêta devant chez lui. Il régla la course, rentra dans son appartement, ôta sa veste. Il se prépara un thé et s'assit dans sa cuisine. Il se demanda si le type allait débarquer le lendemain, et si oui... Si oui, leur donnerait-il quelque chose ?

Aujourd'hui est un bon jour.

Aujourd'hui, plus que tous les autres jours, je sens que c'est un bon jour.

Un jour, je crois, où il va se passer quelque chose.

Je crois que Robert Miller sait ce qu'il fait, en tout cas autant que les autres.

Jeudi matin, 16 novembre. Je me lève et je prends ma douche. Je me rase, je me passe un coup de peigne. Je repasse une chemise bleu ciel, je choisis un costume dans la penderie de ma chambre. Mon apparence n'a rien de frappant, mais je sais tirer profit de ma taille, de ma charpente, de mon port. J'ai 47 ans mais mes étudiants me disent que je fais plus jeune et que je suis mieux que la plupart de leurs pères, après quoi ils me disent que je les intrigue, que je reste un mystère pour eux. Je souris et je me demande ce qu'ils penseraient s'ils connaissaient la vérité.

Je pourrais leur raconter des histoires. Je pourrais leur parler de l'entraînement. Les chaussettes remplies de sable et les tenues de camouflage, les AR-15 et les cartouches de 223, les balles de 22 enveloppées dans du mince film plastique afin qu'il n'y ait ni striage, ni rayure, ni plat, ni rainure au cas où quelqu'un retrouverait le projectile. Je pourrais leur parler des balles remplies de mercure, des balles à fragmentation Glaser, des balles wad-cutters, des balles à tête plate, des revolvers, longs et courts, des trépieds, des balles à tête creuse. Je pourrais leur parler des taches de sang écarlate qui émaillent un corps, des cordes à étrangler et de la technique pour tuer quelqu'un à l'aide d'un magazine enroulé. De ces deux types de Puerto Sandino que l'on surnommait Dextre et Senestre, capables de vous tuer n'importe qui pour 25 dollars et une bouteille de Seagram. Je pourrais leur parler des années qu'il faut avant que la confiance s'instaure, uniquement pour voir cette même confiance anéantie en un clin d'œil – non par l'existence de preuves, mais par le seul fait du soupçon. Je pourrais leur dire que chaque service rendu est une dette que l'on contracte. Leur parler des moyens et des techniques de la manipulation par la propagande.

Quelle est la phrase de Richelieu, déjà ? « Qu'on me donne six lignes écrites de la main du plus honnête des hommes, j'y trouverai de quoi le faire pendre. » Ou quelque chose comme ça. Je connais ces saloperies par cœur. Par cœur.

Couchez-vous à côté du diable et vous vous réveillerez en enfer.

Catherine m'a dit ça, un jour. On était dans un bar de Managua. J'avais trop bu. À cause de ma conscience, de ma culpabilité, de quelque chose que j'étais incapable d'affronter.

Est-ce que ces jeunes auraient la moindre idée de ce que signifie une telle chose ?

Et si je leur disais tout, que penseraient-ils, ces fils et ces filles à papa ? Je les ai vus, leurs pères : tous des hommes puissants avec des yeux qui ont trop vu mais pas assez compris. Si je leur disais ce que j'ai fait, que penseraient-ils de moi après ? Bénéficierais-je encore d'un hochement de tête respectueux de la part du vice-président de l'université, du trésorier ? Je ne crois pas. Je deviendrais un cafard, un moins-que-rien. La pire engeance au monde. Et ils parleraient tous de moi comme d'une maladie – douloureuse, durable, terminale, mais désormais conjurée, enlevée, repoussée. Et ils se raconteraient les uns aux autres comme ils savaient depuis le début que le Pr John Robey était différent, à quel point ils avaient une intuition, un sixième sens, et combien ils devraient plus souvent

399

faire confiance à cette intuition, parce qu'ils ne s'étaient jamais trompés sur ce genre de choses auparavant…

Le monde qui est le leur existe grâce à des gens comme moi. Nous avons monté la garde et nous avons protégé leur monde contre toutes les forces obscures, malveillantes et destructrices. Nous avons monté la garde quand personne ne le faisait et nous avons rendu leur monde plus sûr. Il est foutu. Vraiment foutu. Je le sais, vous le savez… Nous sommes tous des adultes, nom de Dieu, mais, sans des gens comme moi, ce serait mille fois pire ! N'est-ce pas ?

Eh bien, non. Telle est la vérité, et c'est cette vérité qu'on ne peut pas regarder droit dans les yeux. Voilà le monstre, mes chers amis. Voilà la créature que nous avons tous engendrée et dont nous essayons maintenant de nous persuader que nous ne l'avons pas engendrée. Pourtant nous l'avons créée. Elle est là, elle sera toujours là.

Débrouillez-vous avec.

Jeudi matin, je suis devant ma glace et je me regarde. Une jolie veste – une rangée de boutons, mélange coton et cachemire –, une chemise bleu ciel, pas de cravate… je n'ai pas envie d'en porter une aujourd'hui. Si j'en porte une, ils vont me l'arracher, la rouler, la fourrer dans un sac en plastique et l'abîmer.

Donc pas de cravate aujourd'hui.

Juste une veste, une chemise et une paire de richelieus marron.

Je reste un petit moment dans le couloir, puis je me baisse pour prendre ma mallette, je ferme les yeux, je prends une longue bouffée d'air, je m'arrête encore une seconde et je m'avance vers la porte…

Dehors le froid est vif. Je marche jusqu'au carrefour et je tourne à droite sur Franklin Street. Il est 8 h 04. Le bus arrivera entre 8 h 08 et 8 h 12. Je descendrai tout près de la bibliothèque Carnegie et ferai le reste du chemin à pied jusqu'à Massachusetts Avenue, puis prendrai un café chez Donovan. J'en repartirai avant 8 h 35, je referai le même trajet en sens inverse et, devant l'église qui trône au coin de K Street, je m'assoirai sur un banc pendant dix ou quinze minutes. À 8 h 55, je traverserai la rue et monterai les marches du Mount Vernon College. Je dirai bonjour et saluerai Gus, le vigile de l'université, puis je franchirai la porte d'entrée, prendrai à droite, au milieu de la cohue et du vacarme matinaux, et je me fraierai un chemin jusqu'à ma salle de cours – il sera alors 8 h 59. Le cours commence à 9 h 05. Je ne suis jamais en retard. J'ai une pendule dans la tête. J'ai été élevé dans la conscience de l'importance du temps. Mes étudiants le comprennent très bien. Ils ont rarement besoin d'être en retard plus d'une fois pour comprendre qu'on n'arrive pas en retard au cours du Pr Robey.

L'idée me fait sourire. Mallette en main, je quitte mon appartement et descends les marches du perron jusqu'au trottoir

Je suis ce que je suis, ce que j'ai l'air d'être et ce que les autres veulent que je sois. Surtout, je ne suis plus l'homme que j'étais.

C'est aussi simple que cela.

J'attrape mon bus. Il m'emmène sept rues plus au sud, tout près de la bibliothèque Carnegie. Là, je descends et j'emprunte à pied Massachusetts Avenue. Je remarque la berline au coin de la rue, et les deux hommes assis à l'intérieur. Je me demande un instant s'il ne s'agit pas de Miller et de son collègue. Ce n'est pas eux, mais ils me regardent quand même, et je perçois leur tension quand ils jettent un coup d'œil dans leur dos, une fois qu'ils savent que je ne peux plus les voir.

J'arrive chez Donovan. Je ne suis ni en retard ni en avance. Même quand je m'approche du comptoir, même quand Audrey se tourne et marche vers moi avec un sourire, je sais.

Je me demande ce qui va se passer, maintenant.

Je me demande si elle doit faire quelque chose pour les prévenir de mon arrivée.

« Comme d'habitude ? » me dit-elle, mais sur un ton trop enjoué, un peu trop nonchalant. Je l'observe attentivement tandis qu'elle va à l'autre bout du comptoir chercher la cafetière sur son socle.

Elle tend sa main vers le rebord du comptoir. Elle lève les yeux vers moi, et, pendant cette fraction de seconde, je m'interroge.

Elle me lance un demi-sourire, puis elle cligne des yeux deux fois de suite. Je regarde sa main sur le rebord du comptoir, et elle revient vers moi – grand sourire, détendue, tout va bien, tout va bien, tout va très, très bien…

« À emporter ? » demande-t-elle.

Je lui souris et je fais signe que non. « Ne vous embêtez pas, Audrey, dis-je calmement. Je vais les attendre ici. »

29

Miller s'était endormi tout habillé. Il se réveilla un peu avant 4 heures du matin, pâteux, nauséeux. Il prit une douche et retrouva une chemise propre ; il était fin prêt à 5 h 15. Il se prépara un café et appela Roth sur son portable. Après un bref échange, il quitta son appartement pour arriver au commissariat n° 2 sur le coup de 5 h 40. Il faisait encore nuit. Un vent âpre lui mordait le visage. L'œil chassieux, un arrière-goût cuivré dans la bouche, il était désorienté, vidé. Alors que la ville commençait à s'animer autour de lui, il se sentait seul comme jamais. Il hésita une petite seconde en haut des marches et regarda derrière lui, vers la 5ᵉ Avenue, en se disant qu'une fois tout cela terminé il ferait une pause, prendrait des vacances, peut-être. Il irait dans un endroit qu'il ne connaissait pas pour voir si l'herbe n'était pas un peu plus verte loin de chez lui. D'un autre côté, il savait pertinemment qu'il se mentait. Il sourit tout seul, poussa la porte et traversa le hall jusqu'à l'escalier.

Roth arriva moins d'un quart d'heure après. Il s'assit sans dire un mot et se contenta de saluer Miller d'un hochement de tête.

« Comment va Amanda ? »

Roth sourit. « Amanda va toujours bien.

— Et avec toi ? »

Roth haussa les épaules. « Elle veut partir en vacances.

— Je peux comprendre.

— Je lui ai dit peut-être… Quand on en aura terminé avec cette affaire, on pourra peut-être partir. »

Miller consulta sa montre : 5 h 54. « Elle arrive en ce moment, dit-il. Audrey.

— Tu veux qu'on aille là-bas ? »

Miller ne répondit pas, mais sembla envisager cette option. « Avec nos gueules, finit-il par dire, il suffit d'un coup d'œil pour comprendre qu'on est des flics. Si le type nous voit à l'intérieur, il va se tirer en courant.

— S'il a quelque chose à se reprocher.

— Je n'ai pas envie de prendre le risque.

— Je suis d'accord.

— Tu veux un café ?

— À la machine ? fit Roth en secouant la tête. Oh ! que non. Je vais t'en chercher un ?

— Non, laisse tomber.

— Tu as des nouvelles de Littman ou de Riehl ?

— Ils ne bougeront pas tant qu'il ne se passera rien.

— Donc on attend ?

— Donc on attend. »

Roth se tut quelques instants, la tête visiblement ailleurs, puis il leva les yeux vers Miller. « Tu as déjà connu une affaire pareille ?

— Des crimes en série ? Non, jamais. J'ai été sur un double meurtre, une fois. Un latino qui avait tué sa mère et sa femme, à peu près deux ans avant que je ne sois nommé inspecteur. Une sale histoire. »

Miller ferma les yeux, mais les images lui revinrent avec une telle force qu'il préféra les rouvrir aussitôt. Deux femmes – la plus jeune à peine 25 ans, la mère dans les 45. Abattues dans la cuisine de leur maison. Les experts de scène de crime avaient expliqué qu'il ne restait plus

grand-chose d'elles. Le mari n'avait pas arrêté de rechar-
ger son arme. Ils avaient retrouvé en tout quarante-sept
douilles. De la bouillie mexicaine, avait expliqué le responsable des experts. La plupart des indices se trouvaient
dans les empreintes des chaussures du mari. Et l'expert
avait raconté ça avec un grand sourire aux lèvres, comme
s'il assistait à un match de football. Il fallait croire que
certaines personnes s'habituaient à ce genre de spec-
tacles. Pas Miller, en tout cas. Même s'il pouvait affronter
des affaires comme celles de Catherine Sheridan ou de
Natasha Joyce sans éprouver un haut-le-cœur, ça lui était
toujours pénible.

« Tu arrives à comprendre quel genre de type est capable
de faire une chose pareille ? demanda Roth. De massacrer
quelqu'un, de l'étrangler et pire encore ? »

Miller secoua la tête. « Que dalle. Je ne crois pas un
mot de toutes ces conneries que les psys n'arrêtent pas de
nous balancer sur l'enfance maltraitée et tout le baratin.
J'ai rencontré un tas de gens qui en ont vraiment pris plein
la gueule et qui ne sortent pas pour autant de chez eux
chaque matin en se demandant qui ils vont étriper. »

Il essaya de se concentrer. L'occasion était unique. Ils
tenaient quelque chose, la première piste un peu sérieuse
depuis le début de l'enquête. Il sentit tout le poids de sa responsabilité : s'il se trompait, une autre personne risquait
de mourir. S'il n'élucidait pas ce mystère, une femme se
réveillerait avec un homme au-dessus d'elle, les mains
dans des gants en latex, l'esprit déjà occupé à sa besogne.
Aurait-elle le moindre espoir ? Concrètement, non. Miller
se demanda qui pourrait être la victime suivante. Où se
trouvait-elle ? Quel était son nom ? Avait-elle un travail,
une famille, des gens qui dépendaient d'elle ? Combien
de vies seraient-elles affectées par sa mort ? Washington
était assez grande pour absorber et encaisser la violence

du choc, et cette mort ne serait qu'un énième épisode dans la longue histoire de la ville. Mais les individus? Et lui-même? Pourrait-il en sortir indemne?

Il avait entendu certaines histoires. Des flics ravagés par la vie qu'ils avaient menée, le cœur brisé, le cerveau retourné, qui terminaient leur carrière dans un appartement paumé, à faire l'aller-retour plusieurs fois par jour jusqu'au bar du coin, où ils traînaient avec d'autres anciens flics. Le bon vieux temps, les vieilles affaires, les discussions interminables sur ce qu'ils avaient vécu. Une nostalgie, l'éternel espoir d'un avenir qui n'égalerait jamais la folie, la frénésie et l'adrénaline de leur existence passée. Et puis tout s'effondrait. Ils partaient en lambeaux. Ils nettoyaient leur arme de service, la chargeaient, buvaient un verre ou deux et mettaient un terme à leur cauchemar. Plus personne ne parlait d'eux.

À quoi ressemblerait l'avenir?

Que se passerait-il s'ils ne retrouvaient jamais ce type? Si le Tueur au ruban n'était en réalité personne? Un fantôme, un spectre, quelque chose qui existait un jour, n'existait plus le lendemain.

Robert Miller rêvait d'une issue plus heureuse. Peut-être même qu'il prononça quelques paroles d'une prière à moitié oubliée. « Faites que ce ne soit pas comme je le crains. Faites que ce soit autre chose. »

Il était 6 h 30. Les rues s'animaient. Des voitures de patrouille sortaient du parking souterrain et s'éloignaient du commissariat. Miller en regarda une disparaître dans New York Avenue et filer vers Mount Vernon Square, vers la bibliothèque Carnegie. La bibliothèque… Il repensa aux toutes dernières heures de la vie de Catherine Sheridan, aux questions laissées sans réponse : où était-elle allée ce jour-là? Qui l'avait vue? Et puis il y avait cette visite rendue par Natasha Joyce au siège administratif de la police.

Frances Gray n'était-elle que le fruit de l'imagination paranoïaque de Natasha ou fallait-il redouter des choses beaucoup plus graves ? Et Michael McCullough… Avait-il existé ou n'était-il qu'une invention, comme Isabella Cordillera, cette femme qui portait le nom d'une chaîne montagneuse au Nicaragua ?

Pendant quelques instants, il se sentit écrasé, comme si le poids de ces événements suffisait à le clouer sur place.

Il jeta un coup d'œil à sa montre : 6 h 38. La cafétéria devait avoir ouvert ses portes, et Audrey préparé du café, branché le socle de la cafetière, commencé peut-être à faire cuire le bacon, les œufs, les galettes de pommes de terre. Les habitués s'apprêtaient à affluer des quatre coins du quartier. Des gens qu'elle connaissait par leur nom, leur visage, leur menu du petit déjeuner. À emporter, sur place, un café, un double, un crème, avec édulcorant… Discussions matinales, blagues… Et enfin *il* arriverait. Peut-être. Il arriverait, elle ressentirait de l'inquiétude ou de la crainte, et quelque chose, sur son visage, éventerait tout le stratagème. Des gens étaient passés la voir. Des inspecteurs de police. Deux flics. Ils lui avaient parlé, puis d'autres personnes étaient venues pour installer un mécanisme sous le rebord du comptoir, et il y aurait dans son regard – malgré son sourire chaleureux et son air détaché – quelque chose que l'homme déchiffrerait sans aucune peine, parce que cet homme-là était différent, spécial, unique, le genre d'homme qui rendait les flics très nerveux, qui les poussait à se demander s'ils auraient la possibilité de lui parler…

Elle ne savait pas. Elle ne *voulait* pas savoir. Mais lui saurait la percer à jour, et elle n'aurait jamais l'occasion d'appuyer sur le bouton, et elle aurait trop peur de dire à la police qu'elle l'avait vu, et lui saurait qu'elle avait voulu le dénoncer, et, le moment venu, il reviendrait la voir…

Miller préférait ne pas penser à ce qui pourrait arriver à Audrey.

À 7 h 20, le téléphone sonna. Roth décrocha en un éclair. « Oui ? » aboya-t-il. Ses yeux s'illuminèrent, puis l'étincelle disparut aussitôt. « Putain… dit-il avant de laisser tomber le combiné lourdement. C'était pour le bureau d'à côté. »

Miller se dit qu'il connaissait peu de choses pires que l'attente, lorsque l'ennui et l'angoisse s'amusaient à se tirer la bourre. Il avait le sentiment que ce qui se cachait derrière la porte, ce qui restait tapi dans un recoin, ce que votre imagination pouvait vous offrir, tout cela était *forcément* mieux que le néant inerte et creux que vous réservait l'attente. Et puis quelque chose se passait, tout démarrait au quart de tour, et personne, sauf les gens qui travaillaient dans les services d'urgence – pompiers, secouristes, réanimateurs et infirmières –, ne pouvait comprendre cette sensation-là. Des heures de silence, d'immobilité, le rien absolu, et soudain l'enfer qui se déclenchait. Les sirènes, les lumières, les gens qui courent et qui crient, les ambulances, les camions de pompiers, les artères qui saignent, l'odeur du caoutchouc brûlé, le bruit sourd des réservoirs d'essence qui s'enflamment, et les hurlements de ceux qui crient au meurtre alors que les fractures en bois vert et les os brisés sortent des plaies béantes. Et pas un moment pour réfléchir à ce qui a pu se passer, ou ce qui pourrait arriver par la suite, car chaque décharge d'adrénaline, chaque nerf, chaque tendon, chaque impulsion envoyée par le cerveau oblige votre corps à résister à l'envie de s'en aller, de courir, de se cacher, de se dire que le monde que vous voyez et celui dans lequel vous vivez ne sont pas les mêmes…

Miller jeta un coup d'œil à la pendule : 8 h 03. Il se leva de son siège et fit les cent pas entre la porte et la fenêtre.

« Bon, qu'est-ce qu'on fait si on n'obtient rien ? demanda-t-il, presque à lui-même.

— Si on n'obtient rien de lui, tu veux dire ? Ou s'il ne se pointe pas ?

— Les deux. Soit il débarque, on lui parle, il n'a rien à nous dire, soit il ne vient pas du tout. Dans les deux cas, c'est une impasse et on n'est pas plus avancés. Et là ?

— Qu'est-ce que j'en sais ? Je ne veux même pas y penser. Pour l'instant, c'est notre seule piste solide.

— Solide comme de la guimauve, oui.

— D'accord. Mais enfin tu vois très bien ce que je veux dire, Robert Ce type pourrait être quelqu'un…

— Ou personne. »

Par la fenêtre, Miller regarda la ville vaquer à ses occupations. La circulation emplissait les rues, les trottoirs grouillaient de piétons convaincus, tous autant qu'ils étaient, que les malheurs des autres ne les frapperaient jamais. Il se demanda si la mort de chacun d'entre nous était programmée, avec un jour, une heure, une minute, une seconde… Dans ce cas, l'homme qui se tenait au prochain carrefour, qui attendait peut-être des nouvelles de sa femme enceinte à l'hôpital, ou qui venait d'apprendre qu'il avait été augmenté, ou que son père avait réagi à sa chimio et se remettait rapidement de son cancer, eh bien, cet homme pouvait bien poser le pied sur la chaussée et se faire percuter par un soûlard au volant de son pick-up, ou un camion de pompiers fonçant vers un incendie, ou une ambulance partie chercher sa femme qui venait d'appeler l'hôpital pour dire qu'elle perdait les eaux…

La vie était ainsi faite. Et peut-être la mort, aussi.

Miller étira ses bras loin au-dessus de sa tête. Il bâilla une fois, puis deux.

Roth ne put s'empêcher de bâiller à son tour.

Au moment où Miller s'apprêta à regagner le bureau, le silence fut rompu par des pas précipités dans l'escalier.

Le sergent de garde ouvrit bruyamment la porte et s'arrêta un instant pour reprendre son souffle. Il regarda le bureau : le téléphone était mal raccroché sur son socle.

« Bordel de merde ! s'écria-t-il. Putain de Dieu, vous êtes injoignables, les gars ! Littman a appelé. Le type est dans la cafétéria... Le type est entré à l'intérieur, bordel ! »

Il faillit valdinguer lorsque Robert Miller et Albert Roth se ruèrent hors du bureau et s'élancèrent dans l'escalier.

30

Audrey, dont le nom de famille était Forrester et dont le défunt mari lui avait légué une cafétéria nommée Donovan's sur Massachusetts Avenue, se souviendrait longtemps de cette matinée. La foule des habitués du matin, en revanche, l'oublierait sans difficulté. Des gens comme Gary Vogel – 42 ans, en train de boucler son troisième divorce, et toujours acoquiné avec la jeune fille de 26 ans qu'il sautait à l'époque où il avait rencontré sa femme. Comme Lewis Burch – technicien du gaz âgé de 53 ans, dont le fils aîné venait d'annoncer à tout le monde qu'il préférait les hommes, qu'il vivait avec un certain Simon et que si ça ne plaisait pas à sa famille il ne reviendrait jamais fêter Thanksgiving, Noël, les anniversaires et Pâques avec elle. Comme Jennifer Mayhew, 37 ans, qui avait commencé, une semaine avant, un nouveau travail qu'elle adorait, qui ne comprenait pas comment elle avait pu avoir peur de changer pendant tant d'années et qui allait dîner ce soir-là avec un type charmant – certes, elle ne l'avait vu que dans le métro, mais ils avaient fait le trajet tellement de fois ensemble, et puis il avait l'air si sincère, et elle sentait que sa vie arrivait à un tournant. Comme Maurice Froom, un homme qui avait réussi à vivre quarante-huit ans sans qu'on le surnomme Morry et qui était une petite vedette dans son domaine, puisque, au cours de la décennie précédente, il avait fait quelque deux cent trente voix pour des publicités à la radio… Bref, ce genre de gens. Des gens ordinaires. Des gens avec des femmes, des maris, des enfants, des chats, des chiens, des emprunts à rembourser pour la maison, des gens qui avaient réussi à échapper aux gouffres indétectables quand d'autres franchissaient la ligne jaune et voyaient, impuissants, leur vie sombrer irrémédiablement vers ces zones noires qu'un Robert Miller ou un Albert Roth se coltinaient tous les jours.

Ce jeudi matin, personne ne les voyait, ces zones noires, sauf Audrey Forrester. À 8 h 22, un homme pénétra dans la cafétéria Donovan's pour y apporter sa propre dose de noirceur. Il fut immédiatement reconnu par Audrey, qui lui sourit avant de s'activer derrière le comptoir tout en remplissant une tasse de café manifestement déjà utilisée. Et l'homme qui venait d'entrer sourit tout seul, comme s'il se doutait de quelque chose, peut-être plus que quiconque.

Il s'appelait John, exactement comme Audrey l'avait expliqué aux inspecteurs venus l'interroger. John passa en revue les clients au comptoir – Gary Vogel, Lewis Burch, Jennifer Mayhew, Maurice Froom et d'autres dont il ne connaissait pas non plus le nom, dont il ne connaîtrait jamais le nom, dont il ne voulait pas connaître le nom.

En le regardant à leur tour, ces inconnus ne virent rien d'autre qu'un homme bien habillé, d'âge mûr – peut-être un peu moins de 50 ans –, avec toutefois quelque chose qui rendait son âge difficile à déterminer précisément. Ils virent son costume sombre, sa chemise bleue, la mallette en cuir marron qu'il tenait, le pardessus replié sur son bras. Ils virent ses cheveux grisonnants qui tombaient jusqu'au cou, le visage – peut-être beau, peut-être pas,

412

mais en tout cas une gueule – d'un homme qui avait vécu, qui avait des histoires à raconter, toutes susceptibles de provoquer des réactions fortes. Ils auraient pu le prendre pour un promoteur immobilier accompli ou un scénariste, un poète, un auteur de romans complexes et raffinés sur les rapports humains, que peu de gens comprendraient mais que les *happy few* considéreraient comme un génie, comme un homme clairvoyant, sage et courageux. Mais peut-être qu'il n'était rien de tout cela. Un simple individu, comme eux. Un type normal, ordinaire, qui bossait de 9 à 5, le genre à boire un petit café avant d'aller au boulot.

Il approcha du comptoir. Lorsque Audrey Forrester lui sourit pour la deuxième fois, il comprit en décelant dans son regard la petite lueur d'angoisse. Il comprit en regardant vers la vitrine, vers la berline garée contre le trottoir, vers la rue, où quelque chose semblait se passer… Un simple pressentiment, une intuition, mais tout était là, devant lui, et il comprit…

« À emporter ? » demanda Audrey.

John lui sourit, fit signe que non. « Ne vous embêtez pas, Audrey, dit-il calmement. Je vais les attendre ici. »

Et Audrey ne put cacher sa surprise, l'embarras qu'elle éprouva, parce qu'elle tenait déjà le gobelet en carton – sur le couvercle en plastique duquel il était écrit « La boisson que vous allez boire est BRÛLANTE ! » – et qu'elle marchait vers la cafetière sur son socle…

Et John de dire : « Je vais les attendre ici. »

Audrey se ravisa, posa le gobelet en carton, tendit la main pour prendre une vraie tasse à café, se demanda combien de secondes s'étaient écoulées depuis qu'elle avait appuyé sur ce foutu bouton, et elle avait peur, et la tasse pesait des tonnes dans sa main. Une fois à côté de la cafetière, elle jeta un coup d'œil sur la machine à café tout en chrome étincelant sur sa gauche et vit le reflet de John, qui dégageait quelque chose de différent…

Était-ce son imagination ?

Paraissait-il détendu ?

Combien de secondes depuis qu'elle avait appuyé sur ce putain de bouton ?

Elle se demanda pourquoi les flics mettaient autant de temps à venir, puis si le bouton marchait vraiment. Un mécanisme sans fil, qui fonctionnait par ondes radio ou un machin dans le genre. Il y avait une fille, près du comptoir, avec un portable : peut-être que cela perturbait les ondes, que le bouton n'avait pas marché, que les flics ne viendraient pas..

Tout en repensant à Robert Miller et à son collègue, elle remplit une tasse pour John et sortit du réfrigérateur un petit pot en porcelaine rempli de crème. Elle lui apporta la tasse et le pot, les déposa devant lui, puis, s'efforçant de paraître désinvolte et enjouée, lui dit : « Pas à emporter aujourd'hui ? » Alors il eut une réaction très curieuse. Il lui adressa un sourire extrêmement franc, de ceux que l'on adresse à une personne dont la présence nous enchante vraiment, et il plissa à moitié ses yeux. Ça lui rappela un lézard qu'elle avait vu se dorer sur une pierre, au Mexique… dans une petite ville qu'elle avait visitée avec son mari pendant leur lune de miel, une petite ville nommée… impossible de se souvenir du nom… et puis tout à coup ça lui revint, comme surgi de nulle part, elle se rappela le lézard sur sa pierre, près d'un trottoir, et cette ville s'appelait Iztapalapa, qu'est-ce que ça voulait bien dire ?, et l'espace d'un instant John ressembla à ce lézard en train de prendre le soleil. Audrey sourit – non pas à John, mais au souvenir de son mari et de l'amour qu'elle lui avait voué –, puis John prononça une phrase :

« J'attends. » Il secoua la tête d'un air résigné et ajouta :
« J'attends quelqu'un, vous comprenez ? J'attends
quelqu'un. »

Audrey pensa alors : *Mais qui attend-il ?* Comme si
John était un homme qui n'attendait jamais personne.
On imaginait plutôt l'inverse : les gens l'attendaient, et
lui viendrait peut-être ou peut-être pas, et les gens ne
seraient jamais vexés parce que John était le genre de
type qu'on s'estimait chanceux de connaître, et s'il ne
venait pas alors qu'il l'avait promis, c'était forcément
parce qu'il avait quelque chose de beaucoup plus important à faire…

Audrey détourna le regard. Elle se rendit compte qu'elle
n'avait pas arrêté de le fixer pendant qu'elle réfléchissait.
« Du sucre ? » demanda-t-elle.

John fit non de la tête. « Je ne prends jamais de sucre,
Audrey, vous le savez bien. »

Et, là, elle sut qu'elle était cuite, et que si les flics ne
se pointaient pas tout de suite, John s'en irait, en ayant
compris que quelque chose clochait, qu'Audrey l'avait
plus ou moins dénoncé, et il ne reviendrait plus, du moins
pendant quelque temps. Et puis un soir, pendant qu'elle
sortirait les poubelles dans la cour, elle entendrait un bruit,
un frisson lui glacerait l'échine, la peur la submergerait, et
elle verrait John devant elle, avec ce même demi-sourire
et ces mêmes yeux plissés, le lézard se chauffant sur une
pierre à Iztapalapa, et elle comprendrait…

« Eh ! Audrey ! Tout va bien ? » demanda John.

Elle crut qu'elle allait s'évanouir. « Je suis crevée »,
répondit-elle, mais trop vite, elle s'en rendit compte. Mais
à quoi rimait tout cela ? Qu'est-ce qu'on attendait d'elle ?
Elle n'était pas comédienne, elle n'avait jamais eu à faire
un truc pareil. Un type entre pour boire un café, des flics

ont tellement envie de lui parler qu'ils restent deux heures sur place et font installer un bouton sous le comptoir, un putain de bouton qui ne marche même pas, et là-dessus ils vous demandent de rester zen et de faire comme si de rien n'était...

Elle se souvint d'une chose qu'elle avait reléguée dans un recoin de son cerveau : elle se demanda si l'homme qu'elle regardait n'avait pas un lien avec toutes ces femmes assassinées...

Son cœur se figea.

« Vous devriez prendre un jour de congé, lui dit John d'un air sincère. Vous venez ici chaque jour de l'année, bon sang de bois ! Vous devriez fermer boutique deux ou trois jours et vous reposer un peu...

— Je ne peux pas me le permettre, répondit-elle en essayant de paraître aussi détendue que possible. Vu le prix que me coûte l'endroit, je ne peux pas me permettre un congé. Vous savez comment c'est.

— Je sais, oui. »

Il lui lança un nouveau sourire, souleva sa tasse et sirota son café. Au moment où il détourna le regard, Audrey vit les deux inspecteurs franchir la porte d'entrée.

John leva les yeux vers elle.

Il ne se retourna même pas.

Il pencha la tête sur le côté et dit quelque chose qui lui glaça la moelle, quelque chose qui la hanterait pendant plusieurs jours, du genre : « Voilà. Tout est dit. Ce qu'on attendait est arrivé... »

Et il dit : « Ce sont eux, n'est-ce pas ? Ils sont là, pas vrai ? »

Audrey recula.

Miller et Roth se postèrent derrière John.

Le premier sortit son portefeuille et l'ouvrit pour montrer son insigne. « Je suis l'inspecteur Miller. Je voulais savoir s'il était possible de vous accaparer un peu de votre temps, monsieur ? »

John, sans même éloigner la tasse de ses lèvres ni tourner la tête vers eux, hocha lentement le menton, ferma les yeux et répondit : « J'ai toute la vie devant moi, inspecteur Miller. Toute la vie devant moi. »

31

Le doyen Alan Edgewood, du Mount Vernon College de Washington, s'éclaircit la gorge et feuilleta l'intérieur du dossier en kraft qu'il avait sous les yeux jusqu'à trouver la page qu'il cherchait. Tout sourire, il détacha celle-ci puis jeta un coup d'œil aux deux inspecteurs assis de l'autre côté de son bureau. Ils s'appelaient Riehl et Littman : le premier était un homme grisonnant avec une tête de boxeur amateur, le second, sans doute plus jeune, avait dans le regard quelque chose qui trahissait une méfiance innée à l'encontre de tout ce qu'il entendait ou voyait.

Ils étaient là pour discuter du Pr Robey. Ils voulaient savoir quels cours il dispensait, qui étaient ses étudiants, depuis combien de temps il enseignait dans l'université. Ils avaient posé des questions sur son parcours, la nature de son poste, les clauses de son contrat, son salaire, son adresse privée ; ils avaient voulu obtenir son numéro de Sécurité sociale, n'importe quel document d'identité disponible, et connaître l'emplacement de sa place de parking sur le campus. Ils avaient voulu tout savoir. Il était déjà 10 heures passées, cela faisait plus d'une heure qu'ils se trouvaient là, pourtant on aurait cru qu'ils venaient à peine de commencer.

« C'est son CV, n'est-ce pas ? » dit Littman.

Edgewood brandit la feuille simple et acquiesça. « Oui. Son CV. »

Riehl croisa les jambes et se cala au fond de son siège. « Allez-y.

— Eh bien, il a été directeur adjoint du département d'anglais à la NYSU… »

Littman prenait des notes. Il leva les yeux vers Edgewood.

« La New York… commença ce dernier.

— … State University, compléta Littman avant d'écrire quelque chose sur son calepin.

— Je vous disais donc qu'il a été directeur adjoint du département d'anglais à la NYSU. Il est diplômé d'études européennes à l'université d'Oxford, en Angleterre. Il a obtenu une licence de philosophie au Quincy College, dans l'Illinois, un doctorat d'études sociologiques et anthropologiques… Il a reçu une bourse de la Défense pour étudier les langues étrangères et il fait partie de l'équipe qui a enseigné dans le programme sur les textes fondateurs de la civilisation au sein du St John's College, à Santa Fe, Nouveau-Mexique. »

Edgewood sourit. Cet élément-là était important, mais ni Riehl ni Littman ne réagirent.

Le doyen regarda de nouveau le document. « Il a enseigné trois années durant à l'université La Salle, à Philadelphie, il a témoigné devant le Congrès, les instances dirigeantes du Massachusetts, de Philadelphie et de l'Ohio, et il est également membre à vie de l'Académie américaine des arts et des sciences. »

Hormis le bruissement du CV qu'Edgewood remettait dans le dossier, un silence parfait s'installa dans la pièce.

« Et il a écrit des livres, disiez-vous ? demanda Littman.

— Oui, inspecteur. Quelques-uns.

— Sous son nom ou sous pseudonyme ?

— Sous son nom. »

Edgewood se leva de son bureau et s'approcha du mur tapissé de bibliothèques. Après un rapide survol des rayonnages, il en sortit deux minces ouvrages qu'il tendit à Littman.

« *Simple comme bonjour*, lut Littman.

— Et le deuxième, dit Edgewood, s'appelle *Un monstre*.

— De quel genre de livres s'agit-il? voulut savoir Riehl.

— Quel *genre*?

— Oui… Enfin, vous savez, des thrillers, des livres d'horreur, des romans à l'eau de rose? »

Edgewood lui lança un sourire aimable. « Ce n'est ni du John Grisham ni du Dan Brown. Ni du Nora Roberts. Non, le Pr Robey écrit des textes exigeants. Son premier livre a figuré sur la liste du Pulitzer l'année de sa parution.

— Et le deuxième? » demanda Riehl.

Edgewood secoua la tête. « Le deuxième a choqué un peu trop de monde pour être apprécié à sa juste valeur. Le Pr Robey a écrit des choses que certaines personnes n'ont pas du tout appréciées.

— Par exemple? demanda Littman, le sourcil froncé.

— Ouvrez le livre et lisez la première ligne de l'avant-propos. »

Littman s'exécuta et lut à voix haute. « "Parmi toutes les organisations internationales, l'Église catholique est la plus riche et la CIA, la plus puissante. Quant à savoir laquelle, des deux, est la plus corrompue, le débat reste toujours ouvert." »

Edgewood rit tout seul. « Ceci, messieurs, n'est pas la phrase d'ouverture d'un livre susceptible de remporter le prix Pulitzer.

— Je vois ce que vous voulez dire, répliqua Riehl. Comment est l'homme ?

— Bien portant, que je sache. Il est très rarement malade.

— Comment est-il comme *personne*, j'entends. Oui, pardon, c'est cela que je voulais dire.

— Je suis un peu perplexe quant à la raison de votre visite, messieurs. Suis-je légalement tenu de répondre à vos questions ou faites-vous simplement appel à ma générosité naturelle ? Vous ne m'avez pas encore vraiment fourni d'explications sur votre présence dans mon bureau. Pour l'instant, j'ai un jeune enseignant qui prend en charge le cours du Pr Robey ; bien qu'il soit parfaitement compétent, il n'a certainement pas vocation à le remplacer. »

Littman sourit. « Vous n'êtes tenu par aucune obligation légale, monsieur Edgewood.

— Docteur Edgewood.

— Pardon : docteur Edgewood. Oui, vous n'avez aucune obligation légale, mais je dirais que nos questions ont une certaine importance.

— Ce qui sous-entend que le Pr Robey a quelques problèmes avec vous, n'est-ce pas ? »

Littman regarda Riehl. Ce dernier jeta un coup d'œil vers lui, puis de nouveau vers le doyen.

« Répondez-moi franchement et je vous aiderai, dit Edgewood. Racontez-moi des craques et je vous demanderai de partir. Poliment, bien sûr, en citoyen bien intentionné et coopératif que je suis, mais je vous demanderai quand même de partir.

— Le Pr Robey nous aide dans le cadre d'une enquête, expliqua Littman.

— Vous l'avez arrêté ?

— Non, il n'a pas été arrêté.

421

— Où est-il en ce moment?

— Il est avec un inspecteur.

— En train d'être interrogé sur quelque chose que vous le soupçonnez d'avoir fait ou au sujet duquel il aurait des informations?

— On ne peut pas vous le dire », répondit Riehl.

Edgewood hocha la tête. Il se renversa sur son fauteuil et se tourna légèrement vers la fenêtre. « John Robey est ici depuis mai 1998, et nous nous estimons extrêmement honorés de l'avoir parmi nous. Il apporte énormément à cette université. De nombreux étudiants ne sont venus ici que pour lui. Leurs parents le connaissaient – de nom et de réputation – et souhaitaient que leurs chers apprentis écrivains découvrent le monde de l'écriture grâce au maître en personne. » Il prit une grande bouffée d'air et soupira. « John Robey, messieurs, demeure une énigme pour moi. Il ne joue pas les importants, et pourtant il sait qu'il l'est. Il n'aborde pas les choses avec profondeur, et pourtant c'est un des êtres les plus profonds que je connaisse. C'est un homme taciturne… » Il s'interrompit une seconde et détourna la tête. « D'un autre côté, les Chinois disent qu'un homme taciturne est un homme qui soit ne sait rien, soit en sait tellement long qu'il n'a pas besoin de dire quoi que ce soit. Si c'est la vérité, je rangerai John Robey dans la seconde catégorie. Je ne lui connais aucun vice. Il ne boit pas, il ne fume pas. Pour ce qui est des femmes, il n'aurait qu'à se baisser pour avoir n'importe quelle jeune fille, épouse ou maîtresse de cette université, et cependant il n'en fait rien. Est-il homosexuel? Je suis sûr que non. Se drogue-t-il? Dieu seul le sait, mais si oui, alors il le dissimule tellement bien que je mettrais ma main au feu que non. Ce que je pense de lui comme enseignant, comme universitaire et comme pédagogue?

Je lui voue une admiration sans bornes, bien que je ne sois pas forcément d'accord avec toutes ses méthodes éducatives.

— C'est-à-dire? voulut savoir Littman. Qu'est-ce que vous n'approuvez pas? »

Edgewood esquissa un sourire entendu. Il marcha jusqu'à la fenêtre plombée et ornée d'un motif central tout en losanges rouges et verts. Derrière, les bordures de pelouses étaient d'un brun mat, les allées impeccablement soignées, les parterres de fleurs taillés pour l'hiver.

« Depuis que John Robey enseigne dans ces murs, j'ai reçu dans mon bureau un nombre non négligeable de jeunes gens en larmes. Il ne critique pas ses étudiants mais il les aborde d'une manière agressive. C'est peut-être ce qu'on appelle un homme passionné... » Edgewood croisa les mains dans son dos et ferma un instant les yeux. « Le monde universitaire est un monde particulier, messieurs. Quand vous trouvez votre bonheur dans les poursuites en voiture ou les échanges de coups de feu, nous autres, nous le trouvons dans des choses beaucoup plus graves et cérébrales. Un nouveau texte de Norman Mailer. Un recueil inédit d'Emily Dickinson. » Il sourit. « Je comprends que ce genre de choses puissent vous paraître incroyablement inutiles, et peut-être le sont-elles, mais il se trouve que l'homme a commencé à raconter des histoires bien avant de cambrioler des maisons ou de voler le bien d'autrui. On peut dire que John Robey est un homme des extrêmes. Il ne tolère ni la complaisance, ni l'amateurisme, ni la médiocrité. Il préfère lire de vous un texte très mauvais auquel vous avez cru plutôt qu'un chef-d'œuvre qui ne vous a demandé aucun effort. Il ne bouscule pas ses étudiants pour ce qu'ils font, mais pour ce qu'ils ne font pas. Il place la barre extrêmement haut, en exigeant des étudiants qu'ils fassent de leur mieux pour l'atteindre.

— Certains sont venus vous voir en larmes, disiez-vous ? »

Edgewood s'éloigna de la fenêtre pour se rasseoir à son bureau. « En larmes, oui. Parce qu'il y avait des choses qu'ils s'estimaient incapables de faire. Le Pr Robey leur demande d'écrire dix mille mots chaque mois. Pour un professionnel de l'écriture, cela pourrait être l'affaire de deux ou trois jours, mais ces étudiants ne sont pas des professionnels. Ce qu'ils sont et ce qu'ils veulent être sont deux choses différentes. Robey les pousse à courir avant même qu'ils aient appris à marcher, et, bien que sa méthode ait donné des résultats nettement meilleurs que ceux de tous les autres enseignants de cet établissement, la rigueur qu'il impose a parfois choqué le conseil d'administration et le groupe de liaison parents-professeurs.

— Y a-t-il eu des remarques sur ses méthodes ?

— Des remarques ? Il y aura toujours des *remarques*, inspecteur. Mais, quoi qu'on en dise, ils ne pourront rien face aux résultats et aux statistiques de réussite. Les parents ont beau sourciller en voyant dans quel état se retrouve leur progéniture, vous sentez chez eux une immense gratitude à l'égard de professeurs comme John Robey. Cette université, inspecteur, n'est pas bon marché, et les parents sont rassurés de savoir leurs enfants poussés jusqu'à leurs limites.

— Vous le tenez en haute estime dit Littman.

— Je le tiens en haute estime et je l'envie, et parfois je suis très content de ne pas lui ressembler.

— Comment ça ?

— Parce que cet homme n'a pas de vie. Il n'a pas de femme, pas d'enfants, pas d'intérêts manifestes. Il ne vient au groupe de liaison parents-professeurs que parce que son contrat l'y oblige formellement. Il est brusque avec les gens, c'est un solitaire, il a un humour aussi sec que le désert d'Arizona. Par un simple regard, il est capable de vous anéantir sur place, et il peut vous dire des choses qui vous donnent l'impression qu'il vous comprend mieux que vous-même ne vous comprenez… »

Edgewood ne termina pas sa phrase. Il parut même gêné. Il fronça les sourcils, secoua la tête d'une manière presque imperceptible, puis retrouva le sourire. « Excusez-moi, je divague. Vous aurez compris, naturellement, que je ne fais que vous livrer mon avis personnel sur le Pr Robey… » Il eut un rire un peu nerveux. « Je ne voudrais surtout pas qu'il croie que j'ai tenu des propos déplacés sur son compte. »

Littman lui répondit par un sourire rassurant. « Pas du tout, docteur Edgewood. Pas du tout. Il s'agit simplement d'une enquête sur l'homme Robey, la façon dont il est perçu par l'université, ce que ses contemporains et ses confrères peuvent penser de lui. Naturellement, en tant que doyen, vous êtes le mieux placé pour…

— Je ne suis pas d'accord. J'ai peut-être engagé le Pr Robey mais je ne travaille pas à ses côtés jour et nuit. Ses assistants et ses étudiants seraient mille fois plus qualifiés que moi pour vous donner un avis sur son comportement quotidien. Je le croise dans les couloirs, nous nous adressons un signe de tête pour nous saluer, mais nous discutons très rarement. Je le vois une fois par mois pour un bilan pédagogique, mais ça ne dure pas longtemps et c'est plutôt moi qui parle. Je lui fais part des points qui ont soulevé des interrogations, parfois des motifs de plainte. Il prend des notes, marmonne cinq ou six fois pour acquiescer, et ensuite… »

Edgewood sourit.

« Et ensuite ? insista Riehl.

— Nous finissons toujours par parler du livre que je menace sans cesse d'écrire.

— Vous écrivez un livre ?

— Je *menace* d'écrire un livre, inspecteur. Le Pr Robey est ma conscience littéraire, mon tyran. Il me presse d'écrire mais moi, en revanche, je ne suis pas pressé. Je rationalise tout, je me justifie, et lui me rétorque que mes excuses sont encore moins crédibles que celles de ses étudiants. Nous en rions, mais je sais qu'il dit ça pour mon bien. »

Il y eut un silence pendant quelques secondes.

« Y a-t-il autre chose, messieurs ?

— Votre université est-elle ouverte le samedi ? demanda Littman.

— Oui, pour les activités extra-universitaires. La bibliothèque est ouverte, bien entendu, et certains enseignants arrondissent leurs fins de mois en donnant des cours supplémentaires. Pourquoi cette question ?

— Gardez-vous la liste de ceux qui dispensent ces cours supplémentaires ?

— Oui.

— Et le Pr Robey... Savez-vous s'il était présent le samedi 11 novembre ?

— Il n'était pas ici.

— Parce que ?

— Parce que l'université était fermée – jour férié oblige. »

Littman et Riehl se turent.

« Bien, messieurs. Autre chose ?

— Je crois que non, répondit Littman. Sinon vous remercier pour votre disponibilité et votre franchise. »

Riehl se leva.

Edgewood l'arrêta d'un geste de la main. « Un instant, dit-il. J'aimerais savoir combien de temps vous pensez accaparer le Pr Robey. Si je dois faire appel à des remplaçants pendant un petit moment… Vous ne vous rendez pas bien compte de la paperasse que cela exige, sans même parler des frais.

— Pour l'instant, nous n'avons aucune idée précise de…

— Allons, inspecteur. J'ai l'impression d'entendre Nixon. Je demande simplement à avoir un vague aperçu de la question. »

Littman se pencha, la mine grave et concentrée. « Docteur Edgewood, je comprends votre problème, sincèrement, mais nous-mêmes sommes actuellement dans l'incapacité de prévoir quoi que ce soit. Il se peut que le Pr Robey nous aide dans notre enquête ; si c'est le cas, cela peut durer un certain temps. Sinon, je pense que nous le saurons d'ici à ce soir et qu'il sera de retour au travail demain matin. Je ne peux vraiment pas vous en dire davantage.

— Et ce point sur lequel il pourrait ou non vous aider ?

— Je suis désolé, monsieur, mais je ne peux rien ajouter.

— Très bien. Dans ce cas… »

Edgewood se leva de son fauteuil.

Riehl et Littman l'imitèrent et s'approchèrent de la sortie.

Edgewood les y précéda, ouvrit la porte et les raccompagna dans le couloir. « Saluez bien le Pr Robey pour moi. Dites-lui que nous sommes tous avec lui.

— Comptez sur nous », fit Littman.

Edgewood les regarda s'en aller, l'air sincèrement curieux, peut-être un peu coupable d'en avoir dit aussi long sur Robey. Une telle franchise de sa part ne s'imposait pas, mais enfin le mal était fait, et s'il ne se trompait pas sur le genre d'homme qu'était John Robey, alors celui-ci pouvait largement se débrouiller tout seul. Il retourna dans son bureau et referma discrètement la porte derrière lui.

32

« Je suis l'inspecteur Robert Miller. »

Robey hocha la tête sans rien dire.

« Et vous, comment vous appelez-vous ?

— Robey. Je suis le Pr John Robey.

— Je voulais vous poser quelques questions, professeur Robey. »

Ce dernier sourit. « À quel propos ?

— À propos de certaines personnes que vous seriez susceptible de connaître.

— Je ne connais pas grand monde, inspecteur. Vous savez, nous autres universitaires, nous menons des vies solitaires.

— Je comprends bien, mais je pense tout de même que vous pourriez nous aider. »

Robey se tut quelques secondes. Il regarda vers l'entrée de la cafétéria, puis vers la fenêtre, un point sur la droite, et revint vers Miller. « Si vous comptez me retenir, la moindre des choses serait d'envoyer quelqu'un à l'université afin qu'il voie le doyen, Alan Edgewood, lui explique que vous m'avez arrêté et lui transmette mes excuses. D'accord ?

— C'est faisable.

— Je vous en serais très reconnaissant.

— Vous êtes donc d'accord pour vous entretenir quelques instants avec moi ? »

Sur ce, Miller lui montra le box près de la fenêtre.

Metz et Oliver, assis dans une voiture garée le long du trottoir opposé, avaient une vue directe sur la vitrine. Dans l'immeuble d'en face, au troisième étage, Miller avait disposé deux agents du SWAT. Ils n'étaient pas placés en alerte maximale, mais prêts à intervenir au cas où Robey s'énerverait ou essaierait de s'enfuir.

Robey prit son café jusqu'au box et s'assit. Miller s'installa juste en face de lui. Roth, lui, resta sur le tabouret du comptoir.

« Vous avez l'air fatigué, inspecteur Miller.

— J'ai passé mon temps à essayer de vous retrouver.

— Moi ? Pourquoi diable me cherchiez-vous ? »

Miller scruta Robey. À vue d'œil, entre 45 et 50 ans. Des cheveux bruns mais grisonnants aux tempes. Rasé de frais, des traits marqués. Des yeux d'une couleur étrange – ni gris, ni verts, ni bleus, mais un peu des trois – et, tout autour, les pattes-d'oie et autres belles rides qui sillonnaient son visage. Il avait les attitudes de l'homme *accompli*. Miller ne voyait pas d'autre manière de le décrire. Contrairement à tant d'autres – pour qui tout était un tremplin, une étape sur la route d'un avenir meilleur –, Robey semblait être arrivé à destination. Il n'était pas nerveux, il n'avait manifesté aucune hostilité à l'encontre de Miller et de sa demande. Tout son comportement montrait qu'il s'attendait à cette rencontre, qu'il l'avait anticipée, même.

« On vous cherche à cause de certaines photos, dit Miller.

— Des photos ? » Robey leva sa tasse et sirota son café. Il jeta un coup d'œil vers la voiture garée de l'autre côté de la rue, puis vers Roth assis au comptoir. « Des hommes à vous ? »

Miller fit oui de la tête.

« Pour moi ?

— Nous sommes au cœur d'une affaire importante, professeur Robey, et nous avons pensé que votre aide pourrait nous être précieuse.

— Vous parliez de certaines photos.

— En effet.

— Des photos de quoi ?

— De qui, plutôt. Des photos de vous avec une femme nommée Catherine Sheridan.

— Catherine comment ? Sheraton ?

— Sheridan. Catherine Sheridan. »

Robey hocha la tête. « J'ai roulé ma bosse, inspecteur Miller. J'ai fait plusieurs fois le tour du monde. J'ai rencontré des centaines, des milliers de gens, et je ne me souviens d'aucune Catherine Sheridan. Ce nom ne m'évoque rien.

— Je croyais que vous autres universitaires meniez des vies solitaires. »

Robey rit mais ne répondit pas.

Miller farfouilla dans sa poche pour en sortir une copie d'une des photos retrouvées sous la moquette de Catherine Sheridan. Il la fit glisser sur la table. Robey chercha une paire de lunettes dans la poche avant de sa veste. Il les essuya un long moment à l'aide d'une serviette de table, les chaussa, approcha la photo de ses yeux et l'examina longuement. Il secoua la tête. Il enleva ses lunettes en rendant le document à Miller.

« Je suis désolé. Je ne vois pas en quoi je peux vous aider, inspecteur Miller. Je ne me rappelle pas le visage de cette femme et je vous répète que son nom ne m'évoque rien.

— Bien que vous ayez été pris en photo à ses côtés ? »

Robey regarda de nouveau en direction de la voiture dehors, puis reporta son attention sur Miller. « Cela fait quelques années que j'enseigne à Mount Vernon. Avant cela, j'ai énormément voyagé, surtout dans le cadre de mon travail, parfois pour le plaisir. L'arrière-plan de votre photo n'est pas assez net pour que je puisse vous dire où elle a été prise. Peut-être s'agit-il d'une personne que j'ai croisée un jour, qui sait ? La femme d'un touriste qui aurait insisté pour poser à mes côtés après que je les ai photographiés ensemble ? Ou alors au cours d'un cycle de conférences, un groupe d'enseignants sur un campus universitaire, quelque chose dans ce goût-là. Ça arrive, vous savez ? Vous croisez des inconnus, et il se passe quelque chose… Comme en ce moment, peut-être. » Robey, d'un mouvement ample, montra la cafétéria. « Quelqu'un nous verrait ici, nous prendrait même en photo, eh bien, nous donnerions l'impression de nous connaître. Sinon, pourquoi serions-nous assis à la même table en train de boire un café ? Nous sommes forcément amis ou bien collègues de travail. Et pourtant non : nous ne sommes ni l'un ni l'autre, nous ne nous connaissons pas, nous ne nous sommes jamais rencontrés, et il y a peu de chances pour que nous nous revoyions. Une illusion, inspecteur Miller. Ce que l'on voit et ce que l'on croit être vrai sont rarement la même chose. »

Miller acquiesça. « Avez-vous déjà entendu parler d'une certaine Natasha Joyce ? Elle a une petite fille prénommée Chloe. Elle vit dans une cité entre Landover Hills et Glenarden…

— Natasha, dites-vous ?

— Oui. Natasha Joyce.

— Ah ! pardon, je pensais à quelqu'un d'autre. Une étudiante que j'ai eue il y a quelques années. Je crois qu'elle s'appelait Natasha, mais pas Joyce de son nom de famille.

— Donc vous ne connaissez aucune Natasha Joyce ?

— Je ne pense pas, non. D'un autre côté, je me retrouve sur une photo avec quelqu'un dont je ne me souviens même pas... Alors allez savoir ! Je me demande combien on rencontre de gens qu'on oublie aussitôt après avoir appris leur nom. On oublie leur visage, aussi, je suis sûr. Vous devez connaître ça, dans votre métier.

— J'ai la chance d'avoir une excellente mémoire des noms et des visages.

— Oui, c'est une vraie chance, inspecteur. Et puis vous faites un métier où une telle faculté peut être vraiment exploitée.

— Connaissez-vous un certain Darryl King ? »

Robey sembla réfléchir, fit une moue sceptique et – une fois de plus – secoua lentement la tête. « Ça ne me dit rien. » Il esquissa un sourire, presque un demi-rire. « Je ne vous suis vraiment pas d'un grand secours, n'est-ce pas ?

— Si je vous demande ça, professeur...

— Je vous en prie, inspecteur, appelez-moi John. Seuls mes étudiants m'appellent "professeur".

— Très bien. Si je vous demande tout ça, John, c'est que Natasha Joyce nous a confirmé que vous étiez allé voir son petit ami, le fameux Darryl King, il y a quelques années de ça. Apparemment, vous vous êtes rendu dans la cité avec cette Catherine Sheridan, à la recherche de Darryl King. Vous ne l'avez pas trouvé, mais vous avez discuté avec Natasha Joyce...

— "Apparemment" est le terme qui s'impose, inspecteur. J'ai peut-être du mal à me rappeler certaines choses, mais cette virée dans la cité dont vous me parlez, avec une Mme Sheridan... Je ne vois pas comment j'aurais pu oublier une chose pareille. Est-ce que cette Catherine Sheridan peut vous confirmer l'existence de ces visites ? »

Miller fit signe que non. « Malheureusement, elle est morte. »

Le sourcil de Robey se haussa. Il parut inquiet, troublé presque. « Je suis confus, répondit-il calmement. Eh bien, dans ce cas, Natasha Joyce pourrait…

— Elle est également morte.

— Je ne comprends pas. Vous pensez qu'il existe un lien entre moi et deux femmes mortes dont je n'ai jamais entendu parler ?

— Oui, je le pense. Vous rendez visite à quelqu'un qui vous reconnaît sur une photo et vous niez que cette rencontre ait jamais eu lieu.

— Mais en quoi puis-je vous aider, dans ce cas ? »

Robey jeta un coup d'œil à sa montre ; par ce simple geste, Miller comprit qu'il n'avait aucune raison de retenir cet homme plus longtemps – absolument aucune.

« Où étiez-vous le 11 novembre dernier en fin d'après-midi ? »

Robey réfléchit quelques instants. Il ferma les yeux, puis sourit. « Mais oui, bien sûr. Le samedi 11. J'étais à la patinoire de Brentwood Park. Un samedi sur deux, je vais là-bas pour assister aux entraînements.

— Aux entraînements ?

— En fait, la patinoire est fermée l'après-midi, du moins entre 14 et 17 heures. Une des patineuses de l'équipe olympique américaine s'entraîne là-bas. Je vais la regarder.

— Vous la connaissez ?

— Pas personnellement, non. Je lui ai parlé deux ou trois fois mais je ne la *connais* pas vraiment.

— Mais si la patinoire est fermée l'après-midi, comment se fait-il que vous puissiez y entrer ?

— J'avais rencontré son entraîneur il y a quelques années de ça. C'était un type bien. Il est mort, mais son adjoint a repris le flambeau et il sait que nous étions amis. Alors il me laisse entrer et regarder l'entraînement.

— Et comment s'appelle cette patineuse ?

— Elle s'appelle Sarah Bishop.

— Et son entraîneur ?

— Celui qui est mort ou l'actuel ?

— Son entraîneur actuel.

— Amundsen. Per Amundsen.

— Ils pourront confirmer que vous étiez bien présent à la patinoire le samedi 11 novembre, entre 14 heures et 17 heures ?

— Bien sûr, dit Robey. Il n'y a que nous trois là-bas. Je m'assieds tout au fond. Je ne les dérange jamais. Je regarde l'entraînement et je rentre chez moi.

— Très bien, professeur. Nous allons devoir vérifier votre alibi…

— Mon alibi ? s'écria Robey d'une voix manifestement surprise. Vous estimez que j'ai besoin d'un alibi ?

— Absolument, oui. » Miller était fatigué, à cran, et quelque chose, dans la désinvolture de Robey, l'agaçait. « J'ai deux femmes mortes sur les bras, et ces deux femmes avaient un lien avec vous…

— Pourtant, aucune des deux ne peut le confirmer.

— Parce qu'elles sont mortes, professeur Robey.

— John. »

Miller hésita une seconde. « Peu importe, répondit-il sur un ton agressif. J'ai deux femmes mortes et une photo de vous avec l'une d'entre elles, ainsi qu'une déclaration de l'autre affirmant que vous êtes allé la voir. »

Robey prit une longue inspiration et se pencha en avant. « Vos propos sont infondés, inspecteur. C'est la parole d'une femme morte que je ne connais pas contre la mienne. Par conséquent, si vous n'avez rien d'autre… »

Miller sentit ses poings se serrer tout seuls. « J'aurai besoin de votre adresse et de votre numéro de téléphone.

— Il y aura de nouvelles questions ?

— Absolument. Nous sommes en train d'enquêter sur d'autres incidents, et je suis sûr que nous aurons des questions supplémentaires à vous poser. »

Robey se fendit d'un sourire. « Vous parlez comme dans un feuilleton policier. »

Miller éclata de rire et faillit s'en étonner. La tension entre les deux hommes avait été très forte, et soudain, presque sans effort, elle venait de retomber. Une simple remarque de Robey, « Vous parlez comme dans un feuilleton policier », et Miller sentit que quelque chose cédait, presque comme une sensation physique, l'impression qu'un nœud se desserrait en lui. Il regarda l'homme qui lui faisait face, ce Pr John Robey dont il avait cru qu'il lui donnerait du grain à moudre, qu'il lui permettrait de comprendre la folie que ces meurtres avaient déchaînée parmi les autorités, dans la ville elle-même. Or Robey ne lui avait rien donné.

« Vous pensiez que je serais en mesure de vous aider dans vos recherches, inspecteur ?

— Je me disais que vous pourriez nous dire quelque chose au sujet de cette femme, Catherine Sheridan.

— Je sais ce que c'est. Il y a une risée, vous vous attendez à avoir une tempête – et puis rien. Je suis désolé. »

Miller ne répondit pas.

« Ces femmes ont été tuées ? demanda Robey.

— Je ne peux pas en parler avec vous. Vous avez répondu à mes questions. Je sais que vous avez des obligations professionnelles à satisfaire. »

Robey plongea sa main dans sa poche de veste. Il en tira son portefeuille et une carte de visite, au dos de laquelle il nota son adresse et son numéro de téléphone portable. Il tendit sa carte à Miller et se leva.

« Je vais vous demander de ne pas quitter la ville, professeur Robey.

— Je n'ai aucune intention de le faire », répliqua l'autre avec un sourire.

Sur ce, il s'empara de son pardessus, de sa mallette et, sans un mot, s'en alla de la cafétéria. Miller le regarda s'éloigner en direction du Mount Vernon College.

Quelques instants plus tard, Metz et Oliver rejoignirent leurs deux collègues à l'intérieur de l'établissement.

« Le Pr John Robey, commença Miller. Il enseigne au Mount Vernon College. Il habite dans le coin, au croisement de New Jersey Avenue et de Q Street. Il ne connaît pas Catherine Sheridan. Il dit ne pas se rappeler avoir été pris en photo avec elle. Il fait des tournées de conférences, visite des campus, ce genre de choses. Il dit que cette photo aurait pu être prise sans qu'il connaisse forcément les personnes présentes. Il dit qu'il n'a jamais entendu parler ni de Natasha Joyce ni de Darryl King. Il s'est montré très coopératif mais n'a rien lâché.

— Et le samedi du meurtre de Sheridan ? demanda Roth.

— Le Pr Robey a assisté à un entraînement à la patinoire de Brentwood Park entre 14 et 17 heures.

— Comment explique-t-il qu'il y ait trois photos qui le montrent aux côtés de Sheridan ?

— Je ne l'ai pas interrogé là-dessus. Je ne veux pas lui dévoiler toutes nos cartes. Il faut d'abord que je vérifie son alibi. S'il se trouvait bien à la patinoire, on n'a plus qu'à le cuisiner sur les photos. S'il ne s'y trouvait pas, ou si son alibi n'est pas corroboré, alors on pourra peut-être obtenir un mandat pour perquisitionner sa maison et voir s'il y a quelque chose qui le relie à Catherine Sheridan. Pour le moment, vu comment les choses se passent, il faut qu'on ait suffisamment de cartouches. Si Robey pense qu'on n'a rien de plus qu'une photo pour le relier à Sheridan, il sera moins sur ses gardes.

— Tu trouves que c'est raisonnable de le laisser courir dans la nature ? demanda Oliver.

— Rien ne nous permet de le retenir. On n'a qu'une seule chance. En quel honneur est-ce qu'on l'arrêterait ? Il n'y a que trois photos. Il affirme ne pas se souvenir de Sheridan et ne pas connaître Natasha Joyce ou Darryl King. Il faut qu'on trouve le moyen de le coincer, peut-être sur un mensonge de sa part. À partir de là, on pourra agir

— Donc on va à Brentwood Park », dit Roth.

Miller se tourna vers Oliver. « Vous deux, vous attendez Littman et Riehl ici, vous retournez au commissariat et vous leur demandez de retranscrire leur entretien avec le doyen de l'université. Je vous indiquerai la marche à suivre, d'accord ? »

Miller et Roth restèrent à la table près de la vitrine. Audrey réapparut, leur apporta du café et demanda à Miller si tout allait bien.

« Ça va, oui. Merci pour votre aide. Vous avez joué un rôle essentiel. »

Audrey hésita un instant. « C'était lui ? On aurait dit qu'il attendait quelqu'un, et j'ai vraiment peur…

— On saura s'il faut avoir peur de lui bien avant qu'il ne revienne. Compris ?

— Vous me le promettez ?

— Je vous le promets. Continuez comme si de rien n'était. Tout va bien se passer.

— Sur ce coup-là, je vous fais confiance. Je vous ai aidés mais je ne veux pas que le premier connard venu croie que je l'ai dénoncé.

— Audrey, sérieusement, tout va bien. Ce type n'est pour le moment qu'un prof de fac. Que l'on sache, il n'a rien fait de mal. »

Elle se mit à rire. « Je suis désolée, je ne voulais pas…

— Ça va. Ne vous inquiétez pas. On va faire en sorte que s'il arrive quoi que ce soit, ça n'ait pas lieu dans un périmètre de cinq rues. Entendu ?

— Entendu. Merci encore. »

Elle lui lança un sourire, ainsi qu'à Roth, puis elle repassa derrière le comptoir et s'activa en vue du coup de feu du déjeuner.

« Alors ? demanda Roth.

— Il y a un truc bizarre avec ce type. Son absence totale de surprise. Comme s'il avait prévu le coup et s'y était préparé.

— Entre nous, Robert, ça ne change rien. Lassiter va s'arracher les cheveux. Je crois que tu n'aurais pas dû le laisser repartir.

— Qu'est-ce que tu voulais que je fasse ? Que je l'arrête ? Au nom de quoi ? Qu'est-ce qu'il a fait de mal, bordel ?

— Tu aurais pu insister sur les photos ; il n'y en avait pas qu'une, mais trois. Une seule photo, je suis d'accord : on peut se faire photographier avec quelqu'un sans le savoir. Mais trois ?

— Je sais ce que je fais, Al. Crois-moi. Je sais ce que je fais.

— Ce serait plus simple si *moi*, je savais ce que tu faisais, Robert. Quand Lassiter va me demander pourquoi on a laissé ce type repartir tranquillement, qu'est-ce que je vais lui répondre ?

— Dis-lui d'en parler avec moi. »

Al Roth se tut quelques instants. Il but son café puis sembla se détendre un peu, se calmer, rassembler ses esprits et tenter de comprendre ce qui s'était passé. « Comment s'appelle-t-il, déjà ?

— Robey. John Robey.

— Tu déconnes ? »

Miller fronça les sourcils et secoua la tête. « Pas du tout. Pourquoi ?

— C'est le nom du personnage de Cary Grant dans *La Main au collet*. »

Miller ressortit de sa poche la carte de visite et la tendit à Roth. « C'est écrit là. Pr John Robey, Mount Vernon College.

— Ce n'est pas la même orthographe. Dans le film, le nom s'écrit ROBIE. Mais c'est quand même… »

Miller balaya sa remarque d'un revers de main. « Peu importe. Il s'appelle comme ça, point barre.

— Donc on vérifie son alibi. Et ensuite ?

— Tout dépend du résultat.

— Et si son alibi tient la route ?

— On fera un bilan de la catastrophe à ce moment-là. »

33

C'est un peu avant midi qu'ils retrouvèrent la trace de Sarah Bishop. Une salle de sport sur Penn Street, à moins de cinq cents mètres de la patinoire. Lassiter avait appelé trois fois. Miller lui avait parlé – discussions brèves et superficielles. Lassiter voulait savoir s'ils avaient retrouvé la petite Bishop. Exactement comme l'avait prédit Roth. Pourquoi Miller n'avait-il pas montré les trois photos à Robey? Pourquoi l'avait-il laissé filer? Lassiter avait beau connaître les réponses, ça ne l'empêcha pas d'être contrarié.

Sarah Bishop se trouvait à la cantine de la salle de sport. Habillée d'un survêtement, les cheveux tirés en arrière, Miller lui donnait 21 ou 22 ans. Jolie, brune, presque méditerranéenne : le genre de fille qui préférait les parties de tennis à l'équipe des pom-pom girls, les cours de langues aux sciences humaines.

Elle parut troublée par l'intérêt soudain que lui portaient ces deux inspecteurs de la police de Washington, et curieuse de savoir comment ils l'avaient trouvée.

« On a discuté avec une personne de la patinoire, lui expliqua Miller. Elle nous a donné le numéro de téléphone de votre entraîneur, qui nous a dit que vous seriez soit chez vous, soit à la bibliothèque, soit ici. On a essayé la bibliothèque et on est venus ici. Il nous a dit qu'il ne nous donnerait pas votre adresse tant qu'on n'aurait pas essayé la bibliothèque et la salle de sport.

— Qu'est-ce qui se passe ? Il y a un problème ? Un accident ? »

Miller sourit. « Non, rien de tout ça. » Il promena son regard sur les quelques personnes présentes dans la cantine. Elles semblaient toutes vaquer à leurs affaires. « On peut s'asseoir ?

— Bien sûr. Faites comme chez vous. »

Roth tira une chaise de la table voisine.

« On voulait vous poser certaines questions au sujet de quelqu'un, commença Miller. J'ai cru comprendre que vous vous entraîniez à la patinoire de Brentwood Park un samedi sur deux. »

Sarah confirma d'un signe de tête. Elle dévissa le bouchon d'une bouteille d'eau minérale et but quelques gorgées.

« Un samedi sur deux, je suis ici avec mon père. Lui et ma mère sont en pleine séparation à l'essai. Quelle connerie, ce truc… Ils sont ensemble depuis cent cinquante ans et ils ne trouveront jamais mieux ailleurs. Des vrais gamins.

— Je comprends, dit Miller. Ce doit être difficile. »

Sarah éclata de rire. « Vous savez, parfois je me demande si je ne viens pas d'une autre planète. On est tellement différents… Une séparation à l'essai ? Quelle connerie, quand même.

— Très bien. Donc vous vous entraînez là-bas un samedi sur deux.

— Oui. Presque tous les lundis et mardis soir, aussi.

— Et vous êtes dans l'équipe olympique américaine ? »

Sarah rit de nouveau et faillit recracher son eau. « Holà ! non ! Qui vous a dit ça ? C'est Per qui vous a dit ça ? Non,

non, je ne fais pas partie de l'équipe olympique. *J'aime-rais* beaucoup, mais vous vous rendez compte du niveau requis ? Il faut être bon à un point… Et puis je commence à être un peu trop vieille pour ça.

— Trop vieille ? demanda Miller, interloqué.

— J'ai 22 ans. Croyez-moi, dans le patinage olympique, je suis considérée comme une vieille, déjà. Vu comme c'est parti, je vais sans doute finir entraîneuse ou quelque chose comme ça. Mais je vais quand même sur la glace presque tous les jours. Il faut être motivée pour laisser le patinage régir votre vie entière.

— Je voulais vous demander… Le 11 novembre, samedi dernier.

— Eh bien ?

— Qui assistait à votre entraînement à Brentwood ?

— Samedi dernier, je ne me suis pas entraînée. »

Miller fronça les sourcils. « Vous ne vous êtes pas entraînée ?

— Non, pas ce jour-là. Samedi dernier, on a dû tous les trois aller à un truc pour le 11 novembre. Il y avait une cérémonie dans le quartier où habite ma mère. On a été obligés d'y aller. Mon grand-père, le père de ma mère, est mort au Vietnam quand elle avait 13 ou 14 ans. Du coup, chaque année, on doit aller à l'église et passer la journée avec ma grand-mère pendant qu'ils regardent tous ensemble des photos du vieux. C'est triste. Ma grand-mère est très vieille, elle ne s'est jamais remariée et elle passe ses journées à parler de son mari, comment il était, ce qu'il faisait, et tout ça… Elle est un peu givrée, je crois. Vous voyez ce que je veux dire ? »

Miller, qui sentait la présence de Roth à côté de lui, respira un grand coup. Robey leur avait donc menti. Un mensonge en bonne et due forme. Il avait affirmé être quelque part alors qu'il n'y était pas. Il avait donné son emploi du temps pour l'après-midi où Catherine Sheridan s'était fait assassiner – et son emploi du temps était bidon.

« Vous en êtes sûre ? demanda Miller.

— Sûre de quoi ? Que ma grand-mère est givrée ? »

Miller essayait de se contenir et d'afficher une décontraction sereine. « Non, de votre emploi du temps de samedi dernier.

— Évidemment que j'en suis sûre. C'était bien la Journée des anciens combattants, non ? Samedi dernier, j'ai passé toute la journée avec mes parents… Ils n'ont encore rien dit à ma grand-mère à propos de leur séparation. Sinon, elle risque de faire, je ne sais pas… Une crise cardiaque ou un truc dans le genre. En tout cas, on a passé la journée ensemble. L'église le matin, et ensuite ma grand-mère, à Manassas. On n'est pas rentrés à la maison avant 20 heures. Je m'en souviens parce que je voulais regarder une émission à la télé et qu'elle était presque terminée quand on est arrivés.

— D'accord, Sarah. Parfait. Merci beaucoup pour votre aide.

— Mais quel est le problème avec ce que j'ai fait samedi ? Pourquoi est-ce que c'est si important ?

— On avait juste besoin de confirmer votre emploi du temps, c'est tout. »

La jeune fille grimaça. « Attendez, c'est injuste. Vous ne pouvez pas débarquer, me demander où j'étais samedi dernier et repartir comme ça. Ce n'est pas possible. Qu'est-ce qui se passe ? Quelqu'un vous a raconté que j'étais ailleurs ? J'ai fait une connerie ?

— Non, vous n'avez pas fait de connerie. Et personne n'a dit que vous étiez ailleurs. Quelqu'un affirme vous avoir vue à Brentwood, c'est tout.

— Ce quelqu'un, c'est John ? »

Miller fut cloué sur place.

« John Robey, c'est ça ? Il vous a dit qu'il était à la patinoire samedi dernier ?

— Oui… En effet, c'est ce qu'il nous a dit.

— Et maintenant il se retrouve dans la merde ? Il a fait quelque chose ? C'est ça, le problème ? Il a expliqué qu'il était à Brentwood et je viens de détruire son alibi ? »

Miller s'efforça de rire et de prendre la remarque à la légère. Sarah venait de taper en plein dans le mille, mais elle ne pouvait pas saisir toute la portée de ses propos.

« Vous connaissez John Robey ? demanda Miller.

— Non, pas en tant que tel. Mon entraîneur, Per Amundsen, eh bien… Avant il n'était pas mon entraîneur, vous comprenez ? Quand j'étais plus jeune, mon entraîneur s'appelait Patrick Sweeney. Un type génial. Un amour. Dur, aussi, comme tout bon entraîneur, mais un type vraiment bien. Et puis un jour il est mort, et Per, qui était son adjoint, est devenu mon entraîneur. En tout cas, John connaissait Patrick Sweeney. Je crois qu'ils étaient amis depuis très longtemps. Ils restaient en contact. John venait souvent voir Patrick, et c'est comme ça que je l'ai connu. Enfin, je dis « connu »… En fait, je ne le connais pas vraiment. Il se contente de s'asseoir au fond des gradins. Il y a des sièges, là, où les familles peuvent voir leurs gamins patiner, ce genre de choses. John vient un samedi sur deux et assiste à mon entraînement. Il aime bien regarder mon numéro avec Édith Piaf.

— Pardon ?

— C'est une chorégraphie à moi, sur une chanson d'Édith Piaf qui s'appelle « C'est l'amour ». John m'a conseillé de choisir celle-là quand j'irai aux éliminatoires pour les Jeux olympiques, en février prochain.

— Mais, samedi dernier, il n'a pas pu vous en parler. »

Sarah Bishop secoua la tête. « Non, pas samedi dernier. Et si je l'ai foutu dans le pétrin parce que j'étais son alibi… vous lui demanderez pardon pour moi ?

— Tout va bien, répondit Miller sur un ton rassurant. Ça n'a rien à voir. Vous nous avez beaucoup aidés. Encore merci de nous avoir consacré un peu de votre temps.

— Mais… Il a fait quelque chose de mal ?

— Je ne peux rien vous dire, Sarah. Vraiment. Voilà comment ça se passe : on a un doute sur un point, on doit creuser. Neuf fois sur dix, ça ne débouche sur rien.

— Vous êtes au courant qu'il est très intelligent, pas vrai ? Il enseigne à l'université, il a écrit des livres et tout et tout. C'est Per qui m'en a parlé. John ne m'a jamais rien dit mais, en même temps, ce n'est pas le genre de type à raconter sa vie.

— Comment ça ?

— Eh bien, il… il est très calme, quoi. Il ne s'exprime pas beaucoup, en général, et quand il ouvre la bouche, c'est toujours pour parler de vous. »

Miller fronça les sourcils.

« Vous avez déjà rencontré des gens comme ça ? Quelle que soit leur importance, dans la conversation ils vous donnent toujours le sentiment que c'est vous la personne importante. J'ai une amie qui a rencontré John Travolta, un jour. Elle m'a dit qu'il était vraiment adorable et que, pendant toute la discussion, il n'a fait que lui poser des questions sur elle, sur ce qu'elle faisait, et comment se passaient ses entraînements de patinage. Vraiment intéressé, quoi. Comme si tout tournait autour d'elle et que lui n'était qu'un mec comme un autre, genre M. Tout-le-monde. Eh bien, il est comme ça, John Robey. Je sens que c'est quelqu'un de très important mais, d'après ce qu'il dit et ce qu'il fait, c'est impossible à savoir.

— Depuis combien de temps le connaissez-vous ? »

Sarah haussa les épaules. « Oh la la! je ne sais plus… Patrick est mort il y a cinq ans… Oui, en novembre 2001, et John venait déjà depuis un an, environ. Disons, il y a six ans de ça, à peu près. J'ai commencé à m'entraîner avec Patrick quand j'avais 12 ans, donc je devais en avoir 14 quand j'ai rencontré John.

— Et ça ne vous a pas dérangée qu'il vienne vous regarder, même après la mort de Patrick?

— Me déranger? Oh! non, il ne me pose aucun problème. Il s'assoit au fond et regarde, rien de plus. La plupart du temps, je ne remarque même pas sa présence. Parfois il arrive tard, alors que l'entraînement a déjà commencé; je m'arrête un instant, je lève les yeux et il est là, tout au fond, avec un sachet de *doughnuts*. Il ne fait de mal à personne.

— Vous n'avez jamais eu le sentiment qu'il y avait quelque chose de malsain dans son intérêt pour vous? »

La jeune fille s'esclaffa. « Comment ça? C'est une manière polie de me demander si je le prends pour un vieux vicelard?

— Désolé, mais ce n'est pas une question facile à poser. Je ne voulais pas vous heurter.

— Y a pas de mal. Je suis blindée. Rappelez-vous que je viens d'une autre planète et que j'ai des parents qui sont persuadés qu'ils trouveront mieux à leur âge. Alors est-ce que je l'ai pris pour un pervers? Non, pas du tout. Il n'est pas comme ça. Ça se voit tout de suite quand quelqu'un vous regarde de manière lubrique – on a comme une intuition. Non, John est un type gentil, tout simplement. Il connaissait Patrick, et, quand il est mort, peut-être que John s'est dit qu'il devait continuer à assister à mes entraînements pour ne pas me laisser croire que Patrick était sa seule motivation. Je l'aime beaucoup… » Sarah s'interrompit et leva les yeux. « Et maintenant vous allez me dire qu'il aime bien les petites filles, c'est ça ? Ou que c'est un tueur en série, ou un truc flippant dans le genre ?

— Rien de tout ça. Je vous répète qu'on ne fait que creuser une piste. Merci de nous avoir parlé. C'est gentil à vous.

— Comme vous voudrez. »

Sarah se leva, s'empara de sa bouteille d'eau et de la serviette sur laquelle elle s'était assise, puis se dirigea vers la porte.

« Si j'ai besoin de vous recontacter ? demanda Miller.

— Vous avez le numéro de Per. Passez par lui.

— Très bien. Merci encore.

— Pas de problème. Saluez John pour moi.

— Je n'y manquerai pas. »

Miller et Roth la regardèrent s'éloigner.

« Une fille bien, commenta Roth.

— Qui vient juste d'anéantir l'alibi de Robey pour le meurtre de Catherine Sheridan.

— On se dit qu'il aurait vérifié, non ? S'il est aussi intelligent que le prétend la gamine, on se dit que, avant d'en faire son alibi, il se serait quand même assuré qu'elle s'entraînait bien ce jour-là.

— C'est bien le problème, non ? répondit Miller avec un sourire. Pour qu'un type comme lui fasse une chose pareille, il faut qu'il soit dingue. Il a beau être génial, c'est son grand problème. S'il fait un truc pareil, c'est qu'il est fou, et être fou n'est pas un atout quand on veut éviter une enquête sur soi.

— On retourne le voir, du coup.

— Et plutôt deux fois qu'une. Je veux en parler à Lassiter, histoire d'être sûr qu'on fait ça dans les règles et qu'on utilise tous les recours possibles. Ensuite on va le voir. J'aimerais aussi attraper Riehl et Littman pour savoir ce qu'ils ont tiré de leur entretien avec le doyen de l'université.

— On peut les appeler de la voiture. »

Les deux hommes quittèrent la salle de sport. Pendant qu'ils roulaient vers le commissariat n° 2, Miller repensa à une phrase qu'avait prononcée Robey pendant leur petite discussion à la cafétéria, une drôle d'expression qu'il n'avait pas relevée sur le moment, mais qui lui semblait, maintenant qu'il y repensait, incongrue, anormale.

« C'est quoi, une risée ? demanda-t-il à Roth.

— C'est quand tout le monde se fout de ta gueule, non ?

— Non, une risée au sens météorologique.

— Je crois que c'est un coup de vent. Une rafale soudaine. Pourquoi ?

— Une phrase qu'a prononcée Robey… Je ne sais pas. Ce n'est peut-être rien du tout. Bon, j'appelle Lassiter pour la réunion. »

Roth hocha la tête et ralentit avant le feu rouge situé au croisement entre Florida Avenue et Eckington Plaza NE. Le feu passa au vert, la conversation sombra dans l'oubli. Il y avait des choses plus importantes à venir, notamment la manière la plus judicieuse de jouer leur unique carte avec Robey et de déterminer ce que ce dernier savait vraiment.

34

14 h 15. Tout le monde était là, dans ce même bureau du premier étage qui donnait directement sur la rue : Lassiter, Riehl, Metz, Oliver, Miller et Roth. Seul Littman, garé sur le trottoir en face de l'université, guettait toujours le départ de Robey.

Lassiter mena la discussion. Il posa les questions et les répéta jusqu'à sentir qu'il avait tiré tout le suc des réponses. Il voulut savoir ce qu'avaient raconté le doyen Edgewood et la jeune Bishop ; on lui répondit que les deux avaient brossé, chacun de son côté, le portrait d'un Robey solitaire et taciturne.

« Avec ces types-là, fit-il remarquer, c'est toujours la même chose : ils ne parlent pas beaucoup et ils sont seuls. »

Il voulut connaître la teneur exacte de la conversation que Miller avait eue avec Robey dans la cafétéria. Il se taisait entre chaque réponse, prenait des notes, tournait les questions autrement. Au bout d'une heure, sinon plus, il se leva de son fauteuil et commença à marcher lentement autour de la pièce.

« Vous avez bien fait, dit-il à Miller. On ne l'arrête pas tout de suite. Littman, au Mount Vernon College, nous préviendra dès que Robey sortira. Il a déjeuné à l'intérieur, non ? »

Riehl confirma. « Je suis entré deux fois, j'ai traversé les couloirs. Le doyen était très nerveux, il n'appréciait pas de nous voir sur le campus. Robey a fait son cours puis, en effet, n'est pas parti au déjeuner. Il y a une cantine, là-bas, pour les étudiants et les profs. On pense qu'il y a mangé.

— Ou alors il ne déjeune pas, intervint Metz.

— On a donc un alibi qui est bidon pour la mort de Catherine Sheridan. Mais ça nous montre simplement qu'il ne veut pas qu'on sache où il se trouvait samedi après-midi.

Il était dans la maison de Columbia Street, en train de rouer de coups cette pauvre nana, affirma Oliver. C'est lui… Je vous assure que c'est ce type. Il y a un truc que je n'aime pas chez ce fils de pute.

— C'est marrant, répondit Roth, parce qu'il a dit exactement la même chose de toi.

— Très bien, très bien, conclut Lassiter. Restons calmes. On ne tire aucune conclusion. Ce n'est pas parce qu'il ne veut pas qu'on sache ce qu'il fait de ses samedis après-midi qu'il en devient pour autant Hannibal Lecter.

— Mais il aime bien les jeunes patineuses, fit remarquer Metz.

— Entre nous, qui n'aime pas les jeunes patineuses ? répliqua Oliver.

— Arrêtez de faire les malins, intervint Lassiter. Avec ce type, on n'a qu'une seule cartouche. C'est peut-être notre homme, ce n'est peut-être personne, mais si on foire sur ce coup-là, non seulement on n'aura pas de deuxième chance, mais en plus on se ramassera le cabinet du procureur dans les dents, pour harcèlement judiciaire. Si on l'attaque avec un dossier vide, on est foutus. » Il s'interrompit quelques secondes. « La question est la suivante :

Miller, est-ce que vous pensez pouvoir encore le faire parler et lui faire comprendre que vous avez des questions au sujet de ses déplacements samedi dernier?

— Oui, je peux toujours essayer.

— Bien, on va faire comme ça. Miller et Roth, vous le chopez après la fermeture de l'université. Vous l'emmenez dans un endroit où il y a du monde, un café ou n'importe quoi. Demandez-lui s'il veut bien répondre à deux ou trois questions supplémentaires. Faites-lui comprendre qu'on a du mal à vérifier l'exactitude de son alibi, que la patinoire de Brentwood était fermée samedi. S'il vous raconte encore des conneries, dites-lui qu'on dispose de plusieurs photos le montrant en compagnie de Catherine Sheridan. Mais voyez sa réaction au coup de l'alibi avant de lui balancer celui des photos. Il faut qu'on avance pas à pas. Je ne veux surtout pas dévoiler toutes nos cartes avant qu'il ait joué, vous comprenez? Si on l'arrête sans rien derrière, son avocat le fait sortir en moins de douze heures et on se retrouve comme des cons dans le bureau du procureur en train d'essayer de comprendre pourquoi on se prend une plainte aux fesses. Robey paraissait disposé à discuter avec vous. S'il se passe quelque chose en direct, je veux que son arrestation soit tellement béton qu'il lui faudra un Clarence Darrow[1] travaillant nuit et jour pour le sortir de là. Vous m'avez compris? »

Un murmure d'acquiescement circula parmi les inspecteurs présents.

« Littman peut rester devant le campus. Miller, Roth, vous allez là-bas et vous attendez Robey. Vous, les gars,

---

1. Clarence Darrow (1857-1938) était un grand avocat américain, célèbre pour avoir défendu en 1925 J. T. Scopes, enseignant accusé de darwinisme, au cours du fameux « procès du singe ». (N.d.T.)

dit-il en désignant Metz et Oliver, vous faites un tour à la Criminelle et vous regardez s'il y a des choses sur Natasha Joyce. Si vous pouvez donner un coup de main, faites-le. Mais ne vous laissez pas embarquer sur un truc qui vous éloignera de Washington. J'ai besoin de vous au cas où la situation partirait en vrille. »

Les hommes se levèrent tous ensemble et quittèrent la pièce. Lassiter adressa un signe de tête à Miller et lui demanda de rester un instant, avec Roth.

« Bon, qu'est-ce que vous pensez de ce type ? »

Miller s'assit. « Je n'en pense rien du tout. Et c'est ça le plus bizarre. Pendant tout le temps de notre discussion, il m'a semblé très calme. Il prenait les choses sereinement, comme s'il ne s'inquiétait même pas qu'on vienne lui chercher des poux.

— Ce qui signifie ?

— Qu'il n'a rien à cacher, ou alors qu'il a tout à cacher et qu'il est très doué pour ça.

— Et quel angle d'attaque préconisez-vous ?

— Aucune idée. En général, on sent les choses, on arrive à voir si le type en face de nous est le bon ou pas. Comme l'année dernière, pour la petite étudiante qu'on avait retrouvée noyée dans la piscine. Mais lui... John Robey...

— Pourquoi ce nom me dit quelque chose, bordel ?

— *La Main au collet*, intervint Roth. Avec Cary Grant. Il s'appelle John Robie, dedans... Le même nom, mais pas la même orthographe. »

Lassiter se fendit d'un sourire. « Vous avez raison ! Exact. J'ai vu ce film avec ma femme, la première fois où on est sortis ensemble. Enfin, passons... Vous disiez ?

— Je disais qu'avec lui je suis incapable de savoir. À première vue, je dirais que ce n'est pas notre homme. Mais plus j'y repense, plus je *veux* que ce soit lui. »

Lassiter grimaça.

« Mais c'est peut-être simplement de la frustration de ma part. Je sais à quel point il est important de ne pas trop se laisser emporter par ça.

— Raison de plus pour ne pas tout faire foirer avant que les choses se déclenchent, répondit Lassiter. Je veux un mandat de perquisition pour la maison de ce mec. Je veux commencer à remuer la merde dans tous les recoins de sa vie, mais il me faut quelque chose de concret pour étayer nos accusations. Je n'ai pas envie qu'un petit morveux à peine sorti de sa fac de droit nous dézingue avant même qu'on ait pu lui demander l'heure qu'il est.

— Je serai très gentil avec lui. Tellement gentil qu'il croira que c'est son anniversaire. »

Sur ce, Lassiter se leva. « Une dernière chose… Je sais que, vous deux, vous n'avez pas arrêté de bosser ces derniers temps. Quand est-ce que vous avez pris du repos pour la dernière fois ?

— Moi ? fit Miller. Je ne sais plus… Il y a deux semaines, à peu près.

— Et vous ? »

Roth haussa les épaules. « J'ai vu mes gamins avant-hier soir, je crois. Ça fait un moment, déjà.

— Je sais ce que c'est, croyez-moi. Je sais aussi que vous êtes furax parce qu'il n'y a aucun retour, mais vous êtes les meilleurs que j'aie sur ce coup-là. Je ne peux envoyer personne d'autre l'interroger, vous comprenez ? »

Miller leva la main. « C'est bon. J'ai envie d'aller jusqu'au bout.

— Une fois que ce sera terminé, on vous donnera quelques jours de congé, voire une semaine.

— C'est gentil, dit Roth. Je sais que ma femme vous en sera très reconnaissante.

— Allez-y. Allez me trouver John Robey et voyez pourquoi il a menti la première fois. »

Ils arrivèrent au Mount Vernon College juste avant 16 heures. John Robey se présenta devant la sortie du bâtiment principal vingt minutes plus tard. Il tenait sa mallette et, calée sous son bras gauche, une pile de documents, probablement des copies d'étudiants qu'il lirait chez lui.

Miller alla aussitôt à sa rencontre. Lorsque Robey l'aperçut, son visage n'exprima aucune émotion. Une fois de plus, on pouvait croire que rien ne pourrait jamais surprendre cet homme. Miller repensa à la phrase qu'il avait prononcée, sur la risée qui ne se transformait pas en tempête.

John Robey s'arrêta sur le perron. Tout sourire, il inclina la tête sur le côté et, une fois Miller près de lui, dit : « Inspecteur Miller… Déjà ? »

Décontenancé par ce flegme en apparence tellement naturel, Robert Miller ne sut pas quoi dire. Alors il ne dit rien

35

Robey proposa le café du campus, qui était une franchise d'une grande chaîne. Là, Miller et Roth trouvèrent une table isolée vers le fond de la salle. Celle-ci était décorée de façon à rendre au mieux l'atmosphère universitaire – lambris, couleurs sourdes, fauteuils en cuir sur la droite, près de la vitrine.

Robey insista pour payer les cafés, puis il rejoignit les deux inspecteurs en tenant le plateau à la main.

« En quoi puis-je vous aider ?

— Nous avons juste quelques questions supplémentaires, professeur Robey.

— Ce titre de professeur, vous n'arrivez pas à vous en débarrasser, hein ?

— Il me semble qu'un homme qui a obtenu un tel titre devrait avoir la chance de l'entendre. »

Robey se mit à rire. « Posez-moi vos questions, inspecteur Miller.

— C'est au sujet de votre emploi du temps de samedi dernier.

— Vous avez vérifié, c'est ça ? Vous avez discuté avec qui ? Sarah ? Per Amundsen ?

— Avec les deux.

— Et vous avez appris que je ne me trouvais pas à la patinoire de Brentwood Park samedi dernier parce qu'ils n'y étaient pas non plus. C'est bien ça ? »

Miller ne répondit pas.

Robey baissa la tête. « Et voilà que je me retrouve dans le pétrin à cause d'un simple mensonge.

— Peut-être pas aussi simple que cela, professeur Robey. Il était important que l'on sache où vous étiez samedi dernier. Nous vous l'avons demandé et vous nous avez expliqué. Vous paraissiez très coopératif, plus qu'heureux de répondre à mes questions, mais il s'avère que la réponse la plus importante que l'on attendait de vous était un mensonge. Je serais curieux de savoir pourquoi vous avez jugé bon de mentir.

— Je voulais voir à quel point vous étiez déterminés. Je ne m'attendais pas à vous retrouver avant demain.

— Je ne comprends pas. Vous saviez que nous reviendrions ?

— J'espérais, surtout.

— Je crois qu'il y a quelque chose qui m'échappe et… »

Robey regardait Miller droit dans les yeux, avec une telle intensité que ce dernier dut s'interrompre au milieu de sa phrase. « Non, rien ne vous échappe. D'ailleurs il serait plus juste de dire que ce qui vous échappe, ce sont les choses qui sont censées vous échapper.

— Je ne suis pas sûr de comprendre.

— Vous savez, il y a une phrase célèbre prononcée par le marquis Charles Maurice de Talleyrand-Périgord au congrès de Vienne en 1814. On lui demandait ce qu'était la trahison… Il a répondu que ce n'était qu'affaire de dates. Vous comprenez, inspecteur Miller ?

— Oui, je connaissais cette phrase.

— Je ne vous demande pas si vous l'avez déjà entendue, mais si vous la comprenez.

— Bien sûr… Si vous soutenez quelque chose, un gouvernement ou autre, cela peut devenir une trahison si ce même gouvernement devient ensuite impopulaire.

— Exactement.

— Et cela a à voir avec ce qui nous intéresse aujourd'hui ?

— Cela a tout à voir avec ce qui nous intéresse aujourd'hui, inspecteur.

— Éclairez ma lanterne, professeur Robey, car pour l'instant je n'ai qu'un faux alibi concernant votre emploi du temps de samedi et une série d'autres choses qui n'ont aucun sens.

— Vous considérez-vous comme un patriote, inspecteur ?

— Sans doute. Comme tout le monde.

— Est-ce que votre patriotisme américain résiste au climat actuel ?

— Le climat ?

— Vous ne trouvez pas que nous sommes en train de devenir des agresseurs impopulaires ? Avec cette affaire irakienne et tout le bazar, vous ne pensez pas que le reste du monde commence à considérer notre arrogance et notre violence un peu fatigantes ?

— J'essaie de ne pas trop y penser. Dans mon métier, je suis plus concerné par ce que les Américains font aux autres Américains que par ce que l'on fait ou l'on ne fait pas au reste du monde.

— Eh bien, moi, j'aime élargir la perspective. Je regarde les choses d'un point de vue global, mondial. Le long terme, et pas le court terme. L'ensemble de la saison, et pas un simple match. Vous pouvez perdre un match, mais, tant que vous n'en perdez pas trop, vous pouvez toujours gagner le Superbowl, pas vrai ?

— Certes, mais je ne vois toujours pas le rapport avec notre sujet, et encore moins avec ce que vous faisiez vraiment samedi dernier.

— À votre avis, inspecteur Miller, où étais-je samedi dernier ?

— Entre nous soit dit, je ne crois pas que ce soit le meilleur moment pour jouer aux devinettes. Moi et mon collègue…

— Mon collègue et moi.

— Pardon ?

— Vous avez dit : "Moi et mon collègue"…

— Ne jouez pas à ça, professeur. Je ne suis pas venu ici pour recevoir un cours de grammaire. Je veux savoir où vous étiez samedi dernier. Vous nous avez répondu : "à la patinoire de Brentwood Park". Vous nous avez expliqué que vous assistiez à l'entraînement d'une personne, et cette même personne nous a confirmé qu'elle ne s'est pas entraînée samedi dernier. Pour tout dire, elle était à des kilomètres de cette foutue patinoire. Aussi je vous repose poliment ma question : où étiez-vous samedi dernier ?

— Et, moi, je vous demande à mon tour : à votre avis, où étais-je samedi dernier ?

— Pourquoi faites-vous ça ?

— Quoi donc ? Vous ne m'avez pas arrêté. Vous ne m'avez absolument pas indiqué dans quelle mesure je pouvais vous aider dans cette enquête. Vous m'avez cité les noms de deux femmes mortes, et je ne peux que supputer que vous me croyez lié d'une manière ou d'une autre à elles. Mais encore aujourd'hui, alors que vous me voyez pour la deuxième fois dans la même journée, que vous m'attendez à la sortie de mon travail, vous vous montrez circonspect et fuyant. Si vous me dites où vous pensez que j'étais, je vous dirai la vérité.

— Soit. Je pense que vous étiez avec Catherine Sheridan.

— Catherine Sheridan… Une des femmes mortes.

— Oui, celle que vous affirmez n'avoir jamais connue.

— J'ai dit ça, en effet.

— Mais si vous persistez à dire que vous ne la connaissiez pas, comment se fait-il que nous ayons retrouvé trois photos qui vous montrent à ses côtés ? Une photo, je peux comprendre. Mais deux, voire trois ? » Miller se tourna alors vers Roth. « Qu'est-ce que tu me disais, déjà, à propos des machinations ?

— Une fois, c'est un hasard ; deux fois, une coïncidence ; trois fois, une machination.

— Une machination ? dit Robey. Ça me semble être le terme juste, vu la nature de ce dans quoi vous vous apprêtez à mettre les pieds.

— Je mets les pieds dans votre alibi, professeur.

— Donc l'explication de mon emploi du temps de samedi dernier s'est transformée en alibi. En général, pour qu'il y ait un alibi, il faut un crime. Êtes-vous en train de m'accuser d'être impliqué dans un crime, inspecteur Miller ?

— Je n'ai pas envie de jouer, professeur Robey. Vous commencez à sérieusement m'agacer. Veuillez répondre à ma question. Où étiez-vous samedi dernier ? Pourquoi nous avoir dit être à tel endroit alors qu'à l'évidence vous n'y étiez pas ? Pour finir, comment se fait-il qu'il existe trois photos de vous aux côtés d'une femme assassinée répondant au nom de Catherine Sheridan et que vous persistiez à affirmer ne l'avoir jamais connue ? »

Robey garda le silence pendant un long moment – trop long. Il fusilla du regard Al Roth jusqu'à ce que ce dernier tourne la tête, puis il porta son attention sur Robert Miller tout en levant sa tasse de café, en prenant une gorgée et en la reposant sur la table. Le tout sans détacher les yeux de lui, sans flancher une seule seconde.

« J'ai 47 ans, finit-il par répondre. Je travaille au Mount Vernon College en tant que professeur de littérature anglaise et américaine. J'y suis depuis mai 1998. Auparavant, j'ai fait beaucoup de choses, la plupart dans un cadre universitaire. Par conséquent, j'ai été amené à rencontrer beaucoup de monde. J'ai voyagé en Extrême-Orient, en Amérique du Sud, en Angleterre, à Paris, Prague, Vienne, en Pologne, et mille autres pays dont je ne vais pas vous dresser la liste. Ces voyages, je les ai faits, invité tantôt par d'autres universités, tantôt par le gouvernement, d'autres encore comme observateur indépendant des systèmes éducatifs étrangers. Je n'étais pas seul, souvent accompagné par des gens qui avaient fait d'autres voyages. Peut-être ai-je été pris en photo. Peut-être faisais-je partie d'un groupe, avec cette femme à côté de moi ou derrière moi. Je ne fais qu'émettre des hypothèses, inspecteur, mais pour le moment je ne peux pas vous fournir de meilleure explication. Je crains que tout le problème ne soit là… Que ce que vous croyez qu'il est arrivé ne corresponde pas à la réalité.

— Et samedi dernier ?

— Je ne peux pas vous dire où je me trouvais samedi dernier.

— Pourquoi donc ?

— Tout simplement parce que j'en ai décidé ainsi.

— Donc ce n'est pas que vous ne pouvez pas. C'est que vous ne voulez pas. »

Robey confirma d'un hochement de tête.

« Vous nous placez dans une situation extrêmement gênante. Nous enquêtons sur une affaire importante et vous décidez de ne pas coopérer.

— À mon humble avis, inspecteur, c'est là une analyse erronée de la situation. Vous m'avez approché à deux reprises dans la même journée. Vous avez retardé mon arrivée au travail, vous m'avez attendu devant l'université et vous m'interrogez de nouveau. Vous ne m'avez pas arrêté. Vous ne m'avez pas rappelé mes droits. Vous ne m'avez pas suggéré de solliciter un avocat, et pourtant, parce que j'ai décidé de ne pas répondre à une question, vous m'accusez de ne pas avoir été coopératif. Je ne vois pas comment j'aurais pu être *plus* coopératif, inspecteur. »

Robey se leva. Il approcha la tasse de sa bouche, la vida, la reposa et s'empara de son pardessus, puis de sa mallette. Miller le regarda rassembler sa liasse de copies et sortir en longeant la table.

« Fin de la discussion, donc ? demanda Miller.

— Certainement, inspecteur. Sans quoi je ne serais pas en train de m'en aller. »

Miller se leva à son tour. Il contourna la table et se planta devant Robey. La tension qui lui martelait la poitrine était insupportable. Un mince filet de sueur coulait sur ses épaules, dans son dos. Curieusement, il avait peur. Il ressentait de la peur et de la rage, comme chez Brandon Thomas, comme quand il avait vu ce qu'on avait infligé à Jennifer Irving.

« Excusez-moi de ne pas avoir été plus coopé…

— Vous semblez ne pas du tout saisir la gravité de votre situation.

— Bien au contraire, inspecteur. C'est vous qui semblez avoir du mal à comprendre la gravité de *votre* situation.

— Vous me menacez ?

— Mon Dieu ! non, je n'ai pas besoin de vous menacer. Vous êtes déjà assez mal comme ça sans que j'intervienne.

— Qu'est-ce que ça veut dire ? »

Robey sourit et hocha la tête avec déférence. « Nous nous reverrons, j'en suis sûr. Mais, la prochaine fois, je vous conseille d'arriver un peu mieux préparé.

462

— Préparé à quoi ?

— Préparé à entendre ce que vous voulez savoir, inspecteur.

— Je pense vous avoir dit très clairement ce que je voulais savoir : votre lien avec Catherine Sheridan et l'endroit où vous vous trouviez au moment de sa mort. Je ne vois pas comment j'aurais pu être plus clair.

— Vous me demandez le quoi et le quand, inspecteur, mais pas le pourquoi. Je vous souhaite une bonne fin de journée, messieurs. »

Avant même que Miller ait le temps de réagir, Robey était déjà loin.

Roth se leva. « Nom de Dieu ! dit-il calmement. Qu'est-ce que c'est que cette connerie ? »

Miller fut incapable de parler pendant un bon moment. Ça le reprenait. Cette sensation qu'il avait déjà connue avant. Cette impression d'être épié, observé, ce sentiment qu'il ne savait presque rien et que tant d'autres personnes en savaient plus que lui.

36

Lassiter fit non de la tête. « Dites-lui exactement ce que Robey vous a dit. »

Miller regarda la femme qui se trouvait devant lui. Le procureur adjoint Nanci Cohen. Il l'avait rencontrée trois fois, et trois fois l'opiniâtreté de cette femme l'avait subjugué. Elle ne ressemblait en rien à une magistrate. Elle n'avait pas les cheveux attachés en arrière d'une façon austère, presque masculine ; elle ne portait ni tailleur bleu marine ou noir à rayures blanches, ni souliers vernis, et ses manières n'étaient pas brusques – toutes choses qui caractérisaient généralement ces femmes-là. Non, Nanci Cohen s'habillait comme une mère juive qui s'en va récupérer, à bord de son break, ses enfants au cours d'hébreu du soir. Avant de faire leurs devoirs, ils mangeraient des cookies à peine sortis du four, boiraient un verre de lait froid et se laveraient les mains. Pourtant, Nanci Cohen avait 48 ans et elle était célibataire. La rumeur prétendait qu'elle se tapait un assistant juridique de 27 ans employé par un grand cabinet de Washington. La rumeur prétendait qu'elle avait hérité d'une petite fortune de son grand-père, patron d'un *delicatessen*, arrivé aux États-Unis après la libération de l'Allemagne. La rumeur prétendait aussi qu'il y avait d'autres rumeurs... Personne ne savait ce qu'il fallait croire, et la plupart des gens s'en fichaient éperdument. Nanci Cohen faisait ce que très peu de procureurs adjoints faisaient encore – elle se rendait au commissariat en cas de besoin et répondait aux questions comme il fallait y répondre.

« Il a dit qu'il préférait ne pas répondre à ma question… commença Miller.

— Sur son emploi du temps samedi dernier ? coupa Nanci.

— Oui. Et, juste avant de partir, il m'a expliqué qu'on posait les mauvaises questions, qu'on l'interrogeait sur le quoi et le quand, mais pas sur le pourquoi. »

Nanci Cohen prenait des notes pendant que Miller parlait. « Bon, soyons clairs. C'est la deuxième fois que vous lui parlez, n'est-ce pas ? Vous lui avez parlé ce matin, dans la cafétéria, ensuite il est retourné à l'université pour donner son cours ou je ne sais quoi, et, quand il est ressorti, vous l'attendiez, et il vous a emmené boire un café.

— C'est exact. »

Nanci eut un sourire entendu. « Et c'est lui qui a payé le café, non ? »

Miller hocha la tête.

« C'est un petit malin, reprit Nanci. Essayez de regarder la situation d'un point de vue extérieur. Mettez-vous à la place d'un juge. John Robey entre dans cette cafétéria pour boire son café matinal, comme à son habitude. Là, des flics l'attendent et veulent lui parler de quelqu'un. Ils lui montrent une photo. Il dit ne pas se souvenir de la personne sur la photo, ni de vue ni de nom. Les flics lui sortent deux autres noms, il répond la même chose. Alors ils le laissent partir. L'homme est très courtois, pas agressif pour un sou, se montre très coopératif, puis s'en va. Les mêmes flics l'attendent à la sortie de la fac, l'après-midi même. Ils veulent lui poser de nouvelles questions. Il joue encore les messieurs courtois et les emmène

465

prendre un café sur le campus. C'est un bon citoyen, qui ne s'offusque pas que la police s'intéresse à lui. Je suis même étonnée qu'il ne vous ait pas offert des muffins à la myrtille.

— Il n'y avait pas de muffins.

— Putain… fit Nanci Cohen sur un ton exaspéré. Je ne vois pas comment vous auriez pu vous mettre dans une situation plus compliquée que ça.

— Pourquoi donc ? demanda Roth.

— Pourquoi donc ? Vous êtes juif, n'est-ce pas ? »

Roth fronça les sourcils. « Bien sûr. Quel rapport ?

— Ne dites plus rien. Vous nous mettez la honte, d'accord ? On est censés être le peuple le plus intelligent du monde, nom de Dieu ! » Nanci fouilla dans son immense sac en cuir posé à côté de son fauteuil et en sortit une bouteille d'eau. Elle dévissa le bouchon, but une belle rasade. « Bon, d'accord, très bien, continua-t-elle calmement, avant de s'enfoncer sur son siège et de fermer à moitié les yeux. On n'a rien à se mettre sous la dent, hormis les photos et les déclarations d'une fille assassinée qui vivait dans une cité, une Noire qui a eu un enfant avec un junkie notoire, peut-être dealer, déclarations selon lesquelles ce type est allé là-bas un jour pour rencontrer le junkie… »

Elle ne termina pas sa phrase. Miller jeta un coup d'œil vers Lassiter. Ce dernier secoua la tête et posa un doigt sur ses lèvres.

« Vous avez trois possibilités, reprit Nanci au bout d'un moment. *Primo*, vous l'arrêtez pour entrave au bon fonctionnement de la justice. Vous lui lisez ses droits, il prend un avocat, ensuite soit il vous dit où il était samedi dernier, soit il vous balance le cinquième amendement. Dans ce cas, vous avez une petite chance d'obtenir du juge un mandat de perquisition. Si vous allez chez lui, vous trouverez peut-être quelque chose qui le reliera à Sheridan ou

466

à une autre victime. *Secundo*, vous arguez de Lansing *vs* État de Californie, en 1989, où une demande d'annulation d'une déclaration sous serment faite par un témoin décédé s'est vue refusée. Vous pourriez utiliser ça de manière à expliquer que la confirmation de la présence de Robey aux côtés de Sheridan, telle que vous l'avait donnée la jeune Noire, vous laisse penser que Robey ment. C'est très mince – il vous faudrait un juge extrêmement ouvert d'esprit – mais c'est jouable. *Tertio*, et c'est la solution que je préconise... Vous allez le voir, vous lui parlez gentiment, *très* gentiment, dans l'espoir qu'il vous laisse entrer chez lui.

— Pour quoi faire ? demanda Miller.

— Pour qu'il continue de parler. Merde, c'est vous, les inspecteurs de police, que je sache. Vous avez enfin quelqu'un qui *veut* parler, nom de Dieu ! Il vous taquine même sur les questions que vous lui posez. Il vous demande de revenir la prochaine fois avec des questions plus intelligentes. Cher ami, c'est une invitation en bonne et due forme. Alors vous allez me faire le plaisir de cirer vos godasses, de vous donner un coup de peigne, de changer de chemise et d'aller lui parler très poliment pour voir ce qu'il lâche. » Sur ce, elle se tourna vers Roth. « Vous, dit-elle. Vous le sentez bien, ce type, pour les meurtres ? »

Roth secoua la tête. « Je le sens bien pour quelque chose. Que ce soit pour les meurtres ou pas, je n'en sais rien, mais je le sens bien.

— J'ai l'impression qu'il est enchanté de discuter avec vous, mais aussi que vous ne lui donnez aucun sujet de conversation intéressant. Il va falloir que vous déterminiez de quoi il a envie de parler et que vous alliez le voir ensuite.

— Et, à votre avis, de quoi a-t-il envie de parler ? » demanda Miller.

Nanci Cohen poussa un long soupir et regarda Lassiter. « Ces deux types sont vraiment les meilleurs que vous ayez ? »

Lassiter sourit. « J'en ai bien peur, oui… Vous savez comment c'est… Ça devient rare, les gens qui aiment le travail bien fait… »

Nanci se tourna de nouveau vers Miller. « Entre nous, mon vieux, il vous a déjà dit ce qu'il voulait que vous lui demandiez. Il veut que vous lui demandiez…

— Pourquoi, l'interrompit Miller.

— Pile-poil. Il veut que vous lui demandiez pourquoi.

— Et si on le mettait sur écoute ? » intervint Roth.

Nanci Cohen le fusilla d'un regard méprisant. « Je croyais pourtant vous avoir dit de ne pas parler. Sur écoute ? Vous êtes malade ou quoi ? Ce type n'a rien fait. Vous n'avez rien contre lui. Absolument rien. On part du principe qu'il ment. Le coup des photos, je ne mords pas à l'hameçon une seule seconde. Je crois aussi à ce que vous dites au sujet de la jeune Noire dans la cité, mais on n'a ni élément probatoire ni le moindre témoignage qui tienne la route – et encore moins devant un juge. Voilà où on en est. » Regardant Miller : « Vous, dit-elle. Il vous parle plus qu'à votre copain juif ici présent, n'est-ce pas ? »

Miller acquiesça. « Oui… Je crois bien.

— Alors allez-y, vous. Allez chez lui. Essayez de faire en sorte qu'il vous laisse entrer. Soyez dans le coup. Intéressez-vous à ce qu'il a à vous raconter. Trouvez le moyen de lui demander pourquoi *à son avis* ces femmes ont été assassinées. Si c'est le givré de service, alors il va vouloir partager ses saloperies avec le monde entier. Ces connards fonctionnent toujours pareil, le coup de l'enfance maltraitée et Dieu sait quoi d'autre. De temps en temps, ils pètent un câble… Mais, bordel, si tous ceux qui pètent un câble s'en prenaient à de parfaits inconnus, on n'en mènerait pas large, non? Néanmoins ce sont des amateurs, et ils aiment la mise en scène; or un amateur qui aime la mise en scène est à peu près ce qu'on peut faire de pire dans le genre chiant. »

Nanci Cohen secoua la tête, baissa un bras et ramassa son sac. Elle se leva pour rajuster sa jupe.

« Donc faites tout votre possible, reprit-elle. Mais je ne veux plus entendre parler d'écoute, OK? Ne faites pas tout foirer à cause d'une connerie qui nous empêcherait de l'inculper. Allez-y tranquillement. Parlez-moi. Posez des questions. Tenez-moi au courant de tout ce qu'il vous raconte, et je vous dirai quand vous aurez de quoi obtenir un mandat de perquisition. » Elle lança un grand sourire à Lassiter. « Toujours un plaisir de vous voir, capitaine. Saluez votre épouse pour moi. C'est une femme bien. Elle a la tête sur les épaules. Il faut que j'y aille. »

Roth, Miller et Lassiter n'échangèrent pas le moindre mot tandis que le procureur adjoint Nanci Cohen franchissait la porte et se dirigeait vers le couloir.

Lorsque le bruit de ses pas eut disparu, Roth regarda Lassiter : « Je n'ai pas rêvé, n'est-ce pas? »

Lassiter grimaça. « Qu'est-ce que vous racontez? Je croyais qu'elle vous avait demandé de la fermer. »

Miller n'avait même plus la force de rire.

37

Miller rentra chez lui. Il fit ce que Nanci Cohen lui avait demandé de faire. Il prit une douche, se rasa, repassa une chemise propre et mit une cravate. Il sortit le plus beau de ses quatre costumes et lui donna un coup de brosse. Il nettoya ses chaussures, se fit un bain de bouche, se peigna, puis se rendit en voiture jusqu'au n° 2 pour y retrouver Roth. Il arriva sur place à 19 h 10. Roth l'attendait dehors, sur le trottoir.

« Tu le sens bien ? lui demanda ce dernier.

— Parfaitement.

— Tu t'es fait beau, dis-moi. »

Miller sourit. « Prends une photo parce que tu ne vas pas me revoir comme ça avant longtemps.

— Son appartement est situé au croisement de New Jersey Avenue et de Q Street, après Chinatown.

— Littman l'a suivi après son boulot ?

— Oui. Figure-toi qu'il s'est rendu à la bibliothèque Carnegie.

— Tu déconnes ?

— Non. Il y est resté à peu près une heure et il est rentré directement chez lui. C'est Riehl qui est là-bas, maintenant. Il dit que Robey n'a pas bougé depuis. »

Miller garda le silence pendant un moment. Robey à la bibliothèque Carnegie ? S'agissait-il d'une énième coïncidence? « Et quoi de neuf à propos de ce bon vieux John Robey? »

— Rien. Il n'a jamais été arrêté, il n'a même pas reçu la moindre amende. Son nom figure dans les dossiers de la Sécurité sociale, dans les cadastres, dans deux ou trois organismes affiliés à l'université, et si on creuse un peu plus loin, on trouve aussi des choses sur lui en tant qu'auteur. Il a écrit deux bouquins, le dernier paru en 2001. Il ne semble pas avoir donné beaucoup d'interviews. Visiblement, il l'a joué discret. Bien entendu, comme on n'a pas ses empreintes digitales, impossible de vérifier dans le fichier des empreintes ou ailleurs. Mais pour le moment, jusqu'à preuve du contraire, il est blanc comme neige.

— Donc on n'est pas plus avancés que ce matin.

— J'en ai bien peur. On ne peut pas dire que ce type soit une personnalité connue.

— Je n'ai pas besoin d'une personnalité connue. Ce que je veux, c'est quelque chose qui nous dise s'il est capable ou non d'avoir commis ces crimes.

— Alors va là-bas. Vas-y et fais-le parler.

— Et s'il ne dit rien? »

Roth haussa les épaules. « Dans ce cas, on ne sera pas moins avancés que maintenant. On fera ce qu'on pourra en attendant mieux, tu comprends? »

Miller tendit une main vers lui. « Les clés de la bagnole? »

Roth les sortit de sa poche et les lui lança. Miller les attrapa au vol et se dirigea vers le parking souterrain.

« Bonne chance », lui dit Roth dans son dos.

Miller ne répondit pas, ne se retourna pas.

Il descendit la pente et s'enfonça dans la pénombre du parking.

Quarante minutes plus tard, Robert Miller se garait le long du trottoir, à moins d'une rue du carrefour formé par New Jersey Avenue et Q Street. Il resta assis un petit moment, n'écoutant rien d'autre que le bruit du moteur en train de refroidir, la rumeur lointaine de la circulation, l'accélération inopinée d'une autre voiture qui passait en sens inverse. Sur sa gauche, quelques jeunes femmes sortirent d'un bar en riant ; l'une d'elles se mit à courir vers le carrefour, suivie par les autres, si bien qu'elles entrèrent en collision juste avant de traverser la rue. Miller ferma les yeux et dressa l'oreille. Il était tout ouïe. Il entendait battre son cœur, et son cœur battait fort.

À 20 h 04, Miller se trouvait en bas de l'escalier qui menait à l'appartement de Robey. Il avait les mains moites. Même au moment de traverser la rue, il s'était interrogé sur le bien-fondé de son geste. Faire un tour chez Robey n'avait rien d'illégal, rien de déshonorant, rien de sournois. Il voulait tout simplement lui parler. Ou, plutôt, que Robey lui parle, lui explique ce qu'il avait voulu dire ; depuis qu'il était parti de chez lui, cette question n'avait cessé de le tarauder : que signifiait au juste cette expression employée par Robey sur la risée qui ne se transformerait jamais en tempête ?

Soudain, la réponse lui apparut avec la force de l'évidence, comme si elle était sous ses yeux depuis le début, rangée dans une boîte quelque part au fond de son cerveau, et comme si le simple fait de poser la question et de se concentrer avait permis d'ouvrir cette boîte. Le souvenir se fraya un chemin jusqu'à la surface. Miller se retrouva dans la maison de Catherine Sheridan, avec l'écran de télévision devant lui. Et de cet écran sortaient ces phrases :

« Je dois voir papa, oncle Billy.

— Ça attendra, George.

— C'est important.

— Il y a une risée là-bas, on va bientôt avoir une tempête. »

La vie est belle. Le film qui passait au moment où la vie de Catherine Sheridan s'était achevée.

La mémoire avait beau lui revenir très lentement, cela suffit à le pétrifier sur place. Il tendit le bras et s'appuya contre le mur.

Trop de coïncidences. Trop en même temps.

Il prit plusieurs bouffées d'air. Pendant quelques secondes, il se sentit étourdi, un peu nauséeux ; il posa un pied sur la première marche de l'escalier et commença à monter vers l'appartement de Robey.

Une fois de plus, John Robey ne sembla pas surpris.

« Inspecteur Miller, dit-il d'un air détaché, après avoir ouvert la porte.

— Professeur Robey. »

Il y eut un silence épais, puis Robey regarda ses pieds. « Vous venez avec de nouvelles questions, je suppose.

— Non, finies les questions. Je viens avec des réponses. » Miller s'efforça de sourire. « Enfin, pas exactement des réponses… Plutôt des faits qui ne collent pas, et je me suis dit que si j'expliquais moi-même… »

Il inspira longuement, en essayant de se concentrer, de faire en sorte que tout soit équilibré, solide, calme.

Robey ouvrit grand la porte et recula contre le mur. « Entrez, inspecteur. »

Miller fit un pas en avant, puis un second, un troisième. Il passa devant Robey. En entendant la porte se refermer dans son dos, il comprit qu'il n'avait plus le choix.

« Venez, lui lança Robey. Venez donc me dire de quoi il retourne vraiment. »

Miller le laissa marcher devant lui et le suivit jusqu'à une pièce au fond de l'appartement. Un tapis sombre, un canapé calé contre le mur à droite, une fenêtre sur la gauche donnant sur l'arrière de l'immeuble. Les murs étaient couverts d'une peinture uniforme, couleur de parchemin ; sur celui qui lui faisait face, dans des cadres en inox, étaient accrochées plusieurs gravures, huit pour être précis, toutes au format in-quarto.

« Vous aimez l'art, inspecteur Miller ? »

Miller fit signe que oui.

« Ce sont des reproductions, bien sûr, mais de très bonne qualité. Vous avez entendu parler d'Albrecht Dürer ?

— Oui, je connais Dürer.

— Il s'agit là des dessins préparatoires pour *Le Chevalier, la Mort et le Diable*, pour *Saint Jérôme dans sa cellule* et pour *La Mélancolie*. Celui du dessus provient de la série sur *L'Apocalypse*.

— Ils sont beaux, dit Miller.

— Ils sont plus que beaux », insista Robey avec un sourire.

Même si ses paroles dénotaient un certain mépris, Miller ne se sentit pas méprisé.

« Je vous en prie, asseyez-vous, reprit Robey en lui indiquant le canapé. Souhaitez-vous quelque chose à boire ? »

Miller secoua la tête. « Non, ça ira, professeur Robey. »

Robey s'empara d'une chaise contre le mur et l'installa de l'autre côté d'une table basse.

« Vous vivez seul ici ? voulut savoir Miller.

— Vous savez très bien que je vis seul. Ou alors vous n'êtes pas du tout l'inspecteur que je croyais. »

Miller essayait désespérément de trouver une amorce. Il ne savait même plus très bien ce qu'il *essayait* d'amorcer.

Robey lui facilita la tâche. « Je me suis renseigné sur vous, dit-il. Après vous avoir quitté cet après-midi, je suis allé à la bibliothèque. J'ai cherché dans les journaux

474

des articles sur cette fameuse Sheridan dont vous m'avez parlé, et je sais pour qui vous me prenez. »

Miller ouvrit la bouche pour répondre.

« Oh ! mais tout va bien, reprit aussitôt Robey. Je ne m'en offusque pas. Je comprends ce que vous faites, et surtout pourquoi vous devez le faire. Vous avez un travail à accomplir, n'est-ce pas ?

— Exact. Un travail à accomplir.

— Et quelque chose vous laisse penser que je peux vous aider ? Soit parce que je suis le coupable en personne, soit parce que j'aurais connu cette Sheridan et que je saurais pourquoi elle a été choisie ? »

Miller se pencha en avant et regarda Robey droit dans les yeux. « J'ai cinq femmes mortes sur les bras. La première a été tuée…

— En mars, coupa Robey. La deuxième en juillet, la troisième en août. Catherine Sheridan a été assassinée il y a cinq jours, et cette autre femme dont vous m'avez parlé, Natasha Joyce… Assassinée avant-hier.

— Je croyais que vous n'étiez au courant de rien.

— En effet. J'ignorais tout de cette affaire jusqu'à ce que vous m'en parliez. Et puis je vous répète que j'ai fait quelques petites recherches.

— Vous avez lu des journaux à la bibliothèque.

— C'est cela.

— Quelle bibliothèque ? »

La question fit rire Robey. « Quelle importance, entre nous ?

— Faites-moi plaisir, professeur.

— La bibliothèque Carnegie. Vous connaissez ?

— Bien sûr. Je connais bien, même. Et si j'allais là-bas, demain matin, et que je discutais avec…

— Julia Gibb ? Et si vous lui demandiez si je suis bien passé aujourd'hui pour lui demander des articles concernant les meurtres du Tueur au ruban, confirmerait-elle ma présence et le fait que j'ai demandé à voir ces articles? Vous dirait-elle que cette fameuse Catherine Sheridan qui a été assassinée était passée à la bibliothèque le matin même de sa mort? Vous dirait-elle tout cela? Oui, inspecteur Miller, elle vous dirait exactement ce que je viens de vous dire.

— Vous connaissez cette femme, donc?

— Oui, inspecteur, je connais cette femme. J'enseigne à l'université. Je me rends à la bibliothèque fréquemment...

— Y avez-vous déjà rencontré Catherine Sheridan?

— Pas que je sache, non.

— Et depuis quand fréquentez-vous cette bibliothèque?

— Depuis que j'enseigne dans cette université.

— Ce qui nous fait donc?

— Je vous l'ai dit. Je travaille au Mount Vernon College depuis mai 1998.

— Et avant cela?

— J'enseignais ailleurs.

— Une autre université?

— Tout cela figure sur mon CV. Je sais qu'Alan Edgewood vous l'a passé. »

Miller laissa passer un silence, puis, se calant une fois de plus au fond du fauteuil, il essaya de se détendre. « Dites-moi, professeur... Que pensez-vous de ces meurtres?

— Ce que j'en pense? Sans doute la même chose que tout le monde.

— À savoir?

— Je ne sais pas. Une impression d'horreur, peut-être. Le sentiment d'une tragédie. Je regarde ça avec un œil masculin, peut-être parce que nous autres croyons fondamentalement que, face à un tel criminel, nous rendrions les coups. Que nous serions mieux armés pour nous battre. Mais le sentiment le plus prégnant, c'est une certaine indifférence.

— De l'indifférence ? »

Robey lui fit un sourire entendu. « Cette histoire n'affecte pas ma vie. Ce genre de choses ne m'atteint même pas. Oui, l'indifférence… Cette capacité remarquable, que nous possédons tous, à faire comme si ces choses-là n'arrivent qu'aux autres et que, selon toute vraisemblance, ils l'ont bien mérité. Nous sommes très forts pour nous convaincre que ça se passe loin de nous, et que, tant que nous ne regardons pas loin de nous, ce n'est pas notre problème.

— C'est le mien, en tout cas. »

Robey acquiesça. « C'est le mien aussi.

— De quelle manière ?

— Je suis d'un naturel curieux, inspecteur Miller. Vous venez m'interroger sur mes faits et gestes. Vous sous-entendez que je sais des choses. Vous me citez les noms de femmes que je ne connais pas et vous vous en allez. Je ne veux pas en rester là. Je veux savoir ce que vous avez derrière la tête, et pourquoi vous me considérez capable d'avoir commis une chose pareille. Je cherche à comprendre ce qui, en moi, vous fait penser cela. Je suis curieux. Je regarde. J'écoute. J'essaie de comprendre.

— Et, d'après ce que vous avez entendu et lu dans les journaux, à quoi pensez-vous que je suis confronté ?

— Vous êtes confronté à un cauchemar. »

Miller ne put s'empêcher d'éclater de rire, brusquement, inexplicablement. La phrase de Robey n'était qu'une opinion, mais prononcée avec une telle emphase, une telle assurance, elle résumait une réflexion que Miller s'était si souvent faite, qu'il ne put que réagir.

Robey inspira lentement. « Si j'étais vous ? lâcha-t-il.

477

— Oui, professeur, que feriez-vous à ma place ? »

Robey recula sur son siège et croisa les jambes. Il rejeta sa tête en arrière et contempla le plafond un long moment. Lorsqu'il posa de nouveau les yeux sur Miller, son visage affichait presque de la compassion « Je chercherais le dénominateur commun, inspecteur.

— Entre ?

— Les femmes.

— Le dénominateur commun ?

— Exactement. Cinq femmes mortes. Toutes, apparemment, assassinées par le même homme. Elles vivaient à Washington. Pour l'instant, c'est à peu près le seul fil qui les relie entre elles. Un tueur en série assassine des femmes qui habitent à Washington, mais il doit y avoir autre chose. C'est sans doute une évidence que j'énonce là, et j'imagine que vous avez passé du temps à essayer de trouver le fil conducteur… »

Miller l'interrompit. « Vous voulez savoir quel est l'unique fil conducteur ? C'est vous. Vous dites n'avoir *jamais* connu Catherine Sheridan, et pourtant Natasha Joyce a vu une photo de vous et confirmé que vous êtes allé dans la cité il y a quelques années, en quête d'un certain Darryl King. Je vous aurais bien emmené voir Natasha Joyce mais, manque de chance, il se trouve qu'elle vient de se faire assassiner aussi

— Ces femmes, il les étrangle, n'est-ce pas ?

— Oui.

— Pas d'arme.

— En effet, pas d'arme.

— Plus on s'approche, plus il faut être professionnel. »

Miller fronça les sourcils.

« Quand on tue des gens. On commence avec un fusil. Puis on passe au pistolet, ensuite au couteau, et on finit par la strangulation. Plus on s'approche, mieux c'est.

— Et tout ça, vous le savez parce que… ? »

Robey se mit à rire. « Parce que je regarde les films de Luc Besson. Tout simplement. » Il secoua la tête. « Je ne comprends toujours pas la raison de votre présence ici, inspecteur Miller. Je me rends compte que vous *pensez* avoir quelque chose…

— J'ai une photo de vous qui vous montre avec Catherine Sheridan. J'ai trois photos de vous à ses côtés, et, au verso de l'une d'elles, il est écrit "Noël 1982". Est-ce que ça vous dit quelque chose ? »

Robey se tut, puis il leva les yeux en secouant la tête. « Non. Ça ne me dit rien.

— Où étiez-vous à Noël 1982 ?

— Mon Dieu, ça fait combien ? Vingt-quatre ans ?

— Oui. Il y a vingt-quatre ans… Où étiez-vous à cette époque ?

— Laissez-moi réfléchir… 1982, 1982… J'étais encore à New York. J'ai commencé un travail provisoire à New York à l'été 1981, puis ce travail est devenu moins provisoire, si bien que je suis resté là-bas jusqu'à l'été 1983.

— Que faisiez-vous ?

La même chose que maintenant. Mais j'étais beaucoup plus jeune. » Il éclata de rire. « J'ai l'impression que c'était une autre vie.

— Vous enseigniez ?

— Oui, je donnais des cours magistraux. En tant qu'assistant du professeur, pour être exact, mais comme il était la plupart du temps malade, c'est moi qui assurais les cours. » Robey esquissa un sourire empreint de nostalgie. « Une belle période de ma vie… J'aimais bien New York. Pas assez pour vouloir y vivre, mais ça a été un bon moment. J'y ai rencontré des gens intéressants, des gens qui m'ont aidé à me trouver, si je puis dire.

— Et vous êtes parti à l'été 1983 ?

— Oui, c'est exact... Mais, attendez, que se passe-t-il ? Notre discussion est en train de se transformer en interrogatoire.

— Loin de là, professeur.

— Donc je me trouvais à New York à l'époque de cette photo. Peut-être a-t-elle été prise à mon insu. Peut-être cette femme était-elle une étudiante là-bas ou une collègue. Mon Dieu ! je n'en sais rien. Je vous le répète, il y a mille raisons qui font qu'on peut se retrouver sur une photo et l'oublier, et même ne pas s'en rendre compte sur le moment.

— Vous avez raison, professeur. Je ne nie pas cette possibilité. Non, voyez-vous, ce qui m'intrigue davantage, c'est que cela ait pu se reproduire trois fois. »

Robey ne réagit pas.

« Et le fait que j'ai présenté ces photos à cette femme, Natasha Joyce, chez elle, et qu'elle n'a pas hésité une seule seconde à vous identifier comme étant le même homme venu à sa rencontre des années plus tôt en compagnie de Catherine Sheridan. En voyant votre visage, elle a dit : "C'est lui. C'est le même homme." Et, dans son esprit, il n'y avait pas l'ombre d'un doute.

— Je ne me l'explique pas, répondit calmement Robey.

— Moi non plus. Comment a-t-elle pu se montrer si sûre d'elle ? Sans la moindre hésitation. Et ce n'était pas une femme idiote. Elle était même très vive, au contraire.

— Il semblerait que ce genre de crimes deviennent de plus en plus fréquents. Malheureusement, je crois que nous en sommes les premiers responsables. »

Miller fronça les sourcils.

« Vous savez, pour décrire une chose que l'on regrette d'avoir créée, on parle souvent d'un *monstre*.

— Le titre de votre livre », dit Miller.

Robey balaya la remarque d'un revers de main. « Nous nous sommes anesthésiés tout seuls, inspecteur. Nous nous sommes rendus insensibles à ces choses-là. Il est devenu normal de s'attendre à voir de telles atrocités presque tous les jours. Bien entendu, une partie de la responsabilité incombe à la presse libre, pour reprendre le nom qu'elle s'est elle-même donné. Ces gens-là sont en effet libres d'écarter le bien et de promouvoir le mal. Ils nous disent exactement ce que nous avons envie d'entendre, et je ne vous parle pas d'un cas particulier, inspecteur. Je vous parle d'une volonté délibérée d'embrouiller et de tromper un pays, voire le monde entier.

— Je ne crois pas être aussi cynique et méfiant, professeur.

— Vraiment ? Vous pensez que vous n'êtes pas concerné par ces phénomènes ?

— Je ne dis pas cela, mais…

— Mais quoi ? Dites-moi par exemple quelle est la proportion, parmi les problèmes auxquels vous faites face quotidiennement, de ceux qui sont liés à la drogue. Comme cette fameuse Natasha Joyce. Vous m'expliquiez qu'elle avait un petit ami, le père de la petite fille ? Il se droguait ? »

Miller acquiesça.

« Voilà ce dont je veux parler. Quelle est la part de vos tâches quotidiennes directement ou indirectement liées au trafic de drogue à Washington ?

— Un grand nombre.

— Combien ? 10, 20, 30 % ?

— Plus que ça. Je dirais… Oh ! je n'en sais rien… Peut-être 50 ou 60 %.

— 50 ou 60 %. Et le gros du trafic, c'est quoi ? La cocaïne ? »

Miller acquiesça. « Bien sûr. La cocaïne. Le crack, sur-tout. »

Les yeux de Robey s'illuminèrent. « Parfait. Absolument parfait. Le crack. L'épidémie qui a ravagé Washington, Baltimore, Los Angeles, New York, Miami, c'est bien ça ? C'est du sérieux, pas vrai ? Quelque chose qui a directe-ment affecté les vies de millions d'Américains, oui ?

— Sans aucun doute. »

Robey semblait s'animer pour la première fois. Son regard était vif, ses mains décrivaient des gestes grandilo-quents. « Et qui a créé ce monstre ? Qui a créé cette épidé-mie de crack qui fait désormais figure de monstre parmi nous ?

— Je ne sais pas. La plupart du crack vient de Colombie, d'Amérique latine... Des cartels qui sont là-bas. Ils l'exportent ici et... »

Mais Robey secouait la tête. « Non. Nous l'avons créé nous-mêmes.

— Nous l'avons créé ? Je ne comprends pas.

— Nous l'avons créé. *Nous*, les Américains. Nous, les contribuables, les propriétaires, les gens qui ont des emplois et des crédits, les gens qui possèdent des comptes en banque et envoient leurs enfants dans des écoles pri-vées, qui lisent les journaux, regardent la télévision. Nous avons créé l'épidémie de crack. »

Miller se sentait de plus en plus troublé. Il ne voyait pas de quoi Robey voulait parler.

« Savez-vous d'où venait la plus grosse partie de la cocaïne dans les années quatre-vingt ? Cette même cocaïne qui a déclenché toute la folie du crack ? »

Miller fit signe que non.

« Du Nicaragua. »

Miller tressaillit.

Robey le regarda. « Que se passe-t-il ?

— Du Nicaragua?

— Oui, bien sûr, du Nicaragua. Vous avez l'air surpris.

— Non, c'est juste que… Une coïncidence, c'est tout. J'ai lu quelque chose sur le Nicaragua, l'autre jour.

— Sur le fait que Daniel Ortega a encore refait surface? Voilà une *vraie* coïncidence s'il en est.

— Pourquoi donc?

— Bush est dans une mauvaise passe. Il va perdre les élections de mi-mandat. Il dégage Rumsfeld et le remplace par Robert M. Gates. Vous savez qui c'est?

— Pas tout à fait.

— Le directeur de la CIA sous Bush père et ancien directeur adjoint sous la houlette de William Casey, pendant l'Irangate : aujourd'hui, la boucle est donc bouclée avec le Nicaragua. Ortega s'est fait réélire, les sandinistes sont de nouveau au pouvoir, et on reste toujours aussi béatement ignorants de ce qui s'est passé, de la façon dont on les a laissés – par indifférence et par peur – faire ce qu'ils ont fait.

— Qui donc?

— Les élites. Le gouvernement. Les personnes responsables du bien-être et de la sécurité du peuple américain. La guerre au Nicaragua était théoriquement menée au nom de la protection du peuple américain contre une présence communiste dans notre arrière-cour. Vraiment? On voulait surtout que la ligne d'approvisionnement jusqu'en Amérique du Sud soit protégée contre toute interférence. Ça a été un fiasco dès le premier jour.

— Je ne comprends pas ce que vous voulez dire. Vous êtes en train de m'expliquer que la guerre au Nicaragua… Toute l'histoire avec Oliver North, c'est ça? Que cette guerre a donc été déclenchée parce que le gouvernement américain voulait protéger l'approvisionnement en cocaïne en provenance d'Amérique latine?

— Entre autres, oui. C'était une des raisons principales. Pas la seule, mais la principale.

— J'ai beaucoup de mal à y croire, professeur. »

Robey sourit. « Vous connaissez John Kerry, n'est-ce pas ? Celui qui s'est présenté contre George W. Bush.

— Bien sûr que je le connais.

— Au printemps 1986, alors que Kerry était sénateur, un certain John Mattes, avocat à Miami, a commencé à enquêter avec lui sur les liens entre les Contras et la drogue. Vous savez qui étaient les Contras, n'est-ce pas ?

— Les rebelles soutenus par les Américains. Ils voulaient renverser le gouvernement sandiniste.

— Exact. Eh bien, figurez-vous que ce Mattes a dit un jour une chose très intéressante. Il affirmait avoir exploré et mis au jour toute l'infrastructure des opérations de la CIA au Nicaragua, en expliquant que toute cette affaire était couverte au nom de la sécurité nationale. Dans les aéroports publics, des gens chargeaient en plein jour des canons à bord d'appareils qui atterrissaient à l'aéroport d'Ilopango ; puis ces mêmes gens ramenaient de la drogue sur le territoire américain sans que personne vienne les déranger. John Kerry, qui dirigeait la sous-commission du Sénat chargée du terrorisme, de la drogue et des opérations internationales, a travaillé deux ans sur la question et pondu un rapport de mille cent soixante-six pages. Les trois grandes chaînes d'information l'ont totalement ignoré. Face au bon demi-million de mots que pesait le rapport, les articles parus dans le *Washington Post*, dans le *New York Times* et dans le *Los Angeles Times* n'ont pas dépassé, en tout et pour tout, deux mille mots.

— Et ce rapport ? Il disait que les Américains ramenaient de la cocaïne du Nicaragua ? »

Robey se mit à rire. « Vous avez l'air tellement ébahi, inspecteur. J'ai du mal à croire qu'une telle chose puisse vous étonner.

— M'étonner ? Je n'arrive même pas à comprendre ce que vous me racontez.

— Mais ce n'est rien, comparé à ce qui s'est réellement passé là-bas. Les officiels américains impliqués en Amérique centrale ne pouvaient même pas jeter un coup d'œil sur le problème de la drogue. Tout ce qui menaçait de mettre en péril l'effort de guerre au Nicaragua devait être annihilé. Les grands stratèges américains savaient que l'argent de la drogue représentait une solution parfaite aux problèmes de financement des Contras. Il y avait un autre type, à l'époque, un certain Jack Blum, ancien enquêteur pour la sous-commission dirigée par Kerry. Vous voulez savoir ce qu'il disait juste avant les auditions du Sénat en 1996 ? »

Robey n'attendit même pas la réponse de Miller. Il se leva, traversa la pièce et, d'un tiroir du bureau placé sous la fenêtre, sortit une liasse de feuilles qu'il commença à parcourir.

« Voilà, dit-il avant de se rasseoir. Jack Blum. "Auditions de la sous-commission du Sénat chargée du terrorisme, de la drogue et des opérations internationales devant le Sénat." En 1996. Je cite : "Nous n'avons pas besoin d'enquêter sur le rôle joué par la CIA dans le trafic de drogue organisé par les Contras. Nous savons déjà. Les preuves existent. Les organisations criminelles constituent des alliés parfaits dans le cadre des opérations clandestines. Les deux sont liées comme les doigts de la main. Le problème est que ces organisations acquièrent ensuite un certain pouvoir du simple fait qu'elles collaborent avec nous. Il y a eu une décision assumée. Nous avons tourné la tête. Ce choix est allé tellement loin dans l'erreur que nous nous sommes retrouvés avec un problème monstrueux sur les bras." »

Robey leva les yeux vers Miller et lui sourit. « Voilà donc ce qu'il a affirmé devant le Sénat. Et vous savez ce que les sénateurs ont fait ?

— Rien du tout ?

— Exactement, inspecteur. »

Robey continua de feuilleter les pages. « Tenez. Un article du *Mercury News* de San José, daté du 18 août 1996. » Il se pencha en avant et tendit l'article photocopié à Miller :

« L'ÉPIDÉMIE DE CRACK PLONGE SES RACINES

DANS LA GUERRE AU NICARAGUA. »

« Vous savez ce qu'est une déclaration d'intention ? »

Miller détacha ses yeux de l'article. « Une quoi ?

— Une déclaration d'intention.

— Inconnu au bataillon.

— En 1981, la CIA et le ministère de la Justice ont passé un accord. Le terme exact était une "déclaration d'intention". Aux termes de cet accord, la CIA n'avait aucune obligation de signaler au ministère de la Justice les activités liées à la drogue menées par ses agents ou représentants.

— Vous plaisantez. »

Nouvel éclat de rire de Robey. « En effet. Il n'y a aucune raison de ne pas plaisanter sur ces événements. Mieux vaut rire face à l'idiotie absolue de ce que nous avons créé. Jack Blum n'aurait pu mieux dire. » Robey replongea dans ses papiers. « Je le cite : "Dans la guerre menée contre les sandinistes, des personnes liées au gouvernement américain ont-elles ouvert des canaux permettant aux trafiquants de drogue d'expédier leur marchandise jusqu'aux États-

Unis, ont-elles su que ces trafiquants le faisaient et les ont-elles protégés contre les forces de l'ordre ? La réponse à cette question est oui." Et Blum poursuivait en exposant sa conviction qu'une décision avait été prise par les gens au pouvoir à l'époque, une décision concernant le sacrifice – il employait ce terme de "sacrifice"… Le gouvernement américain, disait-il, a sciemment décidé de sacrifier une partie de la population américaine afin de financer la lutte contre les sandinistes au Nicaragua. Ce sacrifice a paru acceptable parce que les gens qui allaient mourir à cause de la cocaïne importée aux États-Unis étaient considérés comme parfaitement inutiles. »

Miller n'en revenait pas ; il recula sur son siège.

Robey brandit une autre feuille. « Il s'agit d'un mémo-randum du Sénat. Il est écrit : "Un certain nombre de personnes qui ont soutenu les Contras et qui ont participé aux activités des Contras au Texas, en Louisiane, en Californie et en Floride, sous-entendent que de la cocaïne arrive illégalement aux États-Unis à travers la même structure qui permet l'acheminement et la livraison d'armes, d'explosifs, de munitions et d'équipements militaires aux Contras, en provenance des États-Unis." Autre extrait : "Les recherches ont ensuite révélé que les Contras déver-saient directement leur drogue parmi plusieurs gangs noirs, comme les Crips ou les Bloods à Los Angeles, et que cette énorme arrivée de cocaïne a provoqué l'épidémie de crack dans les années quatre-vingt. Les efforts menés par la répression antidrogue, les douanes américaines, la police du comté de Los Angeles et le département anti-drogue de Californie pour identifier et poursuivre les trois hommes responsables de l'immense afflux de cocaïne à Los Angeles ont été contrecarrés et freinés par la CIA." »

Robey sourit de nouveau et arbora cette expression qui disait tout et rien à la fois. « Ceci, inspecteur Miller, est l'un des très rares monstres que nous avons créés. Et votre assassin, votre Tueur au ruban… Eh bien, cet homme n'est que l'énième rejeton de cette société qui laisse faire impunément ce genre de choses. Il s'agit d'une atteinte progressive aux libertés fondamentales, d'une lente guerre d'usure… Vous savez ce que disait Machiavel à propos de la guerre ?

— Je vous écoute.

— Il disait : "La guerre ne peut être évitée. Elle peut seulement être repoussée à l'avantage de l'ennemi." C'est exactement ce qu'on a appliqué au Nicaragua. On n'a pas repoussé la guerre et donné l'avantage aux sandinistes. On leur a fait la guerre. »

Miller commençait à avoir mal à la tête. « Nous nous éloignons de notre sujet, dit-il. Il se fait tard…

— Je suis désolé, inspecteur. Je m'échauffe un peu quand on aborde ces questions.

— Puis-je utiliser votre salle de bains avant de m'en aller, professeur ?

— Bien sûr. À droite, tout au fond du couloir. »

Miller quitta le salon, s'arrêta dans le couloir faiblement éclairé pour jeter un coup d'œil derrière lui et se sentit, l'espace d'un instant, comme un voleur, un intrus. Il était épuisé, incontestablement, mais il avait l'impression d'avoir été matraqué d'informations par Robey – autant de choses qu'il n'avait pas envie de savoir et qui étaient sans rapport avec les questions qu'il lui avait posées. Il était resté plus d'une heure mais repartait bredouille.

Il entra dans la salle de bains et referma la porte.

Une fois devant le lavabo, il éprouva une envie irrépressible d'ouvrir l'armoire à glace qui se trouvait en face de lui. Il fut parcouru d'un étrange frisson ; le duvet sur sa nuque se hérissa. Une goutte de sueur se forma à la base de ses cheveux et commença à ruisseler sur son front.

Lorsqu'elle atteignit l'arête de son nez, il l'essuya. Il se sentait désincarné, comme s'il contemplait quelqu'un d'autre que lui dans le miroir.

Il savait qu'il commettait une erreur, mais quelque chose au fond de lui l'incitait à ouvrir cette armoire et à en explorer le contenu. Du bout des doigts, il effleura la surface froide de la poignée. Il tira doucement dessus. L'armoire s'ouvrit en émettant un bruit quasiment imperceptible.

De sa main gauche, il l'entrebâilla et regarda à l'intérieur.

De l'aspirine. De la pommade analgésique. Des vitamines. Du sirop antitoux. Une boîte de pastilles. Un flacon de bain de bouche. Un tube de dentifrice.

Et puis, tout au fond, sur la deuxième étagère en partant du bas, une brosse à cheveux en plastique. Miller tendit la main, souleva doucement la brosse en la tenant par un des poils et resta ainsi sans bouger. Il ne voulait pas regarder. Il devait regarder. Il avait le sentiment de commettre le pire de tous les péchés. Il fit pivoter l'objet, lentement, jusqu'à ce que le manche soit bien éclairé par la lumière du plafond. Il n'y avait aucun doute : une empreinte partielle très nette, plusieurs même, se trouvaient sur le manche bien lisse de la brosse.

Miller en eut le souffle coupé. Il fit tomber la brosse dans le lavabo, bruyamment ; l'objet rebondit autour de la bonde avant de se stabiliser. Miller allongea le bras et tira la chasse d'eau. L'afflux soudain de l'eau le surprit. Il hésita un peu et sortit un mouchoir de sa poche de veste ; soulevant de nouveau la brosse par ses poils, il l'enveloppa dans le mouchoir et fourra le tout dans une poche intérieure. Il resta planté là un petit moment, le cœur pantelant, les nerfs à vif. Un début de nausée commençait à lui tenailler le ventre. Il craignit de vomir sur place. Il se lava les mains, les sécha furieusement sur une serviette de bain suspendue à côté du lavabo et rouvrit la porte.

« Tout va bien ? »

Miller sursauta.

Robey se tenait juste devant la porte, comme s'il avait passé tout ce temps à écouter derrière et venait de le surprendre la main dans le sac.

« Oui, lâcha Miller. Oui, oui, tout va bien… Juste un peu fatigué. »

Robey hocha la tête d'un air compatissant. Il recula d'un pas pour laisser passer Miller, puis marcha à ses côtés jusqu'à la porte d'entrée. Il ouvrit celle-ci et, avant de s'écarter pour permettre à Miller de sortir, lui dit : « Nous serons peut-être amenés à nous reparler, inspecteur Miller. Pour ma part, ça a été un vrai plaisir. »

Miller tendit la main. Robey la serra.

« Désolé de ne pas vous avoir été plus utile.

— Au moins, c'était intéressant, répondit Miller. Bonne soirée. »

Il passa devant Robey et s'engouffra dans le couloir.

« Rentrez bien, inspecteur ! » s'écria Robey dans son dos avant de refermer.

38

Sur la route qui l'emmenait vers Pierce Street, Miller eut du mal à se concentrer.

Il avait oublié non seulement de demander à Robey comment il connaissait l'entraîneur de Sarah Bishop, mais de l'interroger, une fois encore, sur l'après-midi du samedi 11 novembre.

Le lendemain matin, il allait se retrouver devant Lassiter et Nanci Cohen : qu'aurait-il à leur raconter ?

Qu'il avait volé une brosse à cheveux dans l'appartement de Robey ?

Il se gara sur le côté. Il ouvrit la vitre et respira à pleins poumons. Un soudain haut-le-cœur laissa son corps ruisselant de sueur.

Au bout de dix ou quinze minutes, il remonta sa vitre, redémarra et se remit en route pour Pierce Street.

Marilyn Hemmings était en train de partir. « Une urgence de dernière minute ? »

Miller sortit le mouchoir de sa poche intérieure de veste et l'ouvrit devant elle.

« À qui est-ce ? » demanda-t-elle.

Miller se contenta de secouer la tête.

« Vous ne savez pas ou vous ne voulez pas me dire ?

— La deuxième option.

— Donc vous savez.

— Oui.

— Et cette personne sait que vous avez cela ?

— Je pense qu'elle le saura bien assez vite.

— Et qu'est-ce que vous voulez que j'en fasse ?

— Vous pouvez relever les empreintes là-dessus ? »

Hemmings lui jeta un regard inquiet, puis elle récupéra délicatement la brosse, par les poils, et tourna le manche vers la lumière.

« Je peux examiner deux ou trois choses, oui. Elle appartient à un suspect qui n'est pas dans nos archives, c'est ça ?

— On ne sait pas s'il y est ou non. On n'a aucune empreinte de lui à faire entrer dans le fichier, si c'est ça que vous voulez dire.

— Mais maintenant vous espérez en avoir une. » Elle hésita un instant. « En faisant ça, je deviens complice de ce que vous avez fait. Vous êtes au courant ? »

Miller hocha la tête.

« Donc répondez-moi… Qu'est-ce qui vous laisse penser que je vais accepter ce que vous me demandez ?

— Rien. Je ne sais pas si vous allez le faire. Je me suis juste dit que vous *pourriez* le faire.

— Vous avez déjà eu recours à ces méthodes ?

— Non, jamais.

— Il s'agit du Tueur au ruban ?

— Je crois, oui.

— Cette conversation entre nous n'a jamais eu lieu. Vous le savez, n'est-ce pas ?

— Je le sais.

— Appelez-moi demain matin vers 10 ou 11 heures. Je vais voir ce qu'on peut en tirer.

— Je vous remercie… »

Hemmings ne sourit pas. Elle secoua la tête. « Allez-y, dit-elle froidement. Foutez-moi le camp. Vous n'êtes pas

492

venu me voir. Je ne vous ai pas vu. Encore une fois, cette conversation n'a jamais eu lieu.

— Je vous dois une fière chandelle.

— Pourquoi donc ? Je n'ai rien fait. »

Miller acquiesça. Il se retourna et s'en alla. Il y avait une ligne jaune quelque part. Il l'avait franchie. Et ce n'était pas bon.

Une heure plus tard, assis devant son ordinateur, il inscrivit « CIA drogue » dans le moteur de recherche. Des milliers de pages s'offrirent à lui. Il cliqua sur un site et parcourut le texte qui s'affichait.

Opération Granit. Opération Beffroi. Des balises secrètement installées dans des endroits perdus entre la Colombie et le Panamá pour aider les pilotes de la CIA qui convoient la drogue à voler de l'Amérique au Panamá presque au niveau de la mer sans être détectés par les avions de la répression antidrogue américaine. Destination : l'aéroport militaire d'Albrook, au Panamá. Opération Rachat, impliquant la société-écran de la CIA, la Pacific Seafood Company. La drogue est entreposée dans des bateaux transportant des crevettes et expédiée en divers points des États-Unis. C'est une opération conjointe de la CIA et de la DEA. Opérations Petite Piste, Route de Birmanie, Or matinal, Retour de bâton, Ciel indigo et Triangle. Informations fournies par les agents de la CIA et du renseignement de la Marine suivants : Trenton Parker, Gunther Russbacher, Michael Maholy et Robert Hunt. Lecture recommandée : le travail fondateur de Rodney Stich intitulé *Décontaminer l'Amérique*. Profit estimé des opérations de la CIA autour de la contrebande de marijuana et de cocaïne : entre 10 et 15 milliards de dollars.

Miller ferma la page et tapa : « Nicaragua Oliver North Trafic Cocaïne ».

C'était comme si un monde nouveau s'ouvrait devant lui, un monde qu'il n'avait jamais soupçonné, jamais imaginé. Des pages et des pages de témoignages et de documentation se trouvaient là, sous ses yeux. Il en choisit une au hasard et la lut, pris d'un sentiment de malaise croissant :

Le 10 février 1986, le lieutenant-colonel Oliver North fut informé qu'un avion transportant du matériel pour les Contras avait d'abord servi à convoyer de la drogue, et que la CIA avait choisi une compagnie aérienne dont les cadres étaient des criminels notoires. Cette compagnie, Vortex Aviation, était dirigée par un certain Michael Palmer, l'un des plus gros trafiquants de marijuana de toute l'histoire des États-Unis, accusé à l'époque d'avoir trafiqué de la drogue à Detroit pendant dix ans, tout en recevant 300 000 dollars du département d'État dans le cadre d'un contrat stipulant qu'il fournirait de l'aide « humanitaire » aux Contras. Parallèlement, DIACSA, une société de Miami qui blanchissait les fonds destinés par Oliver North aux Contras, était dirigée par Alfredo Caballero, un associé de Floyd Carlton, lui-même un des pilotes qui livraient par avion de la cocaïne au général panaméen Manuel Noriega. Carlton finit par témoigner contre ce dernier pendant son procès.

Encore une autre page

Le 26 novembre 1996, Eden Pastora, un ancien dirigeant des Contras, déclara devant la commission du renseignement au Sénat : « Lorsque tout ce trafic de drogue fut connu au sein des Contras, la CIA remit un document à Cesar, à Popo Chamorro, à Marcos Aguado et à moi-même en expliquant que ce document nous blanchissait, nous déchargeait de toute responsabilité parce que nous avons œuvré pour la sécurité des États-Unis. »

Miller referma la page et éteignit son ordinateur. Il avait les yeux lourds de sommeil, son cœur battait trop vite. Il avait faim mais ne pouvait même pas envisager de manger. Il ne voulait pas savoir ce qui s'était passé. Il ne voulait pas voir le monstre que l'on avait créé.

Robert Miller voulait tout simplement dormir, mais il savait qu'il n'y arriverait pas.

39

Nanci Cohen consulta sa montre pour la troisième fois en cinq minutes. « Je ne pourrai pas rester longtemps », dit-elle sans ambages.

Il était un peu moins de 10 heures du matin, le vendredi 17 novembre.

Roth était assis à droite de Miller, Lassiter à sa gauche, juste à côté du procureur adjoint Cohen.

« Donc il m'a laissé entrer, raconta Miller.

— Et qu'est-ce qu'il vous a dit ?

— Il ne m'a rien dit. »

Nanci Cohen fronça les sourcils avant de fouiller dans son énorme sac pour en tirer un stylo et un calepin. « Il ne vous a rien dit ? Comment est-ce possible ?

— Je ne dis pas qu'il ne m'a rien dit. Mais il m'a dit beaucoup de choses dont je n'ai pas encore saisi toute l'importance.

— Et alors ? Que vous a-t-il raconté ?

— Il m'a parlé de cocaïne.

— De cocaïne ?

— Du trafic de cocaïne au Nicaragua. »

Roth se tourna soudain vers eux. « La coupure de journal sous le lit.

— La quoi ? demanda Cohen avant de hocher la tête en souriant. Sous le lit de Sheridan, c'est ça ?

— Il a laissé une coupure de journal qui parlait des élections au Nicaragua.

— Et ce type vous a parlé du Nicaragua ? » fit Lassiter.

Miller confirma d'un signe de tête.

« Il se fout de notre gueule, non ? dit Nanci Cohen avec un sourire caustique. Il joue avec nous. Il nous cherche. Parce que, entre nous, quelle est la probabilité, nom de Dieu ? Vous trouvez un article de journal sur les élections nicaraguayennes, ensuite vous allez chez ce type et il finit par vous parler du Nicaragua.

— Il m'expliquait quelque chose, dit Miller.

— Vous êtes en train de me dire qu'il s'agit d'une coïncidence ?

— Je n'en sais rien… Ça m'a fait un drôle d'effet, pour dire le moins.

— Quoi donc ? Lui ?

— Non, pas lui. Ce qu'il m'a raconté. Sur le trafic de coke au Nicaragua…

— Oliver North et la CIA, vous voulez dire ?

— Oui.

— C'est du réchauffé, mon vieux. Vous connaissez Janet Reno ?

— Non.

— Le procureur général de Floride. Pas une tendre. Une femme très dure, même. En tout cas, les policiers de Miami ont découvert un jour que des Contras financés par l'argent de la drogue s'entraînaient en Floride. Ils ont pondu un énorme rapport, vraiment énorme, qu'ils ont ensuite passé au FBI. Sur chaque page, il y avait un tampon qui disait : "Dossier transmis à George Kosinsky, FBI". C'est le nom de l'agent avec qui ils collaboraient. Et pourtant, malgré ce rapport, Janet Reno ne voyait aucune raison d'enquêter sur cette affaire. Ne me dites pas qu'une dure à cuire comme elle allait se laisser impressionner par le premier dealer de coke venu. Non, on lui a poliment demandé de ne pas chercher plus loin et de tourner la tête de l'autre côté, si vous voyez ce que je veux dire. Encore une fois, tout ça, c'est du réchauffé.

— Quoi qu'il en soit, c'est de ça que Robey m'a parlé.

— Nom de Dieu! soupira Lassiter. Mais qui est ce type? »

Nanci Cohen agita la main vers lui; il se tut.

« Et donc? demanda-t-elle.

— Donc je ne sais pas ce qu'il vient faire là-dedans, expliqua Miller. Mais je n'arrive toujours pas à me détacher de l'identité de ces femmes… Le fait qu'on n'ait pas pu établir précisément leur passé.

— Et la jeune Noire?

— Je ne pense pas qu'elle ait fait partie des plans de ce type. C'est elle qui est venue vers nous. Peut-être qu'elle savait quelque chose, peut-être pas… Il y a de bonnes chances pour qu'on ne sache jamais précisément dans quelle mesure Darryl King et elle étaient impliqués. En tout cas, le simple fait qu'elle soit venue nous parler a suffi à ce type pour qu'il éprouve le besoin de la tuer. En ce qui concerne les quatre premières victimes, je pense qu'elles sont liées entre elles et que Robey sait des choses. Je crois qu'il est impliqué là-dedans. J'ignore si c'est lui qui les a tuées, mais je suis convaincu qu'il est au courant de quelque chose et qu'il essaie de nous dire ce qu'il sait sans se mouiller.

— Et cette histoire avec le Nicaragua? »

Miller haussa les épaules. « Je n'en sais rien.

— On a deux pistes… La coupure de journal et le discours qu'il vous a sorti hier soir. Mais ça ne nous donne pas grand-chose. Pas de quoi lancer un mandat de perquisition, et encore moins de quoi justifier une arrestation.

— On doit essayer d'en apprendre davantage sur ces identités.

— Et comment! Il faut que vous fassiez le travail qui aurait dû être fait à l'époque du premier meurtre. Quelqu'un est tombé sur un os et a abandonné aussi sec. Si vous voulez mon avis, j'appelle ça de la paresse pure et simple. »

Lassiter voulut dire quelque chose.

« Ne vous embêtez pas, Frank. Je connais la rengaine. Pas assez de personnel compétent, pas assez de ressources, trop d'heures supplémentaires… On connaît la musique Ça arrive à tout le monde, d'accord? Je ne critique personne, je ne montre personne du doigt. Mais aujourd'hui on se retrouve avec cinq femmes assassinées et on ferait mieux de se bouger avant qu'il y en ait une sixième. » Elle regarda sa montre. « Il faut que j'y aille. Je n'ai pas envie de me taper les bouchons. »

Devant la porte, elle se retourna vers Miller. « Vous avez bien fait d'aller chez lui. Mais il faut que je trouve une bonne raison de l'arrêter, un peu plus solide que le reproche de faire perdre son temps à la police. En attendant, continuez sur les identités. Frank? »

Lassiter leva les yeux vers elle.

« Appelez-moi quand vous aurez quelque chose sur quoi je peux intervenir, OK? »

Lassiter leva les deux mains en un geste conciliant. Il sourit en secouant la tête. « Qu'est-ce que vous voulez que je fasse, Nanci?

— Bon Dieu! Frank, je n'en sais rien… Obtenez de meilleurs résultats. »

Sur ce, elle disparut.

Roth, Miller et Lassiter ne firent aucun commentaire. Ce dernier se leva lentement. Il marcha jusqu'à la porte et se tourna à son tour vers les deux inspecteurs.

« Je ne sais pas quoi vous dire. Continuez sur les identités et trouvez quelque chose sur quoi elle pourra intervenir, OK ?

— Est-ce qu'on peut avoir des renforts ? demanda Miller. Peut-être Metz ? Oliver, aussi ?

— Vous êtes les seuls. Je n'ai que vous. J'ai trois autres meurtres sur les bras, un homicide involontaire et une bande de connards qui sèment la terreur à Gallery Place, dans Chinatown. Vous voulez que je vous dise ? Catherine Sheridan, c'était il y a six jours. C'est de l'histoire ancienne, maintenant. Et Natasha Joyce ? Natasha Joyce était une petite Noire perdue dans sa cité et dont le monde se contrefout, à part nous. Je ne sais pas comment vous le dire autrement, mais vous êtes les seuls sur ce coup-là. »

Sur ce, il secoua la tête d'un air résigné et quitta la pièce.

« Fais-moi plaisir, dit alors Miller à Roth. Récupère tous les dossiers dont on dispose, tout ce qu'on a sur les cinq victimes, et monte-les ici. Il faut que j'aille faire une course. Je devrais être de retour dans une demi-heure, d'accord ? »

Roth se leva de son fauteuil.

Miller le regarda partir, puis descendit rapidement l'escalier de service pour sortir par la porte arrière de l'immeuble.

40

Parmi le parc des véhicules disponibles, Miller opta pour une berline banalisée, expliquant au responsable qu'il serait rentré d'ici une heure. Il roula vers l'est, jusqu'à Pierce Street, et trouva Marilyn Hemmings dans son bureau. Il entra sans frapper.

« Je ne sais pas ce que vous avez fabriqué mais je n'aime pas du tout ça, lui dit-elle. Et je suis très, très tentée de vous demander où, précisément, vous avez dégotté cet objet. S'il vient de là d'où je *pense* qu'il vient… » Elle secoua la tête. « D'ailleurs non, je ne vais rien vous demander. Je me suis déjà juré de ne vous poser aucune question là-dessus.

— Quels résultats, alors ?

— Pour les empreintes ? Mon Dieu ! Robert, je ne veux même pas savoir de quoi il s'agit. Les empreintes me sont revenues avec la mention "classé confidentiel". Impossible de vous dire à qui elles sont.

— Classé confidentiel ?

— Oui. Confidentiel. Vous comprenez ce que ça signifie ?

— Que leur propriétaire… Que cette personne…

— Appartient au FBI, à la NSC, à l'inspection interne de la police, ou à la Justice. Bref, à toute une série d'organismes au sein du renseignement.

— À la DEA?

— Défense, Affaires étrangères, Intérieur, service de renseignement de la Marine… Un de ceux-là. Vous connaissez la musique dans ce genre de cas, Robert : vos recherches, quelles qu'elles soient, s'arrêtent ici. Point final. Entre nous, qu'est-ce que… » Elle recula et prit une grande bouffée d'air, puis leva les deux mains, comme pour apaiser Miller. « Je ne veux pas savoir d'où ça vient. Et je ne vous ai pas encore dit le plus beau.

— Le plus beau? »

Miller sentait déjà son pouls s'accélérer, son cœur se débrider. La peur affichée par Marilyn Hemmings le gagna aussi; il repensa aussitôt à Robey lui expliquant, dans la cafétéria, que c'était lui, Miller, qui n'avait pas su apprécier la gravité de la situation.

« J'ai reconstitué l'empreinte à partir de plusieurs empreintes partielles, mais il y en avait une autre sur le manche, trop petite, cependant, pour être identifiée. Il y avait des cheveux aussi, de longs cheveux, et je me suis dit que ces cheveux et les empreintes n'appartenaient peut-être pas à la même personne. Une idée comme une autre, Robert, mais j'ai analysé un de ces cheveux et j'ai trouvé l'ADN dans le follicule. J'ai ensuite entré l'ADN dans le système et j'ai fait une comparaison…

— Il appartient à une personne répertoriée?

— À Catherine Sheridan. »

Miller ouvrit la bouche. « C'est une blague?

— Pas du tout. J'ai vérifié deux fois pour être bien sûre. Les empreintes ne sont pas à elle mais les cheveux, oui. Je suis même en mesure de les comparer à un élément physique. Je vous rappelle que j'ai cette femme dans mon congélateur.

— Oh! mon Dieu! s'exclama Miller. Nom de Dieu!…

— Qui est-ce, Robert? Dites-moi que vous n'avez pas subtilisé cette brosse à quelqu'un qui travaille dans la police. »

Miller fronça les sourcils. « Mais non, Marilyn. Ne racontez pas n'importe quoi.

— Ce n'est pas quelqu'un qu'on connaît? Quelqu'un avec qui on travaille?

— Mais non, bien sûr que non. Vous pensiez à qui, bordel?

— Je n'en sais rien, Robert... Qu'est-ce que je dois penser? Vous m'apportez cette brosse en douce, je sais qu'il y a un problème... Vous l'avez bien piquée quelque part, non?

— Je ne peux rien vous dire, Marilyn. Ce que vous ne savez pas...

— Très bien, très bien. Donc vous piquez cette brosse quelque part, vous me l'apportez en douce, vous me demandez de l'analyser, je trouve des empreintes classées confidentielles dessus et des cheveux qui appartiennent à une femme assassinée. Qu'est-ce que je suis censée me dire?

— Où est la brosse?

— Dans la salle des scellés.

— Allez la chercher. Il faut que je la remette là où je l'ai trouvée. »

Marilyn Hemmings eut un rire nerveux. « Vous rigolez? Jamais de la vie! Vous n'allez pas...

— Qu'est-ce que vous croyez? Évidemment que je vais la remettre à sa place. Il est hors de question qu'elle reste ici, et je ne vais pas la laisser traîner près de vous. Allez me la chercher et je m'en vais, d'accord? »

Marilyn Hemmings hésita un instant, puis quitta la pièce en trombe. Elle revint quelques secondes plus tard en tenant à la main un sachet en polyéthylène bleu qui contenait la brosse. Miller enroula le sachet fermement autour de celle-ci et le fourra dans sa poche de veste.

« Qu'est-ce que vous avez, en fin de compte ? demanda Hemmings.

— J'ai un menteur. J'ai un homme qui prétend ne rien savoir et qui, en réalité, en sait beaucoup plus long qu'il ne le prétend…

— Est-ce que j'ai besoin de vous rappeler d'être prudent ? »

Miller ne réagit pas.

« Je suis sérieuse, Robert. Je veux que vous soyez prudent. Je ne sais pas dans quel merdier vous vous êtes fourré, mais ce serait trop bête de vous perdre d'un coup.

— Ne vous en faites pas. Ça va aller. Faites-moi confiance. »

Hemmings sourit et commença même à rire. « C'est le genre de phrases qu'on entend dans les films, juste avant que la situation devienne vraiment merdique.

— On va espérer le contraire, pas vrai ? Et encore merci pour votre aide. Sincèrement. »

Il aurait voulu lui prendre la main, la serrer dans ses bras. Il aurait voulu lui dire qu'il avait pensé à elle. Mais ça lui était impossible. Il ne put rien faire d'autre que marcher jusqu'à la porte et s'en aller tranquillement. Il roula jusqu'au commissariat n° 2 et rangea la brosse dans son casier, à l'intérieur d'une chaussure de sport. Il vérifia deux fois que le casier était fermé à clé, puis quitta le vestiaire ; parvenu à la sortie, il revint sur ses pas et vérifia une dernière fois. Il se trouvait lamentable. Il avait peur, il était épuisé, nerveux. Il avait l'impression d'être un délinquant, un voleur et un menteur. Il savait également qu'il pensait bien faire, mais ce n'était qu'un raisonnement oiseux. Il avait enfreint les règles. Tout simplement. D'avoir enfreint les règles et découvert un élément crucial qu'il savait pertinemment ne jamais pouvoir exploiter, cela ne faisait qu'empirer les choses.

Il remonta jusqu'au bureau du premier étage et trouva Al Roth perdu au milieu des dossiers.

« Quelle connerie, lui dit-il d'emblée. C'est vraiment la pire administration… Putain, je ne sais même pas par où commencer… »

Il jeta un dossier en kraft sur le bureau et se leva. Les mains dans les poches, il avança jusqu'à la fenêtre et resta là, sans bouger, pendant un petit moment. Il cambra le dos et inspira lourdement.

Miller se pencha sur la pile des dossiers. La fiche concernant Margaret Mosley était incomplète. La moitié de la page était vide, l'autre moitié à peine lisible. Dans le dossier Rayner, il trouva trois procès-verbaux d'entretien qui appartenaient à l'affaire Barbara Lee, un rapport d'autopsie, aucune fiche, et, griffonnée en haut de la dernière page, une question laissée par Metz : « Où est l'original du rapport initial ? » Il lisait les mots mais n'arrivait pas à se concentrer. Il ne voyait que la brosse, les cheveux emmêlés dans les poils piquants, la certitude que Robey n'avait pas arrêté de lui mentir depuis le début…

« Donc Catherine Sheridan devient Isabella Cordillera », dit Roth, venant interrompre sa méditation. Il avait rapporté d'un bureau voisin un tableau blanc et noté le nom de Catherine Sheridan. Au-dessous, celui d'Isabella Cordillera, souligné de deux traits. « Et Isabella Cordillera est morte dans un accident de voiture en juin 2003. Mais les détails de ce supposé accident de voiture sont introuvables. »

S'efforçant de se concentrer sur ce que racontait Roth, Miller désigna le côté droit du tableau blanc. « Écris "célibataire", là.

— "Célibataire"?

— Oui. Écris "célibataire" et "pas d'amis connus". »

Roth s'exécuta. « Ensuite, Margaret Mosley. Aucune trace d'une personne née sous ce nom en juin 1969.

— C'est la même chose pour toutes ces femmes. Et n'oublie pas non plus Michael McCullough.

— Des criminels. Des informateurs, des gens bénéficiant de la protection des témoins, comme on sait. Au moins ça aurait du sens. Mais comment savoir?

— C'est impossible, à mon avis. »

Miller s'aperçut qu'il fermait ses deux poings avec une force inouïe. Son cœur ralentissait un peu la cadence, la sueur sur son cuir chevelu séchait et lui démangeait le crâne. Il ne se rappelait pas avoir vécu un moment plus angoissant dans sa vie… Sauf après l'épisode Brandon Thomas. Peut-être.

Roth ne lui répondit pas. Il regardait fixement le tableau blanc.

« *Pourquoi* est-ce que Robey nous ment? demanda Miller tout à trac, avant de comprendre qu'il n'avait fait que dire à voix haute le fond de sa pensée, presque involontairement.

— Parce qu'il a assassiné Catherine Sheridan. Elle et les autres. C'est peut-être un contrat. Il serait simplement là pour exécuter des ordres. Ça pourrait être ça. »

Miller fit le point sur ce qu'il savait. Robey connaissait Sheridan, ou du moins la connaissait *de nom*. La brosse contenait des cheveux lui appartenant : soit elle avait mis les pieds chez lui, soit Robey avait récupéré la brosse chez elle après l'avoir assassinée. Comme un souvenir? Un objet qui lui permettrait de se rappeler jusqu'à son dernier souffle les moments précieux qu'ils avaient partagés? Quoi qu'il en soit, il ne faisait aucun doute que Robey était mouillé jusqu'au cou.

Miller ne pouvait rien dire à Roth, encore moins à Lassiter ou à Nanci Cohen. Lorsque son collègue lui jeta soudain un regard inquisiteur, Miller se surprit à tourner la tête.

« Revenons aux femmes, dit Roth, au fait que leurs identités ne collent pas avec les fichiers.

— Mais par où commencer, nom de Dieu ?

— Est-ce que quelqu'un a relevé leurs empreintes ou est-ce qu'elles ont été identifiées uniquement grâce à leurs dossiers ?

— Je n'en sais rien… Je ne sais pas du tout.

— Les dossiers », dit Roth en se levant pour se rendre jusqu'au bureau à l'autre bout de la pièce.

Miller l'y suivit ; les deux hommes se plongèrent dans chacun des dossiers.

Roth secoua la tête. « Pas Margaret Mosley, en tout cas. Elle a été identifiée grâce à son permis de conduire et à son numéro de Sécurité sociale.

— Pareil pour Ann Rayner.

— On a relevé leurs empreintes, tu penses ? »

Miller fit signe que oui. « C'est la procédure normale.

— Appelle Tom Alexander… Demande-lui s'ils ont leurs empreintes quelque part. »

Miller téléphona au standard, fut mis en relation avec le bureau du coroner et attendit la communication.

« Tom ? Robert Miller à l'appareil. Juste une question… Est-ce que vous auriez les empreintes de toutes les victimes depuis Margaret Mosley ? »

Miller attendit et jeta un coup d'œil vers Roth.

« Vous savez si on les a relevées ? dit-il en fronçant les sourcils. Non, pas de problème. J'attends. »

Il colla la main sur le combiné. « Il pense que non. Il dit qu'on ne prend les empreintes que si l'identification physique est impossible. » Soudain, il se retourna. « Oui,

507

bien sûr… Gardez-les bien au chaud, on arrive. » Il raccrocha. « Ils les ont dans leurs dossiers mais ils n'ont pas vérifié les trois premières : Mosley, Rayner et Lee. Ils n'avaient pas besoin de le faire puisqu'ils disposaient d'identités sûres et certaines grâce aux effets personnels des victimes. Voyons un peu ce que les empreintes donneront dans la base de données. »

Roth enfila sa veste et suivit Miller hors de la pièce.

J'ai donc enfin discuté avec Robert Miller.

Il est venu chez moi. Il a bavardé avec moi. Il m'a laissé parler. Il a écouté ce que j'avais à lui dire, puis il est allé dans la salle de bains et a volé une brosse à cheveux. Quoi qu'il découvre, il ne pourra rien en tirer, et ça va le hanter. Il a franchi la ligne jaune. Il savait où elle était, juste devant lui, et il a dû prendre sa décision en un instant – un simple instant, très bref, peut-être le temps d'un souffle, d'un battement de cœur.

Vais-je le faire ? Ne vais-je pas le faire ?

Exactement comme moi. Comme Catherine Sheridan. Comme Margaret Mosley, Ann Rayner, Barbara Lee, Darryl King et même – d'une manière un peu bizarre – Michael McCullough. Ça me fait sourire de repenser à McCullough... La ligne jaune était là et ils l'ont vue, ils auraient pu décider, à un moment donné, de se retourner et de revenir en arrière... Mais non, ils ne l'ont pas fait. Aucun de nous ne l'a fait. On a fait ce qu'on attendait de nous, et on l'a fait par peur, au nom de quelque loyauté imaginaire, de cette conviction que l'on possédait quelque chose qui valait d'être possédé...

Différentes personnes, différentes motivations.

Je me demande bien quelle est celle de Miller. Il est célibataire. Il n'a ni femme ni petite amie. Ses parents sont morts. Pas de frère, pas de sœur. Robert Miller ne possède pas de famille et n'en possédera peut-être jamais. Il a son boulot. Peut-être que ça représente tout pour lui. Peut-être essaie-t-il de s'en convaincre, mais je sais que ce n'est pas vrai. À mon avis, il le sait aussi.

Robert Miller est une étoile en orbite. Une étoile morte, mais une étoile quand même. Pour lui, le bout du tunnel n'existe pas. Il n'a aucune raison de se dépêcher de rentrer chez lui.

Peut-être qu'il a franchi la ligne jaune car il pensait que, en décryptant la folie furieuse à laquelle il est confronté, il trouverait un but, une direction à suivre. Une raison d'être.

Peut-être que j'ai fait ce que j'ai fait pour la même raison. Une raison qui, avec le recul, paraît surtout totalement déraisonnable.

Mais peu importe, à présent. Le passé est derrière moi ; je ne peux pas l'exhumer ou le ressusciter.

Et si je pouvais revenir en arrière, est-ce que je... Qui sait ? Qu'est-ce que ça peut bien faire ?

Nous jouerons le jeu, l'inspecteur Robert Miller et moi, et je verrai ce qu'il adviendra.

41

Marilyn Hemmings était absente lorsque Miller et Roth arrivèrent. Miller fut soulagé. Il ne voulait pas s'entendre rappeler ce qu'il avait fait.

Tom Alexander alla à leur rencontre dans le couloir. Il semblait fatigué, il avait des cernes grisâtres sous les yeux.

« Surmenage, dit-il à Miller. J'ai travaillé jour et nuit hier et avant-hier. Ma mère n'est pas au mieux, et ma petite amie… »

Il esquissa un sourire blasé.

« Vous avez les empreintes, alors ? demanda Roth.

— Oui et non. Je les ai, mais en les intégrant à la base de données, aucun résultat. On est en train de les soumettre à un autre fichier informatique, celui qu'on utilise pour passer au crible les employés potentiels, mais je pense qu'il ne va rien en sortir. L'écrasante majorité de la population ne figure dans aucune de ces bases de données.

— Que s'est-il passé quand les corps des femmes sont arrivés ? » demanda Miller.

Les trois hommes avaient rejoint le petit bureau au fond du couloir. Alexander les invita à y entrer.

« Le protocole standard. Quand les corps arrivent, on s'occupe d'abord des problèmes d'écoulement. Vous pouvez imaginer ce que ça veut dire, donc je ne vous fais pas de dessin. Une fois le cadavre débarrassé des risques de contamination, on procède à un premier examen pour chercher la ou les causes manifestes du décès – blessures à la tête, impacts de balles, décapitations, noyades, et j'en passe. Avec ça, on fait un rapport préliminaire. Une cause de décès en apparence évidente n'est pas forcément la cause officielle du décès, mais on fait notre rapport préliminaire sur la base de ce que l'on voit quand le corps nous arrive. Ensuite, l'identification. Si le corps a été découvert dans un lieu de résidence, il y a beaucoup d'éléments qui permettent de l'identifier. Le nom, l'adresse, les factures, le numéro de Sécurité sociale, le permis de conduire, le passeport, j'en passe et des meilleures. Si tous ces documents se corroborent les uns les autres, on ne cherche pas plus loin. On relève les empreintes uniquement pour les archives, mais sans partir du principe que la personne n'est pas celle qu'elle semble être. Ensuite, on va trouver des éléments qui vont confirmer l'identification, et non l'infirmer. Voilà pourquoi on n'a pas éprouvé le besoin de relever les empreintes digitales des trois premières victimes. Elles sont arrivées avec un nom, une adresse et une identité positive donnée par une foultitude de documents officiels. Vous comprenez ? On prend les choses comme elles sont. On s'est occupés de ces femmes comme de simples cadavres. En cas de doute sur l'identité, généralement la police s'en charge avant même que le corps arrive ici.

— Rappelez-moi quelle est cette base de données que vous utilisez en ce moment ?

— Celle des fonctionnaires de Washington. Elle est reliée aux archives du fichier des empreintes, du registre des permis de conduire, de l'éducation, et d'autres encore. On y a recours pour évaluer les profils des candidats qui postulent à un emploi public. Mais c'était juste une idée comme ça. Puisque le fichier des empreintes ne donnait rien, je me suis dit qu'on n'avait rien à perdre à essayer.

— Margaret Mosley travaillait pour la ville, dit Roth. Dans une des bibliothèques, c'est bien ça ?

— Alors elle figurera dans cette base de données, répondit Miller. Pour les deux autres, en revanche, ça m'étonnerait. Ann Rayner était secrétaire juridique dans un cabinet privé, et Lee était fleuriste.

— D'ailleurs, la recherche doit être terminée, intervint Alexander. Je vais voir si leurs noms sont apparus. »

Il passa devant Miller et quitta le bureau.

« Encore une impasse, commenta Roth. J'ai envie de creuser la piste McCullough. C'est lui qui me reste en travers de la gorge, avec cette histoire de retraite qui n'a jamais été versée.

— Tu te souviens du type que Lassiter disait connaître au commissariat n° 7 ? Young, il s'appelait, non ?

— Oui, Bill Young. Lassiter nous a dit qu'il avait son numéro.

— On lui passera un coup de fil. »

Miller s'apprêtait à dire autre chose mais il se retourna en entendant Tom Alexander revenir vers le bureau.

« Vous êtes prêts pour le grand feu d'artifice ?

— Vous avez trouvé quelque chose ? demanda Roth.

— Les trois femmes ont été évaluées.

— Évaluées ? Mais pourquoi ?

— Je n'en sais rien. Tout ce que je peux vous dire, c'est que leurs trois candidatures ont été passées au crible dans le cadre d'un emploi public, ou quelque chose d'apparenté.

— Ça ne nous dit pas qui les a évaluées.

— Non. Il n'y a que la date de l'évaluation. Margaret Mosley, c'est en août 1990…

— Minute. »

Roth sortit son calepin et commença à noter.

« Donc Mosley en août 1990, reprit Alexander. Ann Rayner en février 1988. Et Barbara Lee en septembre 1999.

— Où est votre base de données ? voulut savoir Miller.

— Au fond du bureau de l'administration. Pourquoi ?

— Elle est reliée aux dossiers que vous avez ici ? »

Alexander hocha la tête.

« Vous pouvez vérifier quelque chose pour nous ?

— Quoi donc ?

— Est-ce que vous pourriez sortir de vos dossiers les empreintes de Catherine Sheridan et voir si elle aussi a été évaluée ?

— Bien sûr. »

Les trois hommes sortirent du bureau et empruntèrent le couloir jusqu'au département de l'administration. Roth et Miller regardèrent Alexander quitter un programme, en démarrer un autre, taper le nom de Catherine Sheridan et attendre que son dossier apparaisse. Il fit glisser le fichier de l'empreinte digitale jusqu'à la base de données des futurs fonctionnaires potentiels. La manœuvre ne dura que quelques secondes.

« Elle a été évaluée, en effet. Mais avant l'informatisation.

— Ce qui veut dire ? demanda Roth.

— Ce qui veut dire avant 1986.

— C'est tout ce qu'on peut obtenir ?

— Exact.

— Vous pouvez vérifier encore une autre personne ?

— Je vous écoute.

— Darryl King. »

Tom Alexander fronça les sourcils.

« Allez-y, insista Miller. Il est dans les fichiers de la police. Arrêté en août 2001 pour détention de cocaïne. »

Au bout de longues minutes, Tom Alexander retrouva la trace de Darryl King, né le 14 juin 1974 et arrêté le 9 août 2001. Une fois de plus, le nom du sergent Michael McCullough apparut en grosses lettres.

Alexander cliqua sur l'empreinte de Darryl King. « Août 1995, dit-il calmement.

— Redites voir.

— Votre bonhomme a été évalué en août 1995. »

Roth secoua la tête. « Qu'est-ce que ça veut dire ? Qu'ils ont tous été évalués dans le cadre d'emplois publics ? Tous autant qu'ils sont ?

— Il semblerait que oui, confirma Miller.

— Putain, c'est de pire en pire, dit Roth. Encore moins compréhensible que notre sergent fantôme… »

L'expression de Miller changea subitement. « Essayez donc celui-là. Essayez McCullough. Ça nous donnera peut-être un détail qui nous permettra de le retrouver. Retournez au dossier de King, celui de son arrestation en 2001. Mettez le nom de McCullough dans le système et dites-nous quand il a été évalué avant de pouvoir travailler dans la police. »

Alexander avait déjà tapé le nom de McCullough. Il regarda l'écran clignoter une fois et afficher une petite case dans le coin supérieur droit.

« Qu'est-ce que c'est ? » demanda Miller avant de lire le texte dans la case : « NOM INCONNU, VÉRIFIEZ L'ORTHO-GRAPHE. »

Alexander fronça les sourcils et tapa de nouveau le nom.

L'écran clignota. La petite case réapparut.

« Qu'est-ce que ça veut dire, bordel ? C'est encore une histoire qui remonte à avant 1986 ou quoi ? »

Alexander fit signe que non. « Ça signifie que votre bonhomme n'a pas été évalué. Même les noms antérieurs à 1986 sont mentionnés, mais sans la date. Donc ce type n'a jamais été inscrit dans le système. »

Miller se pencha vers l'écran, « Il peut y avoir des erreurs ? »

Alexander lui répondit par un sourire caustique. « Avec les ordinateurs, il peut toujours y avoir des erreurs. Je n'en sais rien. Mon nom est là-dedans, celui d'Hemmings aussi, les deux vôtres également, mais rien n'est infaillible, inspecteur.

— Vous pouvez imprimer les pages des autres pour moi ? demanda Miller.

— C'est comme si c'était fait.

— Et comment peut-on connaître la date d'évaluation de Catherine Sheridan ?

— Aucune idée. À mon avis, il doit y avoir des papiers quelque part, mais je n'ai jamais eu besoin de regarder. »

L'imprimante cracha les documents. Roth les récupéra. Les trois hommes sortirent du bureau.

« Merci pour votre aide », dit Miller à Alexander.

Roth, lui, s'était déjà engouffré dans le couloir. Une fois qu'il se fut éloigné, Miller regarda par terre, comme gêné l'espace d'une seconde, puis leva les yeux vers Tom Alexander.

« Où est Marilyn Hemmings ?

— En ce moment, elle est plongée dans l'eau jusqu'à la taille, en train d'essayer de sortir le corps d'un noyé sans le faire tomber en morceaux. Vous voulez que je lui passe un coup de fil ?

— C'est mal de se comporter ainsi, Tom Alexander. »

Là-dessus, Miller emprunta le couloir pour rattraper Al Roth.

« Je lui dirai que vous avez demandé à la voir », s'écria Alexander dans son dos.

Mais Miller, l'esprit déjà tourné vers Bill Young et Michael McCullough, préféra ne pas lui répondre.

Catherine Sheridan est morte.

De même que Natasha Joyce et Margaret Mosley, Ann Rayner et Barbara Lee.

Mon cœur est en miettes.

Je suis en train de dîner dans une petite cafétéria sur Marion Street, à deux rues à peine de là où j'habite. Une escalope panée, une salade en garniture, quelques frites. Je bois aussi du Seven Up en bouteille. Je trempe mes frites dans la mayonnaise et le ketchup. C'est comme ça que je les aime. J'ai envie de fumer pendant que je mange, mais j'ai arrêté il y a déjà un moment et je teste ma détermination. Catherine disait toujours que j'avais beaucoup de détermination. « Il faut être déterminé pour faire ce que tu fais », disait-elle ; je lui souriais en hochant le menton et je ne répondais rien.

Et maintenant elle est morte.

Demain, je me réveillerai comme à l'accoutumée. Je m'habillerai. J'enfilerai un costume. J'irai au travail, comme tous les jours, et vraisemblablement une des filles fera une remarque sur mon costume : « Dites donc, John... Vous avez un rendez-vous galant ou quoi ? » Et je lui sourirai et hocherai la tête, ou ferai un clin d'œil, comme si nous étions de mèche, elle et moi, et elle se posera des questions sur moi. Elles s'en posent toutes, du moins de temps en temps. Elles se posent toutes des questions sur le professeur d'anglais de la salle 419.

Et une fois que tout cela sera terminé, comme il est couru d'avance, il y aura des discussions dans la salle des professeurs. Ils se poseront aussi des questions, tenteront d'y répondre et feront de leur mieux pour élucider le mystère. Mais ils seront encore loin. Très loin. Et les étudiants lanceront des rumeurs et se demanderont combien de personnes j'ai tuées – si j'en ai tué.

518

Pourquoi est-ce que, chaque fois que vous voulez bien faire, une belle âme vient tout foutre en l'air ? Qui a dit ça, déjà ? La Guardia, non ? Fiorello Henry La Guardia, « Petite Fleur », maire de New York entre 1934 et 1945. Il savait de quoi il parlait, lui. Il savait quel genre de types on était. En apparence, on était des gens bien, mais la merde qu'on a laissée ? Bordel de Dieu, la merde qu'on a laissée derrière nous, vous auriez du mal à y croire ! Et ça a duré longtemps. Grâce à des gens comme moi, qui pensaient d'une certaine façon que nous étions impliqués dans quelque chose de bien, quelque chose qui ferait la différence. Catherine Sheridan et John Robey, envoyés à Managua pour faire une foutue différence. C'est vrai que, pour une différence, on en a fait une belle, mais elle s'est répercutée encore vingt-cinq ans après. Jusqu'à Washington, jusque dans la vie de gens qui ne savaient même pas ce qui se passait à l'époque. Des gens comme Margaret, Ann, Barbara et Natasha. Des gens comme Darryl King. Et désormais Robert Miller. Gratter la surface ? Mon Dieu ! ce garçon ne la voit même pas, la surface, et encore moins ce qui se cache derrière.

Pourquoi est-ce que, chaque fois que vous voulez bien faire, une belle âme vient tout foutre en l'air ?

Je vais vous le dire. Parce que le bien ne rapporte pas d'argent. Il est là, le problème, mes amis. Le bien ne rapporte pas d'argent.

42

De retour au bureau du commissariat n° 2, Roth retrouva les notes qu'il avait prises pendant l'entretien avec Lorentzen, le vice-directeur de la sécurité au sein de la Washington American Trust Bank, sise Vermont Avenue.

« McCullough a ouvert son compte le 11 avril 2003, résuma-t-il. Soit à peu près un mois après avoir quitté la police. Il a déposé 50 dollars. Son gestionnaire de compte s'appelait Keith Beck…

— Qui ne travaille plus pour la Washington American Trust Bank. »

Miller ôta sa veste et la suspendit au dossier d'une chaise, près de la fenêtre. Le calepin de Roth en main, il lut les notes prises au bureau du coroner et commença à inscrire sur le tableau blanc les dates des évaluations de Mosley, de Rayner et de Lee. Il ajouta le nom de Darryl King au bas du tableau, en y accolant une autre date : « Août 1995 ».

« Ça nous ouvre un nouveau boulevard, dit-il calmement.

— Et quel boulevard, à ton avis ?

— Un boulevard qui nous montre que ces gens-là étaient tout autre chose que ce qu'ils semblaient être. On a soupçonné que c'était le cas avec Catherine Sheridan, depuis Isabella Cordillera. Mais pas avec les autres.

— Tu penses à la protection de témoins ? Ça pourrait expliquer pourquoi Darryl King coopérait avec la police.

— Mais la protection de témoins est avant tout une pratique fédérale, non ? Écoute, Al, je n'en sais vraiment rien… J'ai l'impression qu'on a affaire à tout et à son contraire.

— C'est sans doute fait exprès. »

Miller se massa les tempes. L'après-midi venait de commencer. Il n'avait pas déjeuné et, quelque part dans un recoin de son crâne, une migraine se profilait doucement, avec la ferme intention de durer.

« Je crois qu'il va falloir que tu retournes voir Robey », lui dit Roth.

Le cœur de Miller s'arrêta de battre une seconde. Il repensa à la brosse à cheveux, soigneusement emballée dans un sachet bleu et rangée dans une chaussure de sport à l'intérieur de son casier, en bas. Il n'en revenait pas d'avoir fait ça. Qu'est-ce que ça lui avait rapporté ? La certitude que Robey était un menteur, qu'il connaissait Catherine Sheridan ou était allé chez elle, qu'il existait entre eux un lien précis et net. Mais aussi un sentiment d'inutilité, d'impuissance. Il ne pouvait rien tirer de cette information, à tel point qu'il avait réussi à l'évacuer de sa tête pendant qu'il discutait de l'affaire avec Roth. Et ce dernier lui demandait maintenant d'aller revoir Robey. Au moins, ça lui permettrait de remettre la brosse à sa place.

« Pour l'instant, je ne te conseille pas d'aller le voir sans procédure officielle. Il faut qu'on coordonne notre action avec Nanci Cohen…

— Je pense qu'on ne peut rien faire si on reste sur une base officielle. On n'a rien de sérieux contre ce type. » Miller s'arrêta, écouta ses propres paroles et se demanda dans quelle mesure son point de vue eût été différent s'il n'avait pas volé la brosse à cheveux. En faisant cela, il avait compromis non seulement l'enquête, mais sa propre objectivité. « C'est McCullough qu'il faut retrouver. Voilà ce qu'on va faire. On cherche encore du côté de McCullough et on discute avec l'autre type du n° 7 dont nous a parlé Lassiter pour voir s'il peut nous apporter ses lumières sur le personnage.

— D'accord. Je m'en occupe. »

Roth appela la secrétaire de Lassiter, qui lui indiqua que ce dernier serait indisponible une bonne partie de la journée.

« Est-ce que vous pouvez retrouver l'adresse d'un commissaire du n° 7 aujourd'hui à la retraite ? lui demanda-t-il. Un certain Bill Young. »

La secrétaire lui dit de patienter ; elle reprit le combiné quelques instants plus tard. « J'ai un Bill Young dans un dossier personnel. Je ne peux pas vous le transmettre sans l'autorisation du capitaine Lassiter. »

Roth ne s'insurgea pas ; il savait que ça ne le mènerait à rien. « Aux services de l'administration, expliqua-t-il à Miller après avoir raccroché. Là-bas, ils sauront où le trouver.

— Tu n'as qu'à appeler le n° 7. Il y a forcément quelqu'un qui saura. »

Au bout de quinze minutes passées presque entièrement à attendre qu'Untel parle à Untel qui demanderait à Untel, on finit par donner à Roth une adresse. L'information était vieille de quatre ans, mais au moins c'était un début. Il appela les renseignements pour avoir le numéro de téléphone correspondant à cette adresse. En vain.

« On y va directement, dit Miller en regardant le bout de papier sur lequel était notée l'adresse. C'est à moins d'un quart d'heure d'ici. »

Il demanda ensuite à Roth d'aller chercher la voiture ; il le retrouverait devant l'immeuble. Une fois son collègue parti, il fonça jusqu'au vestiaire et en ressortit avec la brosse à cheveux fourrée au fond de sa poche intérieure.

Il prit le volant. La circulation était dense. Ce qui aurait dû être un trajet d'un quart d'heure dura quarante minutes, si bien qu'ils atteignirent Wisconsin Avenue, près du parc de Dumbarton Oaks, juste avant 15 heures. La maison qu'ils cherchaient, située au croisement de Whitehaven Parkway et de la 37e Rue, était une belle demeure en bois, de style colonial, cachée aux regards par une haie d'arbustes. Miller monta le perron en premier ; lorsqu'une femme d'âge mûr vint lui ouvrir, Roth décida de rester debout sur le trottoir.

L'échange entre Miller et la femme fut bref. Roth était trop loin pour entendre quoi que ce soit, mais, en voyant la femme pointer un doigt en direction de Montrose Park et du cimetière d'Oak Hill, il se demanda si Bill Young n'était pas mort.

De retour à la voiture, Miller dit : « Il est dans une maison de retraite. Bancroft Street, en face de la maison de Woodrow Wilson. »

Pour faire écran entre le monde extérieur et lui, Bill Young disposait d'une équipe d'infirmières. La maison de retraite Bancroft était un vaste complexe de pavillons installé sur une propriété qui avait sans doute dû être réaménagée pour répondre à ses objectifs actuels. Le hall d'accueil se trouvait dans un bâtiment moderne et trapu au bout d'une petite allée. La sécurité était omniprésente. On posa aux deux policiers de nombreuses questions, si bien qu'il était déjà 16 h 15 lorsqu'ils rencontrèrent, enfin, une personne en mesure de leur parler de Bill Young.

« Il n'est pas très en forme, expliqua à Miller Carol Inchman, la directrice adjointe de l'établissement. Bill est ici depuis quatorze mois. Il a subi une grosse attaque qui lui a paralysé une bonne partie du corps et la moitié gauche du visage. Grâce au traitement, il a fait de grands progrès, mais il a encore du mal à parler et à manger. Il se fatigue très vite. »

Malgré ses manières abruptes, il émanait de la voix de cette femme une certaine chaleur. Elle paraissait à la fois professionnelle et humaine – la combinaison savante qui inspirait aux familles des futurs pensionnaires la confiance minimale nécessaire à la remise d'un chèque.

« Est-ce que c'est urgent ? voulut-elle savoir.

— Absolument. Frank Lassiter, notre capitaine, qui a été un très bon ami du capitaine Young, est convaincu qu'il pourrait nous aider à régler un aspect important de l'affaire sur laquelle nous travaillons en ce moment. »

Inchman sourit. « Même aujourd'hui, on l'appelle encore comme ça, vous savez.

— Je vous demande pardon ?

— Le Capitaine. C'est ainsi qu'on l'appelle. Ça lui fait plaisir. Je crois que la police représentait tout à ses yeux, et la maladie a eu un effet dévastateur sur lui, physiquement et psychologiquement. »

Miller acquiesça d'un air compréhensif. « Vous pensez donc qu'on pourra le voir ?

— Je pense, oui. Peut-être que rendre service l'aidera à retrouver un peu le moral. Il est particulièrement déprimé, ces derniers temps.

— En tout cas, merci. Je vous promets de ne pas le retenir longtemps… On essaiera d'aller le plus vite possible. »

Inchman se pencha en avant, souleva le combiné et composa un numéro. « De la visite pour le Capitaine. Dites-lui que la police demande officiellement une aide de sa part. » Elle raccrocha et se leva. « On y va ? » fit-elle avec entrain.

Miller et Roth suivirent la directrice adjointe Inchman hors de son bureau, puis dans le couloir.

Le spectacle était pour le moins dérangeant : une moitié du visage de Bill Young était à peu près aussi tendue qu'un sachet en papier mouillé, et, quand il souriait, le côté gauche de sa bouche se tordait péniblement en un rictus qui semblait uniquement destiné à mettre ses interlocuteurs mal à l'aise. L'homme avait perdu tout contrôle musculaire autour d'un de ses deux yeux, il clignait de l'œil très difficilement, et sa pupille avait été rendue opaque par les cataractes. Lorsque l'infirmière fit entrer les deux inspecteurs dans sa chambre, Young semblait s'être endormi sur une chaise longue ; pourtant, le bruit de la porte qui se refermait suffit à le réveiller.

« Capitaine ? » chuchota Carol Inchman.

Young se tourna lentement et, à demi prostré, dévisagea ses trois visiteurs l'un après l'autre. Peu à peu, il les reconnut, et Miller comprit que Young les voyait pour ce qu'ils étaient : d'anciens collègues, des officiers de police, vague réminiscence d'un passé révolu auquel il avait consacré toute sa vie.

Son agilité surprit Roth. Bill Young abandonna sa chaise et s'approcha d'eux en un éclair. Son sourire bizarre, sa main tendue montraient que, malgré le corps meurtri, la tête était toujours bel et bien là.

« Capitaine Young », dit Miller en lui serrant la main.

Young éclata de rire. « Elle vous a demandé de m'appeler comme ça ?

— On est du commissariat de Frank Lassiter… On aimerait que vous nous aidiez sur un point particulier. »

Young ouvrit de grands yeux. La partie droite de son visage esquissa un large sourire, la gauche se crispant encore un peu plus.

Carol Inchman recula d'un ou deux pas. « Les enfants, je vous laisse tranquilles. Passez me voir avant votre départ. »

Elle referma doucement la porte derrière elle, abandonnant Roth et Miller au milieu de la chambre, cependant que Bill Young les dévisageait de haut en bas, guettant fébrilement l'occasion de pouvoir, de nouveau, se sentir utile.

« On est sur une affaire, commença Miller.

— Les meurtres en série, c'est ça ?

— Le Tueur au ruban… Vous en avez entendu parler ?

— Attendez, je suis peut-être aussi vaillant qu'un légume, mais je lis quand même les journaux. Cette fois vous êtes tombé sur du lourd. Vous dites que vous venez de chez Frank Lassiter… Comment va cet animal ? »

Young s'exprimait avec difficulté mais les deux hommes n'avaient pas de mal à le comprendre.

Miller eut un sourire caustique. « Il est stressé… Vous imaginez le tableau, non ?

— Si j'imagine le tableau ? rigola-t-il. Nom de Dieu de bordel de merde, bien sûr que j'imagine le tableau ! Ce type est une pile électrique.

— Je ne vous le fais pas dire. On peut s'asseoir ?

— Mais bien sûr. Prenez des chaises. »

Young se rassit sur sa chaise longue, actionna un levier et se redressa pour leur faire face.

« Je vais vous expliquer en deux mots ce qu'on a et ce qu'on n'a pas », dit Miller.

Young leva la main. « Reprenons tout au point de départ. Je n'ai que ça à faire dans cet endroit. »

Miller lui résuma l'affaire, lui parla des victimes depuis Margaret Mosley, de Natasha Joyce, de Darryl King, des renseignements qu'ils avaient glanés, et, avant même qu'il ait prononcé le nom de McCullough, Young souriait comme s'il connaissait déjà la question qui lui serait posée.

« Vous voulez savoir qui est McCullough. »

Miller et Roth restèrent bouche bée.

« Darryl King, reprit Young. C'est bien le jeune Noir qui s'est fait tuer pendant la descente contre les trafiquants de drogue ? »

Miller confirma d'un signe de tête.

« McCullough l'avait sous son aile. Darryl King était son indic.

— Vous vous souvenez de ça ? demanda Roth.

— Fiston, j'ai peut-être tendance à oublier ce que j'ai eu dans mon assiette pour le déjeuner, mais les choses importantes qui se sont passées à l'époque, je m'en souviens comme si c'était hier. Je connais McCullough. Il nous a été prêté en… Merde, c'était quand ? En juillet ou en août 2001. L'histoire avec le jeune Noir est arrivée deux mois plus tard, si ma mémoire est bonne.

— En octobre 2001, precisa Miller.

— Exact. Le môme s'est fait descendre. Il y a eu un putain de grabuge et puis tout s'est arrêté d'un coup. Je n'avais jamais vu un truc pareil. Soudain, ça devenait l'événement le plus important de ma carrière, et ensuite plus rien. Comme si on passait d'un extrême à l'autre. McCullough est resté sur les lieux pendant à peu près une heure avant de disparaître… »

Roth, le sourcil froncé, se pencha en avant. « Excusez-moi… Qu'est-ce que vous venez de dire ?

— Pardon ?

— Il est resté sur les lieux à peu près une heure… C'est bien ce que vous venez de dire ?

— Oui, bien sûr. McCullough s'est fait tirer dessus aussi. Rien de grave. Aucun organe vital touché. Il a traîné dans les parages pendant deux semaines, voire moins, il a discuté avec la police des polices, il m'a parlé une ou deux fois, mais il n'a jamais rien dit d'intéressant à qui que ce soit. Et puis il s'est barré du commissariat et s'est évaporé dans la nature.

— Mais il a pris sa retraite en mars 2003, dit Miller.

— Je sais, c'est même moi qui ai signé son bon de sortie. Mais ça faisait déjà un moment qu'il n'était plus là. Je dirais qu'une semaine ou dix jours après la mort de King il avait disparu. J'ai posé quelques questions à son sujet pour savoir où il avait foutu le camp, mais on m'a gentiment demandé d'arrêter de me compliquer la vie, si vous voyez ce que je veux dire.

— Qui donc ? Qui vous a demandé d'arrêter de poser des questions ?

— Le directeur de la police. Je pense que ça venait de là au départ, mais c'est passé par la voie hiérarchique. Parfois, vous captez le message cinq sur cinq sans qu'il vous soit transmis directement. »

Miller ne savait plus quoi penser. Depuis le début, il partait du principe que McCullough était resté au commissariat n° 7 jusqu'à sa retraite. Or ce que racontait Bill Young laissait entrevoir une tout autre histoire.

« Vous disiez qu'il venait d'ailleurs ? demanda Roth.

— Oui, il remplaçait un agent qui avait été transféré. À l'époque, il y avait une politique plus compréhensive. La mobilité adaptée, ça vous dit quelque chose ? »

Roth et Miller firent signe que non.

« Si vos parents tombaient malades, par exemple, ou si vous vous mariiez et que votre chérie voulait se rapprocher de sa famille, eh bien, vous pouviez demander à être transféré dans un autre commissariat, voire dans un autre comté. Aujourd'hui, ils sont beaucoup moins détendus et ils vous expliquent que c'est à prendre ou à laisser. Quoi qu'il en soit, un de nos types avait été transféré à Port

Orchard, si je me souviens bien, et celui qui l'a remplacé était McCullough. Sauf qu'au départ ce n'est pas lui qui devait prendre sa place. Je ne me rappelle plus le nom de l'agent qui était initialement prévu, il avait un nom polonais, je crois, avec des Z et des K partout… Mais il y a eu un problème et c'est donc McCullough qui est arrivé. Je ne sais plus d'où il venait – peut-être de la Mondaine ou des Stups. Un dossier solide. Rien d'exceptionnel. Le genre de mec réglo. Il s'est très bien intégré, il ne faisait pas de vagues. Il tenait son registre d'arrestations bien à jour, il a effectué quelques descentes plutôt correctes, puis il a commencé à ramener de bonnes prises grâce à cet indic qu'il avait récupéré. » Young fit une grimace amusée. « Vous connaissez l'histoire, j'imagine ? En tout cas, McCullough travaillait bien avec ce Darryl King. En septembre de cette année-là, il nous a sorti la plus belle saisie de cocaïne de la décennie. Je m'en souviens parce que c'est arrivé une semaine après le 11 Septembre, juste avant l'évaluation interne. Du coup, ça nous a valu des bons points de la part du patron, et tout le monde était content. On se félicitait tous de cette prise… Il y en avait pour trois kilos de coke. Un gros morceau.

« Là-dessus, la coke a disparu du dépôt sécurisé. Purement et simplement volatilisée. Mais le truc qui a surpris tout le monde, c'est que McCullough a pris la nouvelle très tranquillement. Il avait l'air de ne pas s'en offusquer, il nous disait de ne pas trop nous en faire, qu'il y aurait d'autres descentes. La police des polices a débarqué et a remué ciel et terre, puis tout est revenu à la normale. Deuxième truc le plus bizarre qu'il m'ait été donné de voir. Quoi qu'il en soit, on a laissé tomber, on n'a plus posé de questions, et McCullough a commencé à arriver chaque jour en retard, parfois de trois heures. La situation devenait de plus en plus étrange et j'ai dû le prendre entre quatre yeux pour lui demander ce qu'il foutait, à se compliquer la vie au point de compliquer celle de tout le monde. Au bout du compte, c'était une histoire de boulot. Je lui ai donc dit de se ressaisir ou de se barrer, et c'est là qu'il m'a parlé de l'entrepôt, de ce raid contre un hangar de crack qu'il préparait avec son indic. À l'écouter, ça ressemblait au plus gros coup depuis la French Connection. J'étais aussi excité que le jour où je me suis fait dépuceler, et McCullough a réussi à remonter tout le monde à bloc en attendant cette fameuse descente. Évidemment, en fin de compte, ça a été un foirage complet… »

Sur ce, Young s'arrêta de parler pour respirer longuement. Roth s'approcha de lui mais il leva la main pour le dissuader. Il tendit le bras le long de son fauteuil et, de nulle part, sortit un masque à oxygène. Il le colla contre sa bouche, inspira comme un forcené, ferma les yeux et sembla se calmer un peu. Après quelques inhalations supplémentaires, il rabaissa le masque, alla chercher un amas glaireux au fond de sa gorge et recracha le tout dans une gamelle en papier mâché.

« Excusez le spectacle, dit-il d'une voix rauque et gutturale. Vous savez, je vais bien finir par mourir un jour ou l'autre, mais je me dis qu'il y a encore quelques trucs à voir dans ce bas monde. Alors j'essaie de prendre le chemin le plus long. Je n'ai jamais fumé, j'ai toujours bu entre cinq et dix verres par an. J'ai fait mon boulot, je suis resté fidèle à ma femme, j'ai bien élevé mes gamins, sauf un qui est devenu pédé, nom de Dieu !… On fait tout bien comme il faut à 90 % et voilà comment on est récompensé… »

Il inspira péniblement dans son masque une dernière fois, puis regarda de nouveau Miller et Roth.

« J'ai dirigé un commissariat… Je connais la cuisine interne et le protocole, les enterrements des agents tués

dans l'exercice de leurs fonctions, les rallonges budgé-
taires, la police des polices dans tous les coins… Bref,
toutes les conneries qui vont avec ce métier. J'ai envoyé un
gars à Port Orchard et j'ai reçu ce McCullough en échange.
Il a fait un peu de bruit, un indic noir s'est fait dézinguer,
la descente est partie en vrille, et en quelques jours tout
était terminé. Ça allait très vite, là-bas, vous savez. Même
quand ça merdait quelque part, la merde ne restait jamais
longtemps, si vous voyez ce que je veux dire. »

Miller acquiesça.

« Qu'est-ce que vous avez à vous mettre sous la dent,
alors ? demanda Young.

— On a un tas de questions sur un tas de gens, répondit Roth. Il semblerait que toutes les victimes ont été évaluées dans le cadre d'emplois publics. »

Young sourit. « Tiens, tiens.

— On n'a aucune explication là-dessus. Et McCullough
n'apparaît pas dans ce fichier. On n'a aucune trace de lui
non plus après sa démission, et même sa retraite tombe
sur un compte en banque qui n'a jamais reçu l'argent.

— Vous avez affaire à un fantôme. Vous pensez qu'il
travaillait pour les fédéraux ?

— Aucune idée. Ce qu'on essaie de savoir, c'est si
oui ou non les victimes bénéficiaient de la protection des
témoins, et si celui qui les a tuées…

— C'est ce que je me suis dit, en effet. Si je ne m'abuse,
ceux qui bénéficient de la protection des témoins sont
évalués par le même système. Quoi qu'on vous raconte
sur ce programme, leurs noms, adresses, photos, pseudo-
nymes, tout figure dans un dossier auquel vous pouvez
accéder dans la plupart des commissariats. La protection
des témoins n'est pas aussi blindée qu'on le dit. »

Roth se pencha en avant. « Et puis il y a John Robey »,
dit-il avant de jeter un coup d'œil vers Miller.

Le simple fait que celui-ci ne lui décoche pas un regard désapprobateur, mais préfère rester concentré sur Young pour observer sa réaction, montrait bien qu'il s'intéressait à tout ce que l'ancien flic pourrait leur apprendre.

« Qui ça ?

— John Robey. C'est un type qu'on retrouve un peu partout autour de cette affaire.

— Allez-y. Expliquez-moi un peu. »

Miller se cala au fond de son siège et raconta toute l'histoire, en remontant jusqu'à Natasha Joyce, au fait qu'un individu s'était rendu avec Catherine Sheridan dans une cité pour voir Darryl King et que Robey avait été identifié sur les photos sous le lit de Sheridan, à la dernière discussion sur le Nicaragua dans l'appartement de Robey, au lien avec la coupure de journal retrouvée sous le matelas…

Young demeura silencieux pendant un moment, ne laissant entendre que sa respiration hachée. Au bout de quelques minutes, il se saisit de son masque, prit une grande bouffée d'oxygène, ferma les yeux et se rejeta en arrière. Miller crut que le Capitaine s'était endormi.

« Les forces spéciales, finit par lâcher ce dernier. Les forces spéciales, ou peut-être la force Delta. Des anciens militaires. Ces types-là se vendent tous au plus offrant. Il y en a qui pètent les plombs, vous savez. Ils deviennent mercenaires ou tueurs à gages. Quelques-uns des pires merdiers dans lesquels ce pays s'est retrouvé sont dus à des gens comme eux. Bush père et Noriega, par exemple. Bush a remis ce fumier en place, mais, dès que Noriega a commencé à balancer trop de coke, l'autre lui a envoyé la flotte de guerre. D'anciens membres des forces spéciales et de la Delta sont allés à Old Town pour rejoindre des rebelles anti-Noriega, et qu'est-ce qui s'est passé ? Les navires ont bombardé la mauvaise cible et ont tiré dans le tas jusqu'à ce qu'il n'y ait plus personne au sol pour couvrir les troupes qui arrivaient. Ces gens-là sont capables d'accomplir ce genre de chefs-d'œuvre. »

Young respira profondément, ses yeux se révulsèrent, comme s'il était véritablement épuisé.

Lorsqu'il finit par relever la tête, livide, son regard était voilé, son menton couvert de salive. « Je dirais que vous êtes plus dans la merde que je ne l'imaginais, messieurs. J'ai l'impression que votre bonhomme cherche à déconnecter certaines personnes de quelque chose. Il y a forcément un lien entre les victimes. Peut-être pas la Noire – elle a pu se faire tuer parce que quelqu'un a jugé bon de nettoyer le terrain. Mais les autres ? Leur identité pose problème, à chacune d'elles. Je ne vous apprendrai rien en disant que ça fait trop de coïncidences d'un coup. »

Miller hocha la tête.

« Vous avancez sur un terrain très casse-gueule, reprit Young. Vous chassez des fantômes sur un centimètre de glace, comme on dit.

— Je ne comprends pas ce à quoi on est… commença Miller.

— Vous voulez un conseil ? Il vaut ce qu'il vaut, mais enfin, mon conseil, c'est de vous en tenir à ce que vous avez, et non à ce que vous n'avez pas. Vous sentez bien Robey sur ce coup-là ?

— En partie, oui. Je ne sais pas si c'est lui le coupable.

— En tout cas vous tenez un nom. Et un visage. Et vous l'avez sous la main. Les victimes.. Eh bien, ce sont des victimes, n'est-ce pas ? Elles ne vont rien vous apprendre qu'elles ne vous aient déjà appris. Et McCullough ? Il est quelque part, Dieu sait où, mais pour l'instant vous ne lui avez pas mis la main dessus. En revanche, John Robey, vous l'avez. Et il vous parle. Il ne raconte peut-être pas grand-chose, mais au moins il parle. Creusez dans cette direction. Voilà mon conseil. Travaillez Robey au corps et voyez ce que ça donne. »

Miller regarda ailleurs. Il aurait voulu parler de cette brosse à cheveux qu'il sentait dans sa poche intérieure ; il se demandait ce qu'il aurait fait s'il avait été seul avec Young. En réalité, il n'en savait rien. La position dans laquelle il se trouvait était intenable, insupportable presque, et il espérait que Robey le laisserait de nouveau pénétrer dans son appartement, ne serait-ce que pour remettre l'objet à sa place.

Roth consulta sa montre. « Il va terminer son cours dans peu de temps », dit-il.

Miller se leva. Il décela dans l'expression de Young à la fois une sorte de soulagement de les voir partir, la possibilité de se reposer, de recouvrer un peu sa force vitale et une certaine tristesse, aussi.

Il lui épargna l'embarras d'une poignée de main et se contenta d'avancer vers lui et de lui serrer fort l'épaule. « On vous doit une fière chandelle. Je viendrai vous tenir au courant de la suite des événements.

— Avant que je l'apprenne dans les journaux ? »

Young tenta un sourire, mais il était exténué.

Les deux inspecteurs remercièrent Carol Inchman pour son aide et lui dirent que Young leur avait été d'un grand secours.

« Je ne pense pas qu'il en ait pour longtemps, répondit-elle. C'est terrible, pour un homme comme lui. Il a perdu sa femme il y a quelques années, et… » Elle secoua la tête. « Enfin bon, je ne devrais pas vous en parler. »

Miller tendit la main. « Il faut qu'on y aille, dit-il d'une voix chaleureuse. On doit retrouver quelqu'un avant qu'il ne disparaisse pour de bon. »

Carol Inchman serra la main de Miller, puis de Roth, et s'en retourna à son bureau.

Aucun mot ne fut échangé entre les deux hommes jusqu'à la voiture. Miller rompit le silence : « Direction l'université. On va voir si on peut arriver là-bas avant qu'il ne soit rentré chez lui. »

L'inéluctable.

Je vais vous parler de l'inéluctable.

La mort et les impôts ? Inéluctables.

Et quoi d'autre ? L'amour, bien sûr. Aussi inéluctable que la loi de la pesanteur.

Les impôts, on peut y échapper. La mort, des gens la trompent, ou du moins la retardent. On lit des choses comme ça dans le journal : Un homme parvient à tromper la mort. *Vous voyez ce que je veux dire ?*

Mais donnez-moi le nom de celui ou de celle qui n'a jamais aimé personne.

Je ne vous parle pas de désir, de vouloir être avec quelqu'un tellement fort que ça fait mal. Je ne vous parle pas non plus d'un lien fraternel, maternel, paternel, avunculaire. Ni d'adorer, de vénérer, de tenir à quelqu'un comme on n'a jamais tenu à quelqu'un jusque-là…

Je vous parle d'amour.

Un amour tellement puissant que vous ne pouvez ni le voir, ni le sentir, ni le toucher, ni le goûter, ni l'entendre, ni le dire, ni le décrire, ni le définir, ni le peindre, ni le circonscrire ; un amour que vous ne pouvez pas expliquer, pas rationaliser, pas justifier, pas raisonner autour d'un verre de bourbon et d'un paquet de Lucky…

Un amour tellement puissant que vous ne sentez pas à quel point il vous étreint, jusqu'à ce que vous essayiez de bouger… et que vous compreniez que c'est impossible.

Vous êtes coincé, et vous découvrez que ce que vous vivez fait autant partie de vous que tout ce que vous croyiez vôtre.

C'est vous. Vous êtes l'amour.

Et vous êtes cuit.

C'est quelque chose que vous ressentez pendant si long-temps, et c'est tellement une partie de vous, que quoi qu'il arrive, quoi que fasse l'être aimé, vous trouveriez inhu-

536

main de ne pas continuer de l'aimer jusqu'à la fin des temps.

Voilà ce que c'est l'amour... Ce que j'ai éprouvé pour Catherine Sheridan.

Une autre chose inéluctable ? Le fait que Robert Miller va finir par me retrouver. Il va me retrouver parce que je le veux. Parce que nous avons fini par conclure que cette histoire devait s'achever.

Je me souviens de Don Carvalho, de cette question que je voulais lui poser il y a si longtemps. Je le revois assis en face de moi, l'expression sur son visage, la lueur de curiosité dans ses yeux.

« Tu as une question ? Tu veux me demander si quelqu'un, au sein du renseignement américain, a organisé, orchestré, financé, d'une manière directe ou indirecte, la tentative d'assassinat contre le président Reagan ?

— Oui, répondis-je. Ne me dis pas que ce genre de choses existe vraiment. »

Carvalho sourit. « Kennedy ? Les deux frères Kennedy, Martin Luther King – même Nixon a été assassiné, d'une manière très spéciale. »

Je ne dis rien. Je savais, mais je ne voulais pas savoir.

« Tu sais ce qu'a dit Reagan quand sa femme est venue le voir à l'hôpital ?

— Il a sorti une réplique de film... Comme quoi il avait oublié de se baisser, non ? »

Don Carvalho acquiesça. « "Chérie, j'ai oublié de me baisser." Voilà ce qu'il a dit. Quelle idée de dire un truc pareil, John. Il avait oublié ? Mais tu ne peux oublier que ce qu'on t'a demandé de faire, non ?

— On lui avait demandé de se baisser ?

— Ce n'est pas ce que je dis. Sur cette question, je n'ai pas d'avis. Les événements en soi ne veulent rien dire. La tentative d'assassinat de Reagan sera oubliée dans cinq

ans. Ce n'est pas la tentative d'assassinat qui importe ;
le plus bizarre, c'est que quelqu'un ait pu s'approcher
autant de lui.

— Mais Kennedy ? Kennedy disait que n'importe qui
pouvait être tué si le tueur était prêt à sacrifier sa vie. »

Don éclata de rire. « Bien sûr qu'il a dit ça. Kennedy
a dit beaucoup de choses. Mais ça ne signifie pas pour
autant qu'elles sont vraies. Kennedy, c'était le prodige,
celui qui allait sauver le pays, et puis il est devenu aussi
emmerdant que les autres. On l'a créé comme on avait
créé tous les autres avant lui, et on s'est rendu compte au
final que ça avait été une erreur terrible. Terrible.

— Comment Lawrence Matthews appelle ça, déjà ? Le
monstre ? »

Don Carvalho sourit. « Tu ferais mieux d'y croire, mon
cher. Je te jure que tu ferais mieux d'y croire. »

43

Miller et Roth arrivèrent au campus de l'université pour y apprendre que Robey était parti quelques minutes plus tôt ; alors ils décidèrent de se séparer. « McCullough, indiqua Roth. C'est lui qui m'intéresse. Young nous a dit qu'il avait remplacé le type initialement affecté au commissariat n° 7. Donc il devait bien venir de *quelque part*. Il est forcément dans les fichiers…

— Ce que je suis en train de découvrir avec cette affaire, c'est que rien n'est comme ce devrait être.

— Peu importe. McCullough était un flic. Il y a les dossiers qu'on a retrouvés au n° 4 quand on a discuté avec Gerrity… Au moins c'est un début.

— Essaie de voir sur quoi portait le premier raid des Stups, celui de septembre, juste avant que le matos disparaisse.

— Je vais faire de mon mieux. Bon… La suite, pour toi, c'est l'appartement de Robey ? »

Au croisement de Franklin Avenue avec New Jersey Avenue, Miller se gara. « Je termine à pied, dit-il.

— Et s'il n'est pas là ?

— Je me poserai dans un café. J'attendrai une petite demi-heure et je referai un tour chez lui.

— Tu es sûr ?

— On n'a rien de concret, et ça fait six jours que Catherine Sheridan est morte, c'est bien ça? On n'est même pas retournés chez Natasha Joyce, sans parler du domicile des autres victimes. Fais ce que tu peux pour McCullough et vois si tu ne peux pas demander à Metz et Oliver de recouper certains des dossiers à partir des factures téléphoniques ou d'Internet. »

Miller sortit de la voiture. Roth fit le tour et s'installa sur le siège conducteur.

Les mains dans les poches, Miller regarda son collègue disparaître de son champ de vision et se mit en route pour l'appartement de Robey.

« Inspecteur Miller, dit ce dernier, sans sourciller, en ouvrant la porte.

— Professeur Robey. Si ça ne vous dérange pas, j'aurais quelques questions supplémentaires à vous poser.

— Pour tout vous dire, je suis en train de corriger des copies. Est-ce que vous pourriez revenir un autre jour? »

Miller inspira longuement. Il sentait tout le poids de la brosse dans sa poche intérieure. « Non, je suis désolé, c'est urgent. Je suis actuellement plusieurs pistes d'investigation liées à ces meurtres, et j'ai quelques questions auxquelles seul vous, je crois, pourrez répondre. »

Robey lui lança un regard exaspéré, puis il recula, ouvrit la porte et lui fit signe d'entrer.

« Vous voulez un café?

— Oui… Avec plaisir.

— Vous le voulez comment?

— Avec du lait, sans sucre. Puis-je de nouveau utiliser votre salle de bains?

— Bien sûr. Vous savez où c'est. »

Miller emprunta le couloir, pénétra dans la salle de bains, s'assura que la porte était bien verrouillée derrière lui et sortit délicatement le sachet en plastique de sa poche. Il attendit quelques minutes, tira la chasse d'eau pour couvrir le froissement du sachet, ouvrit l'armoire à pharmacie au-dessus du lavabo et replaça la brosse à cheveux à sa place. Il replia soigneusement le sachet, le fourra dans sa poche de veste et fit couler l'eau du robinet, comme pour se laver les mains.

Le soulagement qu'il éprouva au moment de regagner le salon de Robey fut immense. Conscient de la folie et de l'imprudence de son initiative, il n'osait même pas imaginer ce qui se serait passé si Lassiter ou Nanci Cohen en avaient eu connaissance.

« Votre café », dit Robey en lui indiquant une tasse sur la table basse, au centre de la pièce.

Ils s'assirent face à face. Robey tournait le dos à la fenêtre.

« Ainsi donc, vous avez des questions supplémentaires à me poser.

— Exactement. La dernière fois que nous avons discuté… La dernière fois que je suis venu ici, vous m'avez parlé du Nicaragua et de beaucoup de choses… que j'ai en partie oubliées.

— Vous deviez être très fatigué. Moi-même je me suis demandé quelle image vous vous faisiez de moi. »

Miller esquissa un sourire.

« Vous trouvez cela amusant ? fit Robey.

— Amusant ? Non, pas amusant. On ne sourit pas forcément parce que les choses sont drôles. On sourit aussi quand on découvre une vérité là où on ne s'y attendait pas.

— Et quelle vérité avez-vous découverte ?

— Que l'on perd un temps fou à nous soucier de l'opinion des autres.

— Mon intérêt n'était mû ni par la vanité ni par l'égoïsme, inspecteur. Peut-être par un instinct de survie...

— Un instinct de survie ?

— Tous nos actes sont mus par l'instinct de survie, ou en tout cas par une volonté de préserver ce que l'on considère nous appartenir. Votre fameux tueur... Peut-être agit-il ainsi parce que quelque chose est menacé.

— Pour agir comme lui, il faut être fou. Sans quoi il ne le ferait pas.

— Fou selon quels critères ?

— Les nôtres. Les règles de la société. Les lois et les normes que nous avons acceptées.

— C'est donc à cette aune que vous jugez de la folie d'un homme ? demanda Robey. Vous avez donc déjà oublié notre petite discussion de la dernière fois ?

— À quel propos ? Le Nicaragua ? La cocaïne qui était introduite clandestinement sur le territoire américain ?

— Qui *est* introduite clandestinement, inspecteur. Ce trafic continue. Vous ne considérez pas cela comme l'œuvre de fous ?

— Naturellement... En tout cas l'œuvre d'hommes qui estiment que l'argent a plus de valeur que la vie humaine.

— Vous devriez élargir votre perspective.

— C'est-à-dire ?

— Désolé de m'accrocher au Nicaragua, mais c'est un sujet qui me tient à cœur...

— Pourquoi donc, professeur Robey ?

— Il y a quelques années de ça, j'ai perdu un ami. C'était un homme bon, un de mes confrères. Un jour, il a appris que son fils se droguait. Alors il est venu me voir et m'a demandé de l'aide. Mais je ne connaissais rien à toutes ces choses. Son fils est mort d'une overdose avant même qu'il ait pu faire quoi que ce soit pour lui, et il ne s'en est jamais remis. Quatre mois après la mort de son fils, il s'est suicidé. C'était un érudit exceptionnel, vraiment, et je peux vous dire que je ne me suis jamais senti aussi impuissant de ma vie.

— Quel rapport avec le Nicaragua ?

— Cet ami venait de là-bas. Du moins sa famille. Il a réussi à partir avant que la guerre de Reagan ne mette vraiment le pays à feu et à sang ; mais son fils est resté, il a combattu les Contras pendant quelque temps. C'est là qu'il a commencé à toucher à la drogue.

— Vous m'en voyez désolé, professeur. »

Robey agita la main d'un air désinvolte. « Je répète que ces événements ont beau remonter à une vingtaine d'années, j'en ai tiré tout de même quelques leçons, notamment que refuser de voir ces choses n'atténue en rien leur effet. On dit même que moins vous regardez la réalité en face, plus vous risquez d'être dominé par elle… Comme le petit problème que vous avez connu il y a quelques mois. »

Miller se rendit compte qu'il écarquillait les yeux d'une manière démesurée.

Robey se mit à rire. « Moi aussi, je me suis renseigné sur vous. Ce petit pépin que vous avez eu avec le maquereau et la prostituée. Brandon Thomas, c'est bien ça ? Et Jennifer Irving ? Ce fiasco est un très bel exemple d'une affaire qui est devenue ce que d'autres voulaient qu'elle devienne. »

Miller n'en revenait toujours pas. « Je ne comprends pas…

— Pardon ? *Qu'est-ce* que vous ne comprenez pas, au juste ? Comment on a fait en sorte que cet incident passe pour ce qu'il n'était pas ? Le simple interrogatoire d'un témoin potentiel qui devient un problème d'abus de pouvoir, d'intérêts menacés et de corruption d'un inspecteur de police. Aviez-vous une liaison avec elle ? L'inspecteur s'est-il tapé la putain ? Cette engueulade avec son maquereau, était-ce parce qu'il avait compris qu'elle était tombée amoureuse du flic et qu'elle risquait donc de le laisser tomber ? Était-ce de la jalousie ? Est-ce que le maquereau sautait la fille lorsque le flic est arrivé ? Ou était-il en train de la tabasser ? Se sont-ils battus ? Y a-t-il eu combat équitable ? L'inspecteur s'est-il défendu ? Ou bien a-t-il braqué son arme et fait sortir le maquereau vers l'escalier pour le pousser du haut des marches ? Que s'est-il vraiment passé ce jour-là ? »

Miller voulut répondre, mais Robey l'en empêcha.

« Je ne vous demande rien, inspecteur. Que vous ayez tué ou non ce maquereau, ça ne me regarde pas. Pour être très sincère, si c'est le cas, je m'en soucie comme d'une guigne. La question n'est pas de savoir si vous l'avez tué délibérément, mais comment la presse en a fait une affaire de racisme. La prostituée était une Noire, le maquereau un métis avec des dreadlocks. Il avait un casier : arrêté à quatre reprises au cours de l'année précédente pour des attaques à main armée. Il méritait sans doute de mourir. S'ils s'étaient retrouvés face à un type comme lui dans leur jardin, franchement, tous ces connards de gauche qui n'arrêtaient pas d'exiger que vous soyez traîné devant les tribunaux auraient prié pour qu'un bonhomme comme vous le noie dans la piscine du voisin... »

Robey n'avait presque plus de souffle.

Miller le regardait droit dans les yeux, étonné par cette façon de dire les choses comme si elles avaient une importance vitale. Cet homme était passionné, presque irrésistible.

« Voilà le monde dans lequel on vit, inspecteur Miller, et c'est le monde que nous nous sommes créé. Vous avez

544

peut-être cent mille questions à me poser mais en vérité vous ne devriez pas aborder cette affaire avec de telles œillères.

— Vous me dites tout ça, professeur Robey, vous me dites tout ça comme si vous aviez une idée de ce qui se passe… Comme si vous saviez des choses que j'ignore. Et pendant que je vous écoute parler, au moment même où les mots sortent de votre bouche, je me demande bien ce que vous savez.

— Oh ! presque rien, inspecteur Miller. Je sais seulement ce que j'ai lu dans les journaux. »

Miller bouillonnait. Il aurait voulu le prendre à la gorge et le secouer dans tous les sens. Il avait envie de le coller au mur, de braquer son arme sur son front et de lui demander comment, s'il ne savait rien d'autre que ce qu'il avait lu dans les journaux, comment les cheveux de Catherine Sheridan avaient atterri sur une brosse dans sa salle de bains.

Mais il ne le lui demanda pas. Robert Miller ne dégaina pas son arme, n'éleva pas la voix, ne prit pas le Pr Robey à la gorge, ne le colla pas au mur. Robert Miller s'enfonça dans son siège.

« Je crois que vous êtes trop patient, inspecteur.

— Trop patient… Mais de quoi parlez-vous ?

— De tout ce que je vous ai raconté… Du Nicaragua, des guerres qui se sont déroulées à l'époque autour de la drogue… »

Miller leva la main. « On ne va pas partir là-dessus.

— Partir ? Quoi ? "On ne va pas partir là-dessus ?" Mais on y est *déjà* allés, inspecteur. Voilà le monstre que vous cherchez… Il est là, l'ennemi que vous trouvez si difficile à affronter. Vous cherchez un homme, alors que vous devriez chercher un monstre créé par les hommes.

— Si vous avez des choses à me dire, dites-les-moi.

— C'est plutôt vous qui avez quelque chose à me dire, me semble-t-il, inspecteur. »

Miller voulut réagir mais s'arrêta net. Robey le fixait du regard avec une telle assurance qu'il sentit une tension lui remonter dans l'échine et le mordre à la nuque. Il repensa à la brosse à cheveux, à la saisie illégale d'une pièce à conviction, au fait d'avoir sollicité l'aide de Marilyn Hemmings et impliqué une collaboratrice dans un délit, aux commentaires qui s'ensuivraient dans la presse, à la photo dans le *Globe* qui serait mille fois reproduite… Le coroner adjoint Marilyn Hemmings et l'inspecteur Robert Miller sous le coup d'une enquête interne, faisant des déclarations devant un grand jury afin de justifier d'éventuelles manigances pratiquées en vue d'incriminer un auteur respecté, professeur de littérature au Mount Vernon College, un certain John Robey… Car s'ils étaient capables de voler un objet chez cet homme, pourquoi n'auraient-ils pas déposé sur ce même objet les cheveux de la femme morte ? Or celle-ci se trouvait justement dans la chambre froide du coroner. Un jeu d'enfant : on prend quelques cheveux, on les enlace autour des poils de la brosse et en un tournemain on se retrouve avec une pièce à conviction. Commode. Parfait. Des gens capables de cela étaient assurément capables de falsifier un dossier d'autopsie. Est-ce que le maquereau métis était tombé tout seul dans l'escalier ou est-ce qu'on l'avait poussé ? On verrait alors d'un œil bien différent l'inspecteur lavé de tout soupçon et sa complice, la belle et vénéneuse Marilyn Hemmings…

Miller ferma les yeux quelques secondes. Il ressentait quelque chose, mais qu'il pouvait difficilement assimiler à de la peur. Pendant longtemps, il avait prétendu que ces événements ne l'affectaient pas, ne *pouvaient* pas l'affecter ; pourtant dès qu'il fermait les yeux il revoyait Jennifer

Irving, et puis, comme si ces deux images étaient reliées, Natasha Joyce telle qu'on l'avait retrouvée sur son lit, le corps sauvagement meurtri…

« La lavande, dit Robey sur un ton neutre.

— Comment ça ?

— Est-ce qu'il laisse traîner un parfum de lavande sur les scènes de crime ? »

Miller n'en croyait pas ses oreilles. Robey n'avait aucun moyen de connaître ce détail. Les journaux n'en avaient pas parlé ni aucun représentant officiel de la police. Il repensa à la discussion avec Hemmings et Roth, aux hypothèses avancées, notamment à celle voulant que le coupable ait eu accès aux fichiers de la police, aux rapports d'autopsie… Soit ça, soit c'était lui, en personne, qui avait laissé le parfum de lavande.

« Mais comment…

— Comment j'ai deviné ? fit Robey.

— Vous n'avez pas deviné. C'est parfaitement impossible…

— C'est parfaitement *possible*, inspecteur. Je n'arrête pas de vous dire des choses, de vous montrer la bonne direction, de laisser des indices et des signes, d'agiter des drapeaux pour que vous regardiez juste devant vous, mais bizarrement vous avez un mal fou à voir. C'est tout ce que je vous demande. Que vous regardiez. Simplement. Ouvrez grand les yeux et observez ce que vous avez sous les yeux. Posez les questions que vous souhaitez réellement poser. Allez interroger les gens qui ont été mêlés à ces histoires et voyez ce qu'ils veulent vous dire… Et surtout ce qu'ils *ne veulent pas* vous dire. Ainsi vous commencerez à avoir une vue d'ensemble. » Robey parlait calmement, comme un professeur habitué à expliquer les choses mille fois. « Plus important que tout, peut-être, ajouta-t-il, vous commencerez à voir ce que j'ai moi-même vu.

— Il me semble qu'il n'y a rien de logique…

— La lavande. Il laisse un parfum de lavande sur les scènes de crime, n'est-ce pas ?

— Je ne peux pas vous répondre.

— Ce qui signifie que c'est bien le cas, sans quoi vous m'auriez démenti.

— Le simple fait que vous en soyez si sûr justifie amplement que je vous interroge de manière officielle. »

Robey s'esclaffa. « Certainement pas. Qu'allez-vous faire ? M'arrêter ? M'emmener au commissariat n° 2 et m'interroger ?

— Oui… Au motif que vous connaissez certains détails précis d'une scène de crime pourtant tenus secrets.

— Qui a dit ça ?

— Moi.

— Ce serait donc votre parole contre la mienne… Moi, le respectable et respecté professeur au Mount Vernon College, contre vous, le flic traîné dans la boue des journaux parce que tout le monde le soupçonnait d'avoir tué un maquereau par simple jalousie ? Si vous voulez jouer à ce petit jeu, inspecteur… Vous voulez vraiment qu'on joue ? »

Miller ne répondit pas.

Robey secoua la tête. « C'est bien ce que je pensais… Et vous n'avez fait que confirmer que l'assassin laisse bien un parfum de lavande sur les scènes de crime. » Il s'interrompit un instant, ferma les yeux. « Et il noue un ruban autour du cou des victimes, n'est-ce pas ?

— Ça, la presse en a parlé.

— Et une étiquette… vierge. Un peu comme celles qu'on trouve accrochées à l'orteil des cadavres à la morgue.

— Oui, c'est exact. »

Miller avait perdu des pions qu'il ne pourrait jamais regagner. S'il ne s'était pas rendu coupable d'avoir dérobé une éventuelle pièce à conviction chez cet homme, sa position eût été plus défendable. Mais coupable, il l'était, et de surcroît il avait impliqué une tierce personne. Celle-ci serait-elle prête à mentir pour lui sauver la mise ? Le monde la croirait-il une deuxième fois ?

« Alors, inspecteur, pourquoi la lavande ? Pourquoi l'étiquette ? Pourquoi laisse-t-il ces choses derrière lui afin que vous les trouviez ?

— Il ne les laisse pas pour moi.

— Ah oui ? »

Miller lui lança un sourire un peu crispé. « Non, il ne fait pas tout ça pour moi… Bien sûr que non.

— Il a tué Natasha pour vous.

— Vous êtes fou ? Qu'est-ce que vous racontez ? Il n'a pas assassiné Natasha Joyce pour moi… »

Robey hochait la tête. « Oh ! je crains que si. Je crains de devoir dire que si vous et votre collègue n'étiez pas allés la voir chez elle, elle serait encore en vie, et sa fille ne serait pas prise en charge par les services d'aide à l'enfance…

— Comment le savez-vous ? »

Robey balaya la question d'un revers de main. « Encore une fois, j'ai fait quelques recherches. J'ai creusé, je me suis informé pour comprendre un peu quel genre d'homme vous pensez que je suis…

— Tout ça n'est qu'un tissu de conneries, Robey…

— Un tissu de conneries ? Ah vraiment ? Mais enfin, inspecteur, de quoi avez-vous tellement peur ? Avez-vous ne serait-ce qu'une vague idée de la teneur et de l'ampleur de cette affaire ? De ce à quoi vous êtes confronté en ce moment? Il ne s'agit pas de la mort d'une femme, mon cher… Il s'agit du meurtre d'une génération entière.

— Ça suffit. Dites ce que vous avez à dire ou taisez-vous.

— Sinon quoi? Vous allez m'arrêter? En quel honneur? Répondez à cette question, inspecteur… Pour quelle raison pourriez-vous m'arrêter? »

Miller le fixa. L'homme n'était pas arrogant, juste sûr de lui. Il n'affichait pas de la prétention, mais une conviction absolue. Il avait un regard calme et immobile, inébranlable, et son sourire ne trahissait ni vanité ni dédain – seulement une belle confiance en soi.

« Je dis ce que j'ai à dire, répliqua-t-il. Toujours.

— Alors je ne vous comprends pas.

— La compréhension n'est pas une qualité qui s'achète, inspecteur. La compréhension résulte de l'observation et de l'expérience personnelle. » Robey posa les coudes sur ses genoux et joignit les mains en prière. « J'ai vu des choses qui feraient vomir un chien. J'ai vu des enfants, les cheveux en flammes, fuir en courant leur maison incendiée. J'ai vu un homme abattre sa propre femme pour lui épargner ce qu'il savait être un enfer. J'ai vu des hommes enterrés vivants, décapités, pendus, dépecés… J'ai vu trois ou quatre cent mille innocents massacrés en l'espace de quelques minutes. Et tout ça au nom de la démocratie, de l'unité, de la solidarité, au nom des merveilleux et magnifiques États-Unis d'Amérique… Ou alors je suis fou. Peut-être que tout cela n'existe que dans mon imagination. Peut-être que je suis l'être le plus fou que vous rencontrerez de toute votre vie.

— Vous allez enfin m'expliquer le rapport avec ce qui est arrivé à ces femmes, professeur Robey? Quel est le lien qui existe entre ça et les cinq femmes assassinées?

— Non, inspecteur, je ne vais rien vous dire. Mais je vais vous montrer quelque chose qui vous donnera du grain à moudre… Vous pourrez aller voir vous-même et décider si vous souhaitez prolonger ce cauchemar ou non.

— Me montrer quelque chose ? Quoi donc ?

— Le monstre, inspecteur… Je vais vous montrer le monstre. »

44

« D'après ce qu'on sait, aucune d'elles ne possédait quoi que ce soit, dit Chris Metz avant de faire glisser jusqu'à Roth une chemise en kraft. On est remontés le plus loin possible. Les trois femmes – Margaret Mosley, Barbara Lee et Ann Rayner – louaient leur maison ou appartement respectifs. Elles payaient leur loyer chaque mois, rubis sur l'ongle. Comme je vous l'ai déjà expliqué, l'appartement de Mosley sur Bates Street et la maison de Rayner sur Patterson Street ont été loués à de nouveaux occupants. L'appartement de Barbara Lee, sur Morgan Street, a été retapé de fond en comble. Enfin, il n'y avait aucun testament et personne n'est venu réclamer la moindre propriété. Tous leurs biens ont été remis au tribunal des successions et tutelles.

— Et on y a accès ? demanda Roth.

— On a déposé une requête écrite. Le délai minimal est d'un mois, quelle que soit la personne qui fait cette requête.

— Bon, on demande un mandat et on récupère ces conneries au tribunal des successions. »

Metz secoua la tête. « Ce n'est pas aussi simple que ça…

— Ne me dis pas que le tribunal des…

— On les a eus au téléphone, l'interrompit Metz. On a également discuté avec le greffier du comté. Il nous a expliqué que, même avec un mandat signé de la Cour suprême, il nous faudrait attendre une semaine pour que toute la paperasse soit réglée. Ils ont des centaines d'affaires chaque mois – parfois jusqu'à mille. Tous ces objets circulent de garde-meuble en garde-meuble et ça peut mettre des jours, ne serait-ce que pour les localiser.

— D'accord… Bordel, je n'en reviens pas… Bon. On laisse tomber et on passe à McCullough. Entendu ? Toi et moi, on va chercher ce type et le retrouver une bonne fois pour toutes. »

Metz haussa le sourcil. « McCullough ?

— Un sergent du n° 7 à la retraite.

— Et Miller ? Qu'est-ce qu'il fait ?

— Il fait quelque chose. »

Metz eut une grimace, puis il esquissa un sourire. « Il fait *quelque chose*… Qu'est-ce que c'est que cette connerie ?

— Il fait quelque chose, je te dis.

— En rapport avec le coroner, par exemple ?

— Peu importe, fit Roth, agacé. Miller fait quelque chose, et pas en rapport avec le coroner. Tu joues les charognards ou quoi ?

— Explique-moi une chose. Cette histoire avec le maquereau… Tu crois que Miller est coupable ? Tu penses qu'il a vraiment tué ce mec ?

— Il s'est défendu contre un fils de pute. Tu sais bien comment les journaux s'emparent de ce genre d'affaires et en font ce qu'ils veulent. La dernière chose dont il a besoin, c'est qu'au sein de son propre commissariat…

— Oh ! ça va. Tu crois vraiment que j'en ai quelque chose à foutre de la morale ? Merde, la moitié des gens qu'on croise méritent d'être poussés dans les escaliers. Je n'accuse personne, Al… Je me contente de…

— De me parler d'un sujet dont je ne sais rien. Voilà ce que tu fais.

— C'est vrai que tu es son collègue.

— Qu'est-ce que tu veux dire par là ? rétorqua Roth. Que j'ai une petite idée sur ce que fabrique Miller quand il se retrouve tout seul ?

— Ça vous arrive de discuter, non ? Comme tous les collègues du monde. Ils restent assis des heures dans une bagnole et ils se racontent leur vie. Et puis le fait qu'il se soit retrouvé tout seul quand il est allé voir cette gonzesse…

— Oublie, tu veux ? Miller est un bon flic. Et il se trouve que c'est mon ami. Je me branle de savoir ce que tu penses de lui. Il a fait ce que n'importe lequel d'entre nous aurait fait à sa place. Point final.

— D'accord, d'accord… Ça va, je ne voulais pas te mettre dans cet état.

— Alors pourquoi tu n'arrêtes pas de m'emmerder, hein ?

— Je me suis excusé, d'accord ? Fin de la discussion. On s'occupe de McCullough ?

— Oui, on va retrouver McCullough.

— Qu'est-ce que tu as sur lui ?

— J'ai une photocopie de sa carte d'identité.

— Ancienne ou récente ?

— Ancienne.

— Pas de photo, donc. Tu n'as pas réussi à récupérer une photo de lui dans les archives ?

— Je n'ai même pas eu le temps de pisser un coup. Il faut qu'on continue de chercher de ce côté-là.

— Quoi d'autre, sinon ?

— Une carte de Sécurité sociale dont le numéro renvoie à un Michael McCullough mort en 1981. On a aussi une facture téléphonique bidon et un compte bancaire à la

Washington American Trust, ouvert par McCullough avec 50 dollars, mais où la pension de retraite qu'il était censé recevoir n'est jamais tombée.

— Et il est resté combien de temps dans la police ?

— Seize ans… Apparemment.

— Il y a un truc qui cloche », commenta Metz.

Roth sourit. « Si je gagnais un dollar chaque fois que quelqu'un a prononcé cette phrase depuis le début de cette affaire…

— Qu'est-ce que vous allez faire, alors ? Toutes les pistes habituelles sont grillées…

— Un type nommé Bill Young, répondit Roth, bossait au nº 7 quand McCullough a été provisoirement transféré là-bas. Il se souvient de lui. Il a subi une putain d'attaque mais il n'a pas perdu la mémoire. Or ce Young a vu McCullough en chair et en os ; donc on sait qu'il existe.

— Ou peut-être quelqu'un qui prétendait être Mc-Cullough.

— Exact.

— Alors comment tu fais pour trouver quelqu'un qui a un faux nom et un faux numéro de Sécurité sociale sans même savoir quelle tête il a ? »

Roth arbora une expression qui devenait récurrente chez lui, et qu'Amanda elle-même avait assimilée à une sorte d'incrédulité paisible, comme s'il pensait avoir tout entendu, mais qu'à chaque fois le pire était encore à venir.

« On retourne au nº 7 pour trouver quelqu'un qui a travaillé avec lui. On l'interroge jusqu'à ce qu'on sache de quel département il venait. Ensuite, on va là-bas et on essaie d'obtenir une photo de lui, n'importe quoi qui puisse nous aider. On étudie de plus près cette fameuse descente antidrogue en 2001… Pour finir, on a besoin de récupérer le rapport de la police scientifique établi chez Natasha Joyce. »

Metz se leva et mit sa veste. « Et on laisse Miller vaquer à ses occupations… »

Roth acquiesça, d'un air quasiment neutre. « On le laisse vaquer à ses occupations. »

Je n'avais aucune raison de me mettre à courir. Mais je me suis mis à courir. Comme Forrest Gump.

Un samedi, j'étais debout dans le jardin, derrière la maison, en plein été ; la chaleur étouffante me donnait l'impression d'avoir été frappé alors que je ne me rappelais pas avoir reçu le moindre coup. Une sensation subtile, mais qui m'a épuisé et m'a étourdi.

Je suis allé de l'autre côté de la maison, sur la rue, je me suis dirigé vers Rhode Island Avenue et j'ai commencé à courir. Le premier jour, j'ai senti à l'arrière de mes jambes des muscles dont j'avais oublié l'existence. Le dimanche matin, je me suis réveillé avec le sentiment d'avoir été trahi et trompé, déshydraté, avec un arrière-goût amer dans la bouche, comme des ordures salées. C'est ce jour-là que j'ai décidé d'arrêter de fumer. Et je m'y suis tenu. Après vingt ans de cigarette, j'ai tout arrêté. Au bout d'une semaine, je pouvais courir 1 500 mètres –750 mètres aller, 750 mètres retour – sans presque rien sentir. Au bout d'un mois, j'allais jusqu'à Rock Creek Park. Je trichais. Je suivais la 16ᵉ Rue, puis je prenais Military Road et je coupais à travers le parc. Il m'a fallu deux autres semaines pour avoir la force de faire le tour du parc et rentrer chez moi. Mais j'y suis arrivé. Sans m'arrêter. Sans vomir. Je courais lentement, avec assurance, en rythme, jusqu'à me retrouver une fois de plus au carrefour de New Jersey Avenue et de Q Street.

Au bout d'un moment, j'ai cessé de penser à moi et j'ai commencé à regarder.

Je courais autour de la Shaw-Howard University. Je regardais les jeunes gens porter des livres, des sacs et des sacoches, des lecteurs CD, des iPod, des lecteurs MP3, avec cette jeunesse et cette vigueur, cette sorte de foi en eux-mêmes qui leur faisait penser qu'ils feraient quelque chose de leur vie.

557

Je courais sur Florida Avenue jusqu'à la 7ᵉ Rue, puis devant la file des taxis qui attendaient au coin de la 4ᵉ Rue, et je voyais les chauffeurs adossés contre leurs capots et leurs ailes, en train de fumer, de boire du Dr Pepper, de rigoler à une bonne blague, de se taire l'un après l'autre et de tourner la tête sans discrétion ni finesse chaque fois qu'une fille passait. Ils pensaient tous : « Me la taper ? Tu m'étonnes, vieux... Merde, laisse-moi dix minutes avec elle à l'arrière de la voiture et elle pleure sa mère. » Mais ils savaient en même temps que si l'occasion se présentait, ils se sentiraient bêtes, coupables, naïfs même, penauds, si bien qu'ils n'auraient jamais le cran de passer à l'acte.

Je courais jusqu'à Constitution Gardens, d'un bout à l'autre, je longeais le bâtiment de la Réserve fédérale, le mémorial des Vétérans, puis je prenais Ohio Drive en bordure du West Potomac Park, je contournais le Tidal Basin, je traversais le pont de la 14ᵉ Rue, tout en me disant que si j'avais été à New York, j'aurais couru sur une chanson de Simon & Garfunkel.

Je courais en écoutant de la musique – Sinatra et Chostakovitch – dans mon lecteur CD. J'écoutais aussi Kelly Joe Phelps et Nina Simone, Gershwin, Bernstein et Billie Holiday. J'écoutais un CD offert par un magazine – Sons de la forêt amazonienne – que j'ai fini par jeter au fond du Potomac, du haut de Clara Barton Parkway, parce qu'il me rappelait une autre époque, un autre lieu, et j'avais les larmes aux yeux et j'avais peur.

Je courais au milieu des femmes enceintes et des hommes en costume croisé, devant les vitrines des magasins et les salons de massage, les immeubles miteux où la solitude et la désolation planaient dans l'air comme un parfum bon marché ; devant des usines et des garages en métal rouillé où des hommes au visage noirci, cachés dans une semi-

obscurité, puant le diesel, la peinture, l'huile et la sueur, regardaient au-dehors ; devant des entrepôts réfrigérants où le poisson congelé était déchargé des camions, déversé en un flot ininterrompu dans la rue, le long du caniveau, puis écopé à la pelle par des hommes qui savaient qu'ils n'auraient jamais à le manger.

Et je me disais : « Dans tes rêves les plus fous, quand tu laisses le fil de tes pensées dériver, il y a toujours un endroit vers lequel tu retournes. » Et je repensais à tout ça, je me rappelais les lieux que j'avais vus, et elle était toujours présente – avec son sourire, sa chaleur et son humanité, sa passion pour les bérets aux couleurs bizarres.

Quelle était la phrase de Kafka, déjà ? « Une cage allait à la recherche d'un oiseau. »

Et la cage m'a retrouvé, attirante, séduisante, et toutes ses promesses se sont révélées des mensonges.

Je courais devant les souvenirs et les sentiments : la peur, l'échec, la frustration, le doute lancinant concernant ce que je faisais, qui s'est ensuite transformé en un doute quant à ce que j'étais.

Je courais devant ces choses-là, je les dépassais et je me disais : la victoire a des pères par centaines, mais la défaite est orpheline, sans me rappeler qui avait prononcé cette maxime.

Quand vous affrontez ce genre de choses, tout le reste paraît soudain complètement futile.

Je courais devant des visages – ceux des personnes que j'ai abattues, étranglées, expédiées dans l'au-delà à l'aide d'engins incendiaires, de grenades, de lettres piégées et de gaz –, devant ceux qui m'ont regardé droit dans les yeux au moment où je braquais mon pistolet et appuyais sur la détente ; devant ceux qui n'ont rien vu venir, mais ont compris quand ils ont senti l'impact violent d'une balle dans leur poitrine... et ceux qui ne se sont jamais rendu compte qu'ils étaient morts parce que la balle les avait touchés en plein front et les avait étalés sur le sol dur comme un poids mort.

Dans les nuits sans sommeil, aux heures étranges qui précèdent l'aurore – toujours sombres et toujours froides –, j'entendais des bruits de pas quelque part et je ne savais pas s'ils étaient la réalité ou un rêve ; pendant quelques fractions de seconde, je sentais mon cœur se figer et je me disais que, peut-être, une de ces personnes revenait pour se venger.

Je courais devant tous ces gens et je ne m'arrêtais jamais... Je n'étais pas assez naïf pour croire que je fuyais quelque chose ou pour me dire que ce que je fuyais, c'était moi. Foutaises ! Ramassis d'âneries complaisantes, prétentieuses, mesquines et pathétiques ! Non, je n'étais pas bête à ce point. Mais une fois, un bref instant, j'ai cru qu'il était possible que je coure vers quelque chose. Je ne savais pas quoi. La clémence, le pardon, l'absolution... La paix ? Et puis je me suis raisonné, je me suis dit qu'on ne courait vers une chose que pour s'éloigner d'une autre. Comme un corollaire logique. On ne pouvait jamais fuir. Catherine aurait bien ri et m'aurait expliqué qu'un homme superficiel comme moi était incapable d'une telle profondeur. La philosophie n'avait pas sa place chez moi, ni dans mon cœur ni dans ma vie. Les gens comme nous ne pouvaient pas se permettre d'être philosophes. On faisait le bien. On le savait. Tellement qu'on n'avait pas besoin de douter de notre vertu.

Je courais devant ceux que l'on tuait, que l'on étiquetait, que l'on alignait – et que l'on imbibait de lavande pour essayer d'éloigner la puanteur pendant qu'ils se décomposaient sous nos yeux. Mais cette odeur s'infiltrait au plus profond de moi, sournoise, impitoyable ; elle imprègne encore les pores de ma peau, mes cheveux, mes nerfs, mes tendons, mes synapses, mes muscles, la chair de mes narines. Et je la sentirai toujours parce que au bout du compte elle symbolisait tout.

Et je sais que quelqu'un me découvrira trois jours après ma mort, et que je dégagerai la même odeur.

J'ai couru loin du passé pour entrer dans le présent, et les morts m'ont suivi, j'ai vu leurs visages et entendu leurs voix, et j'ai compris que je porterais ce fardeau jusqu'à mon dernier souffle. Et si Catherine Sheridan disait vrai, je le porterais même dans ma vie d'après, et celle d'après, et la suivante encore...

On a fait ce qu'on a fait.

On s'est laissé berner comme les imbéciles qu'on était.

Et on y a cru tellement fort... Assez, en tout cas, pour tuer.

C'est cela qu'on a fait. Et, quand la guerre s'est terminée, on pensait que ce serait fini – les armes, la drogue, les meurtres, la cupidité effrénée, la corruption, toute l'horreur machiavélique, mensongère et trompeuse de ce qu'on avait créé. Or pas du tout. Ce n'était pas fini. Nous avons quitté le Nicaragua, et ça nous a suivis.

Et puis ce qu'elle m'a dit. Ce que Catherine Sheridan m'a dit...

« Je ne peux plus vivre dans un monde aveugle et ignorant. Aveugle face à ce qu'on a fait. Je ne me contenterai jamais de l'apathie, John. Tu comprends ce que je veux dire ? Tu es d'accord avec moi, non, John ? »

Ainsi nous avons ramené le monstre à la maison... Assez gros pour tous nous dévorer.

45

« On va marcher », dit Robey.

Debout sur le trottoir, il regardait Miller.

« Marcher où ?

— Par là », répondit-il avant de tourner les talons.

Les deux hommes se dirigèrent vers New Jersey Avenue. Robey avançait d'un pas rapide, Miller essayait de ne pas se laisser distancer.

« Où va-t-on ? demanda ce dernier en sachant pertinemment que l'autre ne lui répondrait pas.

— Vous avez déjà entendu parler de Robert McNamara ?

— McNamara ? Non. Je devrais connaître ? »

Robey haussa les épaules et enfonça les mains dans les poches de son pardessus. « Au départ, il était à la NSA, puis il a été le premier patron de Ford Motors à ne pas appartenir à la famille Ford. Secrétaire d'État à la Défense entre 1961 et 1968… Pendant toutes ces années du Vietnam, il a appris beaucoup de choses sur les opérations clandestines, sur la guerre. Il a travaillé pour Kennedy jusqu'en 1963 et pour Lyndon Johnson jusqu'en 1968. » Robey jeta un coup d'œil dans son dos vers Miller, qui se dépêchait de le rattraper. « Vous savez quelle leçon McNamara a tirée de cette période-là ? »

Miller fit signe que non.

« Il a appris qu'on ne pouvait jamais contrôler un pays étranger par la seule force des armes. »

Miller ne dit rien.

« Vous savez où il est allé après la victoire de Nixon ?

— Aucune idée.

— Il est devenu président de la Banque mondiale, avec pour mission de contrôler les finances du plus grand nombre de pays du tiers-monde possible. Pendant les cinq premières années du mandat de Nixon, il a prêté plus de 780 millions de dollars par an. Et il a prouvé à Nixon, puis à Ford et à Carter, qu'il y avait des étapes à suivre pour parvenir à une telle chose…

— Quelle chose ? De quoi parlez-vous ?

— Le contrôle d'un pays, inspecteur Miller. La force des armes ? La guerre ? Uniquement en dernier ressort. Non, vous commencez par le contrôle économique, et si celui-ci échoue, alors vous sollicitez les ressources du renseignement… »

Ils dépassèrent O Street et le croisement qui menait jusqu'à Neal Place.

« Vous lancez des opérations en sous-main, des assassinats ciblés… Comme ça a été le cas au Chili et en Équateur. Vous sapez le gouvernement en place, vous installez vos propres agents, et là – et uniquement là –, si tout ça ne vous a pas permis de prendre le contrôle du pays, vous faites la guerre. Chaque fois que vous voyez les États-Unis envahir un pays, vous pouvez être sûr que depuis un an ou deux des actions préparatoires étaient en cours et qu'elles n'ont pas donné les résultats escomptés.

— Encore le Nicaragua, n'est-ce pas ?

— Le Nicaragua, le Guatemala, Cuba, le Congo, le Cambodge, Grenade, la Libye, le Salvador, la Yougoslavie… La liste est longue. Et, encore, je ne vous ai cité que ceux dont on a bien voulu nous parler. »

Une fois de plus, Robey souriait comme si une gigantesque farce était à l'œuvre, pour le bonheur de tous. Il souriait parce que Miller ne l'avait pas comprise, parce qu'il se demandait si Miller la comprendrait un jour.

Ils prirent Morgan Street à gauche puis tournèrent à droite, vers le carrefour avec New York Avenue.

Miller commençait à se demander s'ils ne se dirigeaient pas tranquillement vers le lieu de travail de Robey.

« L'université ?

— Patience. »

Au bout de New York Avenue, dans le vacarme de la circulation à l'heure de pointe, des automobilistes qui venaient de Massachusetts Avenue et de K Street pour se déverser dans la 7e Rue, Robey fonça brusquement vers les voitures...

Miller fut pris de court. Déjà essoufflé, il regarda derrière lui une petite seconde, pas plus, et, tournant de nouveau la tête, vit John Robey esquiver et contourner les véhicules, déclenchant un concert de klaxons, incitant un chauffeur de taxi à sortir la tête par la vitre et à hurler des insultes.

« Merde ! » lâcha Miller. Il aperçut à ce moment-là une Pontiac bleu marine qui faillit percuter Robey sur le côté.

Mais l'homme était rapide, plus rapide qu'on ne l'aurait pensé, car Miller crut le voir disparaître dans la circulation, comme s'il évoluait parmi des objets immobiles.

Il dut patienter une bonne minute avant de pouvoir traverser la rue à son tour. Une fois sur le trottoir d'en face, il se mit à courir. Robey avait tourné au coin de Mount Vernon Square et s'était enfoncé parmi les arbres à l'orée du parc.

Ce n'est qu'à cet instant précis que Miller comprit où Robey l'avait emmené.

Devant lui s'élevait la haute façade de la bibliothèque Carnegie.

Il jeta un coup d'œil à droite, à gauche, derrière lui, allongea le cou pour essayer de repérer quelque chose entre les voitures, chercha du côté de l'église qui trônait sur Massachussets Avenue, puis vers le bureau de poste dans son dos, au carrefour entre I Street et la 7e Rue.

Robey s'était volatilisé. Non parce que Miller l'avait manqué de justesse ou laissé filer, mais parce qu'il n'avait jamais douté de sa propre capacité à disparaître.

Il s'était tout bonnement évaporé dans la nature.

Miller prit de grandes bouffées d'air et sentit son pouls revenir à la normale.

La bibliothèque. Un des tout derniers endroits où s'était rendue Catherine Sheridan. Là même où elle avait rendu les livres. Les livres…

Il baissa la tête. Il était vêtu du même pardessus qu'il portait le dimanche ayant suivi l'assassinat de Catherine Sheridan.

Dans sa poche gauche, il retrouva le petit bout de papier que lui avait donné Julia Gibb. Pas une seconde, il n'avait pensé que cela eût un sens – jusqu'à cet instant précis, jusqu'à ce que John Robey le ramène à la bibliothèque.

Pourquoi?

Peut-être pour lui dire quelque chose.

Miller relut le bout de papier, les titres notés par Julia Gibb avec cette écriture bien nette de bibliothécaire.

Ravelstein de Saul Bellow, deux livres de Joyce Carol Oates – *Bellefleur* et *Eux* –, *Outremonde* de DeLillo et *Yentl et autres nouvelles* par Isaac B. Singer.

Miller relut la liste plusieurs fois. Puis il marcha, et son allure s'accéléra jusqu'à devenir un pas de course.

Les livres. Elle avait rendu les livres mais n'en avait repris aucun.

Ravelstein. Outremonde. Bellefleur. Eux. Yentl.

C'était bête comme chou. D'une simplicité désarmante. Les titres formaient son nom : R-O-B-E-Y. Les livres avaient un rapport avec John Robey.

Catherine les avait rendus pour parler de Robey.

Miller monta les marches en courant et arriva devant la porte au moment même où Julia Gibb s'apprêtait à fermer la bibliothèque.

46

« McCullough ? Bien sûr que je me souviens de McCullough. »

Le sergent Stephen Tannahill, représentant officiel du commissariat nº 7, était assis dans un bureau au fond de l'immeuble, juste derrière la grande salle de conférences. Roth et Metz lui faisaient face à l'autre bout d'une table ovale ; à droite, une fenêtre donnait directement sur la jonction entre Randolph Street et la 1ʳᵉ Rue. Tannahill affichait la même expression blasée qu'Oliver, Riehl, Feshbach, voire Lassiter, le même sentiment d'avoir fait ce métier trop d'années pour envisager d'en faire un autre. Cette ombre dans les yeux n'était pas propre aux policiers, mais ces hommes-là semblaient l'acquérir de plus haute lutte et l'arborer plus fièrement. Même si Metz et Roth étaient arrivés au moment même où Tannahill s'en allait, l'enthousiasme avec lequel celui-ci accepta de discuter avec eux indiquait qu'il n'avait pas grand-chose à faire chez lui. Peut-être que personne ne l'y attendait. Ou peut-être une femme qui ne reconnaissait plus l'homme qu'elle avait épousé et qui le montrait, en silence, certes, mais de toutes ses forces. Ces vies-là étaient bancales, décousues. Roth le voyait bien, lui qui bénissait le ciel d'avoir Amanda et les gamins pour l'attendre quand il rentrait du travail. Nombre de gens qu'il côtoyait dans les commis-

sariats menaient des existences pas tellement plus relui-
santes que la plupart de ceux qu'ils passaient leur temps
à traquer, à interroger, à arrêter. C'était un triste constat,
mais c'était la vérité.

« Vous avez parlé avec Bill Young, dites-vous ? »
demanda Tannahill. Malgré sa petite taille, entre 1,65 m
et 1,70 m, il avait les épaules larges et le bassin fin. Pas
le genre d'homme à pouvoir porter un costume bon marché sans ressembler aussitôt à un flic, à un portier ou à
un prisonnier provisoirement libéré pour se rendre à un
enterrement.

« Nous avons parlé avec Bill, oui. »
Tannahill hocha la tête, comme si les souvenirs lui revenaient doucement. « Il va bien ?

— Il fait aller, répondit Roth en haussant les épaules.

— Putain, quelle tragédie… Une vraie tragédie. Ce
type était un putain de seigneur, un vrai cador. Un putain
de bon flic. »

Roth ne dit rien. Tannahill était lancé dans un *putain* de
monologue ; il ne jugea pas opportun de l'interrompre.

Tannahill divagua encore quelques instants, puis sourit
à Roth et à Metz, chacun son tour. « Alors comme ça, c'est
vous qui vous tapez cette connerie d'affaire du Ruban.

— Exact, fit Metz.

— Et vous avez l'air bien cons, hein ? rigola-t-il. Bon,
vous cherchez McCullough, c'est ça ?

— On a besoin de lui parler, oui, répondit Roth. Il est
passé par ici en 2001…

— Très peu de temps, l'interrompit Tannahill. On
devait d'abord recevoir un autre type. J'étais simple
agent, à l'époque. Le petit soldat de base. Je suis devenu
sergent mi-2003. Je le connaissais, celui qui est parti à Port
Orchard. Il s'appelait Hayes. Danny Hayes. Sa femme est
tombée enceinte de jumeaux. Il y a eu un problème, un

truc qui a mal tourné, elle a voulu se rapprocher de ses parents à Port Orchard. Alors on s'est arrangés pour que Danny soit muté là-bas. On devait donc hériter d'un mec venu du n° 9 mais, à la place, on a reçu McCullough.

— Vous vous souvenez d'où il venait? demanda Metz.

— Il ne nous l'a jamais dit et je ne lui ai jamais posé la question. Vous savez, McCullough, c'était pas le genre de mec avec qui vous aviez envie de faire copain-copain. »

Roth fronça les sourcils. « Comment ça?

— Je ne sais pas d'où il sortait. Des Mœurs, peut-être. On m'avait aussi parlé des Stups. Mais, en tout cas, il était taré. Vraiment taré. » Tannahill eut un sourire entendu. « Ça vous est déjà arrivé de croiser des types, vous vous dites qu'ils ont peut-être pété un plomb, mais en même temps ils bossent bien et ils assurent toujours comme des chefs? »

Roth fit signe que oui.

« Eh bien, McCullough, c'était ça. Normalement, on aurait dû le foutre dans un coin complètement isolé pour qu'il ne fasse plus de mal à personne, avec des feuilles à dessin et des crayons de couleur, si vous voyez ce que je veux dire. Mais si je ne me trompe pas, il avait un bon dossier et, quand il a accompli son fameux exploit en septembre, tout le monde en a fait un héros. Moi, je ne savais pas quoi penser de ce mec. Trop chaud pour moi.

— Vous parlez de la grosse saisie de coke? demanda Metz.

— Oui. Un vrai coup de maître. L'enfoiré.

— Et la came a disparu du dépôt sécurisé?

— En un clin d'œil. La police des polices a débarqué *illico presto*. Les mecs ont interrogé McCullough, mais il aurait pu avaler trois de ces connards pour son goûter et avoir encore faim au dîner. Ça a été un vrai bordel. Personne n'a jamais su ce qui s'était vraiment passé, et personne ne s'est fait allumer parce qu'il n'y avait personne à allumer. Le type en charge du dépôt était réglo comme on n'a pas le droit de l'être, il devait faire ça depuis environ deux cent cinquante ans. Non, je vous assure, c'était de la coke fantôme.

— Vous pensez que c'est McCullough qui l'a embarquée? voulut savoir Roth.

— Bien sûr que c'est lui, répondit Tannahill sans l'ombre d'une hésitation. À mon avis, il est entré dans le dépôt sécurisé et il a tout mis dans un sac, ni vu ni connu.

— Vous le considériez comme un consommateur?

— Je pouvais le considérer comme tout et n'importe quoi. Un drogué, un dingue, un pourri, un mec qui se tapait des putes, un trafiquant d'objets volés… Honnêtement, impossible à dire. Tout ce que je sais, c'est que la merde a commencé avec la disparition de la coke, que la police des polices est venue et repartie comme une tornade et que tout est redevenu calme jusqu'en octobre.

— Jusqu'à la fameuse descente à l'entrepôt de drogue, devina Roth.

— La descente? fit Tannahill avec un grand sourire. Qui vous a parlé de descente? Un putain de fiasco intégral, vous voulez dire! L'indic s'est fait flinguer et McCullough a été blessé. En revanche, ceux qu'ils cherchaient s'en sont tirés indemnes…

— Vous êtes en train de nous expliquer qu'il ne s'agissait pas d'une descente? demanda Metz. McCullough y est allé tout seul, alors?

— Bien sûr.

— Mais ce n'est pas ce qu'ont raconté les journaux…

— Merci, le service de communication. Une descente qui dérape, ça passe mille fois mieux dans les médias qu'un flic rebelle et son indic qui essaient de changer le monde à eux tout seuls. »

Roth resta un moment silencieux, il digérait l'information.

« Vous comprenez, reprit Tannahill, McCullough était proche de la sortie. Après cette histoire en septembre, il a commencé à sérieusement merder. Il arrivait toujours en retard. Il s'est fait allumer par Bill Young un nombre incalculable de fois. Si je me rappelle bien, Young envisageait de lancer une procédure disciplinaire, et puis on a appris que McCullough avait une autre descente en tête, comme celle de septembre, mais un truc beaucoup plus gros cette fois. Tout le monde s'attendait à une réunion préparatoire, on était sur les dents, et soudain on a appris que McCullough avait agi en solo avec un Noir, que ce Noir s'était fait tuer, et que McCullough se retrouvait encore dans le collimateur de la police des polices et de Dieu sait qui d'autre.

— Mais la police des polices, intervint Roth, n'a pas eu la possibilité de mener une enquête complète, si j'ai bien compris les propos de Bill Young.

— McCullough a disparu dans la nature, comme la coke en septembre. Envolé ! On n'a plus jamais entendu parler de lui. »

Roth ne fit aucun commentaire. Il regarda Metz, dont le visage n'exprimait rien.

Tannahill haussa les épaules. « Voilà où on en est. Je ne vois pas quoi vous dire d'autre.

— Juste une chose, dit Roth. On n'a pas réussi à retrouver la moindre photo de lui. La carte d'identité qu'il a utilisée pour ouvrir un compte en banque était à l'ancienne, sans photo.

— Ah merde! Sa fiche est repartie avec la police des polices. Ici, on ne conserve plus les dossiers. Ils sont tous centralisés quelque part, pas loin du n° 11. Vous pourriez faire un tour là-bas… » Il s'arrêta un instant, l'air songeur, puis secoua la tête. « À moins que…

— Quoi? demanda Roth.

— L'évaluation. On a subi une évaluation interne juste après la fameuse saisie de coke en septembre. »

Roth retrouva un début de sourire. « Ah oui! les photos pour les évaluations. Vous les avez ici?

— Bien sûr. Je peux aller jeter un œil, si vous avez le temps.

— Et comment! On vous attend ici? »

Tannahill se leva de sa chaise. « Oh! et puis merde! c'est juste à l'étage. Vous pouvez m'accompagner et m'aider à fouiller dans les archives. »

Roth et Metz le suivirent à l'étage du dessus.

La salle des archives donnait à voir l'éternel spectacle : des classeurs à tiroirs hétéroclites, alignés tout autour de la pièce, et plein de tables au centre, dont certaines croulant littéralement sous les dossiers.

Tannahill eut un sourire caustique. « Excusez le bordel… La femme de ménage est en vacances.

— On commence par quoi? demanda Roth.

— Là-bas, répondit Tannahill en indiquant la partie droite de la pièce. Ce sont les archives du commissariat. » Il s'avança jusqu'au coin, suivi des deux inspecteurs. Il ouvrit le tiroir supérieur du meuble le plus proche de la fenêtre. « 1988. De 1988 à 1990. » Sur ce, il ouvrit le tiroir supérieur du classeur voisin. « 1993 à 1994… Ce sera le quatrième ou le cinquième à partir de là. »

Metz et Roth ouvrirent à leur tour des tiroirs. Très vite, ils trouvèrent le classeur dévolu aux archives de la période 2000-2002.

Au bout de vingt-cinq minutes, Tannahill se résolut à sortir tous les dossiers et à les étaler par terre. Les trois hommes les épluchèrent deux fois – chaque photo, chaque document remontant à la période entre juillet 2001 et la fin de la même année. Il n'y avait aucun dossier concernant McCullough. Pas d'archives. Pas de photos.

« Quelqu'un a dû le sortir, commenta Tannahill. Ça peut arriver. Vous savez comment ça se passe, n'est-ce pas ? »

Roth ne répondit pas ; il arrivait au bout de ses forces. Il savait que s'il disait quoi que ce soit, il exploserait. Il se préparait à affronter une nouvelle impasse, un nouveau retour bredouille au n° 2 quand, soudain, Tannahill leva les yeux avec un grand sourire. « Mais bien sûr, putain ! Bordel, mais évidemment…

— Quoi donc ?

— Les photos de promotion, chaque année. En bas… L'image sera petite mais au moins vous verrez sa tête. »

Une fois de plus, Roth et Metz suivirent Tannahill, sortirent de la salle des archives, descendirent l'escalier et regagnèrent le grand hall du commissariat. En général, les photos du personnel étaient exposées dans les couloirs ; au commissariat n° 7, elles l'étaient sur les murs de la cantine et de la salle de réunion. Tannahill retrouva la photo de 2001 en quelques secondes, monta sur une chaise pour décrocher le portrait de groupe, puis étudia un moment les visages de ces hommes, minuscules comme des pièces de monnaie.

« Voilà », dit-il en montrant un homme au deuxième rang en partant du fond, à trois ou quatre places à partir de la gauche.

Tandis que Metz regardait par-dessus son épaule, Roth se saisit de la photo. Il fronça les sourcils, secoua la tête et se mit à rire, d'un rire bizarre, abrupt, sec ; il secoua de nouveau la tête

« Quoi ? demanda Tannahill. Qu'est-ce qu'il y a ?

— Je n'en reviens pas, fit Metz.

— Mais quoi donc ? » insista Tannahill.

Roth ne dit rien. Pourtant, il commençait à sentir la violence du choc, à avoir une vague idée de ce à quoi ils avaient vraiment affaire, et cela le troubla profondément.

« Vous connaissez ce type ? demanda Tannahill. Vous connaissez McCullough ? »

Roth secouait toujours la tête. « Non, on ne connaît pas McCullough. Mais on connaît quelqu'un qui s'est fait passer pour lui. »

C'est Matisse, je crois, qui disait qu'un peintre devrait commencer par se couper la langue.

Pour s'empêcher de parler.

Pour s'empêcher d'expliquer ce qu'il a voulu dire à chaque coup de pinceau.

Pour s'empêcher de rationaliser, de justifier, d'analyser, d'interpréter tout ce qu'il a ressenti à ce moment-là. Il a ressenti ce qu'il a ressenti, point final. Et il l'a exprimé. La sensation était là, et puis elle a disparu. C'était l'art. C'était la vie. C'était peut-être la mort.

Peut-être que, nous aussi, on aurait dû nous couper la langue.

Je compatis avec Miller. Je compatis avec lui à cause de ce qu'il va découvrir et de ce que ça risque de lui faire.

Je sais la limite des choses, la ligne qui a été tracée, et je vois un homme marcher vers cette ligne sans même se rendre compte qu'elle existe.

À Langley, puis encore à Managua, on m'a appris à disparaître.

Je n'ai jamais oublié, alors je recommence.

Je ne suis plus là... comme si je n'y avais même jamais été.

47

Pendant que Julia Gibb rassemblait les cinq livres rendus par Catherine Sheridan, Miller attendait devant le guichet. Il avait déjà appelé le n° 2 avec son portable et demandé à Oliver de se rendre chez Robey et de le prévenir si ce dernier refaisait surface. Mais, dans le fond, il savait que Robey ne retournerait pas chez lui. Pas tout de suite, en tout cas. Pas avant qu'il ne se soit passé quelque chose. Mais quoi ? Miller n'avait aucun moyen de le savoir, mais il était convaincu que Robey tirait maintenant toutes les ficelles, peut-être même depuis le tout début.

Il pressentait seulement l'imminence d'une catastrophe.

Sans pour autant comprendre l'importance réelle que revêtaient ces cinq livres, il n'avait d'autre choix que de les mettre à l'abri, de les rapporter au commissariat et de voir s'ils ne recelaient pas un indice, peut-être un message laissé par Catherine Sheridan.

Il apparaissait désormais que Robey les menait vers quelque chose que Catherine avait souhaité leur montrer du doigt. Soit Robey et Sheridan avaient été de mèche, soit celle-ci avait compris que celui-là passerait chez elle pour lui régler son compte. Si tel était le cas, le champ des possibles devenait infini. Mais, surtout, cela prouvait que Catherine Sheridan savait qu'elle allait mourir.

Elle avait rendu les livres avant de se faire assassiner. Or Miller ne croyait pas aux coïncidences. Le numéro de téléphone laissé à la pizzeria. Les numéros de dossier de Darryl King. La petite visite chez Natasha Joyce. Son assassinat le mardi suivant. Et, trois jours après, le rapport définitif de la police scientifique qui manquait toujours à l'appel. Les photos sous le lit, ces clichés indiscutables d'un Robey plus jeune, son soi-disant alibi, tellement bidon que lui-même savait pertinemment qu'ils le grilleraient aussitôt… Tous ces éléments faisaient partie d'autre chose.

Le cœur de Miller battait à cent à l'heure, son pouls faisait les montagnes russes. Il se sentait déshydraté, il avait la nausée.

Au moment où Julia Gibb surgit de derrière le rayonnage le plus proche, les bras chargés de livres, le bipeur de Miller vibra. Il jeta un coup d'œil dessus. C'était Roth. Il l'éteignit. Roth pouvait bien attendre jusqu'à son retour au n° 2.

« Voilà, inspecteur, dit Julia Gibb. Vous avez de la chance. Personne ne les a repris entre-temps. »

Miller la remercia, prit les livres et se dirigea vers la sortie.

« J'imagine évidemment que vous nous les rendrez, lança-t-elle dans son dos.

— Au plus vite.

— Je ne m'inquiète pas pour les quatre premiers, mais le Singer est épuisé… Très difficile à trouver, voyez-vous ?

— Je ferai très attention. Je vous les rapporterai dès que possible. »

Après avoir failli faire tomber les livres en franchissant la porte de profil, Miller se précipita dehors, traversa la 7ᵉ Rue et s'engouffra dans New York Avenue, direction le commissariat n° 2. Encore deux rues et il était déjà à bout de souffle, pressé d'entendre ce que Roth avait à lui raconter, de voir ce qui se cachait à l'intérieur de ces livres. Il repensa au rapport de la police scientifique concernant l'appartement de Natasha Joyce, aux résultats de l'autopsie et, de fil en aiguille, à Marilyn Hemmings, à Jennifer Irving, à Brandon Thomas… Tout était si loin, à mille lieues de ce qui l'occupait actuellement, comme autant de fragments d'une autre vie. Tout était allé tellement vite. Six jours s'étaient écoulés depuis la mort de Catherine Sheridan – moins d'une semaine. Malgré les rapports quotidiens adressés à Lassiter, qui lui-même les transmettait à Killarney et à tous ceux que cela pouvait intéresser au sein du FBI, qu'avaient-ils à se mettre sous la dent ? La preuve de l'implication de Robey avait été faite grâce à la saisie illégale d'une pièce à conviction et au recours à des fonctionnaires municipaux pour en établir la nature incriminante. Dans quelle galère s'était-il embarqué ? Et surtout dans quelle galère avait-il embarqué Marilyn Hemmings ?

Il ne savait plus où donner de la tête face à l'ampleur des conséquences.

Une fois devant le commissariat n° 2, il se rua dans le hall.

« Roth vous cherche, lui lança l'agent de permanence dans son dos. Il est là-haut. »

Miller monta les marches deux par deux, fonça dans le couloir et fit irruption dans le bureau, usant de son coude pour appuyer sur la poignée et entrer à reculons, les bras toujours encombrés.

« Miller ! s'écria Lassiter. Merde, mon vieux, vous étiez où ? »

Il se retourna, tout surpris d'entendre la voix de Lassiter, et trouva Al Roth, Nanci Cohen, Chris Metz, Dan Riehl,

Vincent Littman et Jim Feshbach assis au fond de la pièce, à droite.

Il déposa les livres sur le premier bureau venu et hésita un instant.

« Vous feriez mieux de jeter un coup d'œil là-dessus », embraya Lassiter.

Il se leva pour récupérer sur son bureau ce qui ressemblait à une photo en noir et blanc et la brandit devant Miller.

« Qu'est-ce que c'est ? demanda celui-ci en s'avançant vers le petit groupe.

— Votre cher ami le sergent Michael McCullough. Ou, pour être plus précis, la raison même pour laquelle on n'arrivait pas à retrouver le sergent Michael McCullough. »

Lassiter se pencha vers lui et montra un homme sur la photo, debout, au deuxième rang à partir du fond, à la quatrième place en partant de la gauche.

Le cœur de Robert Miller se figea.

Il ne recommença à battre qu'au bout de quelques secondes.

« Qu'est-ce que ça veut dire ? » demanda Lassiter.

Miller était incapable de parler. Il scrutait le visage sur la photo, la silhouette de John Robey en uniforme, qui le regardait, presque souriant. C'était bien lui, au milieu de ses collègues du n° 7, le sourcil légèrement froncé, comme si la lumière vive du soleil le gênait.

« Alors ? insista Lassiter. Qu'est-ce que c'est que cette connerie ? On a affaire à un flic pourri ou quoi ?

— Je ne sais pas… Bordel, je ne sais même pas quoi vous dire. Tout ça est tellement…

— Vous avez envoyé Oliver faire un tour chez Robey. Visiblement, il n'était pas là.

— Je suis allé le voir à son appartement. Il m'a dit qu'il voulait me montrer quelque chose. Il m'a raccompagné à pied à la bibliothèque Carnegie, et puis il a disparu. »

Lassiter fit une grimace. « Il a quoi ?

— Il a disparu. On a marché ensemble jusqu'à la 2e Rue, et, là, il a couru au milieu des voitures et il s'est volatilisé.

— Et ces bouquins ?

— Ce sont ceux que Catherine Sheridan a rendus le matin même de sa mort. Robey voulait que j'aille les récupérer à la bibliothèque…

— Pourquoi donc ?

— Je l'ignore… Il y en a cinq. La première lettre de chacun des titres forme le nom de Robey. Je pense qu'ils contiennent quelque chose… Un message, peut-être, que sais-je ?… »

Nanci Cohen intervint. « Donc elle savait qu'il allait la tuer ? »

Elle se leva, s'avança vers Miller et prit un des livres. Elle l'ouvrit, le feuilleta, le retourna et le secoua pour voir s'il en tombait quelque chose. Rien. Elle renouvela l'opération avec les quatre autres. Roth et Metz la rejoignirent et inspectèrent à leur tour les ouvrages.

« Laissez tomber, ordonna Lassiter. On va peut-être revenir à des choses un peu plus pressantes, vous voulez bien ? À savoir que ce prof de fac est soit un flic, soit un type qui a usurpé l'identité d'un flic. Bordel de merde, c'est incroyable ! »

Nanci Cohen reposa le dernier livre. « Ce qui m'étonne le plus, c'est que vous l'ayez eu sous la main et que vous l'ayez perdu…

— Je ne l'avais pas sous la main, répliqua Miller sur un ton empreint de frustration et d'exaspération. C'est vous-même qui m'avez expliqué qu'on ne disposait d'aucun élément contre lui et qu'on ne pouvait rien faire… »

Lassiter leva aussitôt la main pour lui intimer le silence. « Ça suffit. On ne va pas commencer à se chercher des poux. » Il se tourna vers le procureur adjoint Cohen. « Est-ce qu'on a assez de matière pour lancer un mandat de perquisition chez lui ? »

Elle acquiesça. « Bien sûr. L'usurpation de la fonction de policier me paraît largement suffisante. »

Lassiter s'adressa à Metz : « Faites les démarches nécessaires. Et tout de suite. Je veux un mandat pour ce soir. On va aller dans cet appartement et on va passer les deux heures qui suivent à trouver tout ce qu'on peut sur ce type. D'accord ? »

Metz s'élança vers la porte.

« Je vous accompagne, dit Nanci Cohen. Je déposerai la demande directement chez le juge Thorne. »

Lassiter revint vers Miller. « Examinez ces bouquins avec Roth et les autres. Voyez ce que vous pouvez en tirer. Dès qu'on aura le mandat, je veux que vous alliez chez Robey et que vous me retourniez son appartement de fond en comble. Essayez de comprendre qui est ce type et ce qu'il manigance. » Il jeta un bref coup d'œil à sa montre. « Bon, il faut que j'aille voir quelqu'un. J'en ai pour une heure. Appelez-moi dès que vous aurez récupéré le mandat. Si je peux, je vous retrouve là-bas. »

Miller le regarda partir, hésita quelques secondes puis s'affala dans son fauteuil.

Il était 18 heures passées de quelques minutes. Il n'avait rien avalé depuis le petit déjeuner.

Roth s'assit en face de lui. Feshbach, Littman et Riehl se tenaient debout à l'autre bout de la pièce, sans trop savoir quoi faire.

« On prend chacun un livre », dit Miller. Il jeta son dévolu sur *Bellefleur*, de Joyce Carol Oates.

48

L'inspecteur Carl Oliver attendait dans une berline banalisée au carrefour de New Jersey Avenue et de Q Street. Il n'enviait pas le sort de Miller. L'affaire sentait le moisi depuis le premier jour. Il était prêt à donner un coup de main, évidemment, mais il y avait tout de même des limites. Il y avait des affaires qui vous bouffaient la vie, et celle-là en faisait partie. Miller avait lancé un appel radio : John Robey se révélait maintenant être le sergent McCullough, et il semblait qu'un flic avait assassiné Catherine Sheridan, ou quelque chose dans le genre. Ça ne changeait rien – au bout du compte, rien de tout cela n'avait d'importance. Tout était une question de cuisine politique. Les tueurs en série avaient défrayé la chronique dans les années quatre-vingt, mais ils n'étaient plus à la mode. Maintenant, il s'agissait simplement de classer une affaire parce que le chef de la police en avait décidé ainsi. Oliver n'avait qu'une chose à faire : surveiller l'appartement d'un homme qui n'y retournerait pas. Pas très compliqué. Il pouvait fumer, écouter la radio, faire ce qu'il voulait et observer la rue.

Il était encore en train de se dire que c'était une perte de temps et d'argent quand, en se tournant vers la droite, il aperçut un homme correspondant à la description de John

Robey traverser le carrefour juste devant lui, puis marcher vers l'extrémité du pâté d'immeubles.

Littman remarqua de petits signes au bas de certaines pages, comme des marques de stylo au-dessus des numéros. Il avait en main le *Ravelstein* de Saul Bellow. Dès qu'il en parla, Feshbach nota la même chose dans le livre qu'il tenait : de minuscules traces de stylo qui surlignaient un numéro de page, puis un autre, et encore un autre. Épluchant les livres page après page, les cinq inspecteurs purent recopier la série de chiffres tels qu'ils se présentaient.

« Une sorte de code, observa Miller. Un cryptogramme, peut-être…

— Avec des lettres, aussi, fit Riehl. J'ai deux lettres marquées sur une page, là, et puis une série de six numéros, et encore deux lettres, et une série de cinq numéros.

— Note-les dans l'ordre où tu les trouves. »

Miller fit la même chose. Page 1 : « Dans l'aile océanienne du Louvre, je le vis : le totem. »

Une marque au-dessus du *a* de « océanienne », puis, septième ligne : « Sauf que le nourrisson n'était qu'une tête, grosse et ronde à un point grotesque. » Une marque au-dessus du dernier *q*.

Miller trouva d'autres marques au-dessus de plusieurs numéros de page : le *1* de *10*, le *2* de *12*, le 5 de *15*, le *9* de *19*, enfin le *8* de *28*.

Il recopia la série dans l'ordre : *a q 1 2 5 9 8*.

Une autre apparut : *g j 6 6 9 9*; puis une autre : *b d 7 14 99*.

« Des dates, dit-il. Ce sont des dates, non ? » Il regarda Roth. « On en a trois, ici… Le 5 décembre 1998, le 6 juin 1999 et le 14 juillet 1999.

— Et les lettres ?

— Des initiales, intervint Riehl. Tu paries que ce sont des initiales?

— Nom de Dieu!… soupira Miller. Des noms et des dates. Des putains de noms et de dates…

— Il ne faut surtout pas en rater un seul, dit Roth. Sinon ça fout tout en l'air.

— On passe chaque livre au peigne fin, décida Miller. On note dans l'ordre toutes les lettres et tous les numéros. Ensuite, chacun donne son livre à un collègue, histoire d'être sûrs qu'on ne s'est pas gourés. »

Roth le dévisagea, leva les sourcils et secoua lentement la tête. « Je n'en reviens pas… »

Il baissa les yeux, se concentra sur sa tâche et recommença à prendre des notes.

Carl Oliver contacta le commissariat depuis son véhicule et demanda que Miller et Roth se rendent tout de suite chez Robey. Ce dernier semblait se diriger vers son domicile.

Oliver sortit de la voiture et traversa la rue. L'homme qu'il venait d'apercevoir avait dépassé le carrefour et tourné à gauche; il approchait maintenant de l'escalier qui menait à l'appartement de Robey. Oliver s'adossa contre la façade de l'immeuble adjacent. Il n'avait pas besoin de faire d'efforts pour rester discret. La discrétion était une seconde nature chez lui.

Il ne distingua pas le visage de l'homme. Tout ce qu'il savait de Robey se résumait aux photos retouchées, à la stature et à la taille que Miller lui avait indiquées. Il attendit que l'homme ait atteint l'escalier pour lui emboîter le pas.

« Trente-six, dit Roth. Trente-six séries distinctes… » Il posa son regard sur Miller, installé juste en face de lui. « Vous les voyez, non? »

Miller acquiesça. Le lent dévoilement de la vérité qui s'opérait dans son esprit faisait blêmir son visage.

« Quoi donc ? demanda Littman. Qu'est-ce qu'on doit voir ? »

Miller retourna la feuille et montra du doigt une triple série :

m m 3 6 6

a r 7 1 9 6

b l 8 2 6

« Et ça veut dire quoi ? demanda Littman.

— Margaret Mosley, le 6 mars 2006. Ann Rayner, le 19 juillet. Et Barbara Lee le 2 août... Les trois femmes assassinées cette année avant Catherine Sheridan. »

Feshbach fronça les sourcils et se pencha. « Bon, et alors ? Vous êtes en train de me dire qu'il y a trente-six meurtres recensés là-dedans ? Que Catherine Sheridan connaissait l'existence de trente-six meurtres ? Vous déconnez ou quoi ? »

Miller ouvrit la bouche pour répondre mais fut interrompu par la sonnerie du téléphone sur sa gauche. Roth décrocha, fit un signe de tête et raccrocha aussitôt. « Il y a quelqu'un chez Robey, dit-il.

— Robey ? voulut savoir Miller.

— Je ne sais pas. Oliver a appelé le standard pour dire qu'il allait vérifier lui-même. »

Miller se leva d'un bond, saisit sa veste pendue au dossier de son siège et, une fois devant la porte, se retourna vers ses collègues. « Vérifiez dans la base de données de Washington. Voyez s'il y a des disparitions ou des homicides qui correspondent aux initiales et aux dates. Regardez aussi dans les journaux, partout, n'importe où, OK ? »

Il se rua vers l'escalier, précédé de Roth, qui téléphona au responsable des véhicules de patrouille et lui dit de préparer une voiture équipée d'un gyrophare. Seule une sirène leur permettrait d'échapper aux embouteillages du début de soirée.

Carl Oliver se trouvait en bas de l'escalier qui conduisait à l'appartement de John Robey. Il sortit son pistolet du holster, chargea une balle, enclencha la sécurité et rengaina. Il retint son souffle un instant, posa une main sur la rampe et commença à monter les marches.

Miller prit le volant et fonça dans New York Avenue.

« Oublie la 5ᵉ Avenue, lui dit Roth. Fais marche arrière. » Il lui indiqua un point dans son dos, à travers la plage arrière. « Prends la 4ᵉ Avenue, M Street à droite, et rejoins New Jersey Avenue au croisement avec Morgan Street. »

Miller suivit le conseil de Roth ; moins d'une minute après, il se retrouvait coincé dans un embouteillage au carrefour avec New York Avenue.

« Appelle Oliver, ordonna-t-il à Roth, et dis-lui de garder un œil sur ce qui se passe. Mais qu'il ne monte pas là-haut sans nous.

— Tu penses que c'est Robey ? demanda Roth en s'emparant de l'émetteur radio.

— Non. Je ne crois pas que…

— Mais qui, alors ? »

Miller écrasa le klaxon après qu'une voiture lui eut fait une queue de poisson. « Connard ! cria-t-il. Qui ? Mais je n'en ai aucune idée ! Je ne sais même pas ce que je *veux* savoir. »

Roth appuya sur le bouton et attendit que quelqu'un, au commissariat nᵒ 2, prenne son appel.

Parvenu en haut de l'escalier, Oliver s'arrêta. Il se retrouvait embringué dans un truc qu'il n'aimait pas du tout. Certains adoraient ce genre de situations – pas lui. Il avait une préférence marquée pour ce qui relevait du méthodique : les interrogatoires, les entretiens… Les grands exploits héroïques, il laissait ça à d'autres.

Collé contre le mur, il contourna lentement le coin du couloir qui menait jusqu'à la porte de l'appartement de Robey. Personne. Il recula vers la dernière marche et hésita une petite seconde, se demandant s'il n'avait pas tout intérêt à attendre. Il ne voulait pas y aller. D'un autre côté, il n'avait pas envie de passer pour le poltron de service. La peste et le choléra. Devait-il dégainer son arme et la tenir contre sa cuisse ? Il savait que s'il arrivait quoi que ce soit, il risquait de réagir et de tuer quelqu'un que rien ne l'obligeait à tuer. Une goutte de sueur lui coulait dans le milieu du dos. Il passa un doigt sur sa nuque, sous le col de sa chemise. Puis il prit une décision, uniquement pour mettre un terme à son indécision. Pourquoi ne pas vérifier, après tout ? Il devait le faire. Il n'avait pas vraiment le choix. C'était le boulot qu'on attendait d'un policier. Chercher les embûches, vérifier, franchir le cordon de sécurité, comprendre exactement ce qui s'était passé.

Carl Oliver prit une grande inspiration, posa sa main sur la crosse de son pistolet dans son holster et se lança dans le couloir, vers l'appartement de John Robey.

« Je n'arrive pas à le joindre, dit Roth. Il est forcément sorti de sa voiture. Ils essaient de le choper par la radio mais il ne répond pas.

— Et merde ! »

Miller contourna une voiture qui se garait et déclencha la sirène. Sur leur gauche, O Street ; devant eux, P Street, puis Franklin Avenue. Il tambourina sur le volant. Toutes les directions qu'ils avaient prises s'étaient terminées en culs-de-sac. Tout n'avait été que demi-réponse, demi-vérité, fil menant à un autre fil qui menait encore à un autre. Et ils n'étaient que des pions sur un vaste échiquier que Miller, il le sentait, commençait tout juste à entrevoir. Il ne voulait pas en saisir la véritable nature, laisser son imagination errer n'importe où ; dans son esprit, cela ne ferait qu'embrouiller une situation déjà suffisamment compliquée comme ça. Il voulait simplement arriver chez John Robey et voir si quelqu'un s'y trouvait ou si Oliver avait commis une erreur. Il voulait que Cohen et Metz reviennent avec le mandat de perquisition, afin qu'ils puissent jeter un coup d'œil à l'intérieur de cet appartement. Il voulait que les livres crachent les noms des fantômes qui les peuplaient, ces fameux renseignements que Catherine Sheridan avait souhaité livrer au monde entier. Et, en même temps, il voulait que tout cela cesse.

Oui, surtout ça : que le cauchemar se termine.

Sur leur gauche, dans Franklin Avenue, le trafic sembla soudain se fluidifier. La voie était libre.

« Vas-y ! » hurla Roth, et Miller broya l'accélérateur pour parcourir les deux cent cinquante mètres qui les séparaient de leur objectif.

Devant la porte de John Robey, Carl Oliver ferma les yeux et leva lentement la main. Il frappa une fois puis recula, la paume sur la crosse de son arme. Pas d'erreur possible : son cœur battait à cent à l'heure, son pouls essayait péniblement de tenir le rythme.

Il attendit trente bonnes secondes. Rien. Pas le moindre bruit en provenance de l'appartement.

Il frappa de nouveau, plus fort, patienta dix secondes et hurla : « Police ! Ouvrez, monsieur ! »

Cette fois, il entendit distinctement quelque chose de l'autre côté de la porte.

Il sentit son cœur s'arrêter. Jusqu'ici, tout n'avait été qu'hypothèses : quelqu'un était revenu ici, quelqu'un avait réintégré l'appartement, il toquerait et il y aurait une réponse. Mais on venait de dépasser le stade des hypothèses. La situation, désormais, charriait une gamme d'émotions et de sentiments totalement différente.

Il recula d'un pas, se demandant s'il n'avait pas tout intérêt à se tenir à l'écart du chambranle. Il ne connaissait pas bien ce genre de scénarios. Il avait vu les films, bien sûr, et reçu à l'école de police de vagues consignes sur la manière d'aborder ces situations. Mais aucune formation au monde avec d'autres recrues n'aurait pu le préparer à ce type d'expérience pour lui inédite. Il n'était ni un flic endurci ni un ancien soldat. Il n'avait pas servi deux fois en Irak. Il ne savait pas comment affronter l'émotion qui le saisissait à la gorge. Il savait seulement que s'il foirait son coup, une autre femme risquait de mourir. Peut-être même deux femmes – voire plus.

Il sentait que la personne qui était à l'intérieur se tenait juste à côté de la porte. C'est alors qu'il entendit la voix de l'homme.

« Qui est-ce ?

— C'est la police, monsieur. La police. Je vous demande d'ouvrir la porte.

— Pourquoi ? Qu'est-ce que vous voulez ?

— C'est vous, monsieur Robey ? »

Un silence.

« Je vais vous demander de décliner votre identité, monsieur. C'est ici l'appartement de John Robey. Êtes-vous John Robey ? »

Une fois encore, un silence.

Oliver avait la gorge nouée. Le moment était crucial. C'est là qu'il risquait de recevoir un blâme pour n'avoir pas attendu les renforts. C'est là que les simulations d'interpellations pendant la formation devenaient dérisoires.

« Monsieur… Encore une fois, je vous demande d'ouvrir cette porte…

— OK, OK, OK… Du calme, bordel. »

Un bruit de verrou que l'on tirait. Oliver se raidit.

La poignée tourna, la porte commença à s'entrouvrir. Oliver fit un pas de côté, sur la gauche, pour échapper à la ligne de tir. Il se demanda ce qui pouvait bien arriver. Il y avait un homme à l'intérieur. Pour l'instant, cet homme coopérait. Il ouvrirait la porte et tout se passerait bien. Ce serait un homme censé être là… Le frère de Robey venu faire un tour, grâce à un jeu de clés qu'il possédait… Un ami du quartier venu nourrir le chat à la demande de Robey. L'homme déclinerait son identité, et puis il y aurait une petite gêne quand Oliver se rendrait compte de l'erreur qu'il avait commise.

Tout se passerait bien. Tout se passerait comme sur des roulettes.

La porte s'ouvrit.

L'homme qui regarda l'inspecteur Carl Oliver était méconnaissable parce qu'une écharpe lui couvrait toute la moitié inférieure du visage.

« John Robey ? » demanda Carl Oliver, et ce furent ses dernières paroles, car l'homme recula d'un pas, leva un bras et, à l'aide d'une carabine 22 long rifle munie d'un silencieux, imprima une marque bien nette au centre du front de l'inspecteur. Pas assez puissante pour transpercer sa tête de part en part, la balle ricocha à l'intérieur du crâne pendant huit ou neuf secondes.

Oliver ne bougea pas, la bouche légèrement ouverte, un sourire tordu aux lèvres, comme si on venait de lui jouer un mauvais tour, une sorte de farce, et il comprit lentement qu'on l'avait bien eu, et les gens commençaient à rire, et il allait rire lui-même, et il serait beau joueur, il prendrait bien la chose, il s'intégrerait au groupe, et d'ici à demain tout le monde aurait oublié la blague...

Mais il ne rit pas, pas plus que l'homme qui se trouvait dans l'appartement. Ce dernier se contenta d'attendre qu'un mince filet de sang sorte de l'œil d'Oliver et coule sur sa joue, comme une larme, puis que l'inspecteur s'effondre par terre comme un poids mort. Ensuite, il referma calmement la porte derrière lui.

D'un pas aussi rapide que feutré, il regagna le fond de l'appartement, ramassa quelques affaires aisément transportables et s'en alla par la fenêtre.

Robert Miller et Al Roth trouvèrent Carl Oliver quatre minutes plus tard. La personne qui l'avait abattu s'était volatilisée.

Volatilisée pour de bon... Comme si elle n'avait jamais été là.

49

En moins d'une demi-heure, l'appartement de Robey se transforma en une véritable fourmilière. Robert Miller passa un long moment dans le couloir, saisi du même effroi qui l'avait glacé le soir de l'assassinat de Catherine Sheridan. Il ne connaissait pas bien Carl Oliver, pas autant qu'Al Roth, mais l'assassinat d'un collègue engendrait toujours une peur très particulière, liée non pas à l'homme qui avait été tué mais à ce que cette mort signifiait. Oliver s'était trouvé là au mauvais moment. Cette expression, Miller l'avait toujours trouvée absurde : *au mauvais endroit, au mauvais moment.* Non. C'était soit le bon endroit au mauvais moment, soit l'inverse, mais jamais les deux en même temps ; ça ne rimait à rien. L'appartement de Robey : voilà où Oliver était censé se trouver. Deux heures plus tôt, il aurait eu la vie sauve. Le bon endroit au mauvais moment. Aussi simple que ça.

Mais l'assassinat d'Oliver signifiait bien davantage encore : celui qui avait fait le coup, quelle que fût son identité, se considérait au-dessus des lois. Il ne s'agissait plus de quelques femmes assassinées, mais peut-être d'une trentaine de meurtres, avec des victimes encore inconnues et non identifiées, et des ramifications qui, à travers John Robey et Catherine Sheridan, s'étendaient vers quelque chose de beaucoup, beaucoup plus gros. Miller était convaincu de cela, du fond de son âme, mais il ne disposait d'aucune preuve, d'aucun élément probant susceptible de démontrer un lien – hormis une pauvre brosse à cheveux qui se trouvait maintenant à quelques mètres de lui.

Lassiter arriva, flanqué du procureur adjoint Cohen et de Chris Metz. Il avait dans les mains le mandat de perquisition pour fouiller les lieux – désormais inutile. L'appartement de Robey était maintenant une scène de crime, remplie de photographes et d'experts scientifiques. Lorsque l'équipe technique débarqua, on aurait cru que l'ensemble du commissariat n° 2 avait pris ses quartiers au croisement de New Jersey Avenue et de Q Street.

« Quelle merde », n'arrêtait pas de répéter Lassiter, d'une voix serrée qui disait les coups de fil au milieu de la nuit, les questions sans réponse, les reproches, les critiques, les menaces et les sous-entendus concernant ce qu'il adviendrait de sa carrière s'il ne…

Miller, lui, était muet. Il regardait les photographes prendre des clichés du corps de Carl Oliver. Il regarda ce même corps être installé sur une civière, puis les infirmiers le descendre péniblement dans l'escalier. Marilyn Hemmings arriva. Elle leva la main et lui sourit. Miller la salua à son tour et ne la vit plus. Elle signa un document et repartit.

Il ne restait qu'une flaque de sang. Une petite flaque qui s'était formée sous la bouche d'Oliver. Sa tête ne portait pas de trace visible d'une sortie de balle. Oliver avait 34 ans. Il aimait REM. Il fumait des cigarettes roulées.

À un moment donné, Miller se laissa glisser contre le mur et enroula ses bras autour de ses genoux. Al Roth sortit de l'appartement et se planta devant lui sans un mot.

Au bout d'une ou deux minutes, il finit par dire : « Dès que tu seras prêt… Dès que tu seras prêt, tu ferais bien de venir voir quelque chose. »

Il retourna à l'intérieur et laissa Miller dans le couloir, le front sur les genoux, écœuré.

Lorsqu'il finit par se redresser, il était presque 20 h 30. Il rentra dans l'appartement et attendit sagement qu'une silhouette familière le rejoigne. Ce fut Lassiter. Malgré son air exténué et le peu de choses qu'il avait à raconter, on sentait que son regard sur la situation était complètement chamboulé. Du tout au tout.

La pièce où Miller s'était entretenu avec Robey n'avait pas changé. La moquette sombre, le canapé contre le mur de droite, la fenêtre à gauche qui donnait sur l'arrière de l'immeuble, les murs patinés, les dessins dans leurs cadres en inox : tout était là.

« Au fond, dit Lassiter. Venez voir ce qu'on a trouvé. »

Nanci Cohen était là, avec Al Roth et Chris Metz. Ce dernier s'en alla au moment où Miller et Lassiter entrèrent. Il semblait bouleversé, épuisé.

Miller garda le silence pendant un long moment. La fenêtre donnant sur la rue avait été tapissée de planches ; en dessous trônait une grande table. Sur cette table, deux ordinateurs fixes, un récepteur de la police, deux ordinateurs portables, un tas de dossiers en papier kraft, dont certains tombés par terre. Des câbles pendouillaient dans le vide.

« On pense qu'il devait y avoir un autre ordinateur portable, commença Roth. Il y a une fenêtre dans la cuisine. Celui qui a fait le coup a dû s'échapper par là. Il y a une issue de secours… »

Il s'interrompit en voyant que Miller ne l'écoutait pas.

Le mur était devant eux.

Le mur était la clé.

Le mur faisait bien 3,50 m de largeur sur 2,60 m de hauteur, et, hormis les cartes et les croquis, hormis le méli-mélo des épingles multicolores qui indiquaient des rues, des carrefours et d'autres lieux non identifiés, c'étaient les images qui disaient tout ce qu'il y avait à dire : des photographies, des Polaroid, des illustrations découpées dans des journaux ou des magazines.

Miller reconnut Ann Rayner sans difficulté. Puis Lee et Mosley. Catherine Sheridan avait sa propre collection d'images à l'extrémité droite du mur, comme un sanctuaire – entre huit et dix photos qui la montraient à diverses étapes de sa vie. Parmi elles se trouvait une réplique exacte d'une des photos que les policiers avaient découvertes sous son lit.

Il fit volte-face. Lassiter était à moins d'un mètre de lui. Son visage exprimait à la fois l'incrédulité et la révélation soudaine.

« Robert », intervint Roth.

Miller se tourna vers lui.

Roth lui montra une des photos épinglées au mur. « Alan Quinn, le 5 décembre. »

Miller acquiesça. Il savait qui étaient tous ces gens, il savait que leurs noms, et les dates figurant sur chaque photo, correspondraient exactement aux initiales et aux chiffres soulignés dans les livres de Catherine Sheridan. Ce qui avait pu relier entre eux tous ces individus était bien plus vaste que ce que n'importe quel policier aurait pu imaginer. John Robey et Catherine Sheridan savaient des choses, et ces choses remontaient à une époque ancienne. Miller, Al Roth, Frank Lassiter et Nanci Cohen avaient sous les yeux un mur couvert de photographies – plus d'une trentaine – qui expliquaient tout sans avoir recours aux mots.

Ça faisait beaucoup de morts. Tous assassinés, sans exception. Pour une raison mystérieuse. Peut-être par

Robey, peut-être par Robey et Sheridan. Peut-être par une tout autre personne, Robey ayant pu simplement recenser ces événements, collecter des preuves et, enfin, attirer Miller dans sa toile.

« Il savait, dit ce dernier à l'intention de Roth, Lassiter et Cohen. Il savait ce qui était arrivé à tous ces gens-là... »

Roth tendit sa main gantée de latex et décrocha soigneusement une des photos du bas. Il l'étudia un long moment, puis la passa à Miller.

« Natasha Joyce, dit-il. Elle ne sera pas signalée dans les bouquins.

— Quoi qu'il en soit, tout ça remonte à je ne sais pas combien d'années. Je pense qu'ils sont tous dans le même cas de figure... On va découvrir que tous, à un moment donné de leur vie, ont été évalués pour des raisons de sécurité, que les noms ont disparu du jour au lendemain, que les numéros de Sécurité sociale étaient faux ou encore qu'ils avaient des comptes en banque censés recevoir de l'argent mais que cet argent n'est jamais tombé...

— J'ai un coupable tout désigné, l'interrompit Lassiter. John Robey. Pour l'instant, c'est le seul nom, le seul visage dont je dispose. Si la télé parle de lui... » Il se tourna vers Nanci Cohen. « On va devoir organiser une chasse à l'homme à l'échelle nationale. Je vous rappelle qu'un officier de police est mort... Et, Dieu merci ! il était célibataire et sans enfants. Mais ça ne change rien au fait qu'il est mort. Et la seule personne qui a pu faire le coup, si vous voulez mon humble avis, c'est John Robey...

— Pour moi, ce n'est pas lui, dit Miller, impassible.

— Ce n'est pas lui qui a fait *quoi* ?

— Qui a tué tout ce monde... Ce n'est pas Robey qui a assassiné les gens qu'on voit sur ce mur. Je ne crois pas qu'il ait assassiné Natasha Joyce. Je pense qu'il sait qui les a tués et qu'il cherche à nous aider. »

Lassiter explosa : « Quoi ? Vous vous foutez de ma gueule ? Tout, ici, désigne Robey. On se retrouve avec le plus grand tueur en série de tous les temps ou peu s'en faut ! Putain, je n'en reviens pas que vous me disiez des choses pareilles…

— Je vous dis ce que je pense. Je crois qu'il connaît la vérité, qu'il a essayé de nous mettre sur la voie et qu'on ne l'a pas écouté.

— Alors, vous, vous allez m'écouter. On a un suspect en cavale, et je me fous de savoir quel est son vrai nom ou s'il est notre homme, ou si c'est l'archange Gabriel en personne venu nous guider vers la vérité. Il faut qu'on le retrouve. Il faut que les chaînes de télé en parlent. Il faut organiser une conférence de presse. Quoi qu'on ait lancé comme avis de recherche jusqu'à présent, je veux avoir toutes les équipes de patrouille sur le coup. Je veux voir des agents dans les aéroports, sur les embarcadères, dans les agences de location de voitures, aux arrêts de bus, dans les gares… Partout ! L'objectif n° 1, c'est de retrouver Robey. Voilà ce qu'on va faire : choper ce type et l'interroger sur le meurtre d'un inspecteur de la police de Washington. C'est notre ligne de conduite. L'aspect tueur en série, on s'en tape. On rend l'affaire publique et on a l'opinion avec nous. Peut-être qu'on emmerde tout le monde avec nos PV et le reste, mais les gens n'apprécient pas du tout quand des types commencent à nous flinguer. Pigé ? »

Miller ne répondit pas. Il se contentait de scruter la série apparemment interminable de visages affichés au mur, l'un après l'autre. Qui étaient ces gens ? Comment s'appelaient-ils ? Qu'avaient-ils fait pour précipiter ainsi leur mort ? Il avait une vague idée sur la question, liée à ce que Robey lui avait raconté. Le Nicaragua. Le souvenir d'une guerre depuis longtemps oubliée et dont personne ne voulait se rappeler. Voilà de quoi lui avait parlé Robey. Voilà ce qu'il avait voulu lui faire comprendre.

Lassiter s'adressa à Roth. « Vous croyez à ces conneries aussi ?

— Laissez-nous réfléchir un peu et gérer la situation… On poursuivra les recherches. Confiez-nous toute l'autorité nécessaire et on continuera de creuser.

— J'ai déjà toute la police de Washington sur le coup. Et plusieurs autres commissariats en plus. Maintenant, je vais aller voir le patron. Bordel de Dieu ! j'ai un flic mort sur les bras… » Il fut interrompu par l'arrivée de plusieurs techniciens médico-légaux. Les appareils photo crépitèrent.

« Mais c'est un zoo ici, ou quoi, bordel ? » s'écriat-il avant de reculer, Nanci Cohen derrière lui, Roth et Miller derrière elle. Ils se faufilèrent tous les quatre jusqu'au salon, à l'endroit même où Miller avait discuté avec Robey la première fois. Miller repensa à la sensation qu'il avait éprouvée au moment de voler la brosse puis de la remettre, aux conversations qu'ils avaient eues – le Nicaragua, le trafic de cocaïne, la CIA… Maintenant qu'il affrontait ce que Robey laissait dans son sillage, les souvenirs remontaient à la surface. Car dans son esprit il ne faisait aucun doute que Robey avait tout manigancé, qu'il avait souhaité voir son appartement fouillé, afin de faire des révélations à la terre entière. John Robey et Catherine Sheridan. Quelle que fût leur véritable identité, ces deux-là avaient créé leur propre monde, et le reste de la planète était maintenant invité à admirer leur travail.

« Les gars, vous restez ici, dit Lassiter. Assurez-vous bien que tout est fait dans les règles de l'art. Dès que j'ai le feu vert pour la chasse à l'homme et les infos, je vous appelle. Je veux que vous veniez à la conférence de presse. » Il consulta sa montre. « Il est 21 h 10... Je devrais avoir du nouveau vers 22 heures, d'accord ? »

Roth acquiesça.

« Miller ! aboya Lassiter.

— J'ai compris, j'ai compris. »

Lassiter et Cohen repartirent ensemble. Miller et Roth, eux, ne quittèrent pas le salon, tandis que le cortège des techniciens, équipés d'appareils photo et de sachets à pièces à conviction, les bras chargés de dossiers et de liasses de papier, faisait la navette avec la pièce du fond.

Miller retint son souffle. Lorsqu'il expira, il fut comme plié en deux par la pression du moment. Il regarda Roth, voulut lui dire quelque chose, mais quelqu'un l'appela dans la pièce du fond.

Il ne s'en était même pas rendu compte, mais l'homme qui dirigeait l'équipe des techniciens médico-légaux n'était autre que Greg Reid.

« J'ai trouvé quelque chose, dit ce dernier. Je vais devoir l'emporter, mais je me suis dit que vous auriez peut-être envie de jeter un œil dessus avant. »

Les trois hommes regagnèrent la pièce du fond. Un ordinateur portable était en marche, avec sur son écran une image figée : Catherine Sheridan les regardait comme si elle se trouvait juste devant eux, à quelques mètres.

Reid cliqua sur la souris. Le petit film commença.

« Arrête de filmer, je t'en supplie », disait Catherine Sheridan en agitant la main vers la personne qui tenait la caméra. Il y avait des arbres à l'arrière-plan. Elle portait un béret en laine turquoise sous lequel elle avait rassemblé ses cheveux. Elle ne paraissait pas plus jeune que sur les photos de son autopsie.

« C'est un film récent », commenta Miller.

Catherine Sheridan se mit à rire.

« John, s'il te plaît ! Vire cette caméra. »

Et ce fut tout. Quelques secondes, rien de plus. Un fragment de la vie de Catherine Sheridan.

« C'est lui, non? suggéra Roth. John Robey… C'est bien lui qui a filmé ça, pas vrai? »

Miller hochait la tête.

« Et il voulait qu'on le voie…

— Il voulait qu'on voie quelle tête elle avait quand elle était en vie. »

Le vendredi 17 novembre 2006, à 22 h 31, le capitaine Frank Lassiter apparut sur les écrans de télévision, dans les bars et les salles de billard, dans les aéroports, dans les salles d'attente des gares ferroviaires et routières, dans tous les foyers et appartements concernés par la zone d'émission de Washington. Derrière lui était affiché un grand portrait de John Robey, l'une des rares photos prises de lui lors de sa première apparition à la cafétéria Donovan's. Il était comme ça quand Miller l'avait vu pour la dernière fois. Mais rien ne disait que Robey ressemblerait encore à cela.

Miller et Roth assistaient à la conférence de presse, aux côtés du procureur adjoint Nanci Cohen et de deux membres de son cabinet. Le chef de la police de Washington n'était pas là; il avait rendez-vous avec le maire pour parler de cuisine interne, de l'importance de ces événements eu égard aux sondages d'opinion et aux prochaines échéances électorales.

La déclaration de Lassiter fut brève et concise. Un inspecteur de la police de Washington avait été assassiné. L'homme dont on voyait la photo devait être interrogé en relation avec ce crime. Rien de plus. Pour le moment, la police ne pouvait ni confirmer ni démentir son implication dans ce drame, mais il fallait quand même le localiser à tout prix. Aucun autre sujet ne fut abordé. Ni Catherine Sheridan ni le Tueur au ruban. Rien.

L'allocution dura une minute et huit secondes. Les caméras s'éteignirent. Miller et Roth, éblouis par les éclairages violents, restèrent sur place, tandis que Lassiter quittait le plateau, en grande discussion avec Nanci Cohen.

« Au moins, ma femme saura où je suis », observa Roth, dans une tentative pour détendre un peu l'atmosphère.

Miller lui adressa un sourire résigné.

« Où est-ce qu'on va, maintenant ?

— On retourne au n° 2 pour voir ce qu'ils ont trouvé dans les bouquins. »

Roth acquiesça. De toute façon, ils n'avaient nulle part ailleurs où aller.

50

« Alan Quinn, dit Jim Feshbach. Écrasé par un automobiliste devant chez lui, juste avant Noël 1998. Tué sur le coup. » Il souleva la feuille de papier sur laquelle figuraient les initiales et les dates. « On n'en a identifié qu'une petite partie… Il y a une fille de 26 ans, une certaine Jacqueline Price. Abattue d'une balle de 22 dans la tête à Archbold Park. Début de soirée, aucun indice, aucune arrestation.

— Des exécutions, commenta Miller.

— Quoi ?

— Des exécutions, voilà de quoi il s'agissait… Tous ces gens-là ont été exécutés.

— Je ne comprends pas, répondit Feshbach, perplexe.

— Moi non plus. On ne trouvera jamais le moindre dénominateur commun entre eux, pas en tant que tels, pas en surface… Mais si on creuse un peu, je peux te garantir que chacune de ces personnes, à un moment ou à un autre, a été évaluée pour des questions de sécurité.

— On a retrouvé votre indic, le Noir, intervint Vince Littman.

— Darryl ? demanda Roth.

— Lui-même. Darryl King… Le 7 octobre 2001. Tué au cours d'une descente antidrogue, pendant que votre cher McCullough était censé couvrir ses arrières. De là à savoir pourquoi ce type a embarqué un quidam de base dans cette galère…

— Ce n'était pas un quidam de base, dit Miller. Aucun de ces gens-là ne l'était, d'ailleurs.

— Mais alors ils étaient quoi, bordel ? fit Littman. Tu parlais de protection de témoins, c'est ça ? »

Miller lui lança un sourire caustique, presque sardonique. « De protection de témoins ? Oui, sans doute… Mais surtout de liquidation de témoins.

— Tu penses qu'ils savaient des choses ? demanda Roth. Mais quoi ? Merde, ils avaient tous des boulots différents… On est en train de parler de meurtres qui remontent à neuf ou dix ans.

— Oh ! plus que ça, à mon avis. Je suis sûr qu'ils ne sont pas tous recensés là-dedans. Je crois qu'il s'agit seulement de ceux dont Robey a gardé la trace à partir du moment où il a compris ce qui se passait.

— Écoute, je suis perdu, là… Qu'est-ce qu'il aurait compris ?

— Je l'ignore encore, mais tout ça témoigne d'une volonté de nous impliquer. J'imagine qu'il a dû vouloir s'en charger tout seul… » Sur ce, il secoua la tête et se pencha en avant, les coudes sur les genoux, les deux paumes jointes. « Je ne comprends pas… reprit-il d'une voix posée. Je ne comprends pas ce qui se passe. Il sait que des gens se font assassiner. Il garde une trace d'eux. Comment fait-il la distinction entre les crimes qui sont liés entre eux et ceux qui n'ont rien à voir ? Comme un type fauché par une bagnole, par exemple ? Comment sait-il ça ? Parce qu'il a des archives, ou accès aux archives. Il épluche les journaux, il repère les faits divers – meurtres, homicides inexpliqués, accidents apparents… Et il arrive à les corroborer. Il a des ordinateurs chez lui. Deux ou trois. Il possède un récepteur de la police. Il sait ce qu'il fait, il sait ce qu'il cherche. » Miller se tourna alors vers Roth. « Quand est-ce qu'il a commencé à enseigner au Mount Vernon College ? »

Roth chercha parmi les pages du dossier. « En mai 1998.

— Et la première date dont on dispose ? Le 12 mai 1998.

— Ce qui me laisse penser que c'est bien lui qui tuait, intervint Feshbach. Franchement, il arrive à Washington et des gens commencent à mourir. Ça paraît logique, non ?

— En effet, ça paraît logique, mais je ne suis pas certain que ce soit la réalité.

— Et l'histoire du Tueur au ruban ? demanda Riehl. Qu'est-ce qu'on en fait ?

— Je pense qu'il n'y a pas qu'un seul tueur, dit Roth.

— Il était au courant pour la lavande, expliqua Miller.

— Quoi ?

— Robey était au courant pour la lavande…

— Comment est-ce qu'il pouvait savoir ça, bordel ? Ce n'était même pas dans les journaux !

— Donc, dit Riehl, Robey était forcément un des tueurs. S'il savait pour la lavande, c'est qu'il a *forcément* assassiné ces gens. Et sans doute assassiné Oliver, par la même occasion. »

Miller se leva. « Non, je ne le sens pas comme ça… Il sait ce qui se passe mais je ne pense pas que ce soit lui.

— Soit il est mouillé dedans, soit il a eu accès à des fichiers confidentiels et pris connaissance de détails qui n'ont jamais été dévoilés. »

Le téléphone sonna. Feshbach décrocha. « Oui, répondit-il avant de tendre le combiné à Roth. C'est Lassiter. »

Roth se saisit du téléphone, écouta pendant quelques secondes, hocha la tête et raccrocha.

« Rendez-vous au bureau de Lassiter », dit-il à l'intention de Miller.

Les deux hommes montèrent à l'étage.

« Asseyez-vous », leur annonça leur supérieur dès qu'ils entrèrent dans son bureau.

Leur patron avait l'air totalement défait. En revanche, le procureur adjoint Nanci Cohen semblait toujours en forme. C'était une femme à poigne, qui endurait cette épreuve avec courage. Miller lui vouait un immense respect.

« On a un énorme problème, continua Lassiter. Il semblerait qu'on ait créé une sorte de Frankenstein… » Il eut un sourire las. « Il y a un quart d'heure, j'ai reçu le coup de fil d'une certaine Carol Inchman, qui travaille à la maison de retraite Bancroft…

— Là où se trouve Bill Young, intervint Miller.

— Exactement. Bill lui a demandé de nous appeler pour expliquer que la photo de John Robey qu'on a diffusée n'était pas la bonne.

— C'était McCullough, c'est ça ? » devina Roth.

Lassiter s'enfonça sur son siège. « Je commence à avoir une vague idée de ce qui est en train de se passer… » Il jeta un coup d'œil à Nanci Cohen, comme pour trouver chez elle une forme de réconfort. Mais rien ne vint. « Vous leur dites ou je m'en charge ?

— On a un communiqué, se lança-t-elle.

— Un communiqué ? demanda Miller.

— Un communiqué.

— De qui ?

— Du ministère de la Justice. »

Miller regarda Roth. Roth regarda Lassiter. Celui-ci haussa les épaules et secoua la tête, dépité.

« Le ministère de la Justice ? »

Cohen confirma d'un hochement de menton. « Le ministère de la Justice. Vous savez comment ça fonctionne, non?

— Quoi donc?

— La prise de décision dans ce genre d'affaires.

— Comment ça?

— Vous avez d'abord le Président. C'est lui qui est aux commandes. Au-dessous de lui, les trois branches du pouvoir : législatif, judiciaire et exécutif. On pourrait croire que le ministère de la Justice relève du pouvoir judiciaire, mais non. Il appartient pleinement à la branche exécutive de l'État.

— Comme la CIA, non? demanda Roth.

— Oui, comme la CIA, le FBI, le département d'État, le Conseil de sécurité nationale... Tous. La justice est incarnée par la Cour suprême des États-Unis et par son président, qui est en dernier ressort la personne à qui je dois des comptes en tant que procureur adjoint.

— Donc on a un communiqué du ministère de la Justice, et... ?

— Et les gens du ministère prennent bien soin de confirmer que... » Nanci Cohen s'interrompit, le temps que Frank Lassiter lui passe une feuille de papier. « Voilà, dit-elle. L'exacte transcription du coup de fil qu'on a reçu environ un quart d'heure après la conférence de presse de Frank. » Elle s'éclaircit la voix. « "Le ministère de la Justice souhaite affirmer que, en l'état actuel des choses, il n'existe aucune indication claire selon laquelle John Robey aurait travaillé dans une instance officielle au service d'un ministère ou d'une agence liée au gouvernement américain, et qu'il n'existe aucune trace d'une quelconque procédure pénale engagée contre sa personne. Néanmoins, vu la nature de l'enquête menée actuellement et étant donné qu'un officier de la police de Washington a été assassiné, le ministère de la Justice a décidé que cette enquête serait désormais confiée au FBI"... »

Miller bondit de son fauteuil. « Quoi ? Qu'est-ce que c'est que cette connerie ?

— Asseyez-vous ! » répliqua aussitôt Lassiter.

Miller se rassit lourdement, les yeux écarquillés, bouche bée.

« "... au FBI, et que toutes les investigations à venir seraient coordonnées par et à travers ce service. Les officiers de police actuellement en charge de l'enquête sont remerciés pour leur travail et pour leurs efforts, mais se verront confier de nouvelles missions par le capitaine de leur commissariat." »

Nanci Cohen regarda Miller, puis Roth.

Miller était groggy. Le sol se dérobait sous ses pieds. Il avait du mal à respirer. Il sentait ses paupières trembloter, ses poings se serrer et se relâcher involontairement. « Je ne... » répondit-il avant de se tourner vers son collègue.

Roth, les yeux clos, gardait la tête baissée. On aurait dit qu'il venait d'apprendre la mort de ses enfants.

Nanci Cohen se leva pour marcher jusqu'à la fenêtre. « Killarney est en route, dit-elle calmement.

— Killarney ?

— James Killarney... Celui que vous avez vu juste après le meurtre de Catherine Sheridan.

— Je sais qui c'est... Bordel, c'est lui qu'ils nous envoient ?

— Il est déjà en chemin, précisa Lassiter. Il sera ici avant minuit. Avec du monde. Ils vont tout prendre, les dossiers, les fichiers... Jusqu'au moindre petit bout de papier. L'appartement de Robey est déjà sous scellés. Il tombe maintenant sous le coup de la juridiction fédérale.

— C'est nul. Ils n'ont pas le droit. Merde, comment est-ce qu'ils osent même envisager de nous faire un coup pareil ?

— Parce qu'ils sont qui ils sont. » Nanci Cohen tenait une cigarette à la main. Elle la colla à sa bouche et sortit un briquet ; l'espace d'un instant, son visage disparut à moitié dans l'ombre. « Ils savaient ce qui se passait grâce aux rapports envoyés à Killarney. Tout ce qu'on découvrait, ils l'apprenaient quelques heures après.

— Ils n'allaient jamais nous laisser terminer cette enquête, si ? Franchement, entre nous, qui c'est, ce Robey à la con ? Attendez, ne me dites pas… Je sais qui il est.

— Ils ont jugé indispensable de confirmer qu'il ne travaille pour aucune instance ou agence gouvernementales, oberva Roth.

— Surtout, ils ont répondu à une question qu'on ne leur a jamais posée, répondit Cohen. Ce qui ne peut signifier qu'une seule chose…

— Qu'il *est* lié au gouvernement, fit Miller. Mais à quelle organisation ? Le FBI ? La CIA ? La NSA ? La Justice ? »

Lassiter se leva. « Cette conversation n'a jamais eu lieu », dit-il calmement.

Miller le regarda et vit Frank Lassiter comme jamais il ne se rappelait l'avoir vu jusqu'à présent. Comme un homme qui avait peur. Un homme terrifié.

« Cette conversation n'a jamais eu lieu dans mon bureau, répéta-t-il. On repart à la maison… Le procureur adjoint Cohen et moi rentrons à nos domiciles respectifs et, vous tous, vous allez attendre ici l'arrivée de l'agent fédéral James Killarney et de ses hommes. Vous leur donnerez accès à tout ce dont vous disposez en rapport avec cette affaire et vous les laisserez repartir avec. Vous ne leur

608

cacherez rien, et vous allez vous mettre dans la tête, une bonne fois pour toutes, que cette enquête n'est plus du ressort de la police. Il s'agit d'une affaire fédérale, et nous les laissons s'en occuper. Une fois qu'ils ne seront plus là, vous retournerez chez vous et vous passerez le week-end en famille ou avec vos amis... » Il s'interrompit pour prendre une longue inspiration, puis finit par se rasseoir. Ses mains s'agrippèrent aux accoudoirs de son siège. Elles étaient aussi blêmes que son visage. « On se remettra au travail dès lundi, avec de nouvelles affaires à régler...

— C'est de la connerie! l'interrompit Miller d'une voix déterminée, autoritaire. Je n'en reviens pas que vous les laissiez faire ça...

— Que je les laisse faire ça? fit Lassiter sur un ton tout aussi véhément. Que je les laisse faire ça? Mais qu'est-ce que vous racontez? Est-ce que vous savez un peu à qui vous avez affaire en ce moment? Il s'agit du gouvernement fédéral, inspecteur Miller! Le gouvernement, d'accord? Washington DC. Le siège du gouvernement fédéral. Et ce gouvernement fédéral est en train de m'expliquer que l'affaire sur laquelle j'enquête va être confiée à l'une de ses agences, et... Mais, bon sang de bordel, vous croyez que vous avez la moindre influence sur ce qui se passe? Et moi, vous croyez que j'en ai une? Qu'est-ce que vous voulez que je vous dise? Vous voulez qu'on les appelle sur-le-champ? Mais oui, bien sûr, comment n'y avais-je pas pensé? Je passe un petit coup de fil au directeur de cabinet de la Justice pour lui dire d'aller se faire mettre. Putain de Dieu...

— Ça suffit! s'écria Nanci Cohen. Si j'ai envie d'entendre ce genre de langage, je préfère aller directement dans les cités. Vous comprenez la situation, oui ou non? Vous allez devoir travailler ensemble dès lundi matin. Cette affaire vous a été retirée par la plus puissante autorité concevable. Ces gens font absolument ce qu'ils veulent. Donc il n'y a pas le choix. Vous, dit-elle en pointant Miller du doigt, vous faites ce qu'il vient de vous dire parce qu'il est votre capitaine. Et vous, ajouta-t-elle en se tournant vers Lassiter, il faut que vous compreniez un peu la frustration de vos hommes. Pour l'instant, vous êtes le seul contre qui ils peuvent s'énerver, alors laissez-les s'énerver. Ce n'est la faute de personne, bordel ! On a pris cette enquête en main, on a merdé… Ça y est, voilà que je me mets à parler comme vous. » Sur ce, elle rassembla sa mallette, son sac à main, son ordinateur de poche et son portable. « Je rentre chez moi. Et je vous invite à faire de même. »

Lassiter se leva pour la raccompagner jusqu'à la sortie. La porte refermée, il se rassit à son bureau.

« Elle a raison. La discussion est close, on rentre à la maison. On en reparle ensemble lundi… Ou on n'en reparle plus du tout. Merde, je n'en sais rien. Je suis incapable de réfléchir. »

Dans le regard qu'il leur lança, les deux inspecteurs sentirent qu'ils devaient non seulement l'aider à comprendre ce qui se passait, mais comprendre eux-mêmes le caractère intenable de sa position.

« Lundi, fit Miller.

— Lundi, oui. Vous avez bien bossé. Tous les deux. Vous avez creusé aussi loin que possible.

— On a creusé aussi loin qu'on nous l'a permis… »

Lassiter leva la main. « L'affaire est terminée, de même que les discussions sur le sujet.

— Ça ne vaut pas le coup, hein ? Je veux dire, si on persistait, ils trouveraient quand même une bonne raison de… »

Lassiter tendit la main et empoigna l'avant-bras de Miller. « Robert. Je vous l'ai déjà dit une fois, et je ne vais pas le…

— C'est bon. J'ai compris.

— Dans ce cas, allez en bas. Attendez Killarney. Soyez poli et, même, ne dites rien à ce type… Le minimum syndical, point barre. Laissez-les prendre tout ce qu'ils veulent, d'accord ? Je veux votre parole là-dessus. »

Miller regarda ses pieds, puis Roth, et de nouveau Lassiter. « Vous avez ma parole.

— Très bien. Je n'ai absolument rien à vous reprocher. Rentrez chez vous et passez le week-end en famille. Passez à autre chose, OK ? »

Sur ce, il ouvrit la porte et regarda les deux hommes sortir dans le couloir et marcher vers l'escalier.

Une fois qu'ils furent partis, il referma la porte tranquillement, revint à son bureau et s'assit. Jamais, se dit-il, jamais il ne s'était senti aussi fatigué, aussi vieux.

Lorsque James Killarney et ses six agents du FBI quittèrent le commissariat n° 2 de Washington en transportant dans trois camionnettes tout ce que Miller et Roth possédaient en rapport avec l'affaire du Tueur au ruban, il était 2 heures du matin passées. Ils laissaient derrière eux un bureau vide, un bureau qui semblait n'avoir jamais été occupé. Il ne restait plus que des corbeilles à papier, des cendriers et des blocs-notes vierges.

Le week-end avait déjà commencé. Ni Miller ni Roth n'avaient eu le temps de souffler depuis le 11 Novembre.

« Tu veux venir dîner à la maison dimanche ? » demanda Roth devant le commissariat. La nuit était froide, le ciel clair, et Miller voyait nettement la buée qu'il expirait.

Il fit signe que non. « Je vais dormir, plutôt. Je vais dormir jusqu'à lundi matin, et puis je verrai si j'ai toujours envie de continuer ce boulot. »

Roth esquissa un sourire compréhensif. « Tu auras envie de continuer.

— Qu'est-ce qui te fait dire ça?

— C'est dans tes veines, mon vieux... Cette saloperie, tu l'as dans le sang. »

Moins d'une heure plus tard, Robert Miller se tenait devant la fenêtre de chez lui qui donnait sur Church Street. Immobile, il entendait à peine sa propre respiration. Il tira lentement de sa poche un bout de papier plié. Tournant le dos à la fenêtre, il marcha jusqu'à la table basse, devant le canapé, déplia le bout de papier, l'aplatit contre la surface dure de la table et se replongea dans les interminables séries de lettres et de chiffres que Riehl, Littman et Feshbach avaient transcrites à partir des livres de Catherine Sheridan.

C'était la seule chose qui lui restait de cette affaire. Un pauvre papier noirci d'inscriptions codées qui correspondaient à plus d'une trentaine d'exécutions. Car il s'agissait bien de cela – il en était convaincu : des exécutions. Pour quel motif? Il l'ignorait. De même qu'il ne savait pas si John Robey – ou Michael McCullough, ou n'importe lequel des autres noms qu'il imaginait avoir été empruntés par cet homme – en était l'auteur. Néanmoins seul le mobile comptait, la raison fondamentale qui expliquait toutes ces morts... Ce cauchemar avait été créé, partagé avec le reste du monde, et on venait de le lui retirer sans qu'il ait pu dire un mot, choisir ou poser une seule question.

Vers 3 h 15, il se déshabilla paresseusement dans sa chambre et laissa ses vêtements en vrac par terre. Il se coucha dans son lit et tira les draps sur lui. Il s'endormit en quelques minutes. Cette nuit-là, il ne rêva pas – il n'en avait ni la force ni l'envie.

51

« Je l'ai dit à Zalman. Pas vrai, Zalman ? Je lui ai dit :
"Il est parti. Robert s'est trouvé une fille et il est parti." »
Harriet lui versa encore du café. Bientôt 13 heures.
Samedi 18. Miller avait dormi jusqu'à midi, il s'était levé,
avait pris une douche, traîné dans son appartement une
bonne demi-heure et rejoint le *deli* en bas pour y subir
l'interrogatoire auquel il s'attendait. « Où étais-tu passé ?
Pourquoi tu as l'air si fatigué ? Comment ça, tu ne te rases
plus le matin ? Qu'est-ce que tu as mangé ces derniers
jours ? Des cochonneries et du Coca-Cola, pas vrai ? »
Le feu nourri des questions se prolongea jusqu'à ce que
Miller prenne Harriet Shamir dans ses bras et la serre fort
contre lui.

« Je suis inspecteur de la police de Washington, lui
glissa-t-il à l'oreille. En haut, j'ai une arme. Si tu n'arrêtes
pas immédiatement de me harceler, je monte chercher
mon pistolet… »

Harriet se tortilla pour se dégager de son étreinte et
lui martela l'épaule avec une cuiller en bois. Elle lui
dit de s'asseoir, de la boucler, de se montrer plus poli
et d'attendre que le repas soit prêt. « Vas-y alors… Va
prendre ton pistolet… Tu as entendu, Zalman ?

— Oui, j'ai entendu !

— Et qu'est-ce que tu comptes faire, hein ?

— Je pensais justement aller monter lui chercher son arme. »

Miller éclata de rire. « Tu vois ? Nous les hommes, on est solidaires.

— C'est ça, oui. Comme la merde collée aux chaussures.

— Oh ! Harriet ! Je n'en reviens pas que tu aies dit ça.

— Eh oui, comme quoi… J'ai dit ça. Maintenant on se tait – et je m'adresse à vous deux », ajouta-t-elle en haussant le ton afin que son mari l'entende à l'autre bout de la salle.

Après avoir apporté du café, elle s'assit et posa sa main sur celle de Miller.

« Bon, raconte-moi un peu. Cette affaire qui t'occupait, c'est terminé ?

— En gros, oui.

— "En gros, oui" ? C'est oui ou c'est non ? Je ne comprends pas.

— L'enquête a été confiée à quelqu'un d'autre.

— Parce que tu ne travaillais pas assez dur ? Parce que tu te nourris mal, que tu ne dors pas assez et que tu es paresseux, c'est ça ?

— Non. Parce que je travaillais trop, justement. »

Harriet lui adressa un sourire satisfait. « Tu vois, il y a d'autres personnes un peu sensées à ton travail. Ça fait des années, pas vrai, que je te répète que tu travailles trop.

— Pas dans ce sens-là », répondit Miller.

Il sentit alors quelque chose, une légère angoisse qui frisait presque la paranoïa. Comme si, désormais, tout ce qu'il dirait à propos de cette affaire serait immédiatement entendu, épié, analysé. Il avait dormi. Il allait mieux. Certes il avait besoin de manger, mais son esprit était tout de même plus affûté que la veille au soir. L'affaire Robey leur avait été subtilisée, arrachée des mains par des gens

614

qu'il ne connaissait pas et ne connaîtrait jamais. Il n'avait même pas envie de comprendre le pourquoi du comment. Il voulait prendre un peu de recul, passer du temps avec des gens qui ne savaient pas qui étaient Catherine Sheridan ou John Robey, ni comment le gouvernement américain avait favorisé une épidémie de crack sur son propre territoire dans les années quatre-vingt et quatre-vingt-dix…

« Dans quel sens, alors ? demanda Harriet.

— Je ne peux pas en parler.

— Mais cette histoire est terminée pour toi. Je sais, je t'avais dit que je ne t'interrogerais jamais sur ton travail en cours, mais si c'est terminé…

— Ce n'est pas terminé. C'est un autre service qui a pris le relais.

— Mais pas parce que tu n'as pas assez travaillé ?

— Non, pas pour ça.

— Pourquoi, alors ? À cause de certaines choses qu'on ne voulait pas que tu découvres ? »

Miller tressaillit. Il savait qu'il venait de réagir, et c'était bien la dernière chose qu'il souhaitait. Harriet n'allait plus le lâcher si elle sentait qu'il lui cachait quelque chose. En général, ça concernait les filles. Mais cette fois-ci…

« Dis-moi », insista-t-elle.

Miller lui serra la main et la regarda droit dans les yeux. « Tu t'es déjà retrouvée dans une situation où tu t'es inquiétée pour ta propre vie ?

— Inquiétée pour ma propre vie ? J'ai 73 ans, Robert. J'en avais 8 quand les Allemands ont tué mes parents. J'ai survécu aux camps, tu sais ?

— Je sais, Harriet, je sais.

— Je me suis retrouvée un jour à tenir un pauvre quignon de pain dans le creux de ma main en sachant que ça aurait suffi pour me faire exécuter sur place. Mais je l'ai gardé, ce bout de pain, et je n'ai rien montré sur mon visage, et je l'ai donné à ma sœur.

— Je ne voulais pas…

— Hé ! »

Miller leva les yeux vers elle.

« Depuis quand on se connaît ? Raconte-moi ce qui se passe. Qu'est-ce qui pourrait arriver de pire ? Si c'est tellement pénible, alors tu es déjà dans le pétrin jusqu'au cou. Moi, j'ai 73 ans. Parfois j'ai juste envie de m'allonger sur le lit et de me laisser mourir de faim. Tu comprends ? Parfois je n'ai plus la force pour rien, mais tu sais ce que me dit Zalman ? »

Miller fit signe que non.

« Il me dit de me lever et d'aller travailler, sinon je vais devenir comme la grosse feignasse qui habite juste au-dessus de la boutique. »

Miller la regarda droit dans les yeux, fronça les sourcils et comprit soudain ce qu'elle venait de dire.

Ils se mirent à rire ensemble, d'un rire sonore et tonitruant qui attira Zalman jusqu'à l'embrasure de la porte.

« Je vous préviens, j'espère que vous ne vous foutez pas de moi.

— De toi ? répliqua Harriet. Si seulement tu étais assez drôle pour me faire rire comme ça.

— *Ach*, grommela Zalman avant de s'en retourner voir les clients.

— Dis-moi donc, reprit Harriet une fois leur sérieux retrouvé. Dis-moi quelle saloperie est en train de te briser le moral comme ça. »

Miller regardait ses propres mains. Il ouvrit la bouche pour parler, sans savoir quoi dire ni même s'il voulait dire quelque chose ; mais les mots sortirent quand même. Tout en prenant soin de ne citer aucun nom, aucun détail, il raconta à Harriet une partie des événements de la dernière

616

quinzaine. Une fois qu'il eut terminé son récit et révélé ce qu'il pouvait révéler au sujet des femmes assassinées et des guerres du passé, de la drogue et de la politique, Harriet Shamir lui caressa la main et dit : « Je vais t'expliquer un peu comment je vois le monde. Ensuite tu pourras prendre la bonne décision.

— Qu'est-ce que tu vas m'expliquer ?

— Je connaissais autrefois un pasteur. Je ne me souviens ni de son nom ni de l'église où il officiait, mais peu importe. Il a été emmené dans les camps, et il a écrit cette histoire des années plus tard. Il racontait que les nazis étaient d'abord venus pour les Juifs, mais lui n'était pas juif, alors il n'a rien dit. Il s'est tu. Il s'est noyé dans la masse. Après les Juifs, ça a été le tour des Polonais, mais lui n'était pas polonais, alors il n'a rien dit. Ensuite, ça a été les universitaires et les intellectuels, mais lui n'était ni l'un ni l'autre, alors il n'a rien fait, rien dit. Puis ils ont emmené les artistes et les poètes. Et lui n'était ni artiste ni poète, alors il n'a rien fait… »

Miller acquiesçait. « Je connais cette histoire… Finalement on vient le chercher, et, parce qu'il ne reste plus personne, alors personne n'est là pour parler à sa place.

— Exactement.

— Je comprends bien, mais je ne vois pas le rapport avec moi. »

Harriet sourit. « Je me fous de ce qu'on raconte maintenant sur l'Allemagne nazie. L'Allemagne nazie, c'était l'Allemagne nazie. Avant ça, il y avait eu un long, long passé de persécutions, et depuis c'est la même chose. Regarde les Noirs, regarde la guerre entre les Israéliens et les Palestiniens, la Corée, le Vietnam, toutes ces histoires dans lesquelles les Américains ont trempé… C'est toujours la même guerre qui se poursuit décennie après décennie… »

Elle leva les yeux au moment où Zalman parut à la porte. « Qu'est-ce que tu as encore fait ? demanda ce dernier à Miller. Tu ne l'as pas lancée sur la politique, dis-moi ? »

Miller lui répondit par un sourire.

Harriet grimaça. « Va au diable. C'est une discussion privée. »

Miller entendit Zalman marmonner dans sa barbe en repartant.

« Les secrets les mieux gardés sont ceux que tout le monde peut voir, reprit Harriet.

— Oh là là !… C'est un peu trop profond…

— Quoi ? Tu te moques de moi ?

— Non, non… je ne me moque pas de toi.

— Alors écoute ce que je vais te dire. Regarde un peu autour de toi. Les gens ont peur de parler de ce qu'ils ont juste sous leurs yeux.

— Bon, ça suffit. Je n'avais pas prévu d'avoir cette conversation aujourd'hui.

— Pourquoi m'as-tu parlé de tout ça, alors ?

— Ma foi, Harriet, je n'ai pas vraiment eu le choix.

— Le choix ? rit-elle. Le choix ? Mais ça se voit comme le nez au milieu de la figure. Tu viens ici avec le poids du monde entier sur tes épaules et tout ton visage qui dit : "Demandez-moi ce qui ne va pas, demandez-moi ce qui se passe…" Tu crois que je ne m'en suis pas rendu compte ? »

Miller ne dit rien. Il sentait une tension lui nouer les tripes, née de la peur et de la frustration. Il ne savait pas si c'était dû à la perspective de ce qu'il découvrirait ou au fait qu'il risquait sa carrière – voire sa vie peut-être – s'il fourrait encore son nez dans cette affaire. Mais rien n'y faisait : il savait désormais qu'il n'y avait pas d'autre chemin possible. Il était déjà hanté, il n'avait pas besoin de nouveaux fantômes. Comme avec Brandon Thomas et Jennifer Irving, il savait ce qu'il avait vu. Un petit secret, certes, mais un secret quand même. Chaque être humain possédait ses propres démons. John Robey. Catherine Sheridan. Le type qui accomplissait cette sinistre besogne, qui procédait à ces exécutions…

Les démons étaient là, dehors, et Miller savait qu'il fallait faire quelque chose.

« Allez, viens manger avec nous, lui dit Harriet. Après, tu verras quoi faire, d'accord ?

— Très bien. »

Ils se levèrent de table et marchèrent jusqu'à l'avant de la boutique.

52

Miller ne prit pas sa voiture jusque chez Roth, à Old Downtown, au coin de E Street et de la 5ᵉ Avenue. Il ne lui téléphona pas pour lui demander son avis – pas le temps.

Après avoir déjeuné avec le couple Shamir, il remonta chez lui pour se raser et se laver. C'est à ce moment-là, un peu avant 15 heures, que son portable sonna ; sans réfléchir ni même regarder qui l'appelait, il attrapa le téléphone sur la commode près de son lit. « Oui ?

— Allez dans la cité.

— Qui est à l'appareil ? »

Il connaissait cette voix.

« Fermez-la et écoutez…

— Robey ? »

Miller avait le souffle court. L'espace d'une seconde, il eut envie de balancer son portable par terre.

« Allez dans la cité. Trouvez la diplomate.

— Quoi ? La diplomate ? Quelle diplomate ? »

La ligne coupa.

« Robey ? Robey ! » Mais il savait que c'était inutile. Il chercha aussitôt dans la liste des numéros entrants. Rien. Il était simplement écrit : « Appel 1 ».

Il resta figé, son portable à la main, incapable de bouger.

« Allez dans la cité. Trouvez la diplomate. »

Qu'est-ce que ça voulait dire ? La cité ? Celle de Natasha Joyce ? Et qui était la diplomate ? Que diable signifiait tout cela ?

Il s'habilla rapidement, enfila une chemise propre, mit ses chaussures, sa veste. Il sortit son pistolet du tiroir à côté du lit, prit sa carte de police et son bipeur, puis quitta son appartement. Il dévala l'escalier de service et marcha jusqu'à l'emplacement où était garée sa voiture personnelle.

Il ne pouvait s'agir que de la cité de Natasha Joyce. Il n'y en avait pas d'autres...

Soudain, Miller s'arrêta, la clé toujours sur le contact. Pendant quelques instants, il repensa au coup de fil qu'il venait de recevoir. Il avait discuté avec John Robey, un homme recherché par la police et les autorités fédérales, un homme qui en savait plus que quiconque sur ce qui s'était passé, un homme qui venait de se volatiliser, qui avait pris la tangente, objet d'un avis de recherche auprès de l'ensemble des services de police et des chaînes de télévision...

La question était simple. Avait-il vraiment la certitude que Robey n'était pas le Tueur au ruban ? En était-il si sûr ? Assez sûr, en tout cas, pour obéir à ses injonctions sans broncher, sans demander du renfort, sans le dire à personne ?

Il avait les mains moites. Il retrouva le chiffon avec lequel il nettoyait l'intérieur du pare-brise et s'essuya les mains. Il baissa la vitre, côté conducteur, et prit de longues bouffées d'air. Malgré tout le mal qu'il avait à maîtriser ses émotions, il essaya de se concentrer, de comprendre ce que voulait John Robey, pourquoi ce dernier l'avait choisi – à moins qu'il ne se fût agi que d'un hasard. Un hasard ? Miller se surprit à sourire. Il ne croyait pas au hasard. Une coïncidence ? Un coup de chance ? Non, impossible : que pouvait-il sortir de bon de tout ça ? Il était sur le point de poursuivre une enquête qu'on lui avait pourtant interdit de poursuivre, et d'obéir aux instructions données par un homme qu'il était censé retrouver. Cette affaire avait signifié pour lui le retour au monde réel ; elle s'était totalement emparée de sa vie. Il avait maintenant la possibilité de passer son chemin, pour la première fois depuis le début de ce cauchemar, de faire autre chose, d'échapper à la machination, à la folie..

Mais il ne pouvait pas s'y résoudre.

Harriet Shamir le savait, elle. De même que John Robey.

Sa main tremblait. Il agrippa le volant et se pencha en avant jusqu'à ce que son front se pose sur ses phalanges.

« Nom de Dieu ! »

Malgré ce qu'il ressentait, malgré la peur qui lui nouait le ventre, il mit le contact et s'en alla.

Quarante minutes plus tard, de nouveau confronté au paysage sinistre qu'il avait découvert avec Roth le jour de leur visite chez Natasha Joyce, Miller était assis dans sa voiture. Pendant que le moteur refroidissait, il contempla le désert de béton qui s'étalait devant les tours, toujours aussi vide, désolé et morne. Il ne put s'empêcher de repenser à Natasha, au spectacle qu'il avait eu sous les yeux en découvrant son cadavre. Il pensa aussi à Chloe, à ce qu'elle deviendrait. À toutes les personnes abandonnées à leur sort quand Margaret Mosley, Barbara Lee et Ann Rayner avaient rencontré la mort. Sans même parler des autres…

« Trouvez la diplomate. »

Après avoir vérifié qu'il avait bien son pistolet, il ouvrit la portière.

Vingt minutes plus tard, il avait déjà discuté avec trois ou quatre passants lorsqu'il tomba sur une bande de jeunes qui traînaient au coin d'un bâtiment aux allures de vestige de guerre.

« Y a personne qui s'appelle comme ça ici », lui répondit le plus loquace. Il y avait toujours un leader autoproclamé, celui qui parlait pour les autres. Il décocha un grand sourire. Une dent sur deux était en or. Un sourire de folie.

« Ici, on a de tout, mec, mais pas de diplomate. »

Un des gamins, qui ne devait pas avoir plus de 14 ou 15 ans, s'avança et fit signe au leader de s'approcher. Le leader recula, échangea quelques mots avec le petit, puis il lança de nouveau à Miller son sourire à 5 000 dollars « Quelqu'un t'a envoyé ici chercher la diplomate ? »

Miller acquiesça. « Exact.

— Et c'est une nana dont tu parles ?

— Je crois bien, oui.

— Ce que je veux dire par là, c'est que c'est peut-être pas une personne que tu cherches.

— Je ne vois pas comment ça pourrait être autre chose qu'une personne.

— T'as 50 dollars sur toi ? » demanda le leader.

Miller fit la grimace.

« Je n'ai pas 50 dollars sur moi.

— Mon cul, oui ! T'as pas 50 dollars sur toi ? »

Miller rigola. « Non. Je suis sérieux. J'ai peut-être 30, 35 dollars. C'est tout.

— Vas-y, mec. Balance.

— Quoi ?

— Tu balances tes 35 dollars et on te montre la diplomate.

— Vous la connaissez ? »

Le leader se retourna et montra du doigt le gamin avec qui il venait de parler. « Mon pote sait où elle est. Sors le fric et on t'emmène là-bas. »

Miller vida tout le contenu de ses poches.

« 36 dollars et 70 cents, dit-il en donnant billets et pièces au leader qui fourra le tout dans sa poche de jean.

— Oh! cria l'autre à l'intention du gamin. Montre au gars la diplomate. »

Le gamin sourit, fit demi-tour et se mit aussitôt à courir. Miller lui emboîta le pas, suivi des six ou sept autres jeunes. Ça devenait l'événement de la journée : des gamins qui hurlaient, Miller devant eux, un autre petit devant lui. On aurait dit que celui-ci se faisait courser et que la bande essayait de rattraper Miller pour l'arrêter. Au bout de deux ou trois minutes, le gamin ralentit enfin et se retourna. Il revint à hauteur de Miller, la main droite tendue, et, trente ou quarante mètres plus loin, indiqua un point sur la droite. Miller essaya de voir ce que le petit lui montrait.

Il n'aperçut rien d'autre que la carcasse d'une voiture carbonisée, des caisses et des bouts de bois qui jonchaient le sol, un fauteuil retourné dont le rembourrage du dossier avait été méticuleusement dépiauté. En revanche, personne dans les parages. Il ne voyait pas qui le gamin désignait du doigt.

« Où ça ? demanda-t-il. Qu'est-ce que tu veux me montrer ? »

Le gamin éclata de rire. « La voilà, ta diplomate. »

À présent, le leader, hilare, les avait rejoints. Miller se demandait à quoi tout cela rimait.

« Il a raison, dit le leader. Elle est là, ta putain de diplomate. »

Miller regarda une fois de plus mais ne voyait toujours rien. « Qu'est-ce que c'est que cette connerie ? On avait fait un deal.

— Et on l'a respecté, ton deal, répondit le leader avant de faire signe au petit de venir. Dis-lui. Dis-lui un peu ce que c'est.

— Une Dodge, fit le gamin. Une Dodge Le Baron Diplomat, modèle 78. »

Il indiqua la carcasse calcinée.

« C'est une Diplomat ?

— Bien sûr que c'en est une, dit le leader. Mon pote connaît toutes les bagnoles qui sont sorties depuis je sais pas quand. Il a un fichier des bagnoles dans la tête ! Un putain de fichier, je te dis. »

Miller s'approcha de la voiture. Noircie par le feu, la peinture originale était devenue méconnaissable, les vitres avaient sauté, les pneus fondu. Tout avait été consumé par les flammes.

Miller se retourna vers la bande de jeunes. « Depuis combien de temps est-ce qu'elle est là ?

— Deux jours, répondit l'expert automobile. Elle a été amenée ici et incendiée avant-hier.

— Jeudi.

— Jeudi », confirma le gamin.

Miller jeta un coup d'œil à l'intérieur, par le cadre des vitres. Il fit le tour de la carcasse noire, faisant crisser le verre brisé sous ses pieds, humant l'odeur de caoutchouc, de peinture et de métal carbonisés. Le lendemain du meurtre de Natasha Joyce, quelqu'un avait conduit cette voiture jusque-là et y avait mis le feu. Pourquoi ? Quel sens fallait-il y voir ?

Les jeunes lui emboîtèrent le pas, curieux ; ils inspectaient la voiture, ils se demandaient de quoi il pouvait bien s'agir.

« Il faut que j'ouvre le coffre », dit Miller.

Deux des gamins se mirent à chercher quelque chose. L'un d'eux lui tendit un démonte-pneu à l'extrémité recourbée. L'empoignant à deux mains, Miller força plusieurs fois le verrou jusqu'à ce que celui-ci saute et tombe bruyamment à l'intérieur. Il utilisa alors le bout du démonte-pneu pour soulever le coffre.

L'odeur était insupportable.

Un des gamins commença à hurler. Un autre se retourna, pris de haut-le-cœur. Il fallut à Miller quelques instants pour comprendre ce qu'il avait sous les yeux. Il savait de quoi il s'agissait. Il le savait très bien, mais c'était comme si son cerveau essayait par tous les moyens de transformer la réalité.

L'homme avait été ligoté, pieds et mains repliés vers l'arrière, avec une corde tellement serrée que son dos était arqué. Une sorte de cagoule avait été enfilée sur sa tête, mais le feu l'avait brûlée et décomposée, si bien qu'on voyait ce qui restait du visage. Un rictus de douleur, une douleur atroce. Les dents étaient visibles, les lèvres avaient été carbonisées, le nez quasiment détruit, les oreilles et les cheveux plus ou moins collés ensemble, en un amas sombre de sang et de chair qui s'était manifestement fixé sur un côté du visage avant de se dissoudre le long de la joue. L'abri du coffre signifiait qu'au lieu de brûler l'homme y avait cuit jusqu'à la mort. Miller fut pris d'une nausée qui lui remonta dans le ventre, jusqu'à la gorge.

La plupart des jeunes avaient détalé. Mais le leader était toujours là, les yeux écarquillés, la bouche ouverte. Il essaya de dire quelque chose à deux ou trois reprises, puis il serra les dents et se tut.

Miller sortit son portable. Il appela Roth, lui expliqua où il se trouvait et ce qu'il avait découvert. Roth lui demanda comment il avait appris cela, d'où provenait le renseignement. Miller dit qu'il le rappellerait plus tard. Il téléphona ensuite au commissariat n° 2 en demandant à ce qu'un médecin légiste soit envoyé dans la cité. Pour finir, il joignit directement Marilyn Hemmings.

« Inspecteur Miller, dit-elle.

— Bonjour... J'allais vous appeler...

— Non, ce n'est pas vrai.

— Mais bien sûr que si…

— Qu'est-ce que vous voulez, Miller ? fit-elle sur un ton sec, un peu hautain.

— J'ai besoin de votre aide, Marilyn.

— Encore ? Mais vous me prenez pour qui ? Pour l'Association de soutien et de solidarité envers l'inspecteur Robert Miller ?

— Je suis en ce moment même devant le corps d'un homme qui a été brûlé jusqu'à l'os dans le coffre d'une voiture, et j'aurais besoin qu'une autopsie soit pratiquée immédiatement.

— Immédiatement ? Un samedi soir, à 17 heures ?

— Je sais, je sais… Mais c'est très important.

— Je n'en doute pas un seul instant, inspecteur Miller, mais le rendez-vous que j'ai à 19 heures est également très important. Avant que les experts scientifiques aient fait leur boulot sur place, je récupérerai le corps vers 21 ou 22 heures – et encore, au plus tôt…

— Vous pourriez venir après ? Enfin… Est-ce que vous pouvez revenir faire ça après votre rendez-vous de 19 heures ? »

Marilyn Hemmings ne répondit pas.

« Marilyn ?

— Qu'est-ce que ça veut dire, Robert ? Vous croyez quoi ? Que je suis là pour obéir à vos caprices à n'importe quel moment ? D'accord, c'est mon boulot, mais je termine ma journée à 17 h 30, ensuite je sors, et après j'ai prévu de rentrer chez moi, et il sera tard, donc je me ferai une petite tisane, je répondrai à mes mails et j'irai me coucher. Voilà ce que je vais faire, Robert, ou en tout cas ce que je compte faire ce soir. Et non, je n'ai aucune envie de me traîner au boulot jusqu'à 22 ou 23 heures pour examiner le corps carbonisé d'un pauvre enfoiré qui s'est retrouvé coincé dans le coffre d'une voiture…

627

— Marilyn… Marilyn, j'ai vraiment besoin de votre aide sur ce coup-là.

— Laissez tomber, d'accord ? Vous avez l'équipe de nuit pour le faire. Qui est prévu ce soir ? » Hemmings s'éloigna du combiné et appela Tom Alexander. « Tom ? Tom ? Qui est prévu ce soir ? »

Miller entendit la voix distante de Tom Alexander.

« Urquhart, reprit Hemmings. Kevin Urquhart. Il est aussi compétent que nous. Il sera là toute la nuit, Robert, et il pourra vous offrir tout ce que vous voudrez, d'accord ?

— Sérieusement, Marilyn, j'ai besoin de quelqu'un qui connaît la situation. Pour moi l'enjeu est énorme, vraiment énorme, et j'ai besoin de votre aide.

— Et pourquoi est-ce que je devrais vous aider, bordel ? Dites-moi. Pourquoi est-ce que je devrais, une fois de plus, me casser la tête pour vous aider ? Je crois que vous m'avez suffisamment foutue dans la mouise comme ça et je ne vois vraiment pas pourquoi…

— Vous m'en voulez parce que je ne vous ai pas rappelée ? »

Marilyn Hemmings éclata de rire – soudainement, brusquement. « Mais je rêve ou quoi ? Je n'ai même pas envie d'en parler avec vous.

— Je vous rappelle plus tard, dit Miller. Quand le cadavre arrivera au bureau du coroner.

— Faites comme vous voulez, Robert. »

La ligne coupa. Miller commençait à se demander s'il aurait pu gérer la situation de pire manière lorsqu'il fut interrompu dans sa méditation par un bruit de moteur, le hurlement d'une sirène et une série d'éclairs bleutés. Deux véhicules banalisés et un fourgon de la police scientifique arrivaient au bas de l'immeuble.

628

Les jeunes s'égaillèrent tous, à l'exception du leader, qui lança à Miller son sourire à 5 000 dollars et secoua la tête.

« Ici, mec, dit-il, on est peut-être des dingues mais au moins on cuit pas les gens dans leurs bagnoles. »

Puis il fit volte-face et disparut avant même que Miller puisse lui répondre.

53

Sur le coup de 20 h 40, les techniciens médico-légaux déposèrent le cadavre au bureau du coroner. Miller avait reparlé avec Roth pour lui dire qu'il valait mieux qu'il reste en dehors de ça, mais qu'il serait tenu au courant si du nouveau survenait. Il avait senti un soulagement dans la voix de son collègue. En revanche, il n'appela pas Lassiter et ne laissa aucun message au procureur adjoint Cohen. Pour le moment, il voulait être le seul à connaître l'existence d'un éventuel lien entre John Robey et une Dodge Diplomat carbonisée abandonnée au milieu d'une cité. S'ajoutait à cela le fait que le rapport de la police scientifique sur l'appartement de Natasha Joyce n'avait jamais été transmis. Miller commençait même à se demander si l'analyse scientifique avait bien été faite.

Ce fut Greg Reid qui lui téléphona pour savoir où il était, ce qu'il fabriquait et s'il pouvait se rendre au centre de médecine légale. Miller répondit par l'affirmative; il serait sur place avant 21 h 15.

Reid alla à sa rencontre dans le couloir du bâtiment annexe; il lui fit signe de longer le côté du bâtiment pour passer par la porte arrière. Miller ne posa aucune question. Il savait que Reid ne l'aurait pas contacté sans avoir quelque chose d'important à lui dire.

Reid le fit entrer dans un laboratoire situé à l'extrémité du bâtiment et le conduisit jusqu'à une table d'examen sur laquelle se trouvaient quelques fragments indistincts, ainsi qu'un sachet en plastique contenant une matière indéterminée.

« Ça sent le sale coup », dit Reid à voix basse en jetant des coups d'œil nerveux vers la porte par laquelle ils étaient arrivés.

Miller ne répondit rien. L'expression de son visage suffisait largement.

Reid enfila un gant en latex puis, à l'aide d'une paire de pinces, souleva un des petits fragments. « On a retrouvé ça autour du cou de la victime… Autant que je sache, à l'origine cette matière était de couleur orange. » Il plaça l'objet sur le bureau, reposa les pinces et se saisit délicatement du sachet. « Là-dedans, ce petit fatras informe est composé d'une série d'objets multicolores identiques… »

Il leva les yeux vers Miller.

« Des rubans », observa ce dernier.

Reid confirma d'un hochement de tête.

« La même composition ? »

Nouveau hochement de Reid.

Miller chercha un siège.

Reid l'imita, et les deux hommes s'assirent l'un à côté de l'autre sans échanger une parole pendant trois ou quatre minutes.

« Qui est au courant ? finit par demander Miller.

— Vous.

— Quand est-ce que vous rendez votre rapport ?

— J'ai déjà une semaine de boulot à rattraper.

— Y avait-il des éléments dans la voiture ou sur le corps qui donnent une idée sur son identité ?

— Rien n'a pu subsister dans la voiture. On a de la chance que ces bouts de ruban n'aient pas été réduits en cendres.

— Vous avez examiné l'appartement de Natasha Joyce ?

— C'est une autre équipe qui s'en charge. »

Miller sentit une boule dans son ventre, le sang qui venait cogner contre ses tempes.

« Comment avez-vous su pour la voiture ? lui demanda Reid.

— J'ai reçu un coup de fil.

— De qui ?

— Anonyme.

— C'était lui ? »

Miller secoua la tête. « Je ne sais pas… Il a déguisé sa voix. »

Il dit cela sans regarder Reid : piètre menteur, il savait que celui-ci l'aurait aussitôt démasqué.

« Qu'est-ce que vous voulez que je fasse ? demanda Reid.

— Ce que vous faites d'ordinaire. Mais si vous pouviez avant tout vous occuper de vos rapports en retard, je vous en serais très reconnaissant.

— Pas de problème. De toute manière, je suis censé m'attaquer au travail en retard dans l'ordre chronologique.

— C'est gentil à vous.

— Et vous, qu'allez-vous faire maintenant ?

— Je vais essayer de persuader Marilyn Hemmings de pratiquer l'autopsie.

— Pour que ça reste dans la famille, c'est ça ?

— Comment ça ?

— Moins il y aura de gens impliqués, mieux ce sera. »

Miller lui lança un regard perplexe. « Pourquoi dites-vous ça ?

— Parce que c'est une sorte de Watergate, non ? C'est un vrai cauchemar, vous ne croyez pas ?

— J'espérais que non, fit Miller. J'espérais que ce ne serait pas le cas.

— Vous travaillez toujours dessus ?

— Officiellement, non.

— Et officieusement ?

— C'est la deuxième fois que vous me posez une question dont vous ne voulez pas vraiment connaître la réponse.

— Bien sûr, que je veux la connaître », répondit Reid avec un sourire caustique.

Miller se leva.

« Alors bonne chance, comme on dit.

— Je ne crois pas à la chance, répliqua Miller.

— Vous devriez peut-être commencer à y croire. »

Miller appela Marilyn Hemmings à 23 h 10.

« Je suis chez moi, dit-elle.

— Dites-moi où vous habitez. Je passe vous chercher.

— Où êtes-vous ?

— À votre bureau.

— Urquhart est là ?

— Oui.

— Dans ce cas, demandez-lui de faire l'autopsie. Je suis sortie, j'ai dîné dehors et j'ai un peu bu. Je n'ai pas la main aussi sûre qu'il le faudrait. Et, d'ailleurs, qu'est-ce que ça peut faire ? Je ne suis pas censée travailler. Il est bientôt 23 h 15. Foutez-moi la paix.

— Marilyn… Il faut que vous pratiquiez cette autopsie, pour plusieurs raisons que j'aimerais pouvoir vous exposer, mais pas au téléphone. Laissez-moi passer vous prendre en voiture et vous ramener ici, d'accord ? J'ai besoin de savoir qui est ce type…

— Demain…

— Demain il sera peut-être trop tard.

— Oh! ça va, arrêtez vos conneries. Non mais qu'est-ce que c'est que ce cinéma, entre nous? »

Miller fut désarçonné. « Je ne sais pas ce que j'ai fait, Marilyn…

— Vous ne savez pas ce que vous avez fait? Vous vous entendez parler, un peu? Vous ne savez pas ce que vous avez fait? Et si je vous réponds : vol d'une pièce à conviction ou complicité de dissimulation d'une pièce à conviction? Ou implication d'un fonctionnaire dans la dissimulation d'une pièce à conviction? Qu'est-ce que vous dites de ça pour commencer?

— Écoutez, je sais… Je suis désolé, vraiment désolé. Je ne voulais pas vous mettre dans ce pétrin mais pour l'instant il n'y a que trois ou quatre personnes qui ont un semblant de début d'idée de ce qui se passe, et il ne faut pas que ça change. Je ne peux pas me permettre de laisser cette histoire éclater au grand jour, Marilyn. L'ensemble de l'affaire m'a été retiré par les fédéraux.

— Quoi?

— Vous ne saviez pas que le FBI avait tout repris en main?

— Non… Nom de Dieu, mais depuis quand?

— Depuis hier.

— Bon… Et donc? Vous êtes en train de m'expliquer que vous avez été dégagé de cette affaire mais que vous aimeriez quand même que je vienne faire une autopsie, qui plus est sur un corps qui pourrait fort bien être lié à l'affaire que le FBI vous a confisquée?

— Pour le moment, les deux ne sont pas liés, Marilyn.

— Un peu comme le dernier service que vous m'avez demandé n'était pas lié à cette affaire? Ou est-ce que c'est un autre genre de non-lien?

634

— Très bien. On n'a même pas encore bu un verre ensemble et on s'engueule déjà…

— Il n'y a pas de quoi rire, Robert.

— Je ne disais pas ça pour rire. Je me demande simplement pourquoi vous êtes si remontée contre moi. »

Marilyn Hemmings se tut quelques secondes, avant de soupirer bruyamment. « Est-ce que c'est grave, votre histoire ?

— Je ne veux pas en parler au téléphone, Marilyn. Vraiment. Il est tard. Désolé de vous avoir embêtée. Je vais demander à Urquhart de le faire.

— Est-ce que vous êtes dans la merde ? Je vous pose la question sérieusement, Robert : est-ce que vous êtes dans la merde ?

— Je n'en sais rien… Je ne sais pas du tout à quoi on a affaire.

— Est-ce que vous savez… » Elle s'interrompit. « Mais qu'est-ce que je fais ? Il est 23 heures passées. Putain, Robert, dans quel merdier vous m'avez foutue… Je ne sais pas ce que je fais. Je serai là dans une demi-heure. »

Elle raccrocha avant même que Miller puisse répondre.

Il l'attendit dans le hall du bâtiment. Sans autorisation, il ne pouvait avoir accès à son laboratoire. Lorsqu'elle arriva dans le couloir et s'approcha de lui, elle ne lui adressa même pas un regard. Elle avait l'air maussade. Quand elle l'emmena au fond de la salle d'accueil, quelque chose, parmi les mille manières dont elle le dévisageait, lui fit comprendre qu'elle était furieuse. Contre la situation dans laquelle elle se retrouvait, évidemment, mais surtout contre lui.

« Je n'aime pas ça, lui dit-elle froidement. J'ai fait une chose que je n'aurais pas dû faire. Et maintenant vous m'appelez en dehors de mes heures de travail. Qu'est-ce que je fais, Robert? Est-ce que je note mes heures sup et je trouve une vague explication quant à ma présence ici à cette heure de la nuit? Ou est-ce que je me tais, je ponds mon rapport, et j'attends que quelqu'un comprenne le problème et vienne me demander ce que je fabriquais ici? J'ai vu Urquhart. Je lui ai dit que j'avais oublié quelque chose. C'est magnifique, non, comme prétexte? "Ah oui! au fait, j'ai laissé un truc dans mon bureau, un truc tellement important qu'il fallait absolument que je revienne à 23 heures. Et pendant que j'y étais, je me suis dit que j'allais rendre service à tout le monde en pratiquant une petite autopsie." »

Miller ne réagit pas.

« Où avez-vous retrouvé la voiture?

— Dans la cité.

— Celle où vivait la jeune Noire?

— Oui.

— Alors il y a un lien entre les deux.

— J'imagine.

— Et cet appel anonyme que vous avez reçu... Il n'était pas si anonyme que ça, si? »

Miller fit signe que non.

« C'était lui?

— Oui.

— Donc on vous a retiré cette affaire, les fédéraux ont entièrement repris les rênes, mais vous ne leur en parlez pas?

— Exactement.

— Et moi, dans tout ça?

— Vous plaidez l'ignorance. Exactement: vous dites que vous ne saviez pas.

— Mais je sais...

— Ça ne signifie pas que vous ne pouvez pas dire que vous ne saviez pas.

636

— C'est donc comme ça que ça marche avec vous ? »
Sa question comportait une petite pointe tranchante qui
toucha droit au but : entre les deux côtes de Miller. Une
question déguisée en coup de poignard : « Avez-vous
poussé Brandon Thomas dans l'escalier et l'avez-vous
tué ? Avez-vous assassiné cet homme avant de raconter à
la terre entière que vous étiez innocent et qu'il s'agissait
d'un accident ? »

« Non, répondit-il.

— Mais c'est bien ce que vous me demandez de
faire ? »

Il regardait ses pieds. Il se sentait accablé par tout, par
la mauvaise consience, la responsabilité, l'obligation, la
promesse qu'il avait faite à Natasha Joyce. Un sentiment
d'abandon aussi, le début et la fin d'un tas de choses. Il se
sentait seul, épuisé, malade, perdu. Rien de tout cela ne faisait sens, et il commençait à se demander s'il voulait vraiment que tout cela ait un sens. De quel droit John Robey
venait-il ainsi briser sa vie et répandre les morceaux dans
tous les coins ?

« Qu'est-ce que vous attendez de moi ? insista Marilyn
Hemmings. Que j'enfreigne la loi ? Que je passe outre la
procédure ? Que je pratique une autopsie sans rédiger de
rapport ?

— Je veux juste savoir qui est ce macchabée, Marilyn.
Je sais comment il est mort. Je sais ce qui lui est arrivé. Je
sais que quelqu'un lui a attaché un ruban autour du cou, l'a
enfermé dans le coffre d'une voiture, a mis le feu à cette
voiture, et que ce type est mort brûlé vif à l'intérieur.

— Il avait un ruban autour du cou ?

— Oui, d'après Greg Reid…

— Oh ! mon Dieu, non…

— Si. Et, dans la boîte à gants, on a retrouvé une collection entière de rubans..

— Mais qui est-ce, alors?

— Je l'ignore. Mais j'ai besoin de le savoir, et tout de suite, et vous êtes la seule personne en qui je peux avoir confiance.

— Confiance? C'est donc ça? Vous pensez que quelqu'un vous en veut? »

Miller ne répondit pas.

« Oh! bordel… Ça commence vraiment à me faire peur. »

Miller lui prit la main. Il la tint quelques instants puis fixa Marilyn droit dans les yeux. Elle sembla un instant vouloir fuir son regard.

« Vous pouvez faire ça pour moi? dit-il. Vous pouvez simplement voir si on peut mettre un nom sur ce corps?

— Où l'ont-ils déposé?

— On m'a parlé du labo n° 4. C'est possible? »

Ils traversèrent ensemble le bâtiment jusqu'au laboratoire n° 4. Hemmings lui demanda de se tenir contre le mur, loin de la porte. Les restes calcinés du cadavre gisaient sur une table d'examen. Hemmings alluma le plafonnier et un spot puissant à gauche de la table. D'une boîte, elle tira une paire de gants en latex puis demeura quelques secondes immobile devant le corps noirci et distordu.

« Positivement de sexe masculin, dit-elle, presque à elle-même, mais assez fort pour que Miller l'entende. Entre 45 et 50 ans, je dirais. Peut-être même plus. Entre 1,75 m et 1,78 m. Des contusions sous la peau, des traces de ligatures larges d'un centimètre aux chevilles et aux poignets. Il a dû être fermement ligoté à l'aide d'un objet qui a laissé des résidus de type plastique. Une corde en nylon ou des câbles rigides. »

Miller s'approcha pour observer Hemmings décoller un lambeau de peau sur le bras de l'homme, une couche d'épithélium qu'elle déposa ensuite à l'intérieur d'un réceptacle en verre. Elle lança la procédure d'identification ADN ; pendant que l'appareil faisait son travail, elle apprêta un scalpel.

« Ça va piquer une seconde », annonça-t-elle calmement. Puis elle inséra la pointe du scalpel dans la voûte plantaire et racla un échantillon de sang coagulé. Une fois qu'elle eut déposé le sang dans une coupelle, elle recouvrit celle-ci.

« Deux allèles », dit-elle après avoir déterminé le groupe sanguin. Elle était tellement concentrée que Miller pensait qu'elle avait oublié jusqu'à sa présence. « Un pour chaque parent. Dans le cas de cet homme, l'un était un A dominant, et l'autre, un O. »

Miller regarda ailleurs. La tension était palpable dans l'air, comme si une ombre le comprimait de tous les côtés sans qu'il puisse en déterminer la provenance. Il recula, s'assit un petit moment, craignant de perdre l'équilibre, et se pencha vers l'avant, les coudes sur les genoux, les mains jointes. « Je ne sais pas pourquoi je suis venu ici », dit-il.

Marilyn Hemmings se retourna vers lui. « Je n'ai aucune empreinte exploitable. Ses mains sont trop brûlées pour que je puisse relever ses empreintes. Je n'ai pas assez de matière, Robert. »

Il aurait voulu se lever, marcher vers elle, abandonner les restes carbonisés de ce pauvre quidam retrouvé dans le coffre d'une voiture, et puis simplement disparaître. Ou alors retourner en arrière et refuser l'appel radio pour la maison de Catherine Sheridan qu'il avait reçu, ce fameux soir du 11. Il aurait aimé que ce soit le problème d'un autre, mais ce n'était pas le cas, sans compter que c'était aussi devenu le problème de Marilyn Hemmings, de Greg Reid, voire de Roth, dans une certaine mesure, car si un élément du binôme se noyait, en général l'autre le suivait dans sa chute.

L'appareil émit un bip. Le fichier ADN ne donnait rien. Ça aurait été trop beau.

« On n'a donc aucun moyen de l'identifier ? demanda inutilement Miller.

— Vous le saviez déjà avant de m'appeler. Vous saviez que ce serait une impasse. »

Miller ne répondit pas.

« Pourquoi ? insista-t-elle.

— Écoutez, Marilyn, je n'en sais rien… À cause de tout ce qui s'est passé avant. Parce que vous aviez l'air de comprendre ce que je subissais quand tout le monde essayait de me clouer au pilori après l'histoire avec Brandon Thomas et la pute. »

Sans rien dire, Hemmings ôta ses gants et les jeta dans une poubelle. Elle contourna la table d'examen et s'assit à côté de lui. Elle lui prit la main et la garda un long moment dans la sienne. Lorsqu'il se retourna, elle le regardait droit dans les yeux. Tension, malaise. Il savait ce qu'elle allait lui demander.

« C'était juste une prostituée ? »

Il baissa la tête et ferma les yeux.

« Répondez-moi, Robert… Cette fille, était-ce simplement une prostituée ou y avait-il quelque chose entre vous ?

— C'était juste une prostituée.

— Est-ce que vous avez…

— Est-ce que j'ai quoi ? Couché avec elle ? Est-ce que je l'ai sautée ?

— Ne vous énervez pas… Ce n'est pas moi qui vous ai mis dans ce pétrin. Alors ne vous défoulez…

— Excusez-moi. Pardon. Tout ça me fout en rogne. Vous avez raison. Ce n'est pas vous. Franchement, cette affaire me rend dingue. » Il relâcha sa main et se releva. Il fit deux ou trois pas et se retourna vers elle. « Je ne sais pas pourquoi je vous ai embringuée là-dedans.

— Vous savez, je suis une grande fille, répondit-elle avec un sourire caustique. Je suis tout à fait capable de dire non…

— Alors pourquoi ne pas me l'avoir dit ? Pourquoi ne m'avez-vous pas dit non et n'êtes-vous pas restée en dehors de cette connerie ? C'est mauvais. C'est dangereux. Il se passe quelque chose qui a provoqué la mort d'un tas de gens, et il semblerait que celui qui est derrière tout ça n'est pas près de s'arrêter. »

Hemmings haussa les épaules. « Qu'est-ce que vous voulez que je vous réponde ? Que j'ai fait ça pour vous ? Que je ne m'intéressais pas à cette affaire, mais à vous ? Que j'y voyais une possibilité de passer un peu de temps à vos côtés ? Parce que si c'est ça que vous pensez, Robert, détrompez-vous. Ce n'est pas uniquement par rapport à vous.

— Je n'ai jamais dit que…

— Laissez-moi finir, d'accord ? Que je vous dise ça, au moins. »

Miller acquiesça.

« Ce n'est pas uniquement par rapport à vous. C'est aussi que j'ai beaucoup de mal à comprendre certaines choses. Je ne sais pas exactement ce qui s'est passé. Mais vous croyez que je ne compatis pas avec votre situation ? Que je ne ressens rien à l'égard de quelqu'un qui se retrouve dans la panade ? Je suis un être humain comme les autres. Vous êtes venu me voir pour me demander de l'aide, et, moi, j'ai vu quelqu'un qui a été laminé par la police des polices et par la presse. J'ai vu quelqu'un essayer de faire son boulot et qui s'est fait démolir à cause d'une connerie autour d'un maquereau et de sa pute, et je me suis dit que vous aviez peut-être besoin d'un coup de main. Compris ? J'ai cru que vous vouliez faire la différence, améliorer les choses, et que vous aviez besoin d'un petit soutien moral. Ni plus ni moins. Vous voulez vous attirer des emmerdes ? Alors attirez-vous des emmerdes. Peut-être que les gens comme vous donnent envie aux gens comme moi de vous aider. Je pense que vous êtes tellement barré que si on ne vous tend pas la main, vous finirez dans un cercueil.

— C'est peut-être exactement ce qui va se passer », répondit Miller.

Alors que la remarque n'était pas censée être drôle, Marilyn Hemmings esquissa un sourire. « Je vais la faire, votre autopsie, d'accord ? Je suis la meilleure de cette équipe et je la ferai dans les règles de l'art.

— Merci… Je me sens rassuré.

— Qu'est-ce que vous allez faire, maintenant ? Vous allez pousser jusqu'à ce que quelqu'un découvre le pot aux roses et menace votre carrière ?

— Je ne sais pas. »

Hemmings se leva pour se planter devant lui. Elle faisait entre 7 et 10 centimètres de moins que lui, mais sa présence était telle que Miller eut l'impression d'être toisé.

« Demain, je pratiquerai une autopsie complète. Je ne pense pas pouvoir vous apporter quoi que ce soit de nouveau sur ce type. Son ADN n'est pas dans notre fichier et on n'a aucune empreinte. Peut-être qu'il y avait quelque chose dans la voiture.

— Il n'y avait rien dans cette voiture. Je ne sais pas. Vraiment je ne vois pas… Bon, je vous ramène chez vous. Vous voulez ?

— J'ai ma voiture ici. Je crois qu'il vaut mieux qu'on ne parle que travail tant que cette affaire ne sera pas terminée. C'est mon avis, et je ne pense pas en changer de sitôt.

642

— Je comprends. Ce n'est pas comme ça que j'envisageais les choses, mais je comprends.

— Alors allez-y. Repartez par là où on est arrivés. Ne parlez à personne. Je nettoierai ici, je remettrai notre copain dans son frigo, et si l'autopsie donne quelque chose demain, je vous envoie le rapport. Vu ?

— Merci, dit Miller en tendant la main. Je vous prendrais bien dans mes bras mais je ne suis pas sûr que vous soyez d'accord. »

Hemmings lui serra la main. « Au revoir, inspecteur Miller, et bonne chance.

— Je ne crois pas à la chance. »

Hemmings, d'un signe du menton, montra le cadavre étendu sur la table d'examen. « Lui non plus ne devait pas trop y croire. »

54

Dimanche 19 novembre, 1 heure du matin. Robert Miller n'avait même pas retiré ses chaussures, tant il se sentait inerte. Il se rappelait le soir où il avait remonté à pied Columbia Street, les questions qu'il s'était posées, et sa première intuition, à savoir que derrière la mort de Catherine Sheridan se cachait plus qu'une simple histoire de meurtre, quelque chose qui ne relevait ni de la colère, ni de la jalousie, ni des errements d'un psychopathe incontrôlable : non, tout avait été prémédité, calculé, soigneusement exécuté. Huit jours s'étaient écoulés depuis, huit jours qui avaient tout chamboulé. Catherine Sheridan n'était que l'annonciatrice d'un drame mille fois plus vaste. Pour Miller, elle avait été la porte ouverte sur un monde totalement inconnu.

Dans sa main, il tenait une feuille de papier. Les initiales, les dates, comme un registre des morts. Tous ceux qui avaient touché de près ou de loin à cette affaire, semblait-il, étaient décédés.

Il avait reçu deux messages de Roth sur son portable mais n'avait pas répondu. Roth ne méritait pas cela, il devait penser à Amanda et à ses enfants. Il avait une vie digne d'être vécue. Mais lui ? Il avait une prostituée morte, le maquereau de cette fille, mort aussi, un coroner adjoint qui préférait garder ses distances et maintenir leurs échanges dans les limites du professionnel. Il avait un vieux couple de Juifs qui craignait de le voir succomber à la faim et au surmenage. Il avait un appartement loué, un bout de papier entre les mains et un sentiment d'échec.

Et puis il avait John Robey – ou plutôt John Robey l'avait.

« Nous sommes liés par les secrets que nous partageons. » Voilà à quoi il pensait. Il ne se souvenait plus d'où elle venait – un livre, un film –, mais la phrase n'arrêtait pas de le tarauder.

« Nous sommes liés par les secrets que nous partageons. »

Il se dit même que c'était Robey en personne qui l'avait prononcée, mais ça ne changeait pas grand-chose. Robey avait tout dit et rien dit à la fois, il lui avait appris tout ce qu'il avait besoin de connaître, mais d'une manière telle que personne n'y comprendrait jamais rien.

Il ressassa les moindres mots, les moindres déclarations de Robey, toutes les questions implicites et les réponses vaines. Une chose était sûre : cet homme avait tout organisé.

Et qui était le quidam retrouvé dans le coffre ? Le Tueur au ruban ? Une autre victime ? Avait-il été tué par Robey ou n'était-il qu'une des trente, quarante, cinquante personnes assassinées ? Miller se demanda une fois de plus pourquoi tous ces gens avaient été liquidés… Parce qu'ils avaient fait quelque chose ? Certainement pas. Impensable qu'ils aient tous participé à un crime répréhensible.

Il s'assit et ôta ses chaussures sans même défaire les lacets. Il les balança sur le côté, rêva de boire quelque chose – une canette de bière, un verre de whisky, n'importe quoi qui puisse arrêter le flux de ses pensées. Dans cette affaire, tout était implacable, impitoyable – rien à quoi se raccrocher, rien qui indiquât une échappatoire, un chemin à prendre. S'il y avait une enquête à poursuivre, ce ne serait pas lui qui s'en chargerait mais Killarney, l'expert du FBI, le spécialiste des tueurs en série, l'homme qui savait tout et qui pourtant était venu les mains vides. Qu'avait-il expliqué? Qu'ils auraient beaucoup de mal à retrouver celui qui avait commis ces crimes. Il leur avait laissé un tableau sombre, vague et nébuleux de la situation.

Quel était le lien entre toutes ces victimes? Avaient-elles joué un rôle qui faisait d'elles une menace pour quelqu'un? Quel motif pouvait pousser à l'assassinat de trente, quarante personnes ou plus?

Il s'empara de nouveau de sa liste, cette feuille de papier qui dévoilait un paysage plus horrible que tout ce qu'il aurait pu imaginer. Des dizaines d'initiales et de dates d'assassinats derrière lesquelles il avait du mal à déceler un seul et unique mobile. Pourtant, ça s'était déjà vu dans le passé. La mort de soixante-quatre témoins essentiels après l'assassinat de John Kennedy. Des accidents de voiture. Des chutes malencontreuses. Des suicides. Des crises cardiaques. Le tout en l'espace de dix-huit mois. Or voilà qu'il se retrouvait face à une affaire d'une ampleur similaire. Et derrière tout ça? Le Nicaragua. Robey n'avait pas cessé de lui indiquer cette direction. Le Nicaragua ressemblait au Salvador, à la Corée, au Vietnam, autant d'épisodes de l'histoire américaine dont la seule évocation était considérée comme dangereuse, autant d'événements dont certains prétendaient qu'ils n'avaient jamais eu lieu.

Là-dessus, il repensa à Carl Oliver, à son cadavre gisant dans le couloir devant l'appartement de Robey. Quelqu'un avait ouvert la porte et abattu son collègue à bout portant.

Et il n'y avait eu aucun rapport médico-légal ou scientifique sur le meurtre de Natasha Joyce.

Et il n'y avait pas de fil conducteur, rien qui fasse sens…

Miller se pencha en avant, les coudes sur les genoux, la tête entre les mains. Il ferma les yeux et s'efforça de respirer lentement, calmement.

Il était exténué, écrasé par une fatigue tellement lourde qu'il ne sentait presque plus son corps, et cependant toutes ces questions l'empêchaient d'éprouver autre chose que l'angoisse et la paranoïa devant l'incompréhensible. Il avait simplement besoin de trouver une piste, une seule, qui ouvrirait une autre porte derrière toutes celles qui s'étaient refermées.

Aux premières heures du jour, il s'endormit tout habillé. L'épuisement l'engloutit tout cru ; il ne se réveilla pas avant le début de l'après-midi. Il était donc près de 16 heures lorsqu'il sortit de sa douche. Pour prendre l'air et voir autre chose que des classeurs et des écrans d'ordinateur, il décida de faire un tour dehors. Il fit halte dans un restaurant situé derrière Logan Circle, mangea plus que ce qu'il avait mangé au cours des dernières quarante-huit heures et se rendit compte qu'il devait absolument retrouver un certain équilibre. En poursuivant sur cette lancée, il fonçait droit dans le mur.

Il rentra à pied, passa par la porte de service, voulut regarder la télévision. Mais il avait la tête ailleurs.

Un peu après 20 heures, l'idée le percuta.

« Le nerf de la guerre. »

Catherine Sheridan recevait de l'argent, à la fin de chaque mois, de… D'où ?

Il se mit à faire les cent pas entre la porté et la fenêtre en tentant de se rappeler quand il était tombé sur les relevés bancaires. Il se revit dans la chambre, en train de feuilleter les documents, page après page, avec Al Roth…

Il songea à lui téléphoner, jeta un coup d'œil à sa montre, se ravisa.

Il passa dans la cuisine pour se faire un café. Debout, concentré, il essaya de ne penser qu'à ces instants au cours desquels il avait tenu ces documents entre les mains.

Ça ressemblait au compte de Michael McCullough. Pas le compte, mais la banque. La Washington American Trust. Il y avait là un lien entre eux. Washington ? Trust ?

Et soudain il comprit. Trust... United Trust. Ces versements provenaient d'une société qui se faisait appeler la United Trust. Ils n'avaient jamais creusé dans cette direction. Miller se maudit. Elles étaient tellement nombreuses, les pistes qu'ils n'avaient pas explorées... Mais ils avaient eu si peu de temps, et il s'était passé tant de choses...

Il s'assit à la table de sa cuisine, se saisit d'une enveloppe cachetée contenant des prospectus publicitaires et griffonna « United Trust » au verso. Il chercha ensuite sur Internet. Aucun établissement de ce nom n'existait dans l'agglomération de Washington. Il élargit sa recherche au pays entier, trouva une bonne douzaine d'entreprises comportant les mots « United Trust » dans leur nom. La plus proche se trouvait à Boston. Au domicile de Catherine Sheridan, ils n'avaient trouvé aucun indice quant à une activité professionnelle liée à ce secteur – ni démarcheur isolé ni représentant d'un établissement financier basé en dehors de Washington. Une fois encore, la réalité défiait les apparences. Il n'en demeurait pas moins que Sheridan percevait de l'argent d'un établissement nommé United Trust. S'il ne retrouvait pas l'entreprise elle-même, il devait attaquer par l'autre versant. Les sommes perçues par Catherine Sheridan arrivaient sur un compte en banque. Miller avait vu les relevés chez elle. Le tout était maintenant de se rappeler le nom de la banque de Sheridan.

Il pouvait peut-être faire quelque chose mais, pour ça, il devait absolument retrouver le nom de cette banque.

Il sourit en pensant à la personne susceptible de le renseigner : John Robey. Lui devait probablement tout savoir sur Catherine Sheridan. Et Roth ? Pourrait-il s'en souvenir ? Impossible de le savoir. Roth ne serait pas prêt à franchir certaines lignes jaunes, non parce qu'il avait peur, mais par fidélité aux siens, par souci de leur bien-être et de leurs besoins élémentaires, dont il était le garant.

Miller se repencha sur sa recherche Internet. Washington comptait des dizaines de banques : Washington Finance, American Union, Corporate Loan & Savings, East Coast Mercantile, Capital, Merchant & Legal – des pages et des pages qu'il parcourut jusqu'à ne plus rien voir du tout. Il se redressa et ferma les yeux quelques instants. Encore une fois, il essaya de visualiser les documents qu'il avait eus dans les mains. Il se souvenait d'un logo bleu et vert – cela, il en était sûr. Un logo bleu et vert, comme un carré. Ou était-ce un ovale ? Il sélectionna le moteur de recherche par images, puis tapa : « banques Washington ».

Tout en bas de la deuxième page, il le retrouva : un logo bleu et vert, une forme allongée avec des coins arrondis. Il cliqua sur l'image, attendit un peu ; la page du site s'ouvrit. La First Capital Bank. C'était ça ! C'était le logo qu'il se rappelait avoir vu dans le coin supérieur gauche des relevés bancaires de Catherine Sheridan. Les versements au nom de Catherine Sheridan passaient donc de la United Trust à la First Capital Bank.

Enfin une piste. Enfin il pouvait faire quelque chose.

Il nota l'adresse de la banque. Vermont Avenue. Comme la Washington American Trust, où était domicilié le compte de McCullough.

Son angoisse grandissait. Il avait peur, indéniablement, mais qu'aurait-il pu ressentir d'autre ? Dans une telle situation, seule la peur était légitime. Il s'apprêtait à faire une chose en sachant pertinemment que c'était une bêtise. Néanmoins, malgré son sens commun qui lui hurlait d'abandonner, il ne pouvait pas s'y résoudre.

Lundi matin, il irait voir Nanci Cohen. Il lui demanderait quelque chose sans directement lui poser la question, puis il se rendrait au siège de la First Capital Bank, sur Vermont Avenue, et il verrait ce qu'il en tirerait.

Il écarta légèrement les rideaux pour entrevoir la nuit qui dissipait Washington. Les lampadaires, le bruit lointain des voitures, le sentiment que tout, dehors, attendait avec hâte la venue du matin.

Soudain, il eut l'impression d'être épié. Il referma les rideaux et recula. Son cœur battait la chamade. Sentant ses jambes se dérober, il s'affala sur la chaise à côté de la porte.

Il regarda ses mains. Elles tremblaient.

Il ne s'était encore jamais senti comme ça. Envahi. Possédé. Poussé à découvrir quelque chose dont on lui avait pourtant dit de ne pas s'approcher.

Il se demanda si Robey avait jeté son dévolu sur lui dès le départ. Et si oui… Si oui, pourquoi ?

La mort de Catherine Sheridan avait été signalée comme un meurtre parmi d'autres. Comment Robey aurait-il pu savoir que ce serait lui, l'inspecteur Miller, qui prendrait l'appel ?

Il essaya de se convaincre que c'était impossible. Robey ne pouvait évidemment pas contrôler les choses à ce point…

Puis il décida d'arrêter de réfléchir. Il s'allongea sur son lit, voulut dormir mais n'y parvint pas. Il s'était réveillé tard, au début de l'après-midi ; il était agité, impatient. Il ralluma la télévision, zappa de chaîne en chaîne jusqu'à tomber sur un programme digne d'être regardé, se lassa, zappa encore et n'y tint plus. Vers minuit, il fit un tour en voiture en écoutant la radio et en cherchant à se concentrer uniquement sur la route devant lui.

Revenu chez lui à 2 heures du matin, il reprit une douche puis se recoucha. Conscient qu'il ne trouverait pas le sommeil, il attendit patiemment que les premiers rayons du soleil transpercent les rideaux de sa chambre et lui annoncent que le lundi avait commencé.

Lorsqu'il entra dans le *deli*, son visage devait ressembler à un livre ouvert, car Harriet lui jeta un simple coup d'œil et hocha la tête d'un air compréhensif. Elle n'insista pas pour qu'il prenne son petit déjeuner. Elle lui prépara du café chaud, posa une tasse devant lui à la table du fond et s'en alla aider son mari à la boutique.

Il but son café. Au moment de ressortir par la porte principale, il jeta un dernier regard vers Harriet. Ils n'échangèrent aucun mot.

Peut-être était-ce elle qui comprenait, mieux que quiconque, ce qu'il faisait.

55

Miller appela Roth un peu avant 9 heures pour lui annoncer qu'il partait faire une petite virée en voiture, peut-être jusqu'à Hampton. Histoire de voir un peu l'Atlantique.

« Tout va bien ? lui demanda Roth.

— On fait aller.

— Tu veux passer voir un match après ?

— Non, j'ai envie de prendre l'air. Respirer un peu. Tout est tellement pourri que j'aimerais bien passer quelques heures dehors.

— Appelle-moi si tu as besoin de quelque chose.

— Ne t'en fais pas, va. Salue tout le monde pour moi.

— Passe après nous dire bonjour.

— On verra. »

Il raccrocha, récupéra sa voiture derrière le commissariat n° 2 puis fila vers l'ouest, direction le bureau de Nanci Cohen.

Pour quelqu'un dans sa situation, le procureur adjoint souriait beaucoup.

Elle demanda à l'un de ses subordonnés d'aller chercher un café, en insistant auprès de Miller pour qu'il goûte une sorte de *macchiato*. Il trouva l'arrière-goût caramélisé profondément immonde.

Nanci Cohen faisait partie de ces femmes qu'Harriet Shamir aurait appréciées. Elle se mettait en avant, elle tenait bon la barre, et il était impossible de ne pas la remarquer.

« Vous ne pouvez pas », lui répondit-elle. Une réaction simple et ferme, d'une franchise qui fit même sourire Miller.

« Qu'est-ce qu'il y a ? Vous croyez que je plaisante ? fit-elle.

— Non, je ne crois pas que vous plaisantiez.

— Alors quoi ? Vous êtes en train de me sourire comme si on jouait dans un sketch. Vous n'avez aucune matière, inspecteur. Aucune. Rien. Tout a disparu. Quelqu'un qui a nettement plus de couilles que Lassiter, et même que le directeur de la police, a envoyé ses sbires pour vous arracher cette saloperie. Il ne reste plus rien, inspecteur Miller. Encore une fois, vous n'avez aucune matière. Vous ne pouvez rien faire.

— Et donc ? Je laisse tomber ?

— C'est le seul meurtre qu'on ait jamais connu à Washington ? Évidemment que vous laissez tomber ! D'ailleurs la question ne se pose même pas. On vous a retiré l'affaire… Toute l'affaire, de A à Z. Ces gens-là ont le pouvoir de faire ce qu'ils veulent. Ils ont pris les choses en main et ils ont balancé un avis de recherche contre votre bonhomme. »

Miller leva les yeux tout à coup. « Ils ont quoi ?

— Votre bonhomme, Robey… Ils ont lancé un avis de recherche contre lui.

— Mais pourquoi ? Quel intérêt ?

— Il a tué un officier de police, inspecteur Miller. John Robey a abattu un officier de police dans l'exercice de ses fonctions. Ça change complètement la donne. Vous connaissez la rengaine : on ne touche pas à la famille, n'est-ce pas ?

653

— Rien ne prouve que ce soit Robey. »

Nanci Cohen lui adressa un sourire entendu. « Ne soyez pas si naïf. Qu'il ait abattu ou non l'inspecteur Oliver n'est pas le problème. Cet homme est un danger public et un danger pour la police, aussi. Il est… Je ne vais pas vous faire un dessin, si ? Les dangereux, on en parle à la population, on montre leur tête dans les journaux et à la télé. Mais les vraiment dangereux, on n'en parle jamais. Peu importe qu'ils l'attrapent ou non, parce qu'on ne sera pas plus avancés.

— Je me retrouve donc pieds et poings liés, dit Miller d'une voix blanche.

— Je dirais plutôt qu'on vous les a coupés. Si j'étais vous, je prendrais deux ou trois jours de vacances. Vous les avez bien méritées. Je vous ai vus tous bosser sur cette affaire et je suis vraiment désolée que ça se soit terminé en eau de boudin. Mais c'est la vie, non ? »

Dissimulant ses sentiments profonds, essayant de dompter sa colère et sa déception, de ne montrer qu'une résignation empreinte de sagesse, Miller se leva et décocha un grand sourire au procureur adjoint Cohen.

« C'est le bordel, hein ? dit-il. C'est vraiment un sacré bordel.

— Estimez-vous heureux que ce ne soit plus votre bordel, inspecteur. »

Sur ces entrefaites, elle se leva à son tour pour le reconduire jusqu'à la porte. « Qu'est-ce que vous allez faire, maintenant ?

— Je vais faire un tour à Hampton. Voir la mer.

— Excellente idée. »

Nanci Cohen demanda à un membre de son équipe de le raccompagner jusqu'à la sortie.

Il s'arrêta dans un *deli* et acheta un Seven Up pour calmer son estomac. Il prit ensuite la direction du nord-ouest.

Une fois arrivé au laboratoire de médecine légale de Greg Reid, il dut attendre une demi-heure avant que ce dernier n'arrive et il lui demanda une copie du certificat de décès de Catherine Sheridan.

Reid n'eut pas l'air surpris. Il l'emmena jusqu'au service administratif, s'assit devant un ordinateur, procéda à la demande. Quelques instants plus tard, l'imprimante cracha un document.

Devant l'entrée du bâtiment, un silence un peu gêné s'installa entre les deux hommes jusqu'à ce que Miller, de nouveau, remercie Reid.

« Bonne chance, répondit celui-ci.

— C'est devenu une denrée rare ces temps-ci, croyez-moi. »

Il fit le tour du bâtiment et regagna sa voiture.

Lorsqu'il atteignit Vermont Avenue, il était 10 h 30.

Une fois dans le hall d'entrée de la First Capital Bank, Miller se rendit compte de la rapidité avec laquelle l'enquête sur l'assassinat de Catherine Sheridan s'était déroulée, et ce dès le début. Jamais ils n'avaient creusé cette piste, jamais ils n'avaient remonté la trace de l'argent qu'elle recevait chaque mois. C'eût été pourtant une précaution élémentaire, mais curieusement, pris dans le tourbillon des événements, ils avaient négligé mille et un petits détails. Même si après coup les choses semblaient toujours évidentes et simples – il aurait fallu faire ceci ou cela, explorer telle ou telle voie –, on ne pouvait pas voir de l'intérieur l'extérieur des choses.

Il se rappela la phrase d'Harriet : « Les secrets les mieux gardés sont ceux que tout le monde peut voir. »

La vie de Catherine Sheridan, celles de Margaret Mosley, de Barbara Lee, d'Ann Rayner – et même de John Robey –, tous les noms révélés par les livres que

Sheridan avait si méticuleusement et patiemment annotés… La vie de ces gens n'était pas celle qu'elle semblait être. C'étaient des fantômes, tous, et derrière le masque qu'ils portaient se dissimulait une tout autre réalité. Ils n'étaient pas morts par hasard, à cause d'initiatives malheureuses. Miller était convaincu que les accidents de voiture avec délit de fuite, les overdoses, les crises cardiaques, voire tous ces meurtres récents attribués à un fantôme surnommé par la presse le Tueur au ruban, n'étaient rien d'autre que de simples exécutions. Des individus avaient été liquidés pour une raison précise. Par Robey ? Avait-il tué toutes ces personnes ? Si oui, pourquoi ? Et si non, qui d'autre ? L'identité de l'homme retrouvé dans le coffre de la voiture, les rubans dans la boîte à gants, ceux qu'il tenait dans sa main…

« Inspecteur Miller ? »

Il leva les yeux, légèrement surpris. « Pardon. J'avais la tête ailleurs. »

L'homme tendit la main. « Richard Forrest. Directeur adjoint.

— Monsieur Forrest… Merci de me recevoir. Est-ce qu'on peut discuter dans un endroit plus… ?

— Discret. Bien sûr. »

Forrest traversa le hall et emprunta un couloir à main gauche. Un peu plus loin, il s'arrêta pour ouvrir la porte d'un bureau et invita Miller à y entrer.

« Un café, peut-être ? demanda-t-il pendant que ce dernier s'asseyait.

— Non, je vous remercie. »

L'homme prit place en face de lui. « Bien. Que puis-je pour vous, inspecteur ?

« Nous sommes actuellement en train d'étudier quelques détails d'une affaire. Malheureusement, il s'agit du meurtre d'une de vos clientes…

— Oh! mon Dieu! s'écria Forrest, sincèrement touché. Quelle horreur!

— Une certaine Mlle Catherine Sheridan. Ça vous dit quelque chose? »

Forrest hésita, un moment. « Je suis désolé, inspecteur Miller... Mais parmi plus de deux mille cinq cents clients... »

Miller sourit. Il tira de sa poche le certificat de décès de Catherine Sheridan. « Sauf erreur, elle n'avait ni parents vivants ni famille proche. Dans ce genre de cas, nous sommes donc obligés d'agir au nom de l'État et de nous occuper de ses biens, tout du moins des choses aussi élémentaires que son compte en banque. Je viens de parler avec Doug Lorentzen, de l'American Trust Bank, en bas de la rue... Il est le responsable de la sécurité. Vous le connaissez?

— Je crois... Oui, son nom me dit quelque chose.

— Catherine Sheridan possédait une assurance et d'autres produits chez eux. On va en finir avec toutes ces questions-là aujourd'hui. Son compte en banque est ici, et elle recevait de l'argent d'une entreprise, la United Trust.

— Et vous souhaitez nous informer que ce compte va être clôturé? »

Miller sourit. « Nous avons un service qui s'en occupera. On n'a qu'à leur envoyer une copie du certificat de décès et une notification officielle.

— Dans ce cas, en quoi puis-je vous aider, inspecteur?

— C'est un peu inhabituel, et nous n'avons pas d'explication pour le moment, mais il se trouve que parmi les documents de Mlle Sheridan figurent de nombreuses références à une demi-douzaine de bureaux de la United Trust. Cependant, il apparaît aussi qu'elle a pu être employée par un établissement installé en dehors de Washington. Nous aurions donc simplement besoin de savoir lequel, parmi tous ces bureaux, lui versait son salaire. »

Forrest sourit, manifestement heureux qu'on lui demande une information qu'il pouvait effectivement fournir. D'expérience, Miller savait que les petites tracasseries administratives imposées par les éternels chefaillons disparaissaient dès qu'il s'agissait de meurtre. Du jour au lendemain, le plus antipathique et le plus arrogant des employés montrait sa part d'humanité.

« Vous me laissez un peu de temps ?

— Naturellement.

— Vous êtes sûr que vous ne voulez pas un café ou de l'eau minérale ? »

Miller fit signe que non.

Une fois devant la porte, Forrest s'arrêta.

Miller, qui faisait de son mieux pour afficher un air détaché, sentit son cœur se figer.

« Pour nos archives, au cas où quelqu'un poserait un jour la question… »

Miller haussa les sourcils.

« Je me demandais si je pouvais avoir une photocopie du certificat de décès de Mlle Sheridan.

— Naturellement, naturellement. »

Miller se leva et tendit à Forrest la feuille de papier.

Forrest s'en empara et promit de faire au plus vite.

Au cours des minutes qui suivirent, Miller essaya de ne pas penser à ce qu'il adviendrait si ses initiatives venaient à être connues. Il n'était pas dans les meilleurs termes avec le directeur et avec les relations publiques de la police. Il savait que son dossier serait bloqué par le département des affaires internes et que sa demande auprès de Greg Reid serait considérée comme totalement irrégulière. À peine sorti des affres de l'affaire Brandon Thomas, il se retrouvait donc assis dans les bureaux de la First Capital Bank, sur Vermont Avenue, à attendre qu'un directeur adjoint lui fournisse les détails personnels concernant le salaire d'une femme assassinée qui faisait désormais partie d'un dossier dont le FBI l'avait dépossédé…

Prise séparément, chacune de ces infractions ressemblait aux limites ténues que tout inspecteur digne de ce nom, appliqué et impliqué, franchissait allègrement au cours d'une enquête. Même Lassiter, même le procureur adjoint Cohen, même le directeur de la police savaient pertinemment que les policiers contournaient ces limites si souvent qu'elles en devenaient presque invisibles. Chacun avait sa propre lettre d'intention, ses vérités acceptables, chacun savait les situations où le maintien du droit et l'exercice de la justice primaient sur le respect scrupuleux des lois. Tout cela était implicite, personne ne le remettait en cause. Mais ce que Miller avait fait et continuait de faire n'était rien moins qu'une violation patente des règles les plus élémentaires de l'enquête.

Il s'agissait maintenant de savoir s'il pourrait arriver à bon port ou, au contraire, si cette aventure le tuerait. Dans son esprit, après tout ce qu'il avait vécu, la nécessité de poursuivre sur sa lancée ne faisait pas l'ombre d'un doute. Oliver était mort, ce qui suffisait à le motiver. Et puis il y avait autre chose : la certitude de pouvoir un jour comprendre. Quelles que fussent les explications ou les justifications de ces morts en série, il n'en demeurait pas moins que quelqu'un se cachait derrière elles. Quelqu'un était à l'origine de ces morts. Quelqu'un était coupable, et Miller pensait qu'il ne s'agissait pas d'une seule personne. Il penchait pour une tout autre hypothèse, et quand il pensait aux preuves, aux petits signaux qui lui montraient la route à suivre ou les zones à explorer, à la facilité avec laquelle ils avaient tous été bernés et induits à prendre chaque chose pour son contraire... Ce n'est qu'en réfléchissant à tout cela qu'il prit la véritable mesure de sa peur. C'était une question de vie ou de mort, non seulement celles des gens qui avaient été assassinés, mais désormais sa propre vie et sa propre mort, aussi. On lui avait demandé de battre en retraite, d'aller voir ailleurs, de laisser les vrais professionnels travailler. Il s'était déjà dit que ceux-là mêmes qui venaient de prendre les rênes de l'enquête en savaient beaucoup plus long que ce qu'ils voulaient bien admettre. Comme disait Harriet, les secrets les mieux gardés étaient les plus visibles...

Sur ce, la porte s'ouvrit. Forrest traversa la pièce et se rassit. Après lui avoir rendu l'original du certificat de décès, il lui tend une autre feuille de papier.

« Malheureusement, c'est tout ce que nous avons, dit-il. Le nom complet est la United Trust Incorporated, et l'adresse, une boîte postale à Washington. Si on avait été plus stricts, on n'aurait pas dû accepter une boîte postale pour domicile, mais... »

Miller acquiesça. « Ce sont des choses qui arrivent, monsieur Forrest. Je comprends.

— Voilà tout ce que je peux faire pour vous. Il va falloir que vous passiez par le bureau de poste. Les employés doivent avoir une adresse de facturation pour la location de la boîte postale, en l'occurrence celle qui possède le n° 19405. Ce qui signifie que l'accord de location a été signé dans la 19e Rue.

— Et vous n'avez rien d'autre concernant ce compte en banque ? »

Forrest fit signe que non. « D'après ce que je vois, l'argent tombait sur le compte et était retiré en liquide dans les guichets automatiques. Pas de chèques... » Il leva les yeux vers Miller. Il avait l'air légèrement troublé. « Il n'y a jamais eu le moindre chèque signé depuis l'ouverture du compte. Mlle Sheridan n'est jamais passée à la banque. Elle n'a jamais fait d'emprunt, jamais demandé à avoir une carte de crédit, jamais rencontré le moindre employé.

— Bizarre.

— Très bizarre. Mais rien d'illégal non plus, si ?

— En effet, rien d'illégal.

— Je suis désolé de ne pas pouvoir vous aider davantage, inspecteur. »

Miller se leva et lui serra la main. « Vous avez fait de votre mieux. Je vous en suis reconnaissant.

— C'est une histoire épouvantable... Curieusement, c'est encore plus troublant de savoir qu'elle avait si peu de contacts avec nous... » Il secoua la tête. « J'imagine que vous devez connaître ça dans votre métier... Le sentiment qu'on aurait pu faire quelque chose pour changer la situation. C'est peut-être idiot, mais je ne peux pas m'empêcher de penser que... »

Forrest s'interrompit ; il avait du mal à exprimer ce qu'il ressentait, mais Miller comprit.

« Tout le temps, répondit-il. Vous ne pouvez pas vous empêcher de penser que vous auriez pu faire quelque chose. »

Il songea à Jennifer Irving, à Natasha Joyce. Et même à Carl Oliver.

« Si vous avez besoin d'autre chose... ajouta Forrest.

— Merci bien. Je retrouverai mon chemin tout seul. »

Miller s'en alla. Il ne voulait pas se retourner vers Forrest, il voulait que ce dernier se souvienne le moins possible de leur entretien, qu'il n'ait même pas l'idée d'en parler à quelqu'un d'autre. Or il savait pertinemment qu'il n'en serait rien : Forrest évoquerait forcément leur rendez-vous au cours d'un déjeuner ou d'une réunion de travail :

« Vous saviez qu'une de nos clientes s'était fait assassiner ? » Mais ça ne changerait rien : il pouvait l'annoncer à l'ensemble du personnel de la banque, rien ne disait que les choses iraient plus loin.

Au moment de franchir la sortie, Miller ne put s'empêcher, pourtant, de jeter un coup d'œil derrière lui.

La nuit précédente. Cette impression qu'il avait eue d'être épié. La même chose. La même sensation...

Il s'en retourna vers l'ouest de la ville et se dirigea vers le bureau de poste de la 19ᵉ Rue, en se fiant à son insigne de policier, à son statut officiel, au fait que la plupart des gens estimaient normal de coopérer avec la police. Parfois ça marchait, et parfois non.

Il eut de la chance. Il tomba sur un jeune homme qui semblait s'intéresser davantage au meurtre de Catherine Sheridan qu'au droit qu'avait Miller de connaître les détails d'une boîte postale.

« Assassinée ? Mais assassinée comment ? » demanda-t-il. Il s'appelait Jay Baxter, à en croire le badge doré qu'il portait sur sa chemise.

« Il ne vaut mieux pas que je vous raconte. »

Baxter esquissa un sourire. « Mais bien sûr que si ! Ça m'intéresse, ces trucs. On n'a pas souvent l'occasion de voir de l'intérieur les saloperies que ces types font.

— Vous vous intéressez aux meurtres ? »

Jay Baxter éclata de rire. « Ce n'est pas tant de découvrir qui a fait quoi qui m'intéresse, mais plutôt, disons... la psychologie qu'il y a derrière. J'ai lu pas mal de bouquins, j'allais même décrocher un diplôme en psychologie, et puis j'ai commencé à comprendre à quel point c'était bidon. Personne ne sait pourquoi certains types font ces horreurs, pas vrai ?

— Non, personne ne sait... Vous avez raison.

— Dites-moi... C'est donnant donnant, d'accord ?

662

— Elle s'est fait décapiter, mentit Miller.

— Sans déconner ?

— Et proprement. On pense que ça a été fait avec un coupe-coupe ou peut-être un sabre de samouraï. Du travail de pro.

— Et vous l'avez vue ? Enfin, je veux dire… Sans la tête et tout ?

— Évidemment. C'est notre boulot. On va voir toutes les pires saloperies que les gens se font les uns aux autres.

— Oh ! putain… Mais ça vous arrive jamais de gerber ?

— Oui, ça m'est déjà arrivé de gerber, quelquefois, répondit Miller avec un sourire. Mais on finit par s'y habituer.

— Et la presse va en parler, oui ?

— Oh ! que oui !

— D'accord. Bon, la boîte postale… De quoi s'agit-il ?

— D'une piste. Vous pouvez m'aider à explorer une piste dans cette affaire.

— Sans déconner ?

— Sans déconner.

— Génial… Oui, bien sûr… Eh bien, dites-moi ce que je peux faire pour vous. Redonnez-moi le nom ?

— United Trust. Boîte postale n° 19405. »

Les yeux grands ouverts, sans doute avec d'autres questions dans la tête mais hésitant à les poser à Miller, Jay Baxter tapa le numéro sur le clavier de son ordinateur et attendit quelques instants.

« United Trust… Boîte immatriculée auprès de la United Trust Incorporated Finance, 1165 E Street, au coin de la 14e Rue. Vous voyez où c'est ?

— Je trouverai bien.

— La boîte postale a été louée au nom de Donald Carvalho. »

Baxter lui épela le nom pendant qu'il le recopiait.

« Vous m'avez été d'un grand secours, conclut Miller en se levant.

— Pas de quoi. »

Miller s'arrêta à la porte et se retourna vers le jeune homme. « Est-ce que j'ai besoin de vous rappeler qu'il existe un principe de confidentialité ? »

Baxter sourit, secoua la tête et fit le signe du motus et bouche cousue.

Miller lui renvoya son sourire. « Bravo », dit-il avant de refermer la porte derrière lui.

Ce fut à cet instant précis, alors qu'il traversait le hall d'entrée vers la sortie principale, qu'il aperçut l'homme au pardessus.

Il le remarqua uniquement parce que l'homme semblait l'avoir remarqué. Une fois de plus, Miller eut l'impression d'être épié au moment où il passait devant lui ; devant la porte, il se retourna une fraction de seconde et sentit le regard de l'homme le suivre dehors.

Adossé contre un mur, manifestement en train de lire quelque chose, l'inconnu s'était redressé au moment où Miller était passé. Il devait avoir la quarantaine, avec des cheveux bruns légèrement grisonnants, un costume noir, une chemise blanche au col ouvert et un pardessus marron.

Devant le bureau de poste, Miller traversa la rue et marcha jusqu'au croisement de la 19e Rue et de M Street pour voir si l'homme au pardessus l'avait suivi à l'extérieur. Ce n'était pas le cas. Il essaya de n'attacher aucune importance à cet épisode, de se persuader qu'il s'agissait simplement d'un homme qui vaquait à ses affaires et qui avait, par hasard, levé les yeux à son passage : peut-être l'avait-il reconnu d'après une des photos parues pendant l'affaire Brandon Thomas, peut-être l'avait-il confondu avec un autre…

Pourtant, Miller se sentait de moins en moins serein.

Il hésita encore quelques instants, puis se dépêcha de retourner à sa voiture.

56

Sur sa droite, l'hôtel Willard. Sur sa gauche, le Théâtre national. Devant lui, Freedom Plaza, le centre des visiteurs de la Maison-Blanche, l'immeuble Ronald-Reagan. Encore deux cents mètres et il se retrouverait sur Constitution Avenue, à deux rues du siège du FBI, des Archives nationales, du triangle fédéral.

L'inspecteur Robert Miller, dans un état de nervosité extrême, attendait sur le trottoir avec la certitude d'être surveillé.

Il n'arrêtait pas de repenser au moment où il avait vu Carl Oliver sur sa civière, aux infirmiers essayant tant bien que mal de descendre le corps dans l'escalier, jusqu'à la rue. Une vie brisée en une fraction de seconde. Simple comme bonjour. Et l'expression sur le visage de Marilyn Hemmings – il s'en souvenait aussi parfaitement. La manière dont elle avait levé la main en lui souriant. Un simple signe de reconnaissance, ni plus ni moins. Il l'avait vue quelques instants et elle avait disparu.

Il se rappelait aussi la flaque de sang par terre, devant l'appartement de Robey, la tête d'Al Roth, le ton de sa voix, les paroles qu'il avait prononcées : « Dès que tu seras prêt, tu ferais bien de venir voir quelque chose. »

Il se souvenait de tout.

Dans les moindres détails.

Il se trouvait à présent au cœur de la communauté du renseignement, devant un immeuble à la façade étroite. C'était de là que la United Trust avait payé Catherine Sheridan. Et Don Carvalho? S'agissait-il d'un énième pseudonyme de Robey, comme Michael McCullough? D'un nouvel élément de l'énigme apparemment insondable que Robey avait jetée à la face du monde?

Miller traversa la rue et franchit l'entrée de l'immeuble.

La United Trust possédait une boîte aux lettres dans le hall d'entrée, mais l'atmosphère du lieu ne laissait aucune part au doute. L'immeuble suintait le moisi et l'oubli. Il y avait une vague activité derrière une porte en verre dépoli, sur la droite, où un panneau indiquait muettement le Syndicat fédéral des travailleurs réunis. Au deuxième étage, il trouva les bureaux de la United Trust. Il n'y avait aucun bruit en provenance de l'intérieur, aucune silhouette derrière le verre dépoli. Un couloir étroit partait à droite et à gauche, bordé de bureaux tout aussi inoccupés. Il comprit alors que même si le salaire de Catherine Sheridan trouvait sa source ici, la United Trust n'était qu'un nom – et rien de plus.

La déception lui fut presque insupportable. Vous voyiez un fil, même ténu, en le tirant un peu vous sentiez une tension, avec le sentiment que, cette fois, il y aurait quelque chose au bout, quelque chose de solide… Et soudain toute la tension retombait, et le lien vous filait entre les mains.

Depuis le début, tout avait été comme ça.

Il avait envie de hurler, de défoncer la porte.

Il retint son souffle un instant.

Il s'éloigna de la porte et s'appuya contre le mur d'en face.

Il avança de nouveau et tenta d'actionner la poignée. Celle-ci était fermement bloquée, mais la porte elle-même n'était pas bien épaisse, avec une vitre en verre dépoli dans sa moitié supérieure, l'autre moitié étant formée d'un simple panneau en bois. Plus tard, il se dirait qu'il avait su. Plus tard, il rationaliserait sa décision, la sortirait du domaine de l'instinct et de l'intuition, et se dirait que Robey avait tout prévu depuis le début. C'était la seule et unique explication qu'il voyait, car rien d'autre ne faisait sens. Rien ne faisait sens, sauf si John Robey avait orchestré chaque étape de cette affaire.

La vie n'était pas tendre avec les hésitants, les dociles, les calmes. Parfois on agissait parce qu'on n'avait plus le choix.

Soudain, le bruit du bois que l'on fracasse, un bruit qui fut entendu dans tout l'immeuble et qui poussa les gens du Syndicat fédéral des travailleurs réunis à monter en haut de l'escalier pour voir ce qui se passait – ce bruit-là ne se produisit jamais, en réalité. Ce qui se produisit, ce fut un craquement étouffé lorsque Miller fit un trou grand comme une chaussure dans le panneau en bois de la porte. Il passa un bras à travers pour ouvrir de l'intérieur. Lorsqu'il sentit l'unique loquet de la porte se détacher de la gâche, il éprouva comme un soulagement, comme si, à compter de maintenant, il n'y avait plus de retour en arrière possible. À deux reprises, il avait enfreint la loi : la brosse à cheveux chez Robey et cette porte fracturée. Une fois de plus, il pensa aux Affaires internes. Il devenait un flic véreux qui frayait avec des fonctionnaires municipaux corrompus.

Il recula encore et ouvrit la porte.

La pièce devait faire entre 12 et 15 mètres carrés : un seul bureau, une chaise toute simple, banale, une fenêtre tellement sale qu'on voyait à peine la rue dehors, avec le rebord jonché de mouches mortes. Ça sentait la poussière, peut-être un peu la vieille cigarette, et derrière tout ça le moisi d'une moquette qui n'avait pas été nettoyée depuis des lustres.

Sur la droite trônait une armoire métallique grise à trois tiroirs. Miller sortit un gant de latex de sa poche intérieure et ouvrit le tiroir du bas. Celui-ci, de même que celui du milieu, était vide ; le tiroir du haut, en revanche, contenait une enveloppe blanche. Il s'en saisit délicatement et la retourna. Elle était scellée mais contenait quelque chose.

Il jeta un coup d'œil dans le couloir, puis par la fenêtre, et décacheta doucement l'enveloppe.

C'était la même photo. Au dos, les mêmes mots : « Noël 1982. » Cette fois, pourtant, John Robey et Catherine Sheridan n'étaient pas les seuls visages à le regarder fixement. La photo retrouvée sous le lit de Sheridan était un agrandissement de celle-là, sur laquelle apparaissaient maintenant cinq visages. Miller les reconnut tous, à l'exception d'un seul.

Il identifia immédiatement l'homme qui se tenait à gauche de Robey : James Killarney, le représentant du FBI venu d'Arlington. Derrière, à droite de Catherine, reconnaissable entre mille, le visage du juge Walter Thorne. Ils étaient plus jeunes, mais Miller les connaissait tous, sauf un, un homme debout à côté de Killarney, qui souriait comme s'il s'agissait de vacances d'été, d'une partie de pêche…

Miller grimaça. Était-ce donc possible ? À quoi tout cela rimait-il ? Que diable venait faire le juge Thorne là-dedans ?

Le FBI et le ministère de la Justice connaissaient-ils donc l'identité de John Robey et de Catherine Sheridan ? Killarney était-il venu les aider dans l'enquête sur le Tueur au ruban tout en ayant connu personnellement Catherine Sheridan ?

Il remit la photo dans l'enveloppe, et l'enveloppe dans sa poche. Il s'attaqua aux tiroirs du bureau. Deux ou trois stylos, une punaise rouillée, encore des mouches mortes. Il chercha sous la moquette, derrière l'armoire, passa ses doigts sous le fond pour voir si quelque chose y était dissimulé.

Rien.

Il quitta rapidement les lieux, non sans avoir tenté, vaille que vaille, de remettre en place le panneau en bois depuis l'intérieur. Ensuite, il regagna la rue.

Une fois sur le trottoir d'en face, il jeta un dernier coup d'œil vers l'immeuble. Il n'y avait aucun mouvement derrière les fenêtres, aucun signe indiquant qu'il avait été repéré ou qu'on le surveillait. Mais cela, il le savait désormais, ne voulait rien dire. Partout des yeux étaient cachés, qui pouvaient tourner à 360 degrés, qui observaient nuit et jour, et qui voyaient absolument tout.

Il reprit le chemin par lequel il était venu.

C'est à ce moment-là qu'il le revit. Sans aucun doute possible.

L'homme au pardessus.

Il en était sûr. Au bout de la rue. L'homme venait de tourner à gauche au carrefour.

Il décida de le suivre, d'abord d'un pas rapide, puis en courant, ce qui l'amena à dépasser Freedom Plaza. L'homme ne regardait pas derrière lui, ne tournait pas la tête ; lorsqu'il prit de nouveau à gauche pour déboucher sur Pennsylvania Avenue, Miller accéléra. Il savait que, une fois arrivé au coin, l'homme aurait disparu, mais il avait peur et il n'aimait pas ça ; sur le coup, il préféra se retrouver nez à nez avec lui plutôt que de ne rien faire.

Comme prévu, au coin de la rue, l'homme au pardessus s'était volatilisé. Miller se demanda si une voiture ne l'avait pas attendu, si d'autres gens ne le surveillaient pas à l'aide de puissantes jumelles, des gens qui savaient qu'il venait d'entrer par effraction dans les locaux de la United Trust Incorporated Finance et qu'il y avait volé une photo.

Il s'arrêta pour reprendre son souffle. Rêvait-il? Combien d'hommes à Washington portaient des costumes sombres et des pardessus marron? Avait-il vu un homme s'enfuir alors qu'il ne taisait que courir?

Devenait-il fou?

Autour de lui, les passants allaient et venaient. Il ne les regarda pas dans les yeux, ne voyant en eux qu'une marée humaine sans visage, puis il revint sur ses pas et retrouva sa voiture.

Il roula en direction du nord-est, vers cette partie de la ville qu'il connaissait mieux, après le siège du FBI et le théâtre Ford, puis à travers Chinatown, jusqu'à New York Avenue. Chaque fois qu'il tournait le volant et que le haut de son bras pressait contre son corps, il sentait la présence de la photo dans sa poche de veste.

James Killarney était donc mouillé là-dedans. Tout comme Thorne. Le juge Thorne. Devait-il aller lui parler? Qu'est-ce que ça voulait dire?

Où pouvait bien être le juge Thorne? Au tribunal? À son cabinet? Tous les juges disposaient d'un bureau près du Verizon Center, au sein du Judiciary Square, à trois ou quatre rues de là. Miller ralentit et se gara le long du trottoir. Il étudia de nouveau la photographie. Les mots au verso étant écrits en lettres majuscules, tenter de deviner l'identité de celui qui les avait notés ne servait à rien. Il possédait une photo et un nom : Donald Carvalho.

Il repartit jusqu'au bout de la 6e Rue et prit F Street à gauche. Le reste du trajet, il le parcourut à pied, longeant le National Building Museum et tournant au coin. Le commissariat possédait un annuaire des bureaux des juges au Judiciary Square. Miller avait déjà discuté avec le juge Thorne à deux ou trois occasions, lors d'audiences préliminaires ou de convocations au tribunal. Thorne était forcément au courant de ses récents démêlés avec la police des polices et de la tourmente médiatique que l'affaire Thomas avait déchaînée. En outre, il devait en savoir aussi long que lui sur l'enquête en cours, puisqu'il avait reçu une copie de tous les rapports d'investigation. Thorne était-il pour lui un allié ou un adversaire ? Est-ce qu'on poussait Miller à discuter avec lui ou à enquêter sur lui ?

Il ne pouvait obtenir une réponse qu'en allant voir directement le juge. Il repéra le bureau de l'administration judiciaire. On lui demanda l'objet de sa visite. Il répondit à la réceptionniste que cela avait un rapport avec un mandat d'amener, puis il attendit que son interlocutrice prévienne le juge. Finalement, on l'informa que Thorne était bien dans son bureau, mais qu'il ne pouvait pas le rencontrer. Souhaitait-il prendre rendez-vous ?

« Est-ce que vous pourriez simplement voir avec lui s'il veut bien répondre à quelques questions concernant la United Trust ? » dit Miller.

La réceptionniste lui adressa un sourire compréhensif. « C'est-à-dire qu'il est vraiment très occupé.

— J'entends bien, mais si vous pouviez simplement lui demander… »

La jeune femme appela le bureau du juge Thorne, échangea quelques mots avec son adjoint, puis patienta quelques instants. Elle finit par froncer les sourcils, hocha la tête et dit : « Très bien, je lui transmets. »

Elle regarda Miller ; son sourire sympathique avait disparu. « Attendez ici, dit-elle. Quelqu'un va descendre vous chercher. »

57

Miller, plein d'appréhension, avait le cœur pantelant. Une goutte de sueur froide se forma sur sa nuque. Il hésita à demander s'il pouvait s'asseoir.

Il n'attendit pas longtemps. Un homme entre deux âges apparut, élégamment vêtu d'un costume anthracite, d'une chemise blanche et d'une cravate bleu marine à pois blancs. Ils se ressemblaient tous, ces hommes, éminemment oubliables. Lorsque celui-ci lui demanda son arme, en promettant de la rendre à son départ, puis lui indiqua la sortie sans même se présenter ni donner la moindre explication quant à la soudaine disponibilité du juge Thorne, l'anxiété et le malaise de Miller ne firent que croître.

« Le juge Thorne n'a pas beaucoup de temps », dit l'homme alors qu'ils marchaient vers un bâtiment situé au bout de la rue. Une fois devant l'immeuble, il composa un numéro sur le digicode extérieur. Une sonnerie se fit entendre ; la porte s'ouvrit. Miller suivit l'homme à l'intérieur.

Le couloir dégageait une odeur de bibliothèque, ce qui le ramena aussitôt à celle de Carnegie et aux livres annotés par Catherine Sheridan. Il repensa au lendemain du meurtre, quand Roth et lui s'étaient rendus là-bas pour interroger Julia Gibb, et à la petite note qu'elle avait faite dans l'espoir que cela puisse servir un jour. Il médita sur le début de cette histoire ; jamais il n'aurait pu imaginer une seconde qu'elle finirait par l'emmener à cet endroit précis : ici même. Neuf jours après le meurtre, il se retrouvait donc là, dans les bureaux privés du juge Walter Thorne, un homme hautement respecté et brillantissime, un homme que l'on destinait à la Cour suprême des États-Unis, voire au Sénat.

On lui demanda de patienter quelques instants dans le hall. Il obéit poliment. Moins d'une minute plus tard, on le conduisit dans un somptueux bureau (le mur droit tapissé de bibliothèques jusqu'au plafond, le mur gauche percé de deux grandes portes-fenêtres) et on lui annonça que le juge Thorne ne tarderait pas.

Miller écarta le rideau en dentelle qui masquait la vue sur l'extérieur. Les portes-fenêtres donnaient sur un jardin ceint de murs et coquettement préparé pour l'hiver, avec en son centre une petite urne en marbre que flanquaient deux bancs en fer forgé. Il entendit la porte se refermer doucement derrière lui.

En se retournant, il découvrit le juge Walter Thorne. L'homme souriait.

« Quand il fait bon, j'aime m'asseoir là-bas, dit-il. Ou alors quand je ne veux pas qu'on entende mes conversations… Je ne suis pas sûr que ça change grand-chose, d'ailleurs. J'imagine que si on voulait me placer sur écoute, on pourrait le faire n'importe où. »

À vue de nez, Miller lui donnait une petite soixantaine d'années. Il mesurait un peu plus de 1,75 m mais son visage plein de caractère et de force lui donnait comme une hauteur supplémentaire. Il émanait de ce personnage une impression de puissance. C'était le genre d'homme qui devait rarement se faire agresser, tant un simple coup d'œil vous informait qu'il connaissait des gens capables

674

de vous retrouver n'importe où, des gens qui n'abandonne-
raient pas avant de vous savoir mort.

« Vous avez de la chance d'être encore en vie »,
continua-t-il.

Miller fit une grimace perplexe.

« Ne soyez pas naïf, inspecteur Miller… Ne me dites
pas que vous n'aviez pas compris que l'officier de police
tué vendredi soir était censé être vous.

— Quoi ? »

Miller sentit ses genoux flageoler. Il recula d'un pas.

« J'ai surestimé votre capacité à comprendre la situation, reprit Thorne tout sourire, avant d'indiquer un
fauteuil près des portes-fenêtres. Je vous en prie. Asseyez-
vous. Permettez que je vous offre un cognac. »

Miller leva la main.

« Pardon ? Pas de cognac ? Mais vous n'êtes pas en service, inspecteur… J'ai cru comprendre que vous aviez
été déchargé de cette enquête et que vous étiez désormais
libre de votre temps…

— L'enquête nous a été enlevée par le FBI. »

Thorne sourit encore. « L'enquête vous a été enlevée
par James Killarney. Le FBI et Killarney ne sont pas forcément la même chose. »

Miller voulut répondre, mais rien ne lui vint. Il ne
voyait pas ce que Thorne sous-entendait. Il pensa à la
photo qu'il avait toujours dans sa poche mais préféra
ne pas dévoiler ses cartes avant d'avoir bien compris la
règle du jeu.

Thorne s'empara d'une carafe et de deux verres à
cognac. Il se retourna vers Miller, un verre dans chaque
main. « C'est encore meilleur que le cognac, dit-il. Un
armagnac de 1929. Un vrai délice… »

Miller accepta le verre, but cul sec, sentit le liquide
emplir son thorax.

Thorne haussa les sourcils. « Ce n'est pas de cette manière, inspecteur, que l'on boit un armagnac de 1929. »

Miller fut incapable de le regarder dans les yeux. Il baissa les siens vers ses propres mains, qui tremblaient.

« Vous vous êtes approché d'un peu trop près, dit calmement Thorne. La réception m'annonce que vous souhaitez me parler d'un mandat d'amener. Puis j'apprends que vous voulez me parler de la United Trust. » Thorne arbora un air compatissant. « Vous manquez d'étoffe, inspecteur Miller, et le meilleur conseil que je peux vous donner est encore de quitter mon bureau, de prendre votre voiture, de rentrer chez vous et de dormir un peu. Retournez à votre travail dans deux jours et oubliez définitivement John Robey ou Catherine Sheridan, ou n'importe quelle autre personne impliquée ou non dans cette histoire.

— Cette histoire…

— Cette… histoire est ce que l'on appelle un monstre. »

Thorne lui lança un sourire bienveillant, comme s'il savait exactement quelles affres il traversait.

Miller ouvrit de grands yeux. Il avait déjà entendu cette expression quelque part. John Robey l'avait employée.

« Notre monstre. Notre Frankenstein à nous. » Son sourire était radieux à présent, comme s'il saisissait soudain l'ironie du monde. « Un de nos nombreux Frankenstein », ajouta-t-il. Il agita son verre à cognac avant de le porter à ses lèvres. « Je vous proposerais bien un autre verre, mais ce liquide coûte très, très cher, et vous ne savez manifestement pas l'apprécier. »

Miller se pencha à droite et posa son verre vide sur la table. « Je ne comprends pas bien ce qui se passe…

— Et je ne pense pas que vous comprendrez un jour. Pour tout vous dire, il y a tant d'aspects là-dedans, tant de points de vue différents et de façons de comprendre comment cette histoire a pu arriver, que personne, me semble-t-il, ne dispose de tous les éléments – à l'exception peut-être de John Robey. De nous tous, il est sans doute celui qui en sait le plus long.

— "De nous tous"? Parce que vous êtes impliqué là-dedans?

— Je dis "nous" au sens large. Je m'inclus dedans uniquement parce que je suis au courant de cette histoire depuis longtemps. Et personne n'a envie de l'affronter. Beaucoup de ceux qui ont tout déclenché sont aujourd'hui morts, et la grande majorité de ceux qui ont eu une vague idée de ce qui se passait ont été brusquement balayés…

— Balayés ou assassinés? C'est ça que vous sous-entendez quand vous dites "balayés"? Vous parlez bien de tous ces gens qui ont été assassinés, n'est-ce pas?

— Tous ces gens? De qui parlez-vous?

— Ceux dont Catherine Sheridan a noté le nom dans les livres qu'elle a rendus à la bibliothèque. »

Thorne fronça les sourcils. « Je ne vois pas de quoi vous parlez, inspecteur… Quels livres?

— John Robey et elle… Le matin même de sa mort, elle a rendu certains livres à la bibliothèque. Nous les avons récupérés et nous avons découvert des annotations partout… Des dates, des initiales, voyez-vous? Nous avons commencé à les étudier pour comprendre qui étaient tous ces gens.

— John Robey, dit Thorne, presque à lui-même. Et dire qu'après tout ce temps…

— Ces initiales et ces dates dans les livres, elles correspondent bien à des noms? On essaie de les comparer au fichier des personnes disparues… »

Thorne leva la main. « Ça suffit, inspecteur. Je n'ai pas besoin de connaître tous les détails de votre enquête. Des gens sont morts. Cela, je le comprends. Ça fait plus de vingt ans que des gens meurent à cause de cette histoire…

— Mais quelle histoire ? De quoi parlez-vous, au juste ? »

Thorne garda le silence un moment, toujours avec le sourire, comme s'il cédait à un caprice. Il s'avança vers les portes-fenêtres et regarda dehors pendant quelques instants avant de se retourner vers Miller.

« Est-ce que vous connaissez ce film qui s'appelle *Des hommes d'honneur* ? Tom Cruise, Jack Nicholson… Ça vous dit quelque chose ?

— Oui, je connais. Je l'ai vu plusieurs fois.

— Alors à votre avis, inspecteur Miller, sur quoi repose fondamentalement l'intrigue de ce film ?

— Excusez-moi, mais je ne vois pas bien le rapport avec… »

Thorne l'interrompit aussitôt. « Faites-moi plaisir.

— Je ne sais pas… L'idée que le pouvoir peut corrompre les hommes, que ceux qui sont aux commandes peuvent oublier… »

Mais Thorne secouait la tête. « Non, inspecteur. C'est tout le contraire, justement. Ce que ce film entendait montrer, c'est l'impossibilité absolue de lutter face à un enjeu aussi énorme. Vous croyez vraiment qu'éliminer du paysage un seul homme changera quoi que ce soit ? Pour chaque homme qui tombe, trois autres sont prêts à prendre sa place.

— Je suis perdu, monsieur le juge Thorne. Je ne suis même pas sûr qu'on parle bien de la même chose.

— Mais évidemment qu'on parle de la même chose, inspecteur. On parle du Nicaragua. »

Miller écarquilla les yeux.

« Vous voyez ? fit Thorne. On parle bien de la même chose. De la guerre au Nicaragua. Une guerre illégitime, financée par le trafic d'armes et la drogue. On parle de 40 tonnes de cocaïne arrivant chaque mois sur le territoire américain dans des avions pilotés par la CIA. On parle d'agents opérationnels de la CIA... De gens qui, par leur travail, ont soulevé un coin du voile sur ce qui se tramait réellement là-bas et ont commencé à comprendre que la cocaïne, les armes et tout le reste rapportaient beaucoup trop d'argent pour que les choses s'arrêtent une fois cette guerre imaginaire terminée... »

Miller se leva sans crier gare. Il voulait partir. Il n'était pas prêt à entendre ça. Tout ce que Robey lui avait raconté était confirmé, de vive voix, par un juge de Washington.

« Rasseyez-vous, inspecteur Miller.

— Non. Je m'en vais. Je n'ai aucune envie de...

— Vos envies sont le cadet de mes soucis, le coupa Thorne. Rasseyez-vous ou j'appelle immédiatement les agents de la sécurité, qui se feront un plaisir de vous emmener dans une tour désaffectée pour vous tuer. »

Miller n'en croyait pas ses oreilles. « Vous êtes juge...

— Bien sûr que je suis juge. Et vous, vous êtes inspecteur de la police de Washington, et la vérité, c'est que vous avez tourné autour de quelque chose sans jamais comprendre ce que vous aviez sous les yeux. Et ce John Robey ? » Thorne, soudain, éclata de rire. « John Robey croit donc qu'il peut détruire une chose qu'on a mis plus de trente ans à construire ? Il est seul, inspecteur, il est isolé, et s'il estime avoir la moindre chance d'anéantir cet édifice, alors il se trompe lourdement. » Le juge s'éloigna des portes-fenêtres et se rassit tranquillement sur le fauteuil qui faisait face à Miller. « Vous voulez comprendre ce qui se passe ? demanda-t-il.

— Comprendre quoi ? Que le gouvernement américain fait toujours sortir de la cocaïne du Nicaragua ?

— Pas le gouvernement, cher ami. La CIA.

— La CIA ?

— Vous vous souvenez de Madeleine Albright ? La secrétaire d'État ?

— Oui, je m'en souviens.

— Elle a dit un jour que la CIA se comportait comme si elle souffrait du syndrome de l'enfant battu. Non pas que je comprenne parfaitement ce qu'est le syndrome de l'enfant battu, mais enfin on imagine vaguement ce que ça veut dire, n'est-ce pas ? »

Miller sentait son cœur battre à cent à l'heure. Il avait le tournis.

« Vous vous retrouvez dans une situation très compromettante. Vous n'êtes rien de plus que le dernier d'une longue liste de gens qui, intentionnellement ou non, ont mis en péril une activité extrêmement juteuse pour la CIA depuis de longues années. »

Miller commençait à avoir du mal à respirer. Il regarda Thorne dans les yeux.

« Robey s'y était déjà essayé, vous savez ? Il y a cinq ans de ça… Avec un agent de la CIA nommé Darryl King. En moins de trois semaines, Darryl King a été détruit. Héroïne, crack… On aurait pu lui refourguer n'importe quoi.

— Darryl King appartenait à la CIA ?

— Tout comme Catherine Sheridan et Ann Rayner. Je connaissais bien Ann. Une fille bien. Elle travaillait pour Bill Walford. »

Miller se rappela la discussion qu'il avait eue dans le bureau de Lassiter, le fait que ce lien entre Ann Rayner et Walford constituait une bonne raison de ne pas laisser la presse s'emparer de l'affaire.

« Ils étaient tous membres de la CIA ? demanda-t-il. Ceux qui ont été tués ?

— Membres de la CIA, proches parents de la CIA, compagnons de route, collègues, indics… La grande famille au sens large.

— Ils ne peuvent tout de même pas liquider des gens comme ça…

— Comment ça, ils ne peuvent pas ? Mais ils ont liquidé des gens comme ça, inspecteur Miller ! Ils ont liquidé un paquet de monde..

— Pour l'argent ?

— Oui, pour l'argent. Et le pouvoir. Et l'influence politique. Comment croyez-vous que la CIA finance ses opérations ? Est-ce que vous avez ne serait-ce qu'une vague idée du coût que représentent certains de ces projets ? » Thorne agita la main, d'un geste méprisant. « Non, vous n'avez pas idée, bien sûr. La cocaïne en provenance du Nicaragua finance les armes et les petites faveurs politiques, la corruption des puissances étrangères menaçantes, l'assassinat de personnalités politiques. Vous ne pensez tout de même pas qu'on va aller quémander, tout penauds, 300 millions de dollars auprès du Trésor ?

— Je… Je ne…

— Ensuite, l'interrompit Thorne, se pose le problème de la sécurité nationale. Lorsque la guerre a été terminée et qu'on a quitté le Nicaragua la queue entre les jambes, il a fallu de l'argent pour assurer la sécurité d'un certain nombre de gens qui appartenaient au département d'État, à la Défense, à la NSA, aux Affaires étrangères, au renseignement, voire à la CIA elle-même. Bon nombre de personnes avaient besoin d'être protégées parce qu'elles avaient pris des décisions concernant le Nicaragua et la sécurité du pays, et qu'elles risquaient de se retrouver dans le collimateur si la vérité venait un jour à éclater. Je vous parle là d'individus qui ont joué un rôle à la Grenade en 1983, en Libye en 1986, au Salvador, au Panamá, en

Irak, au Soudan, et qui jouent toujours un rôle à l'heure actuelle. Et il était de notre devoir, de notre responsabilité morale, de faire en sorte que les décisions qu'ils avaient prises pour le bien du pays ne soient jamais remises en cause. La vérité aurait mis l'administration Reagan à genoux. Même sa tentative d'assassinat n'était qu'une façon de détourner l'attention du public. »

Miller ouvrit la bouche pour dire quelque chose.

« Ça ne vous paraît pas évident aujourd'hui, inspecteur ? le devança Thorne. Il était censé se faire tirer dessus. D'un autre côté, Reagan n'ayant jamais été un foudre de guerre, je ne comprends pas très bien ce qu'ils attendaient de lui.

— C'est dément… Mais qui aurait fait cela ? Qui pouvait bien organiser une tentative d'assassinat contre un président américain ?

— La CIA. C'est son boulot. Monter la garde, défendre l'Amérique et faire ce qu'il faut, faire tout ce que personne d'autre n'a les couilles de faire. Et après ils se demandent pourquoi ces connards de gauchistes du Congrès hurlent pour dénoncer les violations des libertés civiques et le droit des peuples à disposer d'eux-mêmes. » Thorne se pencha en avant, le regard illuminé, comme s'il brûlait maintenant de révéler tout ce qu'il savait à Miller. « Pour ce qui est de la CIA, personne n'a aucun droit tant que la CIA n'a pas octroyé ce droit…

— Vous n'allez pas me dire que Hinckley a été manipulé pour assassiner Réagan ?

— Je ne vous le dirai pas, mais nous étions là pour nous assurer qu'il ne le ferait pas. Oswald a porté le chapeau pour l'assassinat de Kennedy, tout comme Sirhan Sirhan pour celui de Bobby, à l'Ambassador Hotel, en 1968. Et qui a organisé les révélations du FBI au profit de Woodward et Bernstein quand ils ont voulu faire dégager Nixon du Bureau ovale ? Nous. Voilà à quoi nous servons. » Thorne se pencha vers Miller. « Et vous voulez que je vous dise pourquoi je suis en train de discuter avec vous en ce moment même, inspecteur ? Parce que vous ne pouvez strictement rien y faire. »

Miller fut décontenancé.

« Oh ! mais ne soyez pas surpris. Vous voulez savoir ce qu'est devenu John Hinckley après qu'il a tenté d'assassiner Reagan ? On l'a expédié chez les fous, on l'a bourré de psychotropes, on lui a réduit la tête en bouillie… Les électrochocs l'ont sans doute plongé dans le coma. On lui demandait de penser une chose tel jour, puis on le contredisait le lendemain. Sans arrêt. Ils l'ont complètement perdu, déboussolé, ils l'ont poussé à douter de son propre nom, de sa propre existence. Il s'est retrouvé dans un tel état que, même s'il s'était rappelé le nom de celui qui lui avait demandé de tuer Reagan, il aurait été incapable de le prononcer. Ensuite ils l'ont relâché, et il peut toujours raconter ce qu'il veut, parce qu'il a l'air dingue et qu'il dit des choses encore plus dingues. Qui ira croire un type qui a tenté d'assassiner le président des États-Unis d'Amérique ? »

Miller ressentait une colère profonde, celle-là même qui germait en lui depuis plusieurs jours. Il se retrouvait enfin face à quelqu'un qui en savait plus long que lui sur la situation, et ce quelqu'un était en train de le ridiculiser.

« C'est… c'est impossible, dit-il. Je ne suis pas fou. Je suis un inspecteur de la police de Washington, et il y a un tas de gens qui seraient très intéressés par ce que j'aurais à leur raconter…

— À quel sujet ? Au sujet d'un complot imaginaire qui remonte à la guerre du Nicaragua, une guerre dont la plupart des Américains se foutent comme de leur première chemise ? Ou au sujet de John Robey, éminent professeur d'université, auteur publié et pressenti un temps pour le Pulitzer? Vous allez raconter que cet homme-là était en réalité un assassin formé par la CIA, responsable de dizaines de meurtres au Nicaragua – et dans mille autres pays –, le tout au service de ses patrons du gouvernement? C'est cette histoire-là que vous raconterez, inspecteur? C'est cette histoire-là que vous raconterez au monde entier? Ou bien celle de ce fameux Tueur au ruban, de la manière dont un autre ancien mercenaire stipendié par le gouvernement s'est vu demander de régler deux ou trois problèmes épineux ici même, à Washington, et comment il a fait preuve d'inventivité en recourant à la bonne vieille technique d'archivage qui était employée là-bas? »

Thorne sourit, comme s'il venait de repenser à un souvenir plaisant.

« D'archivage? Comment ça?

— Des cadavres par dizaines. Entassés sur des planches en bois et recouverts d'une bâche. Ils leur balançaient ensuite de l'eau de lavande – par bidons entiers. C'était horrible… Une odeur vraiment atroce, le mélange des cadavres en décomposition et de la lavande. À qui revenait cette belle idée? Je ne le saurai jamais. Et puis ils leur attachaient un ruban juste autour du cou, comme une étiquette à bagage, où ils indiquaient ce qu'il devait advenir du corps. Certains devaient être retrouvés, d'autres disparaître. Une fois que les corps étaient expédiés, des équipes spéciales venaient tout nettoyer derrière.

— C'est ce que faisait Robey? C'est ça que vous êtes en train de m'expliquer? Qu'il a d'abord fait ça au Nicaragua avant d'importer la méthode ici?

— Oh! que non! Robey n'aurait jamais fait une chose pareille. Robey était ou, plutôt, est un homme extrêmement sensé. Non, celui auquel vous aviez affaire n'avait rien à voir… Pour tout dire, vous le connaissez.

— Quoi ?

— Le cadavre que vous avez découvert dans le coffre de la voiture. C'était lui, inspecteur, votre soi-disant Tueur au ruban.

— Mais qui est-ce ? »

Au moment où il posa la question, Miller comprit que la vérité était encore pire que ce qu'il avait pu imaginer.

« Qui est-ce ? fit Thorne. Cet homme s'appelait Don Carvalho. Cependant, son identité n'a aucune espèce d'importance. Il avait reçu des instructions pour régler un certain nombre de problèmes mais il a voulu ajouter sa petite note personnelle, pour une raison que tout le monde ignore, et il a fini par devoir être déclaré hors jeu. Le fait que John Robey ait été la personne chargée de cette petite opération peut vous intéresser.

— Robey l'a tué ?

— Apparemment… Mais uniquement pour empêcher Carvalho de vous tuer. »

Miller avait du mal à respirer normalement.

« Ne vous inquiétez pas, inspecteur. À mon avis, vous ne devriez plus vous laisser troubler par de nouvelles révélations. Robey avait en tête un plan vous concernant. Il y a de nombreuses années de ça, il s'est retourné… Il s'est retourné contre la Compagnie, contre ses propres mentors et collègues. Catherine Sheridan et lui estimaient que le monde avait le droit de savoir ce qui se déroulait au Nicaragua – et ce qui s'y déroule encore aujourd'hui. Pour des raisons évidentes, on ne pouvait pas les laisser continuer dans cette voie. Le fait qu'il ait envoyé des documents à ces gens… Barbara Lee, Ann Rayner, et la première… Excusez-moi, je ne me rappelle plus son nom…

— Mosley. Margaret Mosley.

— Oui. Exactement. Le fait qu'après ce fiasco avec Darryl King, il y a cinq ans, il ait eu le courage de tout recommencer, avec toutes ces conneries de gauchiste au grand cœur sur le bien et le mal qui ont été faits à l'époque… »

Thorne tapa du poing sur l'accoudoir de son fauteuil. Miller sursauta.

« Le bien et le mal ne signifient plus rien quand il s'agit de la sécurité d'un pays.

— Vous êtes fou. Vous êtes dingue. »

Thorne leva la main. « Je n'ai pas fini. » Il laissa passer un silence. « L'opinion vous a jugé, inspecteur Miller. Et elle vous a déclaré coupable. Peu importe les conclusions de l'enquête du coroner. Peu importe le témoignage de votre amie Marilyn Hemmings. Les gens vous considèrent comme un franc-tireur, un flic pourri, et comme ils croient dur comme fer que la police est très douée pour se couvrir elle-même, le jour où vous avez été blanchi du meurtre de Brandon Thomas, ça n'a surpris personne. L'opinion ne s'attendait pas à autre chose. »

Miller n'en revenait pas. « Comment osez-vous…

— Allons, inspecteur. Vous n'allez tout de même pas croire que cette affaire est passée inaperçue, si ? Pour qui preniez-vous James Killarney ? Un membre du FBI ? Vous croyez que le FBI s'intéressait à la mort de trois bonnes femmes seules et d'une petite Noire sortie de sa cité ? Bizarrement, j'en doute fort. Killarney appartient à la CIA autant que Robey. Il a fait remonter ces rapports directement jusqu'à nous.

— Comment ça, "directement jusqu'à nous" ? C'est qui, "vous" ?

— Nous sommes ceux qui voyons les choses à grande échelle, inspecteur Miller. Nous ne sommes pas là à nous demander quand va tomber notre prochain salaire, qui sont les amants de nos femmes et où on va pouvoir emmener les gamins en vacances. Il existe une certaine manière de voir le monde, tel que les gens veulent le voir et veulent le voir rester, aussi. Et nous sommes précisément ceux qui offrons au monde – ou du moins à une bonne partie du monde – exactement ce qu'il désire. Le fait que nous passions par la CIA pour ces opérations, eh bien…

— Vous êtes sincère ? l'interrompit Miller. Vous êtes vraiment sincère quand vous me racontez tout ça ? »

Thorne lui jeta un sourire méprisant. « Vous savez, je vous prenais pour un homme profond. Je pensais que vous aviez peut-être une compréhension des choses un peu plus poussée que le prolétaire moyen. Mais vous m'avez prouvé le contraire. Je me trompe rarement, inspecteur. Se tromper, voilà bien quelque chose qu'un homme comme moi ne peut pas se permettre de faire. L'avenir de l'administration actuelle, et de celles qui suivront, au-delà même de ma mort… Ce sont là des choses qui se décident maintenant. Voilà les sujets qui intéressent les gens comme moi. Pas de savoir si une poignée de quidams qui ont regardé certaines choses d'un peu trop près se sont fait assassiner. »

Thorne inspira longuement et se leva de son fauteuil. Il marcha de nouveau jusqu'aux portes-fenêtres et demeura immobile, le dos tourné à la pièce.

« Je vous conseille de rester loin de tout ça. Pour l'instant, vous avez beaucoup de chance d'être encore en vie. Vous auriez dû mourir à la place de l'inspecteur Oliver. Mais ne vous considérez pas à l'abri pour autant. Je ne peux pas vous garantir que vous survivrez jusqu'à demain, et encore moins jusqu'à la semaine prochaine, mais si vous vous éloignez, si vous acceptez le fait que cette enquête est désormais entre les mains du FBI, alors peut-être, je dis bien peut-être, que vous disparaîtrez tranquillement du cerveau de certaines personnes. Des gens sont morts. On ne parle pas non plus de milliers de morts.

Cinquante, cent? Quelle importance? Eux aussi auraient dû garder leurs distances. Mais ils ne l'ont pas fait... Ils ont voulu savoir ce qui se passait, quand bien même leur instinct et leur intuition auraient dû leur dire qu'ils couraient au-devant de sérieuses déconvenues. Ceux qui se sont enrôlés dans ce programme le faisaient pour toute la vie. Ils ont alors découvert la vérité sur le Nicaragua et ont estimé que les autorités et, peut-être pire encore, l'opinion, avaient le droit de savoir. Ils ont partagé leurs découvertes avec leurs supérieurs; ces derniers sont venus vers nous et nous avons pris les choses en main. Un accord avait été passé; ces gens l'ont trahi. John Robey, Catherine Sheridan, Darryl King. Ça ne leur a pas réussi. Sheridan et King sont morts, Robey est en cavale quelque part, et, bien qu'il soit sans doute l'un des meilleurs tueurs jamais formés par la CIA, il n'en demeure pas moins un homme seul face à la puissance du gouvernement américain et de ses agences opérationnelles. Pour ce qui est des autres, ils ont été payés pour assurer la sécurité du pays et ils ont failli à leur tâche. » Thorne se retourna pour le regarder droit dans les yeux. « Est-ce que vous comprenez ce que je dis? »

Miller avait l'impression qu'un fil courait entre ses doigts, et qu'étaient attachées à ce fil toutes les réponses qu'il cherchait.

« Il y a certaines choses que vous ne comprenez pas, inspecteur. Cela, je peux le concevoir. Mais nous n'exigeons de vous qu'une seule chose. Éloignez-vous. Rapidement, discrètement. Acceptez que vous avez fait du bon boulot, mais considérez que le moment est venu de suivre le conseil de Frank Lassiter et de Nanci Cohen, et de vous trouver une autre affaire.

— Je veux savoir certaines choses, répondit calmement Miller. Je crois qu'on me doit bien ça... Quelques réponses. Il y a trop d'éléments qui m'échappent pour que je me contente simplement de rebrousser chemin et d'oublier tout ce qui s'est passé.

— Ça n'a plus d'importance aujourd'hui, inspecteur… On se moque de savoir ce qui vous échappe ou non.

— Mais vous savez ce qui s'est passé. Vous pouvez répondre à mes questions.

— Et pourquoi diable ferais-je cela? demanda Thorne.

— Comme vous dites, ce que je sais n'a aucune importance. Je ne peux rien y changer. Personne ne me croirait, non seulement parce que cette histoire est proprement incroyable, mais aussi parce que les gens me prennent pour un flic pourri et menteur.

— Oui. Encore une fois, le monde vous a jugé, inspecteur Miller. Et il vous a condamné.

— Dans ce cas, donnez-moi suffisamment de clés pour que je puisse m'éloigner et tout oublier. Qu'avez-vous à perdre? C'est le problème, voyez-vous, avec les inspecteurs de la police de Washington : ils sont têtus comme des bourriques et ils ont un sale caractère. Quand ils tiennent quelque chose, ils ne le lâchent plus. »

Thorne éclata de rire. « Je vous aime bien, inspecteur. Je vous admire d'avoir réussi à rester en vie aussi longtemps… Très bien. Pour la seule raison que ça ne va rien changer à votre situation, je répondrai à vos questions. Mais uniquement à celles qui me conviendront. Entendu ?

— Qui a assassiné les trois premières femmes ?

— Les trois premières femmes ou les trois premières dont vous ayez entendu parler ?

— Celles dont j'ai entendu parler : Mosley, Rayner et Lee.

— Elles ont été tuées par Don Carvalho, le type que vous avez retrouvé dans le coffre – et accessoirement votre Tueur au ruban.

— Mais il appartenait à la CIA ? »

Thorne confirma d'un hochement de tête.

« Et cette histoire de rubans n'était qu'un…

— Qu'un stratagème de son invention… Et, même si Robey ne l'avait pas retrouvé et tué, Carvalho n'aurait jamais survécu une semaine après avoir assassiné la Noire.

— Natasha Joyce ?

— Celle qui vivait dans la cité avec sa gamine ? Oui, elle aussi a été tuée par Carvalho.

— Et Catherine Sheridan ?

— Il faudra que vous posiez la question à John Robey.

— A-t-elle également été éliminée par ce fameux Carvalho ?

— Encore une fois, interrogez votre ami le Pr Robey là-dessus.

— Et tous ont été assassinés parce qu'ils connaissaient le problème du Nicaragua ? »

Thorne éclata encore de rire, soudainement, de manière inattendue. « Le problème du Nicaragua ? Allons bon… Vous vous mettez à parler comme au Congrès, maintenant ! J'ai l'impression d'entendre un vieux briscard de la politique internationale.

— Est-ce pour ça qu'ils sont morts ? Parce qu'ils savaient ce qui s'était passé là-bas ?

— Non, bien sûr que non. Il y a plein de gens qui savent ce qui s'est passé là-bas. S'il fallait s'en débarrasser, dans ce cas tous les membres du Congrès et du Sénat y passeraient et vous auriez les trois quarts de l'administration américaine enterrés du jour au lendemain à Arlington. Non, la CIA est tout de même capable de réfléchir, inspecteur. De faire preuve de retenue. Elle prend des décisions que nul autre n'est capable de prendre. Des décisions définitives. Une fois ces décisions prises, elles sont transmises à des contrôleurs, à des chefs d'antenne, à des chefs de section et à Dieu sait qui d'autre. Tout en bas de la hiérarchie, vous avez des gens comme John Robey et Donald Carvalho. Les personnes qui vous intéressent tellement aujourd'hui ont été assassinées parce qu'elles avaient découvert que l'argent de la drogue arrivait toujours dans les coffres de la CIA, et ce bien après la fin de la guerre au Nicaragua.

— Et la CIA a envoyé des assassins pour les liquider ? demanda calmement Miller.

— Des nettoyeurs, des spécialistes, des réparateurs, des cogneurs, des liquidateurs… Tous les métiers du monde.

— Et combien de personnes cela représentait-il ? »

Thorne fronça les sourcils. « Aucune idée. Mais même si je le savais, je ne vous le dirais pas.

— Mais qui donne l'ordre de supprimer ces gens ?

— Aucun commentaire. Il faut monter la garde, rappelez-vous. On en revient toujours là : il faut bien que quelqu'un monte la garde… ou plutôt que quelques-uns s'en chargent.

— Monter la garde contre quoi ? Contre une infiltration communiste imaginaire ? On est plus dans les années cinquante, il me semble.

— Et pourquoi est-ce qu'on n'est plus dans les années cinquante ? Pourquoi la guerre froide est-elle terminée ? Je vais vous répondre, inspecteur… Justement parce qu'il y a eu des choses comme le Salvador, comme la Libye, des choses qui n'auraient jamais été financées s'il n'y avait pas eu le Nicaragua. Parce qu'il y a eu des gens comme moi, comme John Robey et Catherine Sheridan, qui croyaient suffisamment en la démocratie et la justice pour aller là-bas et agir.

— Vous croyez cela ? Qu'inonder les États-Unis sous des centaines de tonnes de coke à seule fin de financer des guerres illégitimes se justifie ?

— Allons, inspecteur, ne soyez pas si naïf. Tous ces gens dont vous parlez, les Noirs, les latinos, les Cubains, les Mexicains… S'ils n'avaient pas eu leur coke par le Nicaragua, ils l'auraient trouvée dans plein d'autres endroits. J'ai le sentiment qu'on leur a rendu service en leur refilant la meilleure coke imaginable. Ces gens sont des bêtes, ils font ce qu'ils veulent, quoi qu'on essaie de leur dire. Ils se droguent, ils se sont toujours drogués et ils continueront de se droguer sans que ni vous ni moi puissions rien y changer.

— Vous pensez ce que vous dites ? Vous croyez vraiment que le monde fonctionne comme ça et que vous pouvez décider du droit de vie ou de mort sur toute la planète ?

— À vous entendre, je me prendrais pour Dieu.

— Il me semble qu'on n'en est pas loin, en effet.

— Dieu est un mythe. Les gens naissent, les gens meurent. Entre-temps, ils font ce qu'ils peuvent pour faire la différence – ou pas. Nous, nous faisons ça parce que nous estimons que les gens ont le droit de ne pas être opprimés par le fascisme et le communisme. Les agents de la CIA se sont voués corps et âme à leur institution. Quelques dizaines d'entre eux ont juré qu'ils accompliraient leur mission, qu'ils protégeraient leur pays, puis ils ont découvert des choses qui les ont choqués et ils ont voulu les révéler au monde entier. Quelques dizaines de personnes, rien de plus. Vous pensez donc que la stabilité et la sécurité de ce pays peuvent être mises en péril uniquement parce qu'une poignée d'individus ont perdu leur sang-froid ?

— Vous devriez vous enregistrer et vous réécouter… Vous vous rendez compte à quel point vous divaguez ? »

Thorne, d'un geste sec, balaya la remarque de Miller. Puis, les mains dans les poches, il se tourna de nouveau vers les portes-fenêtres. « Bien, c'est terminé ? demanda-t-il.

— Qu'allez-vous faire de Robey ?

— Robey ? À un moment donné, il sortira du bois et quelqu'un le tuera.

— Tout simplement.

— Ma foi, pourquoi se compliquer l'existence ? Certains intérêts se doivent d'être protégés, des intérêts beaucoup plus importants pour le bien-être et la sécurité de ce pays que la vie de deux ou trois brebis galeuses. »

Thorne revint vers son bureau et souleva le combiné. Il composa un numéro. « Oui, la sécurité ? L'inspecteur Miller va repartir. »

Au moment même où Thorne raccrocha et le regarda, Miller comprit ce qui allait se produire, et la raison pour laquelle le juge avait tant souhaité lui parler – non parce que personne ne croirait l'inspecteur de police qu'il était, mais parce que l'inspecteur de police n'aurait jamais l'occasion de rapporter la teneur de leur discussion.

L'homme venu le chercher à l'accueil lui avait pris son arme ; elle l'attendait dans le hall de la réception, prête à lui être rendue quand il redescendrait.

Mais Miller n'était pas censé redescendre.

« Jusqu'à maintenant, John Robey vous a peut-être aidé, dit Thorne. Mais John Robey est un homme dont la loyauté a des limites.

— Vous semblez savoir beaucoup de choses sur son compte », répondit Miller, tout en évaluant la distance qui le séparait d'une part de la porte, d'autre part des portes-fenêtres.

Il se demanda si celles-ci étaient fermées, si le mur d'enceinte était haut et ce qu'il cachait. La rue ? Un autre bâtiment du Judiciary Square ? Y avait-il des barrières supplémentaires de l'autre côté ?

Son cœur battait fort, le sang cognait contre ses tempes. Il avait ressenti la même chose quand Brandon Thomas l'avait agressé, à l'instant où il s'était rendu compte que le maquereau se moquait de son statut de flic et voulait le tuer, comme Thorne à présent. Mais Thorne, lui, n'aurait rien à se reprocher. Il confierait la besogne à l'un de ses hommes, qui discuterait avec quelqu'un d'autre, et ce quelqu'un d'autre attraperait Miller avant de lui coller une balle dans la tête ou de le pousser du haut d'un gratte-ciel…

« Je connais mieux John Robey que lui-même ne se connaît », dit le juge.

Il se déplaça vers la gauche et resta le dos tourné vers les portes-fenêtres, comme si, ayant lu dans les pensées de Miller, il voulait lui interdire toute échappatoire. Bien que plus petit et léger, il pouvait tout de même le ralentir en attendant l'arrivée de la sécurité.

« Pour quelle raison ? » demanda Miller, histoire de gagner du temps et de trouver une solution, n'importe laquelle.

Le téléphone sur le bureau. La grosse carafe en verre dans laquelle Thorne avait servi son armagnac. Il y avait plein d'objets avec lesquels il pouvait attaquer le juge, mais après ? S'il l'assommait et s'enfuyait en courant, il serait forcément vu et accusé d'agression. Des gens le suivraient ; or il n'avait pas de pistolet, aucun moyen de se défendre, et si tout ce que racontait Thorne était vrai, si Oliver avait bel et bien été tué à sa place, alors ses poursuivants n'hésiteraient pas une seconde à abattre un inspecteur de la police de Washington.

« Pour quelle raison ? répéta Thorne. Mais parce que je l'ai formé, inspecteur. C'est moi qui ai formé Robey, Sheridan, Carvalho et des dizaines d'autres.

— Vous ne vous appelez pas vraiment Walter Thorne, n'est-ce pas ?

694

— Walter Thorne, Frank Rissick, Edward Perna, Lawrence Matthews… Je suis à la fois tous ceux-là et aucun d'entre eux. Je suis celui que je dois être chaque fois que la situation l'exige. Le fait que vous soyez tombé sur le nom de Donald Carvalho en enquêtant sur la United Trust n'a aucune espèce d'importance. Savez-vous seulement combien de noms correspondent aux innombrables façades, sociétés-écrans et programmes qui ne sont pour nous que des couvertures ? »

Toute l'attention de Miller était tendue vers le moindre bruit qui pourrait se faire entendre dans le couloir. Il ne savait pas par où partir. Par la porte d'entrée ? Ou valait-il mieux traverser le jardin et franchir le mur d'enceinte ?

« Mais si Robey était une telle épine dans le pied…

— Pourquoi ne l'avons-nous pas simplement liquidé ? termina Thorne. Parce que les John Robey et les Catherine Sheridan qui peuplent cette terre ne ressemblent pas à Margaret Mosley, à Ann Rayner, à Barbara Lee ou à la petite Joyce. Il fallait d'abord régler certains points.

— Qu'avait-il fait ? Disposait-il de certains éléments ? Des preuves qui risquaient d'être rendues publiques s'il mourait ?

— Il avait des preuves, inspecteur, et nous possédions quelque chose qui lui appartenait. Match nul, donc. Balle au centre. Et la situation est restée figée comme ça pendant très longtemps.

— Quelque chose qui lui appartenait ? À Robey ?

— Non pas quelque chose, mais plutôt quelqu'un.

— Quelqu'un ? » Miller hocha la tête. « Catherine Sheridan, c'est ça ? Vous le menaciez de tuer Catherine Sheridan s'il…

— Non, inspecteur. John Robey ne se souciait pas assez de Catherine Sheridan pour que sa mort puisse l'arrêter dans son élan.

— Qui, alors ? De qui parlez-vous ?

— Je vous parle de… »

Le fait qu'il n'y eut aucun bruit audible lorsque la balle heurta la vitre supérieure droite de la porte-fenêtre gauche conféra à l'instant une sensation de malaise un peu irréel.

Thorne était en train de parler. « Je vous parle de… » Et, soudain, il ne parlait plus.

Des mots sortaient de sa bouche, et ensuite plus rien.

Il sembla rester debout un long moment, mais ce n'étaient que des secondes – moins que des secondes – qui s'éternisèrent. Miller attendait qu'il reprenne sa phrase…

Le juge fit un pas de côté, péniblement, comme s'il venait de subir un choc brutal, d'apprendre une terrible nouvelle.

C'est alors que Miller vit le petit trou dans la vitre.

Et il comprit pourquoi le juge Thorne essayait de se cramponner à l'étagère, pourquoi ses yeux semblaient avoir perdu leur lueur et devenaient ternes, vides, pourquoi le bruit qui sortait de sa bouche n'avait plus rien à voir avec un quelconque langage, mais plutôt une sorte de sifflement étouffé, comme de la vapeur s'échappant d'une cocotte-minute… Et puis il y eut ce filet de sang extrêmement ténu qui, jailli de la commissure de son œil droit, coula sur sa joue.

Miller sentit son cœur s'arrêter, puis reprendre en doublant de cadence.

Walter Thorne s'écroula sur ses genoux ; en basculant à gauche, sa tête heurta le coin de l'imposant bureau en acajou. Il s'effondra comme une pierre.

Miller se précipita, immédiatement, instinctivement, en un vain effort pour attraper Thorne, lequel roula par terre à peine tombé sur la moquette. Agenouillé, il tenta désespérément de retourner le corps du juge en lui prenant la tête. Ses mains se couvrirent rapidement de sang.

Il se laissa retomber vers l'arrière et leva les bras bien haut, car le sang, ruisselant sur ses poignets, approchait dangereusement de ses manches de chemise.

La flaque de sang sur la moquette contrastait avec le minuscule trou dans la tempe droite de Thorne. Il n'y avait aucun orifice de sortie sur sa tempe gauche. La balle était encore logée dans le crâne

Alors Miller réagit. Il ouvrit la bouche pour dire quelque chose, pour hurler, appeler au secours – un infirmier, n'importe qui capable de faire n'importe quoi –, quand bien même il savait qu'il était trop tard.

Mais aucun son ne sortit.

Il fut pris de violents tremblements. Il tenta de se relever, tomba sur le côté. Il tendit le bras, agrippa l'accoudoir du fauteuil de Thorne, se redressa sur ses pieds. En lâchant le fauteuil, il vit la trace ensanglantée qu'il y laissait.

Il avait la nausée, se sentait frappé d'une terreur aussi soudaine qu'implacable. Il voulut se saisir de son arme, mais sa main chercha dans le vide.

Il se planta à côté de la fenêtre. Par l'espace entre l'encadrement et le rideau, il observa rapidement le jardin.

Qu'avait-il pensé y voir?

Le jardin était désert, quasiment monochrome, d'un calme qui jurait avec la folie dans le bureau du juge Thorne.

Miller n'en pouvait plus. Il s'appuya contre le mur, laissant une fois de plus une traînée de sang derrière lui.

Il avait parlé à deux personnes au moins. Le réceptionniste avait son nom et l'assistant de Thorne, son arme. Il était présent sur les lieux. Il se trouvait seul dans la pièce au moment où Walter Thorne avait été abattu…

Il se retrouvait dans la mouise, plus épaisse encore qu'à l'époque de l'incident avec Brandon Thomas.

Il se mit à faire de l'hyperventilation, à parler tout seul. Encore une fois, il s'approcha de la fenêtre, puis contempla le cadavre de Thorne. Il s'agenouilla et posa la main sur le cou du juge. Rien.

Il aurait voulu lui donner un grand coup de pied, lui marteler le visage avec ses poings, l'insulter, lui hurler dessus, refuser tout ce que Thorne lui avait raconté. Il aurait aimé lui dire ce qu'il pensait de sa vision du monde, que si le monde était une telle saloperie, c'était à cause de personnages comme lui, que les gens comme Walter Thorne expliquaient à eux tout seuls la drogue, les crimes et les guerres..

Pourtant, il ne dit rien.

Il sentit toutes les émotions réprimées au cours des dernières semaines lui remonter à la gorge comme un poing fermé. Il avait l'impression qu'il allait vomir, que son cœur craquerait sous la pression, la peur et la douleur, qu'il allait s'affaisser sur le cadavre du juge Walter Thorne et qu'on les retrouverait tous les deux dans la même pièce, la porte fermée à clé, avec un petit impact de balle dans la vitre, et bien malin celui qui expliquerait ce qui s'était passé ici dans l'après-midi du lundi 20 novembre 2006.

Et personne ne saurait jamais.

Et John Robey retournerait au Mount Vernon College pour y enseigner la littérature et la poésie, et ses étudiants le regarderaient, écouteraient ses mots et ne sauraient pas que l'homme qui s'adressait à eux tous les jours avait tué plus de monde qu'ils ne pourraient jamais l'imaginer...

Miller ne savait plus... Il était tellement perdu qu'il ne savait plus quoi penser.

Sauf qu'il était foutu.

Ça, il le savait. Avec certitude.

58

Il y eut un bref répit entre l'arrivée du chef de la sécurité du Judiciary Square et l'appel pour une ambulance, appel transformé ensuite en convocation du coroner…

Un bref répit au cours duquel Robert Miller resta dans le jardin aux côtés du chef de la sécurité. Ils cherchaient tous les deux des indices sur l'identité de la personne qui avait tiré une balle à travers la vitre du bureau du juge Thorne.

Un bref moment de silence au cours duquel Miller ne pensa à rien jusqu'à ce que, soudain, l'image lui revienne en tête.

L'image qui figurait sur l'écran de l'ordinateur chez John Robey.

Catherine Sheridan.

« Arrête de filmer, je t'en supplie. »

L'image de Catherine Sheridan en train d'agiter la main devant la personne qui filmait. Il y avait des arbres à l'arrière-plan. Elle portait un béret en laine, turquoise, duquel aucun cheveu ne dépassait.

Catherine Sheridan en train de rire…

« John, s'il te plaît ! Vire cette caméra. »

Incapable de tenir debout, Miller s'assit sur un des bancs en ter forgé qui décoraient le jardin du juge Thorne et regarda le chef de la sécurité tenter de maintenir un semblant d'ordre. À un moment donné, il entendit dire que

Marilyn Hemmings arrivait; curieusement, il n'avait pas envie de la voir… Pas cette fois, pas comme ça : encore un cadavre par terre, encore un petit sourire entendu, encore une rencontre qui resterait gravée dans leur mémoire sous la forme d'un épisode terrible, effrayant, comme si leurs expériences communes devaient être marquées du sceau de l'horreur pour avoir un sens – à travers un acte ignoble, un crime, une trahison…

Il discuta avec le chef de la sécurité, un homme dont il ne sut jamais le nom, et lui annonça qu'il repartait au commissariat nº 2, qu'il écrirait son rapport, s'entretiendrait avec le procureur adjoint dans les plus brefs délais et veillerait à ce que l'enquête sur l'assassinat du juge Walter Thorne mobilise toutes les ressources disponibles.

L'homme lui demanda la raison de sa visite chez le juge. Il avait besoin de savoir, pour son propre rapport. Miller lui répondit que sa visite était liée à un mandat d'amener. Rien de très important. Le chef de la sécurité parut satisfait.

Miller redescendit dans le hall d'entrée. Une secrétaire lui indiqua l'endroit où il pourrait récupérer son arme de service. Il signa un document, se dépêcha de quitter l'immeuble, retrouva sa voiture et s'éloigna du Judiciary Square, du corps gisant de Walter Thorne, de tout ce que ce dernier lui avait raconté.

Mais, au lieu d'aller au commissariat nº 2, il se dirigea vers la patinoire de Brentwood Park.

Trois quarts d'heure plus tard, il se trouvait à l'accueil du complexe de Brentwood Park. Le lieu était officiellement fermé mais, sur simple présentation de son insigne de policier, le gardien lui avait ouvert la porte. Il fonça immédiatement jusqu'à la patinoire, longea les gradins du bas et balaya du regard tous les sièges.

John Robey leva la main et sourit.

Miller ne dit rien avant d'avoir fait quasiment le tour de la patinoire. Il s'arrêta dans une travée située à environ six mètres au-dessous de Robey.

« Professeur Robey.

— Inspecteur Miller.

— Je viens vous interroger sur le meurtre du juge Walter Thorne.

— Dès demain, le meurtre du juge Walter Thorne prendra une tout autre tournure.

— C'est-à-dire ? »

Miller monta quelques marches. Il guettait le moindre mouvement brusque de la part de Robey – un pistolet dégainé, par exemple.

« C'est-à-dire ce que vous voulez. La réalité et l'apparence ne sont pas forcément la même chose… Comme c'est toujours le cas dans ma profession. »

Miller monta encore une marche. « Maintenant, ça suffit », dit-il sans s'énerver. Il entendit toute la fatigue dans sa propre voix, qui ressemblait à celle d'un homme brisé en mille morceaux. « J'ai appris beaucoup de choses sur les événements récents… Je viens de passer un long moment avec Walter Thorne. Il m'a dit…

— Qu'est-ce qu'il vous a dit ? Il vous a ressorti son vieux discours ? Celui sur la manière dont va le monde, sur les êtres d'élite auxquels incombe la responsabilité de protéger le pays ? » Robey eut un sourire attendri. « Pas besoin de me le répéter… J'ai tout entendu.

— Pardon ?

— Cela fait des mois que je sais ce qui se dit dans le bureau de Thorne. Je suis au courant de ce qui se passe depuis belle lurette.

— Dans ce cas, vous imaginez sans peine le nombre de choses que je ne comprends toujours pas.

— Il ne s'appelait pas Walter Thorne. Il a vécu sous ce nom-là pendant des années, mais c'était du flan. Son vrai nom était Lawrence Matthews. Je l'ai rencontré à l'université de Virginie il y a très longtemps. »

Miller monta les dernières marches et s'assit à côté de Robey. Il tira de sa poche l'enveloppe qui contenait la photo.

« Celui-là… Je ne sais pas qui c'est. »

Robey sourit et lui prit la photo des mains. « Patrick Sweeney. Vous avez déjà entendu parler de lui ? »

Miller le regarda dans les yeux. Son expression avait changé.

« Sweeney ? Je ne sais pas… Ça me dit vaguement quelque chose. J'ai déjà dû entendre ce nom.

— Il s'appelait en réalité Don Carvalho. C'était l'entraîneur de Sarah. Eh oui, croyez-le ou pas : il était entraîneur de patinage artistique.

— Oui, ça me revient… Avant Per Amundsen, dit Miller en fronçant les sourcils. Mais Sarah m'a expliqué que Sweeney était mort.

— Dans ce métier, on apprend une chose élémentaire : tant que vous n'avez pas vu le cadavre, vous ne pouvez jamais être sûr qu'une personne est morte. Et même un corps n'est pas forcément une preuve formelle.

— Qu'est-ce qui lui est arrivé ?

— Pendant longtemps, il a été Don Carvalho, puis il est devenu Patrick Sweeney. Il a voulu mener une vie normale, mais il a été rappelé sous les drapeaux et il est redevenu Don Carvalho. Nous avons travaillé ensemble au Nicaragua. Nous sommes rentrés de là-bas bien décidés à lutter contre la cocaïne qui n'arrêtait pas d'inonder les États-Unis et à sauver ceux qui en crevaient. J'ai envoyé des documents à trois agents de la CIA, séparément. Des gens que je pensais dignes de confiance. Ces documents devaient les alerter sur ce que Don et moi savions. Ils en ont parlé à leurs chefs de section, qui eux-mêmes ont transmis à leur superviseur, et pour finir le superviseur a donné l'ordre à Don de liquider ces trois agents…

— Mosley, Rayner et Lee, dit Miller. C'est à elles que vous aviez envoyé ces documents ?

— Exactement… Et c'est à ce moment-là que Don Carvalho est venu m'annoncer qu'on lui avait donné l'ordre de supprimer ces femmes.

— Et vous lui avez demandé de ne pas les tuer ?

— Non, Robert… Je lui ai demandé de les tuer. Et brutalement. De les tabasser, de les étrangler, de leur attacher des rubans autour du cou et de les imbiber d'eau de lavande. De les tuer de telle sorte que ça se remarque et que les gens ne puissent pas ignorer ces crimes. »

Miller ouvrit de grands yeux. « Donc Thorne avait raison, fit-il. Carvalho était bien le Tueur au ruban…

— Walter Thorne ne vous a pas raconté que des mensonges. Nous évoluons tous dans un monde aux reflets mouvants. Telle chose vous semble être ceci ? Elle sera très probablement cela. Patrick Sweeney, Don Carvalho, peu importe le nom que vous lui donnez, était un tueur. Il tuait pour le gouvernement. C'est ce qu'il a fait pendant des années. Comme moi. Il y a longtemps, nous avons décidé que des vies pouvaient disparaître sans problème, que certaines personnes pouvaient être sacrifiées sur l'autel de l'intérêt général. » Il esquissa un sourire las. Il semblait de plus en plus fatigué à mesure qu'il parlait. « Je ne m'attends même pas à ce que vous compreniez… Les gens ne veulent jamais comprendre. La seule image qui me vient en tête, c'est celle d'un remède à une maladie terrible, comme le cancer, par exemple. Pour développer ce remède qui sauvera des millions de vies humaines, il faut d'abord le tester et sacrifier ainsi mille, cinq mille ou dix mille cobayes. Au bout du compte, on trouve la bonne formule et les gens ne meurent plus de cette maladie.

— Donc vous étiez là-bas… Au Nicaragua.

— On était tous là-bas. » Robey montra les visages sur la photo. « James Killarney. Il s'appelait Dennis Powers, à l'époque. Ensuite, le juge Walter Thorne. Quand je l'ai rencontré, il enseignait à l'université de Virginie sous le nom de Lawrence Matthews. Enfin moi, Catherine et Don Carvalho.

— Vous y croyiez, n'est-ce pas ?

— On y croyait. On y a cru… un moment. Et puis on a vu ce que c'était.

— Mais pourquoi Don Carvalho a-t-il été obligé de tuer Mosley, Rayner et Barbara Lee ?

— Parce qu'il n'avait pas le choix. Parce que s'il n'avait pas tué ces femmes il aurait été congédié et que quelqu'un d'autre les aurait assassinées… Il est venu m'en parler et je lui ai dit quoi faire.

— À savoir ?

— Je lui ai dit de faire quelque chose qui attire l'attention de la police, des journaux… Alors on vous a offert sur un plateau le Tueur au ruban.

— Pour nous faire comprendre qu'il existait un lien entre Mosley, Rayner et Lee ?

— Pour vous montrer qu'il existait un lien, pour montrer à nos employeurs qu'on avait notre mot à dire, qu'on n'était plus des machines à tuer privées de cerveau ou d'émotions. Pour tenter d'agir. »

Robey remua sur son siège avec effort. Il se frotta longuement les mains, comme s'il avait froid.

« Mais on a merdé, pas vrai ? » demanda Miller.

Robey éclata de rire ; pourtant il avait l'air de souffrir. « Ça oui, vous avez merdé. Je n'ai jamais vu une institution aussi incompétente que la police de Washington. Rappelez-vous que j'en ai fait partie, moi aussi, avec Darryl King. Je suis entré dans la police de Washington il y a cinq ans. J'ai essayé d'agir de l'intérieur... Pour finir, Darryl s'est fait tuer, je me suis fait blesser, et tout ça pour rien.

— Comme on n'a pas vu le lien entre les trois premières victimes, quelqu'un d'autre devait mourir, pour nous rappeler que le problème était toujours là, bien vivace. »

Robey confirma d'un hochement de tête.

« Ce quelqu'un d'autre, c'était Catherine Sheridan.

— Exact.

— Ce n'est pas Don Carvalho qui l'a tuée, si ?

— Il n'a pas voulu.

— Vous vous en êtes donc chargé vous-même ?

— En effet.

— D'où le fait qu'elle n'a pas connu le même sort que les autres... Qu'elle n'a pas été tabassée avant de mourir... »

Robey leva la main. « Allez, ça suffit... Vous n'avez pas la moindre idée de...

— Et c'est vous qui avez laissé sous le lit les photos qui vous montraient tous les deux côte à côte.

— Tout.

— Et Don Carvalho a également assassiné Natasha Joyce ?

— Non, ce n'était pas Don. » Robey inclina la tête avant de soupirer longuement. « Natasha a été tuée par l'homme que vous connaissez sous le nom de James Killarney. » Il ferma les yeux. « Killarney a également reçu l'ordre de vous abattre, et l'affaire aurait été réglée si vous étiez monté à mon appartement à la place de l'inspecteur Oliver. De toute façon, l'essentiel n'est pas de savoir qui a tué Natasha Joyce, mais le simple fait qu'elle a été tuée. Ils n'auraient jamais dû faire ça... Pas la mère d'une petite fille. Mais... »

Il posa son regard au loin, de l'autre côté de la patinoire, en secouant la tête d'un air résigné.

« Mais quoi ? insista Miller.

— Qu'est-ce que je raconte ? Ils n'auraient jamais dû tuer une mère de famille. Mais c'est comme ça qu'ils fonctionnent... C'est d'ailleurs comme ça qu'on fonctionnait tous, là-bas. Des mères, des pères, et même des gamins... S'ils nous gênaient, ils mouraient. C'était la loi de la guerre. Les dommages collatéraux et inévitables... Je connaissais Darryl King. C'était un type bien. Il voulait nous aider. Il aimait cette femme... Il l'aimait vraiment. Ils l'ont détruit jusqu'à la moelle. Ils l'ont transformé en junkie.

— Thorne m'a dit que vous avez tué Don Carvalho et l'avez mis dans le coffre de la voiture.

— Non, je n'ai pas tué Don. Ils ont demandé à Killarney de lui régler son compte. Ils ne pouvaient plus se permettre d'avoir de nouvelles victimes avec une étiquette à bagage autour du cou, vous comprenez ? Ça risquait de devenir trop personnel, d'établir un lien trop évident. Thorne a dû aussi vous raconter que Don Carvalho a abattu l'inspecteur Oliver, non ? Eh bien, il s'agissait encore de Killarney, et vous deviez être à la place de votre collègue. » Robey regarda Miller ; ses yeux avaient une lueur sévère, implacable. « Tous les trois.. Catherine, Don et moi, on était encore des gamins quand on est partis là-bas. On a gobé le mensonge. On a fait le boulot qu'on attendait de nous. On a tué.. Mon Dieu ! tellement de gens... Tellement de gens.

— Et il y a cinq ans, avec Darryl King ? La fameuse descente antidrogue. C'était de la cocaïne qui venait du Nicaragua ? King s'est fait tuer à cause de ça ?

— Oui... Du jour où j'ai quitté le Nicaragua, j'ai essayé de porter ce problème à l'attention du monde.

706

— Vous êtes revenu du Nicaragua et Catherine est tombée enceinte, pas vrai ? »

Robey se fendit d'un léger sourire.

« Sarah Bishop, n'est-ce pas ?

— Vous êtes moins bête que vous n'y paraissez, inspecteur Miller. Mais sur ce coup-là vous vous fourvoyez.

— Sarah Bishop est bien votre fille ?

— Non, répondit Robey d'une voix faiblarde Sarah Bishop n'était pas notre fille. Elle était notre conscience.

— Je ne comprends pas. Comment ça, votre conscience ?

— À Managua, en 1984, j'ai tué un homme. Il s'appelait Francisco Sotelo. Il était avocat. On m'avait dit qu'il balançait des renseignements aux sandinistes. On m'a demandé de le tuer et de retrouver certains documents. Je l'ai tué, bien entendu, mais en fouillant son bureau je n'ai trouvé aucun de ces fameux documents. Alors je suis allé chez lui. Je suis entré par effraction et, pendant que je cherchais, sa femme m'a pris la main dans le sac.

— Et vous l'avez tuée, elle aussi ?

— Oui… Elle aussi. Mais je n'avais pas prévu une chose… Je n'avais pas prévu qu'ils avaient une petite fille âgée d'un mois et demi. Elle dormait dans une chambre, et je venais d'assassiner ses parents.

— Vous l'avez ramenée ? Catherine et vous ? »

Robey sourit. « On l'a ramenée, oui. On a pris la petite et on l'a ramenée ici. On lui a trouvé une famille. »

Miller commençait à saisir toute l'importance de ce geste. « Donc vous avez décidé, Catherine, Don Carvalho et vous, de révéler au monde ce qui s'était passé, mais James Killarney et le juge Thorne…

— J'ai du mal à les désigner autrement que sous les noms de Dennis Powers et Lawrence Matthews.

— Mais ils travaillaient toujours…

— Ils empêchaient toujours le monde de connaître la vérité. Et Sarah était notre preuve. Notre conscience. Elle témoignait de ce que nous avions fait au Nicaragua.

— C'est incroyable… Tout ce que vous me racontez. C'est trop. Je ne vois pas en quoi ça a changé quoi que ce soit… Un vrai cauchemar. Ça a duré si longtemps, tant d'années, et on en arrive là, aujourd'hui… Des gens sont morts, Catherine est morte, Natasha Joyce est morte, et qu'est-ce que ça va changer ? Pourquoi ne vous ont-ils pas tué ? Ils auraient pu vous éliminer, vous, Catherine, Sarah, et l'affaire aurait été réglée.

— J'étais beaucoup trop dangereux pour qu'on se débarrasse de moi d'un revers de main. Catherine et moi… Nous savions tout. Eux savaient que nous avions des informations et que s'ils nous éliminaient, ces informations se retrouveraient aux mains de la presse et d'autres agences gouvernementales. Le problème ne consistait pas simplement à nous faire disparaître. Avec nous, ce n'était jamais aussi simple. » Robey se tut, respira longuement, força un sourire. « J'ai passé toutes ces années à mettre en pratique ce qu'on m'avait appris pour me défendre. Voyez, j'ai même donné des cours et écrit des livres. Ici j'étais John Robey, ailleurs j'étais un autre… Je ne me rappelle même plus combien de noms j'ai eus, combien d'histoires je me suis inventées. John Robey et Michael McCullough ne représentent qu'une infime partie de ce que j'étais, croyez-moi… » Il se déplaça lentement vers l'avant, comme si quelque chose le poussait dans le dos. « Mais, après notre retour, ils ont menacé Catherine. Elle voulait tout plaquer ; or ça ne se passe pas comme ça. À cette époque, ils n'étaient pas au courant pour Sarah, et nous ne l'avons dit à personne. Il nous fallait prendre une décision concernant l'enfant… » Il se redressa de nouveau et regarda Miller droit dans les yeux. « Nous avons dû la confier à une autre famille. Nous l'avons abandonnée. Sciemment Pour la protéger et se débarrasser de la seule arme dont ils disposaient contre nous. Ça a été la décision la plus importante de notre vie. Quand elle est devenue adolescente, nous avons demande à Don Carvalho de voler à notre secours. Il s'est beaucoup rapproché d'elle… Il l'a aidée. Il nous racontait ce qu'elle faisait. Je venais ici pour la regarder s'entraîner…

— Et elle n'a jamais su qui vous étiez ? »

Robey secoua la tête. « Elle ne s'est jamais demandé si elle était quelqu'un d'autre que Sarah Bishop. Vous savez, elle avait six semaines quand nous l'avons ramenée aux États-Unis.

— Et Catherine ?

— Catherine la voyait. On venait ici ensemble, de temps en temps. Catherine se cachait dans la voiture et regardait Sarah s'en aller avec ses parents. Mais elles ne se sont jamais parlé. Lui dire la vérité aurait été trop dangereux. Tous ceux qui me surveillaient savaient que je venais ici. Que Catherine soit vue ici en ma compagnie, ou qu'elle rencontre Sarah… La coïncidence aurait été trop belle. Ils auraient compris en une fraction de seconde…

— Ils ne savaient pas qu'elle était la fille de cet avocat ?

— Ils ne l'ont pas su… pendant des années, en tout cas. Puis ils ont compris qu'il existait un lien entre Sarah et moi, mais sans savoir qui étaient ses vrais parents. Peut-être même qu'ils ont pensé qu'elle était notre fille. Son adoption n'avait rien d'officiel – aucune archive nulle part. En revanche, ils savaient qu'elle comptait pour moi et qu'il leur suffisait de la menacer.

— Qu'est-ce qui a changé, alors ? Qu'est-ce qui vous a poussés, Don Carvalho et vous, à faire tout ça ?

— On a appris que Catherine était en train de mourir. C'est ça qui a tout changé. Elle ne voulait pas crever dans un hospice et passer ses derniers mois sur terre à respirer dans des tubes ou à pisser dans une poche. Elle voulait se retirer discrètement, vous comprenez? Elle voulait sentir qu'elle avait fait quelque chose pour rectifier ses erreurs.

— Elle vous a donc laissé la tuer? »

Les yeux de Robey étaient mouillés de larmes. « Vous vous imaginez un peu ce que c'est que de tuer la femme que vous aimez? De la tenir dans vos bras en sachant que vous l'avez tuée? »

Miller secoua la tête. « Je ne peux pas imaginer, non.

— Eh bien, moi, je sais ce que c'est. Tout comme mon père. C'est drôle, non? Les deux seules femmes que j'aie jamais aimées vraiment ont été tuées par ceux qui les aimaient le plus au monde.

— Votre père? Comment ça? »

Robey ignora sa question. « Aimer suffisamment un être pour pouvoir le tuer? Estimez-vous heureux de n'avoir jamais vécu ça.

— L'après-midi où elle… Le jour de sa mort, elle était avec vous. »

Robey ferma les yeux. « Dans un hôtel. On a passé quelques heures dans un hôtel. On a regardé un film… Ce foutu film à la con qu'elle aimait tant. Voilà ce qu'elle a voulu faire. Nom de Dieu! elle l'a même mis chez elle…

— Et vous avez dû la tuer pour attirer de nouveau notre attention? Pour qu'on découvre les connexions?

— Oui. Pour que quelqu'un d'autre puisse comprendre ce qui s'était passé. »

Après un long silence, Miller leva les yeux vers Robey. « Et vous êtes certain que c'est Killarney qui a assassiné Natasha Joyce?

— Killarney, oui. Il a tué Natasha Joyce. Elle commençait à s'intéresser de près à la mort de Darryl. Elle a discuté avec une employée de l'administration de la police. Le dossier était classé sensible – celui de Darryl King. C'est forcément remonté jusqu'au système de la CIA. Ils ont dû envoyer quelqu'un sur place en moins de deux.

— Effectivement, dit Miller. Une certaine Frances Gray.

— À ce moment-là, ils savaient ce qui était en train de se passer. Les rapports que vous remettiez à James Killarney remontaient directement jusqu'à Walter Thorne et au chef de la section de Washington. Killarney a assassiné Natasha Joyce, mais aussi Don Carvalho et Carl Oliver. Il avait pour mission de faire en sorte que cette affaire ne soit jamais révélée au grand jour. C'était son boulot, à lui tout seul... Et c'est lui qui a demandé à l'avoir.

— Pourquoi? Il avait une raison particulière?

— Killarney et moi, ça remonte à longtemps... Il s'est passé des choses au Nicaragua, des choses que j'ai faites Et il n'a jamais... »

Robey poussa une quinte de toux et garda la main posée sur son torse.

Miller fronça les sourcils. Il se pencha vers lui. « Ça va? »

Robey fit signe que oui et ferma les yeux un instant. Une larme coula sur sa joue gauche.

« Il y a eu une histoire avant cela, dit-il. Je n'ai pas besoin d'en dire plus.

— Jusqu'à quand?

— Jusqu'à ce que Don soit de nouveau enrôlé. Jusqu'à ce que le cauchemar reprenne de plus belle. Du jour où il a été rappelé, on savait qu'on ne pourrait plus protéger

Sarah comme on l'entendait. Don avait toujours été là pour elle, et son rappel sous les drapeaux rendait la chose désormais impossible…

— Alors vous avez dû trouver n'importe quel moyen pour que la vie de Sarah ne soit plus menacée ?

— Quand Catherine est tombée malade, voyez-vous, on savait… » Robey s'agrippa aux accoudoirs de son siège. Son front était couvert de sueur. « Si Catherine mourait… Si sa mort incitait les autorités à enquêter sur ce qui se passait… » Là-dessus, il prit une grande bouffée d'air, plissa les yeux comme s'il souffrait terriblement, puis hésita une seconde avant de reprendre. « Catherine morte… et si certains documents venaient à sortir au grand jour… beaucoup de documents montrés à beaucoup de personnes en même temps… »

L'air resta bloqué dans ses poumons ; il toussa encore.

« Que se passe-t-il ? Ça va ?

— Ça va, répondit Robey d'une voix faible. Si beaucoup de documents étaient montrés à beaucoup de personnes en même temps, si Catherine était déjà morte, et s'ils n'arrivaient pas à m'atteindre, alors ils n'avaient plus de raison d'en vouloir à Sarah… Plus aucune menace à brandir contre nous… Rien qui puisse inquiéter quiconque. »

Robey toussa encore, cette fois plus fort, avec une pointe sèche, douloureuse. Il sortit un mouchoir et le porta à sa bouche. Il demeura silencieux quelques instants, essaya de respirer ; lorsqu'il retira sa main, le mouchoir était maculé de sang.

« Qu'est-ce que vous avez ? demanda Miller. Vous êtes malade ? »

Robey fit non de la tête. « Voilà pourquoi j'avais besoin de quelqu'un d'autre, répondit-il d'une voix qui n'était plus qu'un râle. Il fallait que quelqu'un d'autre voie ce qui se déroulait et connaisse la vérité. Je savais qu'ils finiraient par avoir Don, que Killarney finirait par avoir tout le monde... Y compris vous, d'ailleurs. Il a même essayé de vous tuer mais, à votre place, il a abattu Oliver. »

Robey referma les yeux.

Miller le saisit par l'épaule et le secoua. « Mais qu'est-ce que vous avez ? Qu'est-ce... »

Robey rouvrit enfin les yeux. « Je suis désolé que ce soit tombé sur vous. Il fallait bien que ce soit quelqu'un, voyez-vous... Je voulais quelqu'un qui n'avait pas de famille. Quelqu'un qui pouvait reconstituer le puzzle et comprendre l'essentiel de ce qui se passait...

— Vous m'avez parlé de documents...

— Déjà en route. Ils sont déjà en route, inspecteur Miller. » Le souffle de Robey était court. Il tendit le bras pour prendre la main de Miller et la tirer vers lui. « Et Walter Thorne... Il y a un fusil dans un sac... Suivez la trajectoire de la balle jusqu'au... jusqu'au bâtiment de l'autre côté de la rue... Dans une pièce, se trouve un sac qui contient un fusil... avec des empreintes dessus... »

Le simple fait de respirer le mettait au supplice. Pour Miller, c'était un spectacle aussi pénible à entendre qu'à voir.

« Faites quelque chose pour moi, lâcha Robey entre ses mâchoires serrées. Faites quelque chose pour moi... »

Miller le regarda droit dans les yeux, retenant son souffle en attente...

« Il faut que quelqu'un soit là pour veiller sur elle... et s'assure qu'ils ne l'attrapent pas. C'est surtout pour ça que j'avais besoin de vous... Une fois Catherine et moi disparus, ils n'ont aucune raison de lui en vouloir. Mais, vous savez, ils sont du genre rancunier. Ils peuvent se montrer revanchards et insensibles, et il faut que quelqu'un lui vienne en aide. »

Robey semblait maintenant incapable de respirer normalement. Il s'efforça de regarder l'inspecteur en face. Un mince filet de sang et de salive mêlés apparut à la commissure de ses lèvres et s'écoula lentement sur le revers de sa veste.

« Vous pouvez faire ça pour moi ? Rendez-moi ce service… Gardez un œil sur elle… Faites en sorte qu'ils ne la tuent pas pour se venger…

— Oui. Je peux faire ça… Je peux vous rendre ce service. »

Robey sourit faiblement, puis tira de sa poche une enveloppe blanche qu'il pressa contre la paume de Miller. Ce dernier jeta un coup d'œil dessus ; elle ne comportait qu'un seul mot, joliment écrit, avec la même graphie qu'au verso de la photo trouvée dans les bureaux de la United Trust.

« SARAH. »

Enfin Robey, par un simple regard, sembla annoncer que tout était fini, qu'il n'y avait plus grand-chose à dire, et que tout cela n'avait plus aucune importance, maintenant que la pièce était terminée, qu'on avait baissé le rideau et que rien ne le retenait plus dans la salle…

John Robey se déplaça sur son siège jusqu'à ce que sa tête repose de tout son poids contre l'épaule de Miller.

Ce dernier ne bougea pas. À son tour, il ferma les yeux et ne les rouvrit qu'au moment où une musique envahit soudain la patinoire.

Au-dessus de lui, des haut-parleurs diffusèrent des notes de piano. Il vit Sarah Bishop glisser sur la surface de la glace, comme surgie de nulle part ; puis elle s'accroupit très bas, quasiment assise, et se déploya comme une fleur poussant sur le vide.

Après le piano, arrivèrent les cordes, puis une voix de femme :

C'est l'amour qui fait qu'on aime
C'est l'amour qui fait rêver
C'est l'amour qui veut qu'on s'aime
C'est l'amour qui fait pleurer

Chaque fois que la jeune fille bondissait vers la bordure de la piste, le cœur de Miller manquait de lâcher prise.

Il regarda Sarah Bishop, ses yeux s'emplirent de larmes, et il se demanda si elle aurait un jour la chance de comprendre ce qui s'était passé…

Alors elle les aperçut – l'inspecteur Robert Miller et John Robey, une nouvelle rencontre et un très vieil ami qui la regardait maintenant depuis les cieux.

Elle leva une main pour saluer. Miller lui rendit le geste ; elle s'arrêta un instant, avant de se placer face à l'extérieur de la piste, de glisser à reculons, de piquer son pied gauche et de faire un saut.

La chanson revint, une rengaine plaintive et profonde dont Miller ne comprenait pas les paroles…

Et ceux qui n'ont pas de larmes
Ne pourront jamais aimer
Il faut tant et tant de larmes
Pour avoir le droit d'aimer…

Il attendit encore une heure avant d'appeler la police avec son portable. Pendant toute la séance d'entraînement de Sarah Bishop, il demeura assis aux côtés de Robey. Lorsqu'elle se dirigea vers la sortie de la piste, elle salua de nouveau. Miller fit de même. Ils n'échangèrent aucun mot. Il n'y avait rien à dire.

Les policiers finirent par arriver, suivis de Tom Alexander. Ils enveloppèrent le corps de Robey dans une housse et le déposèrent sur une civière. Miller, toujours assis, les vit s'éloigner à petits pas et serpenter entre les travées et les sièges.

Au bout d'un certain temps, Alexander revint vers lui et lui demanda si tout allait bien, s'il avait besoin d'être raccompagné quelque part.

Miller répondit par la négative. « Tout va bien, Tom... Tout va bien. »

Alexander esquissa un sourire. « Ils vont vous filer une médaille pour avoir attrapé ce type, non ? Un tueur de flic, quand même.

— Bien sûr qu'ils me fileront une médaille... Bien sûr.

— Vous ne voulez vraiment pas que je vous dépose quelque part ? Je peux vous ramener en ville.

— Ça va, j'ai ma voiture. J'aimerais rester seul un moment. »

Alexander acquiesça, compatissant. « À bientôt. »

Miller ne lui répondit que par un sourire las, tout en le regardant faire demi-tour et descendre vers la sortie.

Il ferma les yeux.

Il inspira longuement.

Il voulut prendre l'autoroute et rouler sans s'arrêter. Les autoroutes se ressemblaient toutes. Des lumières blanches s'approchaient de vous, des lumières rouges s'éloignaient. Simplement ça : prendre l'autoroute et rouler, rouler... Peu importe la destination, n'importe où, mais loin d'ici... L'horizon en ligne de mire, aussi loin que l'œil porte, aussi près de l'éternité que possible...

59

Le mardi 21 novembre 2006 au matin, soit dix jours après la mort de Catherine Sheridan et une semaine après l'assassinat de Natasha Joyce, une unité médico-légale emmenée par Greg Reid pénétrait dans un bureau de la 6e Rue dont les fenêtres donnaient directement sur le Judiciary Square. Sous les lattes du plancher, un sac en toile fut découvert, qui contenait une carabine AR-7 légère. Les experts en balistique confirmèrent que le projectile retrouvé dans le crâne du juge Walter Thorne portait les mêmes rainures et plats que les balles de l'AR-7 tirées en laboratoire.

La carabine portait des empreintes digitales. Elles ne correspondaient pas à celles de John Robey.

Bien que la présence d'huile dans la chambre et le long de la culasse indiquât que l'arme n'avait pas été utilisée pendant des années, il fut néanmoins établi qu'elle l'avait été la veille. Un seul coup de feu avait été tiré, depuis un bureau situé au troisième étage. La balle avait traversé la partie gauche de la porte-fenêtre du bureau du juge Thorne, percuté sa tête juste derrière l'oreille et ricoché plusieurs fois dans son cerveau, le tuant sur le coup.

Les experts scientifiques relevèrent les empreintes sur l'arme et les soumirent au fichier informatisé. Elles ne donnèrent rien.

À 10 h 18, un coursier de la FedEx se présenta au bureau du procureur de Washington. La secrétaire signa un reçu pour un paquet de documents d'une épaisseur d'environ 12 cm. Dans les deux heures qui suivirent, le même paquet fut déposé aux bureaux du président de la Cour suprême des États-Unis et de ses huit collègues, des présidents des commissions de la Chambre pour les Affaires étrangères, pour les opérations gouvernementales et pour le renseignement, de dix-huit autres membres du Congrès, de douze sénateurs, des secrétaires d'État à la Défense et à la Justice, du directeur de la NSA, enfin au bureau de presse de la Maison-Blanche. D'autres paquets furent également remis aux rédacteurs en chef du *Washington Post*, de l'*International Herald Tribune*, du *Los Angeles Times*, du *New York Times*, ainsi qu'au domicile personnel des responsables, pour la région de Washington, des sections Opérations extérieures, Production de renseignement et Activités de soutien au sein de la CIA.

On raconta plus tard que le réseau téléphonique sécurisé reliant le triangle fédéral, le Congrès, le Sénat et une bonne partie de la communauté du renseignement tomba en panne à cause d'une surcharge d'appels. L'information ne fut jamais divulguée, jamais confirmée.

À 13 h 18, le corps d'un agent du FBI nommé James Killarney fut découvert sur un parking surplombant G Place, non loin de la gare de l'Union. Manifestement, l'homme s'était suicidé : un seul coup de feu dans la bouche, à travers le palais, un orifice de sortie gros comme le poing et une bonne partie de la cervelle répandue sur le plafond de sa voiture. Après une procédure d'identification standard menée au bureau du coroner, on découvrit que cet homme possédait les mêmes empreintes que celles retrouvées sur la carabine AR-7 qui avait servi à tuer Walter Thorne. Il n'y avait aucune trace de poudre sur les mains de Killarney, rien qui permît d'établir qu'il avait tenu le 38 qui avait mis fin à ses jours ou la carabine qui avait mis fin à ceux de Thorne. Cependant, les policiers disposaient d'éléments confirmant que Killarney avait utilisé l'arme responsable de la mort de Walter Thorne. Ni l'assassinat de Thorne ni le suicide de Killarney ne furent explorés plus avant.

Ce fut Tom Alexander qui téléphona à l'inspecteur Miller. Chez lui.

« Atropine, dit-il.

— Quoi ?

— Il s'est empoisonné avec de l'atropine.

— Qu'est-ce que c'est que ça ?

— Un dérivé de la belladone. Vous connaissez ?

— J'en ai entendu parler, oui.

— Variations sur un même thème… On donne parfois aux soldats un mélange d'atropine et d'une substance nommée obidomixine comme antidote contre les gaz innervants.

— Dites-moi quelque chose, Tom. »

Alexander s'interrompit. Miller décela son hésitation dans ce silence.

« Il a eu mal ?

— Hein ?

— Est-ce qu'il a beaucoup souffert ?

— Il a pris une belle dose, inspecteur… Une très belle dose. Il savait qu'il allait mourir. C'était inéluctable. Son cœur a accéléré… C'est ça, l'effet : ça accélère le rythme cardiaque. Pour faire court, son cœur a dû battre huit ou dix fois plus vite que la normale, avant de lâcher. Je ne peux pas vous dire dans quelle mesure il a souffert… Sans doute, oui, mais je ne sais pas précisément. »

Miller ne dit rien.

« Vous savez pourquoi ça s'appelle comme ça ? demanda Alexander.

— Quoi donc ?

— L'atropine… L'origine du nom.

— Non… Aucune idée

— Le nom vient d'Atropos, une des trois Parques de la mythologie gréco-romaine. Atropos était celle qui décidait de la mort des gens. »

Miller ferma les yeux. Il s'entendait respirer.

« On se revoit bientôt, lui dit Alexander. Je me disais que ça pouvait vous intéresser de savoir… Pour Robey, je veux dire. C'est pour ça que je vous ai appelé.

— Merci, Tom. C'est gentil. »

Sur ce, la ligne coupa.

Miller reposa le combiné.

Mercredi. Fin d'après-midi. Salle de conférences du commissariat n° 2. Lassiter était là, ainsi que le procureur adjoint Cohen. Miller n'avait revu Roth qu'une demi-heure avant la réunion. Ils n'avaient échangé que quelques mots. Pas grand-chose à dire. Miller avait demandé des nouvelles d'Amanda et des enfants. Ils allaient bien. Heureux d'avoir revu leur père et mari revenu au bercail.

« John Robey n'a jamais existé », dit calmement Lassiter.

Miller jeta un coup d'œil vers Nanci Cohen, puis vers Roth.

Lassiter haussa les épaules, tenta un sourire. « Bien sûr qu'il a existé… En chair et en os. »

Il s'interrompit pour regarder le procureur adjoint.

« Ça, répondit-elle, c'est la version officielle. Il a envoyé des documents à tout le gouvernement. Aux membres du Congrès et du Sénat, aux journaux… Et à la Cour suprême des États-Unis..

— Attendez, ne me dites rien, fit Miller. La Cour suprême des États-Unis a interdit aux journaux de parler de cette affaire. »

Cohen ne répondit pas.

« Il va y avoir une enquête du Congrès… commença Lassiter.

— C'est bon, coupa Miller. Pas besoin de me faire un dessin. »

Lassiter et Cohen se murèrent dans le silence.

« Je vais prendre une semaine de vacances. J'aimerais vous demander une semaine de congé, si c'est possible. »

Lassiter acquiesçait. « Bien sûr, oui… Prenez-vous une semaine, et même deux, si vous voulez. »

Sur ce, Miller se leva.

Nanci Cohen l'imita. « Plus le mensonge est gros…

— Plus les gens y croient, compléta Miller avec un sourire

— Qu'est-ce que vous allez faire, maintenant ?

— Quoi donc ? De cette affaire ? De Robey ? » Miller secoua la tête. « Rien du tout… Voilà ce que je vais faire. Ce n'est pas l'envie qui me manque, mais je crois que ça ne vaut pas le coup de sacrifier d'autres vies pour ça.

— Je ne peux qu'être d'accord avec vous sur ce point. » Nanci Cohen posa une main sur son bras. « Reposez-vous bien, d'accord ?

— On va essayer. »

Miller se retourna, ouvrit la porte et s'avança dans le couloir.

« Pas plus que tous ceux qui le connaissaient, dit Miller.

— C'est tellement triste », répondit Sarah Bishop. Ils étaient assis à la même table de la même cantine, dans la salle de sport où ils s'étaient rencontrés la première fois.

Elle lui parut différente. Elle ressemblait à quelqu'un qui avait un passé.

« Il était si jeune… Enfin, je veux dire, il était si… Il avait l'air en forme, quoi.

— Une maladie héréditaire, je crois. Un cœur fragile. Je ne sais pas quoi dire. C'était un homme bien… Et il pensait beaucoup à vous. »

Sarah hocha la tête sans rien dire. Elle baissa les yeux vers l'enveloppe blanche posée sur la table. Dessus, il y avait son nom, élégamment écrit. Un bout de chèque dépassait du coin supérieur.

Miller tira de sa poche une carte de visite. « Il y a trois numéros de téléphone : le commissariat, mon domicile et mon portable. Appelez-moi si vous avez besoin de quoi que ce soit. John m'a demandé de garder un œil sur vous et de m'assurer que tout se passait bien.

— C'est absurde… Pendant toutes ces années où je l'ai connu, je crois qu'on a dû discuter à peine dix fois. Il ne parlait pas beaucoup de lui. Je ne sais même pas ce que mes parents vont penser.

— Vous pourrez leur expliquer que c'était un homme généreux et sans famille, qui voulait vous soutenir sur la route des Jeux olympiques.

— Vous croyez vraiment ça ? Entre nous, je ne vois pas pourquoi il m'a laissé une telle somme d'argent. »

Miller haussa les épaules. « Je ne sais pas… Il ne m'a rien dit. »

Sarah ramassa l'enveloppe. « Vous pourrez m'accompagner ? demanda-t-elle. Vous pourrez venir avec moi et raconter à mes parents ce qui s'est passé ? Ils ne le connaissaient pas, vous savez. Ils vont un peu… flipper, je pense. Ils vont même complètement flipper en découvrant tout ça. »

Miller lui tint la main quelques instants.

« Bien sûr, répondit-il. Je viendrai avec vous. »

Elle sourit, détourna le regard. Quand elle revint vers Miller, il décela dans ses yeux comme une lueur de compréhension, un éclair de lucidité.

Mais l'instant d'après – comme un fantôme – la lueur avait disparu.

« Il est difficile à vivre, expliqua Harriet. Il est difficile à vivre… Mais je crois que le jeu en vaut la chandelle. »

Elle sourit, tendit la main et la referma sur celle de Marilyn Hemmings.

« Vous connaissez des hommes qui ne sont pas comme ça ? répondit Marilyn. Ils représentent tous des investissements à long terme, et sans garantie de retour.

— Prenez Zalman, par exemple. On est mariés depuis cinquante-deux ans et… *Ach*, je ne sais même pas quoi vous dire. Il est comme il est. On fait ce qu'on peut, pas vrai ? »

Miller apparut dans l'encadrement de la porte, en bas de l'escalier. « Qu'est-ce que c'est que ça ? » demanda-t-il.

Marilyn Hemmings haussa le sourcil.

« Vous voyez… Il est tout beau, non ? dit Harriet.

— Qu'est-ce que vous fabriquez ? C'est un complot ou quoi ?

— Bon, ça suffit. » Harriet se leva et s'avança vers lui. « C'est une fille bien, celle-là, lui glissa-t-elle à l'oreille. Il faut vraiment que tu sois un imbécile pour que ça ne marche pas entre vous. »

Miller fit une grimace agacée.

Marilyn Hemmings se leva à son tour et rajusta sa jupe. « Vous êtes prêt ? »

— Il est prêt comme jamais, intervint Harriet. Je vous laisse… Amusez-vous bien. Je ne serai pas là quand vous reviendrez… Si jamais vous revenez.

— Harriet… » l'implora Miller

Marilyn sourit et tendit la main. « Très heureuse d'avoir fait votre connaissance. »

Harriet lui serra la main longuement. « C'est réciproque, ma chère. Maintenant débarrassez-moi le plancher et passez une bonne soirée… J'ai des choses à faire. »

Miller s'avança et tendit le bras pour indiquer la porte à Marilyn Hemmings. Il l'accompagna ensuite jusqu'à sa voiture.

« Ils sont bien, ces gens, dit-elle.

— C'est le moins qu'on puisse dire.

— Elle vous aime beaucoup. »

Miller sourit, déverrouilla la portière côté passager et ouvrit.

Il fit le tour du véhicule et s'installa sur le siège conducteur.

« Où va-t-on, alors ? demanda Marilyn.

— On va dîner, mais je voudrais faire un petit détour avant. Si ça ne vous embête pas, j'aimerais voir quelqu'un. Il y en a pour une petite seconde. »

Marilyn hocha la tête. « Comme vous voulez. »

Ils n'échangèrent pratiquement aucun mot pendant le trajet. Marilyn Hemmings ne voyait aucun inconvénient au silence de Miller ; au contraire, elle trouvait cela agréable. Oui, agréable. Tout à coup, la présence de cet homme lui semblait agréable.

La mort de John Robey était maintenant derrière eux. Au cours des deux semaines qui s'étaient écoulées depuis, d'autres événements avaient eu lieu, des choses du quotidien ; le travail avait repris ses droits et le monde avait continué de tourner sans Miller. Il devait reprendre le boulot incessamment. Il avait trouvé un moment pour respirer, et Marilyn Hemmings ne l'avait pas rappelé, par crainte de le déranger.

C'était donc lui qui lui avait téléphoné le matin même, avec un ton presque impersonnel. Elle ne s'en était pas offusquée.

« Bonjour.

— Pareillement.

— Comment ça va ?

— Bien… Ça va bien. Et vous ? »

Une petite hésitation. « J'ai beaucoup dormi. »

La phrase l'avait fait sourire.

« Je vous appelais… »

Un silence, mais sans la moindre gêne. Comme s'il avait préparé son discours mais le trouvait finalement inapproprié.

« Vous m'appeliez… insista Marilyn.

— Ce soir. Je me demandais si… Enfin, vous voyez ?

— Si j'avais prévu quelque chose ?

— Voilà, oui. Si vous aviez prévu quelque chose.

— Pourquoi ? Vous voudriez sortir, par exemple ?

— Oui, je me disais que ce serait une bonne idée si…

Si vous étiez d'accord pour qu'on aille quelque part, ensemble. »

Elle sourit encore. Elle avait l'impression de se retrouver au lycée et d'entendre un soupirant qui l'invitait au bal de fin d'année.

« Ça me ferait plaisir, Robert.

— Vous voulez venir chez moi ou je passe vous chercher ?

— Chez vous. Donnez-moi votre adresse. »

Elle nota.

« À 19 heures ?

— Dans ces eaux-là.

— Dans ces eaux-là… Un peu plus tard, alors.

— Un peu plus tard, Robert. »

Fin de la discussion.

Il était maintenant assis à côté d'elle, au volant, en train de l'emmener dans un endroit qu'elle ne connaissait pas. Il tourna à gauche, encore à gauche, puis, trois ou quatre rues plus loin, se gara devant une grosse maison en brique à deux étages.

« Vous préférez attendre dans la voiture ou venir avec moi ? demanda-t-il. Je n'en ai pas pour longtemps.

— Je préfère attendre. »

La clé toujours sur le contact, il referma la portière et marcha jusqu'au perron de l'immeuble.

Marilyn actionna la clé pour allumer l'autoradio. Elle tomba sur une station qui passait du jazz. Norah Jones. Quelque chose dans le genre.

Elle regarda Robert Miller monter jusqu'à la porte. Il appuya sur la sonnette, attendit un moment, appuya une deuxième fois.

Une lumière apparut derrière la porte en verre dépoli.

Quelques paroles furent échangées avant que la porte ne s'ouvre. Une femme entre deux âges portait dans ses bras un nourrisson qui ne devait pas avoir plus de 18 mois. Elle parut d'abord étonnée, puis sourit et hocha la tête plusieurs fois avant de se retourner et d'appeler quelqu'un à l'intérieur.

Une fillette de 10 ou 11 ans s'avança, une petite Noire aux cheveux coiffés en deux couettes symétriques. Elle tenait dans ses bras une poupée Polly Petal. Elle tendit la main et serra celle de Miller.

Puis elle disparut à l'intérieur.

Miller prononça encore quelques phrases, tira une enveloppe de sa poche et la donna à la femme. Celle-ci ne disait rien ; elle semblait ne pas savoir quoi dire.

Miller tendit le bras pour caresser la joue du nourrisson, avec beaucoup de douceur, puis il revint vers sa voiture.

La femme le regarda s'en aller depuis le perron.

Miller remonta dans le véhicule, mit le contact et s'en alla.

Marilyn Hemmings se retourna pour jeter un dernier coup d'œil vers la femme qui scrutait la rue en suivant leur voiture jusqu'à ce qu'elle disparaisse au premier tournant.

« Qui est-ce ?

— Elle s'occupe de quelqu'un.

— Qu'est-ce que vous lui avez donné ? De l'argent ?

Miller répondit par un hochement de tête.

« Combien ? »

Il sourit et haussa les épaules. « Peu importe.

— Et la gamine avec les couettes ? Qui est-ce ?

— Une gamine.

— La fille de Natasha Joyce ? »

Miller tourna la tête vers Marilyn Hemmings. « Comment voulez-vous que je sache où est la fille de Natasha Joyce ? C'est confidentiel, ce genre de choses. Les services d'aide à l'enfance et tout le bazar... »

Marilyn Hemmings ne lui répondit pas.

Miller posa de nouveau les yeux sur la route devant lui.

« Vous êtes un homme étrange, Robert Miller.

— Il y a étrange et étrange.

— Oui, évidemment... Vous vous mettez à parler comme Forrest Gump, maintenant.

— La vie, c'est comme une boîte de chocolats... »

Elle agita sa main sur le côté et lui donna une tape sur l'épaule. « Holà ! on arrête tout de suite cette connerie », dit-elle, mais elle riait, ce qui le fit rire à son tour, et tout ce qui venait de se passer avec la petite fille et la femme sur le pas de la porte, avec cet argent que Miller lui avait donné, tout cela n'avait plus d'importance.

Au bout d'un moment, elle lui posa la question : « Vous voulez qu'on parle de ce qui s'est passé ?

— Quoi donc ? Avec Robey ?

— Mais évidemment, avec Robey. »

Miller se fendit d'un sourire. On lisait sur son visage comme une sagesse résignée. « C'est bien tout le problème, Marilyn… Il ne s'est rien passé.

— Mais..

— On arrive bientôt. Italien, ça vous va ? »

Elle hésita avant de répondre. « Oui, italien, ça me va, bien sûr. »

Il se gara un peu après la petite trattoria à l'auvent bordeaux. Par la grande vitrine de devant, Marilyn Hemmings aperçut plusieurs petites tables et des recoins éclairés à la bougie.

Miller lui ouvrit la portière ; au moment de sortir de la voiture, elle leva les yeux vers lui.

« Un jour, peut-être ? » dit-elle.

Il s'arrêta une seconde, tourna le dos et contempla l'horizon. « Je ne sais pas quoi vous dire. J'ai perdu deux semaines de ma vie quelque part et je ne crois pas que je les retrouverai un jour. Tout ça est tellement flou, irréel… Je ne comprends même pas ce qui m'est arrivé. » Il regarda alors par terre puis revint vers elle. « Je suis en vie, reprit-il. Des tas de gens sont morts et, moi, je suis en vie. Je ne sais pas quoi vous dire d'autre, Marilyn. Il s'est passé quelque chose, et puis tout était terminé. Et ils sont nombreux, ceux qui veulent que personne ne sache jamais ce qui est arrivé. Je vais simplement faire de mon mieux pour sauver les meubles.

— Et ça ne vous tracasse pas? De savoir tout ça, ce qui s'est passé avec Robey, les gens assassinés, et de ne pouvoir rien dire? »

Miller ferma les yeux, prit une grande bouffée d'air.

« Aujourd'hui, répondit-il à voix basse. Aujourd'hui, ça ne me tracasse pas. »

Marilyn tendit la main et lui toucha la joue. « J'avais raison à votre sujet. J'ai laissé parler mon intuition et je crois que je ne m'étais pas trompée sur vous. »

Miller lui lança un regard perplexe.

« Brandon Thomas... Il est tombé ou quelqu'un l'a poussé?

— Vous avez eu des doutes là-dessus?

— Honnêtement? Oui, j'ai eu des doutes.

— Dans ce cas, vous me connaissez mal.

— Mais j'ai peut-être une chance de me rattraper, non? »

Miller sourit. « J'espère, oui.

— Allons manger, alors.

— Allons manger. »

Sur ce, il lui ouvrit la porte. Avant de lui emboîter le pas, il regarda brièvement la ligne d'horizon des immeubles qui se découpaient contre le ciel.

Il n'arrivait pas à croire que Robey était mort pour rien. Comme Catherine Sheridan.

Peut-être le reste du monde ne saurait-il jamais la vérité, mais il pensait qu'avec la mort de James Killarney et de Walter Thorne, et la communauté du renseignement qui vacillait en silence sous le poids de ce que Robey lui avait infligé, le monstre avait été, au moins, blessé.

Peut-être, se disait-il, que le monstre livrerait ses secrets et finirait par succomber s'il recevait un dernier coup. Mais cela, en vérité, était une autre guerre, et pour plus tard.

En attendant, le monde était en droit de croire, encore quelque temps, que la mort de Catherine Sheridan n'avait été rien d'autre qu'un simple acte de violence.

R. J. Ellory
dans Le Livre de Poche

Seul le silence   n° 31494

Joseph a douze ans lorsqu'il découvre dans son village de
Géorgie le corps d'une fillette assassinée. Une des premières victimes d'une longue série de crimes. Des années plus tard, Joseph
s'installe à New York. De nouveau, les meurtres d'enfants
se multiplient… Pour exorciser ses démons, Joseph part à la
recherche de ce tueur qui le hante.

Vendetta   n° 31952

La Nouvelle-Orléans, 2006. La fille du gouverneur de Louisiane
est enlevée. Le kidnappeur, Ernesto Perez, se livre aux autorités, mais demande à s'entretenir avec Ray Hartmann, un obscur
fonctionnaire qui travaille à Washington dans une unité de lutte
contre le crime organisé. Perez va, peu à peu, faire l'incroyable
récit de sa vie de tueur à gages au service de la mafia.

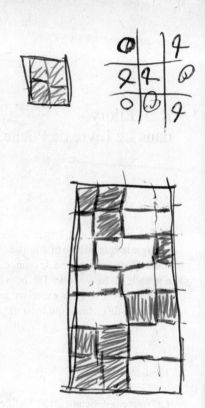

Composition réalisée par DATAGRAFIX

———————

Achevé d'imprimer en avril 2012, en France sur Presse Offset par
Maury-Imprimeur – 45330 Malesherbes
N° d'imprimeur : 172126
Dépôt légal 1re publication : mars 2012
Édition 02 – avril 2012
LIBRAIRIE GÉNÉRALE FRANÇAISE – 31, rue de Fleurus – 75278 Paris Cedex 06